O Bater de suas Asas

SUMA de letras

PAUL HOFFMAN

O Bater de suas Asas

Tradução
Michele Vartuli

SUMA
de letras

EDITORA OBJETIVA LTDA.
Rua Cosme Velho, 103
Rio de Janeiro – RJ – CEP: 22241-090
Tel.: (21) 2199-7824 – Fax: (21) 2199-7825
www.objetiva.com.br

Título original
The Beating of his Wings

Capa
Barbara Estrada sobre design original

Ilustração de capa
Peter Bergting

Revisão
Cristiane Pacanowski
Lilia Zanetti

Editoração eletrônica
Abreu's System Ltda.

PRISA EDIÇÕES

CIP-BRASIL. CATALOGAÇÃO-NA-FONTE
SINDICATO NACIONAL DOS EDITORES DE LIVROS, RJ

H647b

Hoffman, Paul
O bater de suas asas / Paul Hoffman; tradução Michele Vartuli. – 1. ed. – Rio de Janeiro: Objetiva, 2013.
389 p. ; 23 cm.

Tradução de: *The beating of his wings*
ISBN 978-85-8105-189-5

1. Ficção inglesa. I. Vartuli, Michele de Aguiar, 1965-. II. Título.

13-03308 CDD: 823

Os editores de *O bater de suas asas* devem, por ordem da Corte Internacional de Artefatos Arqueológicos, imprimir este parecer na primeira página de cada exemplar.

Moderador Breffni Waltz
38 de Messidor de 143.830 d. R.

Sumário do Parecer Preliminar datado 143.710, Era Republicana, da Corte Internacional de Artefatos Arqueológicos, no tocante à trilogia A Mão Esquerda de Deus e à administração das chamadas "Lixeiras do Paraíso". Essas lixeiras, para extinguir qualquer dúvida, constituem os dez quilômetros quadrados centralizados na primeira descoberta por Paul Fahrenheit de grandes quantidades de papel impresso extremamente antigos. Meu parecer é preliminar e sujeito à revisão em primeira instância pela Corte de Apelação. De qualquer maneira, é necessária uma decisão imediata por causa da alegação da SANU de que documentos e artefatos insubstituíveis estariam se perdendo para sempre, citando o uso cotidiano do conteúdo das Lixeiras do Paraíso como papel higiênico pelas tribos nômades que passam frequentemente pelo sítio.

Os fatos deste caso não estão em discussão e são os seguintes:

Este tema duvidoso tem suas origens no primeiro pouso lunar da capitã Victoria Ung Khanan, há cerca de 30 anos. A capitã Khanan ter descoberto em poucos dias que fora precedida nessa, a maior de todas as façanhas aproximadamente 165.000 anos antes, foi o maior choque, talvez, já desferido sobre a MUmanidade. Os frágeis restos, do que no passado provavelmente foi uma espaçonave ainda mais frágil, revelaram ter-se originado numa civilização terrestre desaparecida sobre a qual nada sabíamos, uma civilização que logo ficou conhecida como o Povo da Bandeira, graças à insígnia com estrelas e listras plantada ao lado do veículo. Como resultado, o Secretariado Arqueológico das Nações Unificadas foi fundado, com o único objetivo de buscar evidências do Povo da Bandeira na própria Terra.

Essa busca provou-se infrutífera até então por um simples motivo: gelo. Rapidamente, a SANU descobriu que há 164.000 anos um período de vasta glaciação, agora conhecido como A Bola de Neve, cobriu quase todo o planeta de gelo, muitas vezes com vários quilômetros de profundidade. O gelo que é capaz de degradar grandes cordilheiras montanhosas tem poucos problemas para remover o verniz até da civilização mais complexa – claramente, apenas uma parte ínfima da população poderia ter sobrevivido. Investigações ulteriores, no entanto, revelaram um período posterior e significativo de aquecimento durante A Bola de Neve, que por 15.000 anos fez o gelo recuar o suficiente e por tempo o bastante para que novas civilizações surgissem, antes que fossem engolidas por uma nova era glacial.

É nesse ponto de sua história frustrante que Paul Fahrenheit emergiu para criticar, para usar um termo brando, seus colegas pela obsessão por soluções tecnológicas para esse grande problema. Ele salientou que tentar encontrar traços tão ínfimos do passado seria como "procurar uma agulha num palheiro" a menos que eles usassem "algum mecanismo" para guiar a tecnologia. O "mecanismo" que provavelmente se provaria mais eficaz em diminuir o palheiro, dizia ele, era o das lendas e contos populares. Ele alegava que eventos históricos reais do passado distante podiam ser cristalizados no que seriam, aparentemente, histórias completamente imaginárias de deuses e monstros e outras narrativas fantásticas. Suas ideias foram rejeitadas sumariamente, e a relação entre Fahrenheit e seus colegas e superiores na SANU assumiu um caráter que só poderia ser chamado de vituperioso.

Como resultado, em Ventoso de 139 da Era Republicana, Paul Fahrenheit abandonou a SANU em busca do que, para seus colegas, era a própria definição de uma caçada inútil – em busca daquilo que o isolado povo Habiru chamava de Lixeiras do Paraíso. Foi ali que o sr. Fahrenheit pensou ser capaz de encontrar a primeira evidência terrestre, se não do Povo da Bandeira, das civilizações que o sucederam pouco depois.

Quatro anos depois do desaparecimento de Paul Fahrenheit, o primeiro volume de uma trilogia ficcional de "fantasia" intitulada A Mão Esquerda de Deus foi publicado. Ele foi amplamente traduzido em 26 idiomas, mas sua recepção, tanto pelo público quanto pela crítica, foi bastante polarizada: profundamente admirado por alguns, mas desagradando muito a outros por seu tom peculiar e sua abordagem bizarra da arte da narrativa. Qual a ligação entre esses dois acontecimentos aparentemente disparatados? Resulta que o sr. Fahrenheit estava por trás da publicação de A Mão Esquerda de Deus e de um volume subsequente, As Últimas Quatro Coisas. Esses livros estavam muito longe de serem obras contemporâneas de fantasia escapista, como foram apresentados. Acontece que a crença de Fahrenheit no potencial das Lixeiras do Paraíso era totalmente acertada. Resumindo uma longa e amarga história, Fahrenheit enfiou na cabeça que não contaria aos seus ex-empregadores sobre a sua descoberta, como era obrigado por lei a fazer. Em vez disso, alegou que a SANU, abre aspas, "sufocaria o brilho inquestionável do que chamei de trilogia A Mão Esquerda de Deus com uma medonha tradução acadêmica realizada por um exército de pedantes interesseiros, que sepultariam sua vitalidade sob uma camada pretensiosa de tédio, notas de rodapé e análises incompreensíveis e obscurantistas".

Fahrenheit ficou obcecado por sua crença de que o mundo contemporâneo deveria confrontar esses três livros de forma parecida com aquela em que seu público original pudesse tê-los confrontado. Em decorrência disso, ele mesmo se incumbiu de traduzi-los (uma façanha intelectual considerável, reconhecida até por seus detratores) e mandar publicá-los com o sobrenome de solteira de sua mãe, como as supracitadas obras de ficção contemporânea. Quem sabe quanto tempo esse curioso subterfúgio poderia ter funcionado, se não fosse pelas indiscrições de esconderijo do sr. Fahrenheit com uma jovem que, no fim das contas, não era tão confiável quanto ele imaginava. Prontamente, ela vendeu a notícia para um tabletjornal, o que por sua vez levou o SANU a solicitar a esta corte uma sanção, pondo as Lixeiras do Paraíso sob seu controle legal?

O Secretariado Arqueológico das Nações Unificadas recebe, conforme o solicitado, o controle completo, ainda que temporário, do sítio.

No entanto, sua ação para impedir a publicação do último "romance" na trilogia A Mão Esquerda de Deus, *O bater de suas asas*, com tradução de Paul Fahrenheit, é repelida. A publicação está autorizada, sob a condição de que o sumário deste parecer seja impresso no início de *O bater de suas asas*. Tanto o SANU quanto Paul Fahrenheit têm permissão de acrescentar um apêndice ao final da obra, onde poderão explicar suas posições.

Ao meu editor, Alex Clarke, que chegou lá primeiro.

Existem três emoções humanas fundamentais: medo, fúria e amor.

J. B. Watson, *Jornal de psicologia experimental*

Quando você tiver 14 anos, a pior coisa que vai acontecer em toda a sua vida provavelmente já terá acontecido.

Louis Bris, *A sabedoria dos crocodilos*

Nicholas, você não conhece sobre as pessoas este primeiro e mais crucial fato: cada uma delas é, e dolorosamente tem consciência disto a todo momento, ainda uma criança. Ir além de uns 8 anos de idade não é permitido a este primata ... E, de fato, essa criança é a única coisa real nelas. É sua humanidade, sua verdadeira individualidade, que não consegue entender por que nasceu e sabe que terá que morrer, ainda que no meio de uma multidão, totalmente sozinha. É isso que carrega todas as qualidades do que é vivo. É o centro de toda a magia e revelação possível. O que não vem dessa criatura, não vale a pena ter. Esse é o paradoxo: o único momento em que a maioria das pessoas se sente viva é quando está sofrendo, quando algo esmaga sua couraça comum e cuidadosa, e a criança nua é atirada ao mundo. Por isso as coisas piores de se suportar são as melhores de se lembrar.

Ted Hughes ao seu filho, Cartas de Ted Hughes

Parte Um

Cheguei sozinho e ando como um estranho.
Não sei quem sou ou o que andei fazendo.

Aurangzeb

1

Um breve relatório sobre Thomas Cale, Lunático. Três conversas no Priorado da Ilha de Chipre.

(N. B.: Esta avaliação aconteceu após o derrame da Madre Superiora Allbright. As anotações que ela arquivou se perderam junto com os detalhes da admissão de Cale. Este relatório precisa ser lido à luz dessa ausência, e portanto não assumo a responsabilidade por qualquer uma das minhas conclusões.)

CARACTERÍSTICAS FÍSICAS

Estatura mediana, anormalmente pálido. Dedo médio da mão esquerda faltando. Fratura em depressão do lado direito do crânio. Queloides severos em cicatriz de ferimento no ombro esquerdo. O paciente diz sentir dor intermitente em todos os ferimentos.

SINTOMAS

Forte ânsia de vômito, geralmente no meio da tarde. Exaustão. Sofre de insônia e, quando consegue dormir, tem pesadelos. Perda de peso.

HISTÓRICO

Thomas Cale não sofre de ilusões histéricas ou qualquer comportamento descontrolado além de seu azedume natural. As ânsias vespertinas o deixam mudo de exaustão, depois das quais ele dorme. À noitinha, já consegue falar, embora seja a mais sarcástica e ofensiva das criaturas. Alega ter sido comprado por seis centavos, de pais dos quais não se lembra, por um padre da Ordem do Redentor Enforcado.

Thomas Cale é sarcástico, o que não é sua característica menos irritante, e sempre tenta deixar seu interlocutor sem saber se está sendo ridicularizado ou, num contraste desagradável, tornar abundantemente claro que está. Ele conta a história de sua criação no Santuário como se estivesse me desafiando a desacreditar das crueldades diárias que suportou. Recuperando-se de um ferimento que causou a mossa em sua cabeça, ele alega — mais uma vez, não é possível dizer com que grau de seriedade — que sua destreza já considerável (em retrospecto, ele parece estar contando vantagem, mas não causa essa impressão no momento da conversa) aumentou significativamente em decorrência do ferimento e que, desde sua recuperação, ele sempre consegue antecipar os movimentos de qualquer oponente. Isso parece sem propósito; declinei sua oferta de uma demonstração. O resto de sua história é tão improvável quanto a mais absurda narrativa infantil de proezas e bravatas. Ele é o pior mentiroso que já conheci.

Sua história, resumidamente: sua vida de privação e treinamento militar no Santuário teve um fim dramático quando, em uma noite, flagrou acidentalmente um Redentor de alto escalão realizando a vivissecção de duas jovens, algum tipo de experimento sagrado para descobrir um meio de neutralizar o poder das mulheres sobre a humanidade. Matando esse Redentor na luta que se seguiu, ele fugiu do Santuário com a jovem sobrevivente e dois de seus amigos, com mais Redentores vingativamente em seu encalço. Escapando de seus perseguidores, o quarteto foi parar em Memphis, onde, de maneira compreensível, Thomas Cale fez muitos inimigos e (um tanto menos plausivelmente) um número de aliados poderosos, incluindo o famigerado IdrisPukke e seu meio-irmão, o chanceler Vipond (essa era a sua patente na época). Apesar dessas vantagens, a natureza violenta de Cale se mostrou numa altercação brutal, mas estranhamente não fatal, com, diz ele, meia dúzia de jovens de Memphis, da qual (é claro) ele emerge triunfante, mas rumo à prisão. Apesar disso, o lorde Vipond mais uma vez interveio misteriosamente em seu benefício, e ele foi enviado para a zona rural com IdrisPukke. A paz da residência de caça dos Materazzi que os dois habitavam foi interrompida pouco depois de sua chegada por uma mulher que tentou assassiná-lo, por razões que ele não conseguiu esclarecer. Seu assassinato foi impedido, não por suas habilidades maravilhosas — ele nadava nu no momento do ataque —, mas por um estranho misterioso, invisível e insolente, que matou a suposta assassina de Cale com uma flechada nas costas. Seu salvador desapareceu em seguida, sem dar explicações ou deixar vestígios.

A essa altura, os padres do Santuário haviam descoberto seu paradeiro aproximado e tentaram desentocá-lo, alega Cale, sequestrando Arbell Materazzi, filha do Doge de Memphis. Quando lhe perguntei por que os Redentores correriam o risco de uma guerra catastrófica com o maior de todos os poderes temporais por causa dele, Cale riu na minha cara e me disse que me revelaria sua magnífica importância no momento certo. Os megalomaníacos, na minha experiência, levam sua importância muito a sério, mas uma característica de Thomas Cale é que seu estado de demência só se torna aparente algumas horas depois que a conversa com ele chega ao fim. Enquanto estamos em sua companhia, até as histórias mais improváveis que ele conta nos fazem suspender a descrença até várias horas mais tarde, quando uma sensação muito irritante se apossa de nós, como se tivéssemos sido convencidos por um charlatão de feira a esvaziar os bolsos em troca de uma garrafa de tônico universal. Já vi isso em lunáticos, embora raramente, pois alguns são tão poderosamente iludidos, e de forma tão estranha, que suas ilusões contagiam até os anomistas mais cautelosos.

Naturalmente, Thomas Cale resgata a linda princesa dos perversos Redentores, mas, é preciso dizer, não por meio da luta justa e nobre em circunstâncias esmagadoramente adversas, e sim apunhalando a maioria de seus oponentes enquanto dormem. Essa é outra característica incomum de sua ilusão — cada um de seus infinitos triunfos, em geral, não é alcançado por heroísmo e nobre audácia, mas mediante esperteza brutal e um pragmatismo impenitente. Em geral, loucos assim se apresentam como galantes e cavalheirescos, mas Thomas Cale admite abertamente que envenena a água dos inimigos com animais podres e mata seus oponentes enquanto dormem. Vale registrar resumidamente um de nossos diálogos a esse respeito.

EU
É algo normal, para você, sempre matar prisioneiros desarmados?

PACIENTE
É mais fácil do que matá-los armados.

EU
Então você acha que vidas humanas são objeto de sarcasmo?

PACIENTE
(NENHUMA RESPOSTA)

EU
Você nunca pensou em ter misericórdia?

PACIENTE
Não, nunca.

EU
Por quê?

PACIENTE
Eles não teriam por mim. Além disso, se eu os libertasse, acabaria tendo que lutar com eles de novo. Aí eu poderia me tornar prisioneiro deles — e me matariam.

EU
E quanto às mulheres e crianças?

PACIENTE
Eu nunca as matei deliberadamente.

EU
Mas já matou?

PACIENTE
Sim. Já matei.

Cale alega ter construído um campo para concentrar as esposas e os filhos da insurreição da Tribo, e que como ele estava em outro lugar, quase todo o acampamento de 5 mil almas morreu de fome e de doenças. Quando lhe perguntei o que sentia por isso, respondeu: "O que eu deveria sentir?"

Voltando à sua história. Depois do resgate brutal da bela Arbell Materazzi (existe alguma princesa sem graça no mundo dos mitômanos?), ele foi promovido, junto com seus dois amigos, para a guarda particular da jovem pela qual ele manteve, durante todas as nossas três longas conversas, um profundo ressentimento pela ingratidão e desdém da mesma por ele. Essa amargura parece influenciá-lo muito devido à sua convicção de que, quando Memphis foi subsequentemente tomada pelos Redentores, isso aconteceu porque os Materazzi deixaram de executar o plano de Cale para derrotá-los. (A propósito, ele insiste que sua habilidade como general é até maior do que seu talento para a selvageria pessoal.)

Normalmente sarcástico e objetivo ao se vangloriar de sua grande ascensão ao poder — mais uma vez, seu tom jocoso faz com que ele não pareça estar se vangloriando, até que refletimos com tranquilidade sobre suas alegações —, ele revelou muita indignação ao narrar a forma como foi capturado pelos Redentores depois da Batalha de Silbury Hill (certamente um desastre para todos nós, Thomas Cale estando envolvido ou não). É possível que ele tenha mesmo tido algum pequeno envolvimento na batalha; sua descrição do que aconteceu ali tem a marca da experiência real. Como qualquer romancista habilidoso, ele consegue usar fatos reais para tornar os imaginados verdadeiramente plausíveis. Por exemplo, ele manifesta com frequência arrependimento por quaisquer ações nobres ou generosas que realizou. Diz que arriscou a vida para salvar um jovem Materazzi que o havia perseguido e atormentado — um ato de santidade do qual diz agora arrepender-se amargamente. Quando perguntei se era sempre ruim agir generosamente com os outros, ele disse que, em sua experiência, pode não ser ruim, mas é sempre uma "catástrofe dos infernos". As pessoas têm o bem em tão alta conta, ele disse, que no final sempre decidem que devem fazê-lo pela espada. Os Redentores tinham o bem em tão alta conta que queriam matar todo mundo, inclusive a si próprios, e começar de novo. Por esse motivo, seu antigo mentor, o Redentor Bosco, quis Cale de volta a qualquer custo. Thomas Cale não é (claro) um menino comum, e sim a manifestação da ira de Deus, destinado a varrer Seu maior erro (você e eu, só para não restar dúvidas) da face da Terra. Já cuidei de comerciantes que pensavam ser grandes generais e homens que mal sabiam escrever que pensavam ser poetas de gênio sem paralelo, mas nunca encontrei uma megalomania dessa magnitude — muito menos numa criança. Quando lhe perguntei há quanto tempo ele tinha essa sensação de importância, ele começou a se contradizer e — de um jeito muito mal-humorado — disse que isso era o que Bosco achava, não o que ele, Thomas Cale, achava. De forma mais circunspecta, perguntei se ele achava que o Redentor Bosco era louco, e ele respondeu que nunca encontrou um Redentor que não fosse. Cale disse que em sua experiência muitas pessoas que pareciam ser certas da cabeça, quando você os via "no sofrimento", eram "completamente fora" — uma expressão que eu jamais ouvira, embora seu significado fosse bastante claro.

Portanto, ele é astuto em evitar as implicações de suas ilusões de grandeza: na opinião de homens grandes e poderosos, ele é forte o suficiente para destruir todo o mundo, mas essa ilusão não é dele, mas deles. Quando lhe perguntei se ele faria algo assim, sua resposta foi extremamente obscena, mas revelando que ele não faria. Quando lhe perguntei se teria a capacidade de fazer algo assim, ele sorriu — não agradavelmente — e disse que já foi responsável pela morte de 10 mil homens num só dia, portanto era uma questão de quantos milhares e quantos dias.

Depois de sua recaptura pelo Redentor Bosco, seu papel de Anjo da Morte do mundo lhe foi explicado em detalhes, e ele foi posto para trabalhar por seu antigo mentor. Esse "Bosco" (o novo papa se chama Bosco, mas Thomas Cale claramente gosta de mentiras grandiosas) é muito odiado por Cale, embora, já que o comprou por seis centavos, o treinou e depois elevou à potência quase de um Deus, Bosco seja, paradoxalmente, a fonte de toda a sua excelência. Quando ressaltei isso, ele alegou já saber, embora eu pudesse perceber que ganhei pontos com sua vaidade (que é imensa).

Então Cale detalhou uma série interminável de batalhas, que me pareciam todas iguais, e nas quais ele foi, naturalmente, sempre vitorioso. Quando perguntei se, durante todos esses sucessos, ele não sofrera nenhum percalço, Cale me olhou como se quisesse cortar minha garganta, e então riu — mas de forma muito estranha, mais como um único latido, como se não conseguisse reprimir algum sentimento muito diferente do bom humor ou até da troça.

Esses numerosos triunfos o levaram, por sua vez, a ser menos vigiado por Bosco do que antes. E depois de mais uma grande batalha, na qual derrotou o maior de todos os oponentes, ele saiu de fininho no caos resultante e foi parar na Leeds Espanhola, onde sofreu o primeiro dos ataques cerebrais que o trouxeram para cá. Testemunhei um desses ataques, e eles são alarmantes de se ver e claramente angustiantes de se suportar — seu corpo todo é tomado por convulsões, como se ele estivesse tentando vomitar, mas não conseguisse. Ele insiste que foi enviado para cá por amigos que têm algum poder e influência na Leeds Espanhola. Inútil dizer que desses benfeitores importantes não há nem sinal. Quando perguntei por que eles não vieram visitá-lo, ele explicou — como se eu fosse idiota — que acabara de chegar em Chipre, e que a distância era grande demais para permitir que viajassem para vê-lo regularmente. Essa grande distância foi uma escolha deliberada para mantê-lo a salvo. "Do quê?", perguntei. "De todos aqueles que me querem morto", ele respondeu.

Ele me contou que chegou com um médico particular e uma carta para a Madre Superiora Allbright. Pressionado, contou que o médico voltou para Leeds Espanhola no dia seguinte, mas passou várias horas com a Madre Superiora antes de partir. Claramente, Thomas Cale deve ter vindo de algum lugar, e pode de fato ter havido algum atendente que chegou com ele trazendo uma carta e falou com a Madre Superiora antes de seu derrame. A perda, como aconteceu, tanto da carta quanto da Madre Superiora deixa esse caso, de certa forma, no limbo onde se diz que as crianças pagãs ficam por toda a eternidade. Dada a natureza violenta de suas fantasias (embora não, justiça seja feita, do seu comportamento), o mais sensato parece ser colocá-lo na ala restrita até que a carta seja encontrada ou a Madre Superiora se recupere o suficiente para nos falar mais dele. No momento, não tenho nem para quem escrever e perguntar a seu respeito. Esta é uma situação insatisfatória, e não é a primeira vez, nem de longe, que arquivos desaparecem. Discutirei um tratamento para aliviar seus sintomas quando o herborista vier, depois de amanhã. Quanto a essas ilusões de grandeza — na minha opinião, seu tratamento vai requerer muitos anos.

Anna Kahane, Anomista

Durante semanas Cale ficou na cama, tentando vomitar e dormindo, tentando vomitar e dormindo. Ele notou, depois de alguns dias, que a porta no fim da enfermaria de 20 camas estava trancada o tempo todo, mas isso era algo a que ele já estava acostumado e, naquelas circunstâncias, pouco importava: ele não estava em condições de ir a lugar nenhum. A comida era adequada, os cuidados, bastante gentis. Ele não gostava de ter que dormir novamente no mesmo quarto com outros homens, mas eram só 19, e todos pareciam viver em seus próprios pesadelos e não se importarem com ele. Cale conseguia ficar quieto e suportar.

2

Os Dois Trevors, Lugavoy e Kovtun, haviam passado uma semana frustrante na Leeds Espanhola, tentando descobrir uma maneira de chegar a Thomas Cale. Eles haviam sido atrapalhados pela natureza cautelosa das investigações que eram obrigados a fazer na cidade de Kitty das Lebres (como ela agora havia se tornado). Não era bom incomodar Kitty, e eles não queriam que este soubesse o que pretendiam. Kitty gostava de uma propina, e a quantia que ele iria exigir para deixar a dupla operar em seus domínios era algo que os dois não estavam ansiosos para pagar. Aquele seria seu último trabalho, e eles não tinham intenção de dividir a recompensa com Kitty das Lebres. As perguntas precisavam ser discretas, o que não é fácil, quando meter medo é o que você geralmente faz, quando ameaças são a sua ferramenta. Os dois estavam considerando usar métodos mais brutais quando a discrição finalmente rendeu frutos. Eles ouviram falar de uma jovem costureira na cidade que estava atraindo uma classe melhor de clientes vangloriando-se, sem mentir, de ter feito o elegante terno usado por Thomas Cale em sua famigerada aparição mal-humorada no banquete real realizado em honra de Arbell Materazzi e seu marido, Conn.

Quem sabe que informação útil Cale poderia ter deixado escapar enquanto ela media o cós de sua calça? Alfaiates eram uma fonte de informação quase tão boa quanto os padres, e mais fáceis de manipular — a alma imortal de um alfaiate não estaria em risco se ele fizesse um pouco de fofoca; não existia um dogma do segredo do vestiário. Mas a jovem costureira não se revelou tão fácil de ameaçar quanto eles esperavam.

— Não sei nada sobre Thomas Cale, e não contaria se soubesse. Vão embora.

Essa resposta significava que uma de duas coisas iria acontecer. Trevor Kovtun havia, àquela altura, se conformado em cometer algum tipo de atrocidade, que se danasse Kitty das Lebres. Ele trancou a porta do ateliê e fechou a persiana da janela aberta. A costureira não perdeu tempo pedindo que parassem. Eles falavam em voz baixa ao trabalhar.

— O que nós precisamos fazer com essa garota me dá náuseas — disse Trevor Lugavoy. Isso era verdade e também um jeito de assustá-la. — Quero muito que este seja nosso último trabalho.

— Não diga isso. Se você disser que é o último, algo vai dar errado.

— Você quer dizer — disse Lugavoy — que algum poder sobrenatural está ouvindo e vai acabar com nossa pretensão?

— Às vezes não faz mal nenhum agir como se Deus existisse. Não desafie a Providência.

Trevor Kovtun andou até a costureira, que àquela altura já percebera que algo horrível entrara em sua vida.

— Você parece bem espertinha... tem seu próprio ateliê, tem a língua comprida.

— Vou chamar o Badiel.

— Tarde demais pra isso agora, querida. Não há Badiels no mundo pra onde estamos prestes a levar você... nenhum defensor ou protetor, ninguém mesmo pra cuidar de você. Aqui na cidade você se achava segura, de maneira geral... mas inteligente como é, deveria saber que há coisas horríveis lá fora.

— Nós somos essas coisas horríveis.

— Sim, somos. Somos um mau sinal.

— Muito mau.

— Vocês vão machucá-lo? — perguntou ela, procurando uma saída.

— Vamos matá-lo — disse Trevor Kovtun. — Mas já prometemos fazê-lo o mais rápido possível. Não haverá crueldade, só a morte. Precisa tomar uma decisão sobre você mesma: viver ou morrer.

Mas que decisão era possível?

Mais tarde, quando saíram da oficina, Kovtun salientou que apenas um ano atrás eles teriam matado a garota de uma forma tão indizivelmente hedionda que qualquer questão de resistência às investigações teria evaporado como a garoa de verão nas grandes planícies salinas de Utah.

— Mas isso era um ano atrás — disse Trevor Lugavoy. — Além disso, sinto que estamos esgotando nossa cota de mortes. É melhor economizar. Cale deve ser nosso último serviço.

— Você diz que a gente deve parar quase desde que começamos, há 20 anos.

— Agora estou falando sério.

— Bem, você não deveria ter me dito nada sobre parar até terminarmos... aí a gente parava e pronto. Agora que começou com essa coisa de este ser nosso último serviço, você o transformou num acontecimento, portanto... Se quiser chamar a atenção de Deus, conte seus planos pra Ele.

— Se existisse um Deus que Se interessasse em meter o nariz, não acha que Ele já teria dado um jeito na gente? Ou Deus intervém na vida dos homens ou não. Não existe um meio-termo.

— Como você sabe? Os desígnios Dele podem ser misteriosos.

Eles eram homens experientes, acostumados com dificuldades, e não ficaram muito surpresos ao descobrir que Cale fora para algum outro lugar, por motivos que a garota não soube esclarecer. Mas conseguiram o nome de Henri Embromador, uma boa descrição de um garoto com uma cicatriz no rosto, e uma garantia convincente de que ele sabia exatamente aonde Cale fora. Três dias de espera se seguiram, fazendo suas perguntas insuspeitas e tentando não chamar a atenção. No final, era preciso apenas ter paciência.

Henri Embromador gostava de gente, mas não do tipo de gente que morava em palácios. Não que ele não tivesse tentado gostar. Num banquete ao qual acompanhara IdrisPukke, perguntaram-lhe, com uma educada falta de atenção, como ele fora parar ali. Achando que estavam interessados em suas extraordinárias experiências, ele contou, começando pela sua vida no Santuário. Mas os detalhes das estranhas privações do lugar não fascinavam, e sim repeliam. Apenas IdrisPukke ouviu quando o prodígio covarde disse:

— Meu Deus, deixam qualquer um entrar hoje em dia. — Mas o comentário seguinte foi ouvido também por Henri Embromador. Ele havia mencionado algo sobre trabalhar nas cozinhas de Memphis e algum grã-fino, querendo que ele escutasse, disse com voz arrastada: "Como é banal!" Henri Embromador captou o tom de desprezo, mas não tinha certeza — não sabia o que aquilo significava, talvez fosse uma expressão de compaixão que ele tivesse entendido mal. Decidindo que estava na hora de ir embora, IdrisPukke alegou não estar se sentindo bem.

— O que significa bananal? — Perguntou Henri Embromador a caminho de casa. IdrisPukke relutava em magoá-lo, mas o garoto precisava saber como eram as coisas com aquela gente.

— Significa corriqueiro — indigno do interesse de uma pessoa culta. Ele tinha a língua presa: a pronúncia é ba-nal.

— Ele não estava sendo legal, então?

— Não.

Ele não falou nada por um minuto.

— Prefiro bananal — disse finalmente. Mas ficou magoado.

Na maior parte do tempo, IdrisPukke estava fora, viajando a negócios para seu irmão. Por isso, Henri Embromador se sentia solitário. Agora percebia que não seria aceito na sociedade da Leeds Espanhola, nem mesmo nos níveis mais baixos (que eram, na verdade, até mais esnobes do que os superiores). Por conta disso, caminhava até as cervejarias locais várias vezes por semana e se sentava num canto, às vezes puxando conversa, mas a maioria delas apenas comendo, bebendo e ouvindo as outras pessoas se divertindo. Estava muito acostumado a usar batina para se sentir à vontade com qualquer outra roupa, e pediu, assim como Cale, que a costureira lhe fizesse algumas em tecido azul com padrão de losangos: pesada, com lapela pontuda e bolsos forrados de feltro, simples, sem bainha. Ficou bem elegante. Mas na Leeds Espanhola um garoto de 15 anos de batina com uma cicatriz recente na bochecha saltava aos olhos. Os Dois Trevors vigiavam Henri Embromador do outro lado do salão, enquanto ele desfrutara uma caneca de Cachorro Louco, uma cerveja que ele apreciava um pouco mais do que Escora-Na-Parede ou Levanta A Perna.

Durante as duas horas seguintes, para irritação dos Dois Trevors, ele tagarelou com vários locais e foi encurralado por meia hora por um bêbado amigável.

— Cê gosta de queijo detido?

— Perdão?

— Cê gosta de queijo detido?

— Oh — disse Henri Embromador, depois de uma pausa. — Se eu gosto de queijo derretido?

— Foioqueu disse.

Mas ele não se importava. Para Henri Embromador, havia algo milagroso na conversa, no burburinho e nas risadas, nos bons momentos comuns que quase todos aproveitavam, exceto um ou outro beberrão mais chorão ou furibundo. Na hora de fechar, ele saiu com os outros, os ébrios e os sóbrios. Os Dois Trevors o seguiam a uma distância cautelosa.

Esses homens experientes nunca eram descuidados, estavam preparados para acontecimentos inesperados como se um deles caísse diariamente nas palmas de suas mãos. Mas, ao se aproximarem de Henri Embromador, sua posição era um pouco mais perigosa do que até esses assassinos cuidadosos haviam previsto.

A reputação de Cale como épico bandoleiro solitário não encobrira a de Henri Embromador exatamente como uma nuvem, e sim como um eclipse total. Para os Dois Trevors, ele era perigoso, sem dúvida — eles conheciam seu passado como acólito dos Redentores e sabiam que só alguém muito resistente aguentaria até os 15 anos —, mas, na verdade, não esperavam uma surpresa ruim, embora estivessem acostumados a surpresas ruins.

Na verdade, dois contra um é uma grande vantagem, especialmente quando anoitece e são os Trevors que querem ter uma conversinha com você. Mas Henri Embromador já havia melhorado suas chances: ele percebeu que estava sendo seguido. Os dois logo perceberam o erro, esconderam-se nas sombras e o chamaram.

— Henri Embromador, é isso? — perguntou Trevor Lugavoy.

Henri Embromador se virou, deixando que vissem o punhal em sua mão direita, e que ele estava ajustando um soco inglês de aspecto cruel na esquerda.

— Nunca ouvi falar. Caiam fora.

— Só queremos conversar.

Henri Embromador abriu a boca de forma surpresa e acolhedora.

— Graças a Deus — exclamou ele —, vocês trazem notícias do meu irmão, Jonathan. — Ele deu um passo adiante. Se Lugavoy, que estava 10 metros à frente de Kovtun, não fosse um assassino de estirpe muito elevada, já estaria com o punhal de Henri Embromador enterrado no peito. Infelizmente para Henri Embromador, Lugavoy recuou instantaneamente, alarmado pela esquisitice do garoto, quando este avançou e atacou. O truque que dera origem ao apelido de Henri Embromador — a repentina pergunta ou resposta incompreensível com o objetivo de distrair — falhara, ainda que por pouco. Agora eles estavam alertas, e as chances estavam novamente a favor dos dois.

— Queremos falar com Thomas Cale.

— Também nunca ouvi falar dele.

Henri Embromador recuou. Os Dois Trevors se separaram e avançaram — Lugavoy daria o primeiro golpe, Kovtun, o segundo. Não seriam mais do que quatro golpes.

— Onde ele está, o seu amigo?

— Nem sei do que você está falando, cara.

— Apenas conte e iremos embora.

— Chegue um pouco mais perto que eu cochicho no seu ouvido.

Os Dois Trevors não o matariam imediatamente, é claro. Os sete centímetros do punhal, enfiados logo acima da primeira costela, tirariam as forças do garoto pelo tempo suficiente para conseguir algumas respostas. Nunca antes em sua vida e nunca mais depois disso Henri Embromador foi salvo — mas naquela noite ele foi. No quase silêncio das manobras de luta do trio, ouviu-se um estalo alto de trás dos dois homens que avançavam. Os três reconheceram o som da trava de uma besta super-retesada.

— Olá, Trevors — disse uma voz alegre vinda de algum lugar no escuro.

Houve um momento de silêncio.

— É você, Cadbury?

— Ah, sou eu mesmo, Trevor.

— Você não iria atirar em alguém pelas costas.

— Ah, mas eu atiro mesmo.

Porém, aquele não era exatamente o resgate no último instante tão adorado por escritores de folhetins, contadores de histórias e seu ingênuo público.

Na verdade, Cadbury não fazia ideia de quem fosse o jovem com o traje peculiar. Até onde ele sabia, poderia ser alguém que merecesse totalmente o fim que os Dois Trevors estavam para lhe dar — em geral, as pessoas que aqueles dois eram pagos para assassinar mereciam. Ele não estava vigiando Henri, e sim, somente por assim dizer, vigiando os Dois Trevors.

Eles haviam mudado de ideia a respeito de Kitty após falarem com a costureira; não era mais plausível imaginar que ele não ficaria sabendo da presença dos dois. Por isso observaram as formalidades, lhe fazendo uma visita e, ainda que se recusassem a dizer o que estavam fazendo na Leeds Espanhola, asseguraram Kitty de que não era nada que entrasse em conflito com os interesses dele. Como este salientou para Cadbury mais tarde, quem eram aqueles dois assassinos para saberem o que conflitava ou não com a miríade de preocupações de Kitty das Lebres? Kitty os convidou a ficar pelo tempo que desejassem. Os Dois Trevors responderam que quase certamente já teriam ido embora na segunda-feira seguinte. O resultado foi que, com considerável despesa e alguma dificuldade, Cadbury estava de olho neles, não a coisa mais fácil de se fazer. O motivo de ele estar ali em pessoa era que seus espiões vigilantes os perderam de vista por algumas horas e Cadbury ficara nervoso.

— E agora? — perguntou Trevor Lugavoy.

— Agora? Agora vocês caem fora, como o jovem disse. E quero dizer fora da Leeds Espanhola. Façam uma peregrinação para implorar perdão pelo seu monte de pecados. Ouvi dizer que o tempo em Lourdes está particularmente horrível nesta época do ano.

E foi isso. Os Dois Trevors passaram para o lado do muro em frente a Henri Embromador, mas antes de sumirem na escuridão, Lugavoy acenou para ele.

— A gente se vê.

— Sorte sua, velho — falou Henri Embromador —, esse cara ter chegado.

E os dois se foram.

— Por aqui — indicou Cadbury. Quando Henri Embromador ficou atrás dele, Cadbury soltou a corda super-retesada, e com um enorme TWANG! a seta disparou para a escuridão, ricocheteando várias vezes nos muros do beco estreito. Enquanto Henri Embromador e seu não-exatamente-salvador apertavam o passo na estrada, uma voz distante, levemente ofendida, gritou para eles:

— Cuidado, Cadbury, você podia ter furado o olho de alguém.

Foi uma infelicidade Cadbury e Henri Embromador terem se conhecido em tais circunstâncias. Este último não era bobo e estava ficando cada vez menos bobo — mas quando alguém salva a sua vida, somente os mais disciplinados não ficam agradecidos. E ele ainda era, no fim das contas, apenas um garoto.

Henri Embromador aceitou de bom grado a oferta que Cadburry fez de permanecer com ele a noite toda. Ele precisava muito das várias bebidas que lhe ofereceram, além das que já havia tomado. Não foi surpresa, então, ele revelar para Cadbury muito mais do que deveria. Quando não estava matando ou empreendendo negócios duvidosos a mando de Kitty das Lebres, Cadbury era uma companhia amigável e divertida, e tão capaz e desejoso de afeição e amizade quanto qualquer outra pessoa. Em resumo, ele rapidamente desenvolveu uma predileção por Henri Embromador, e não como a que IdrisPukke nutria por Cale, que era particularmente difícil de se entender. Tinha até o sinal da verdadeira amizade, se por isso se entende a disposição que amigos têm de deixar de lado seus interesses em benefício dos interesses do outro. Cadbury decidiu que seria melhor se Henri Embromador não chamasse a atenção de Kitty das Lebres de qualquer forma mais distinta do que já havia chamado (como um parente sem importância de Thomas Cale). Kitty era especialista em não deixar você perceber o que ele sabia ou deixava de saber.

— Eles são a elite dos assassinos — respondeu Cadbury às perguntas feitas por Henri Embromador. — Os Dois Trevors abateram William o Calado à luz do dia, cercados por cem guarda-costas; envenenaram as lampreias de Cleópatra, embora ela tivesse três provadores de alimentos. Quando soube o que fizeram com ela, o Grande Snopes ficou com tanto medo que passou a não comer nada que ele mesmo não tivesse colhido, mas uma noite os dois lambuzaram todas as maçãs do seu pomar, usando um estranho aparelho que eles mesmos inventaram. Eles não deixam sobreviventes. Seja quem for que Cale contrariou, é alguém que tem dinheiro, e muito.

— É melhor eu desaparecer.

— Bem, se você puder sumir em pleno ar, fique à vontade. Mas se não consegue evaporar, é melhor ficar onde está. Nem mesmo os Dois Trevors ignorariam as instruções de Kitty das Lebres para ficar longe da Leeds Espanhola.

— Pensei que eles conseguissem matar qualquer pessoa?

— E podem. Mas Kitty não é qualquer pessoa. Além disso, ninguém pagou aqueles dois para correr um risco desse tamanho. Eles vão fazer vista grossa. Apenas fique na moita na próxima semana, até eu me certificar de que eles foram mesmo embora.

3

Era o meio da manhã, e Cale estava esperando enlouquecer de novo. Era uma sensação parecida com a que surge antes de colocar os bofes para fora por causa dos venenos de um alimento tóxico; a sensação de uma criatura horrível, quase viva, ganhando forças nas tripas. Ela precisa sair, mas fará isso no tempo dela, não no seu, e a espera é pior do que o vômito. Uma tempestade estava a caminho, habitada por demônios: Legião, Pyro, Martini, Leonard, Nanny Powler e Barão Queimado, todos eles tagarelando e gritando na pobre barriguinha de Cale.

Com o rosto virado para a parede, os joelhos encostados no peito, esperando aquilo terminar, Cale sentiu um forte empurrão nas costas. Ele se virou.

— Você está na minha cama.

Quem falava era um jovem alto cujas roupas pareciam preenchidas não por carne, mas por grandes batatas de formato irregular. Apesar de todos aqueles calombos, parecia forte de verdade.

— Quê?

— Você está na minha cama. Sai daí.

— Essa é minha cama. Estou dormindo aqui há semanas.

— Mas eu quero. Por isso agora é minha. Entendeu?

De fato, Cale entendia. Os dias de invencibilidade haviam terminado, até onde era possível prever. Ele pegou seus poucos pertences, guardou-os em seu saco, foi até um canto desocupado e teve seu ataque tão silenciosamente quanto pôde.

Na Leeds Espanhola, Henri Embromador estava voltando para seu quarto no castelo, protegido até o portão por quatro dos capangas de Cadbury, e com uma promessa de ajuda financeira do seu novo amigo na questão dos Purgadores. Henri Embromador detestava todos esses 150 ex-Redentores que Cale salvara da lâmina de Brzca — pelo simples motivo de que, aos seus olhos, eles continuavam sendo Redentores. Mas eram valiosos porque agora seguiriam Cale a qualquer parte, pela crença totalmente equivocada de que ele era seu grande líder, e tão devotado a eles quanto eles eram a Cale. O jovem os usara para lutar ao cruzar a fronteira suíça, pretendendo abandoná-los assim que ele e Henri Embromador estivessem a salvo. Mas Cale logo percebeu que controlar tantos soldados treinados e dispostos a morrer por ele seria extremamente útil nos tempos violentos que viriam, por mais que detestasse sua presença. Só havia um ponto fraco no plano de Cale: como pagar a quantia absurda que custava manter tantos homens ociosos até que a guerra esperada começasse — e que, claro, poderia não começar. Sem Cale, Henri Embromador precisava desesperadamente de dinheiro para si próprio e para manter os Purgadores. Também precisava de um amigo, e encontrara ambas as coisas em Cadbury, que achava útil ter alguém que lhe devesse, um recurso a ser utilizado naqueles tempos incertos. Estava claro que Henri Embromador não queria discutir o paradeiro de Cale e dizia apenas que este estava doente, mas que voltaria em alguns meses. Cadbury era esperto demais para despertar as suspeitas de Henri Embromador, o pressionando. Em vez de fazer perguntas, ele oferecia ajuda — uma estratégia vitoriosa em qualquer circunstância.

Agora Kitty tinha influência sobre alguém que conhecia e entendia os Purgadores e que possuía informações sobre o paradeiro de Thomas Cale. Essas informações poderiam se tornar importantes, no momento certo, e agora ele sabia onde obtê-las, caso se mostrassem necessárias. Kitty das Lebres era uma pessoa inteligente, mas também de instinto considerável. Quando o assunto era Cale, ele compartilhava a crença de Bosco em suas possibilidades notáveis, ainda que não em sua origem sobrenatural; mas a notícia da doença de Cale, ainda que vaga, significava que os planos de Kitty para ele precisariam ser revistos. Por outro lado, talvez não precisassem. Isso dependeria do tipo de doença em questão. Tempos desesperados e perigosos estavam chegando, e Kitty das Lebres precisava se preparar para eles. A potencial serventia de Thomas Cale era grande demais para permitir que a questão de sua doença atual, da qual provavelmente se recuperaria por sua idade, diminuísse por completo o interesse de Kitty pelo destino do rapaz.

Kitty tinha a reputação de calcar a mão em todas as balanças e furar todos os bolos, mas naqueles dias a maior parte de sua concentração se voltava para o que era pesado e assado no Castelo de Leeds, a grande fortaleza que arranhava o céu acima da cidade. A fama da construção de não ter precisado ser defendida em mais de 400 anos agora estava ameaçada, e o rei Zog da Suíça e Albânia chegara para discutir sua defesa com seu chanceler, Bose Ikard, um homem de quem ele não gostava (seu bisavô fora comerciante), mas que sabia que não podia dispensar. Dizia-se de Zog que ele era sábio sobre tudo, menos sobre as coisas importantes — um insulto pior do que parecia, pois sua sabedoria limitava-se à habilidade de pôr seus favoritos uns contra os outros, descumprir promessas, e um talento para aceitar propinas por intermédio de seus lacaios. Quando eles eram flagrados, no entanto, Kitty fazia um grande espetáculo os punindo e manifestando completo ultraje com seus crimes, que era geralmente mais famoso por sua honestidade do que por qualquer outra coisa.

Todos os grã-finos poderosos, os quem-é-quem, os esnobes que se reuniram no Castelo de Leeds para discutir a possibilidade de ficar fora da guerra iminente estavam ansiosos para se tornarem favoritos, se já não o eram, e continuar a sê-lo quando eram. Apesar disso, havia muitos que não gostavam de Zog por uma questão de princípio. Eles estavam particularmente agitados na grande reunião porque, a caminho de Leeds, ele metera seu nariz real numa investigação municipal, numa aldeia (ele era incansavelmente enxerido no que dizia respeito a assuntos menores de Estado), sobre a acusação de que um recém-chegado refugiado de guerra fosse, na verdade, um espião Redentor. Convencido da culpa do homem, Zog interrompera os trabalhos e ordenara sua execução. Isso perturbou muitos dos grandes e nobres porque lhes revelou a natureza frágil das leis que os protegiam: se, como um deles dissera, um homem pode ser enforcado antes de ser julgado, quanto vai demorar para um homem ser enforcado antes de cometer qualquer crime? Além disso, mesmo se ele fosse culpado, era uma tolice óbvia espezinhar os Redentores enforcando um deles enquanto ainda havia, como eles esperavam, uma chance de paz. As ações do monarca eram tanto ilegais quanto imprudentemente provocadoras.

Zog era medroso, e as notícias trazidas por seus informantes de que um famigerado par de assassinos havia sido visto na cidade o enervaram a tal ponto que ele havia aparecido no grande salão de reuniões usando um paletó reforçado com couro, como proteção contra o ataque de um punhal. Dizia-se que seu medo de punhais vinha do fato de o amante de sua mãe ter sido apunhalado na presença dela enquanto estava grávida de Zog, o que também era o motivo das suas pernas tortas. Essa peculiar fraqueza também o fazia apoiar-se nos ombros de seu principal favorito, na época o mui desprezado lorde Harwood.

Provavelmente estavam presentes 50 aristocratas da sociedade suíça, a maioria sorrindo com um impensado ar servil, como as pessoas costumam fazer na presença da realeza. O restante deles olhava para seu monarca com muito ódio e desconfiança enquanto ele arrastava os pés pelo corredor do grande salão, apoiando-se em Harwood, com a mão esquerda apalpando perto da virilha do seu favorito, um hábito que aumentava em intensidade sempre que ele estava nervoso. A língua de Zog era grande demais para sua boca, o que o fazia babar pavorosamente nas refeições, de acordo com IdrisPukke — que em épocas melhores havia jantado frequentemente com ele. Descuidado com suas roupas, era possível saber que pratos ele tinha devorado nos últimos sete dias, dizia IdrisPukke, apenas olhando de perto a parte da frente de sua camisa.

Depois de muitas bajulações reais, Bose Ikard começou um discurso de quarenta minutos no qual apresentou a situação atual relativa às intenções dos Redentores, concluindo que, ainda que a possibilidade da guerra não pudesse ser descartada, havia fortes motivos para acreditar que a neutralidade suíça pudesse ser mantida. Então, como um mágico tirando não apenas um coelho, mas uma girafa de dentro de uma cartola, ele sacou um pedaço de papel do bolso interno e o agitou diante da reunião.

— Encontrei pessoalmente o papa Bosco há dois dias, a apenas 16 quilômetros da nossa fronteira, e aqui está um papel que traz seu nome junto com o meu. — Houve uma exclamação de espanto e até um único grito de antecipação. Mas nos rostos de Vipond e IdrisPukke só havia desânimo. — Gostaria de lê-lo para os senhores. "Nós, o pontífice dos verdadeiros fiéis e o chanceler de todos os suíços por consentimento do rei da Suíça, concordamos em reconhecer que a paz entre nós é de suma importância." — Houve uma sonora explosão de aplausos, alguns deles espontâneos. — "E..." — mais aplausos — "e que estamos de acordo em nunca mais declarar guerra um ao outro."

Gritos de grande alívio subiram até o teto e ecoaram de volta.

— Muito bem, muito bem! — gritou alguém. — Muito bem, muito bem!

— "Resolvemos que a discussão e o diálogo serão os meios que usaremos para lidar com quaisquer questões pendentes relativas às nossas duas nações e dirimir todas as possíveis fontes de conflito, para manter a paz."

Ouviram-se hip-hip-hurras para o chanceler Ikard, e um coro geral de "Porque Ele É um Bom Companheiro".

Durante a barulheira, IdrisPukke conseguiu balbuciar no ouvido de Vipond:

— Você precisa dizer alguma coisa.

— Agora não é hora — respondeu Vipond.

— Não haverá outra hora. Enrole.

Vipond se levantou.

— Estou preparado para dizer sem sombra de hesitação ou dúvida que o papa Bosco tem outro papel — disse Vipond. — E que nesse papel ele traçou o plano geral para o ataque da Suíça e a destruição do seu rei.

Houve o distinto murmúrio de pessoas que ouviram algo que não gostaram.

— Estamos negociando um tratado de paz aceitável — disse Bose Ikard — com um inimigo que sabemos ser violento e estar bem preparado. Seria de se espantar somente se o papa Bosco não tivesse esse plano.

O murmúrio, agora, era de aprovação sofisticada: era reconfortante ter um realista de cabeça tão fria negociando a paz. Um homem assim não deixaria que o otimismo lhe desse uma rasteira. Mais tarde, quando a reunião chegou ao fim e os presentes saíam em fila, ruminando o que ouviram, o rei Zog se virou para o seu chanceler. Ikard esperava, com bons motivos, ser congratulado por lidar de forma tão habilidosa com um oponente como o lorde Vipond.

— Quem era aquele jovem atraente ao lado de Vipond? — disse Zog, com a língua tremulando na boca

— Oh! — houve uma pausa. — Era Conn Materazzi, o marido da duquesa Arbell.

— É mesmo? — indagou Zog, ofegante. — E que tipo de Materazzi ele é? — O que ele queria saber era se Conn era um agregado do clã ou se era um descendente direto de William Materazzi, conhecido como o Conquistador ou o Canalha, conforme fosse citado por quem tivesse dele recebido terras ou tido as suas confiscadas por ele.

— É um descendente direto, acredito.

Zog emitiu um suspiro úmido de satisfação. Lorde Harwood lançou um olhar de trovejante ressentimento. O favorito real, que assinava suas cartas para o rei como "Davy, o escravo e cão mais humilde de Vossa Majestade", agora tinha um rival.

Um cavalariço, um tanto hesitante, aproximou-se do rei.

— Majestade, o povo clama para vê-lo no grande terraço. — Essa plataforma impressionante, conhecida como El Balcon de los Sicofantes, havia sido construída 200 anos antes para exibir a adorada noiva espanhola do rei Henrique XI. Abria-se para uma imensa praça, na qual mais de 200 mil pessoas podiam se reunir para aclamar o monarca.

Zog suspirou.

— O povo não vai ficar satisfeito enquanto eu não baixar as calças e mostrar a bunda.

Ele se aproximou da grande janela e do terraço além dela, dizendo casualmente para Bose Ikard:

— Mande aquela beleza dos Materazzi vir me ver.

— Muitas pessoas, incluindo o papa Bosco, interpretariam mal um encontro pessoal seu com a duquesa Arbell.

O rei Zog da Suíça e Albânia parou e se virou para seu chanceler.

— De fato, seria um erro. Mas você não vai ensinar o padre a rezar missa, meu cachorrinho. Quem foi que falou em Arbell Materazzi?

* * *

Conn mal havia voltado aos aposentos da esposa quando o lacaio mais importante de Zog, lorde Keeper St. John Fawsley, chegou para ordenar que ele visitasse o rei dali a dois dias, às 15 horas. O lorde Keeper era chamado pelos príncipes e princesas mais velhos de lorde Tripa Rastejante Fawsley — como a realeza de qualquer país, eles exigiam subserviência e também a desprezavam. Dizia-se que, ao ouvir o apelido, o lorde St. John se deleitou com tanta atenção.

— O que foi isso? — perguntou-se um perplexo Conn depois que ele saiu. — O rei ficava olhando na minha direção e revirando os olhos com um desprezo tão grande que quase me levantei e fui embora. Agora ele quer ter uma audiência a sós comigo. Vou recusar, a não ser que ele convide Arbell.

— Não, não vai — disse Vipond. — Você vai e vai gostar. Veja o que ele quer.

— Acho que é óbvio. Você viu o quanto ele apalpava a virilha de Davy Harwood? Eu mal aguentava olhar.

— Não se exalte, milorde — disse IdrisPukke. — O rei sofreu um trauma severo quando ainda era um feto, por isso é um nobre muito peculiar. Mas se está louco por você, é a melhor notícia que temos em muito tempo.

— Como assim? Louco por mim?

— Você sabe — provocou IdrisPukke —, se ele vê você de forma extremamente favorável.

— Não dê ouvidos a ele — disse Vipond. — O rei é excêntrico, ou pelo menos, por ele ser rei, a gente concorda em não o chamar de outra coisa. A não ser por um certo excesso de familiaridade com a sua pessoa, você não tem nada a temer. Mas vai precisar suportar a esquisitice dele, pelos motivos a que meu irmão se referiu.

— Pensei que eu não devesse dar ouvidos a IdrisPukke.

— Então dê ouvidos a mim. Esta é a sua chance de nos fazer um bem enorme. E Deus sabe que estamos precisando.

Arbell, ainda rechonchuda, mas pálida depois do nascimento do seu filho, ergueu o braço do sofá e pegou a mão de Conn.

— Veja o que ele quer, querido, e sei que você vai usar seu bom senso.

4

Kevin Meatyard podia parecer um saco de batatas com um nabo grande em cima, mas era muito esperto, e sua maldade era de um tipo sutil. Em outras circunstâncias — talvez se ele tivesse contado com uma mãe amorosa e professores sábios — poderia ter sido uma pessoa notável. Mas provavelmente não. Matar um bebê no berço, claro, é algo que jamais deveria ser feito — a não ser no caso de Kevin Meatyard.

Todos nós sabemos que não devemos julgar as pessoas pela aparência, assim como também sabemos que em geral é isso o que fazemos. E essa nossa fraqueza torna esta lamentável realidade um prognóstico que realiza a si mesmo: os belos são adorados desde que nascem e se tornam superficiais pela falta de esforço deles exigido na vida; os feios são rejeitados e ficam revoltados. As pessoas rejeitavam Kevin Meatyard pelos motivos errados, mas havia algumas, não tão superficiais, que estavam dispostas a lhe mostrar alguma compaixão humana, apesar de sua aparência e caráter sem atrativos. Uma dessas pessoas gentis era o enfermeiro-chefe Gromek. Se ele nunca tivesse conhecido Meatyard nem sentido pena dele, teria continuado sendo o homem brandamente bom que fora toda a vida: inofensivo, competente, agradável o suficiente, um pouco vazio.

Notando a mente aberta de Gromek a seu respeito, Meatyard começou a se tornar útil, preparando xícaras de chá, limpando mesas, levando e trazendo, ouvindo e observando qualquer ocasião para aliviar o fardo considerável do homem. Gromek começou a perceber que a hora das refeições, sempre um momento no qual os pacientes mais problemáticos causavam confusão, ficava muito mais calma quando Kevin Meatyard estava ajudando a servir. Como ele iria saber que Meatyard estava endereçando ameaças a seus colegas lunáticos ("Vou arrancar sua cabeça e tirar suas bolas pelo buraco") e cumprindo-as à noite, com muito sucesso, usando um pedaço de barbante de 30 centímetros e uma pedra minúscula? Qualquer dor que você já tenha sentido provavelmente não se compara à que Meatyard infligia pondo uma pedrinha entre os dois dedos menores do pé, enrolando o barbante neles e apertando. Adorava fazer isso com o Pequeno Brian na cama ao lado daquela que ele mandara Thomas Cale ocupar.

Algo espertalhão e astuto em Meatyard o levava a provocar Cale, fazendo-o testemunhar a crueldade com os mais fracos — e não havia ninguém mais fraco do que o Pequeno Brian. Além do prazer mais boçal de causar dor, Meatyard gostava que os gritos do garoto alcançassem Cale quando este jazia impassível, deitado de costas, não se virando nem para evitar, nem para olhar o horror que acontecia ao seu lado. Meatyard podia sentir o ponto fraco de Cale: uma certa compaixão pelos mais frágeis. Fora essa fraqueza que o obrigara, ainda que relutantemente, a matar o Redentor Picarbo quando ele estava para massacrar a lindamente gordinha Riba.

Mas Cale era forte, naquela época; agora estava fraco e não tinha escolha senão suportar a agonia do Pequeno Brian. O problema era que ele não conseguia suportar. O que dava tanto prazer a Meatyard era poder sentir a alma de Cale desmoronando diante de seus olhos. O apetite mais rústico de Meatyard era saciado regularmente, e aquele lugar era como uma confeitaria para um menino guloso, mas ele também gostava de apreciar o sofrimento mais sutil obtido pela ciência de que a alma de Cale estava se esvaindo.

Logo, quando Meatyard foi encarregado de distribuir os medicamentos, até aquela atividade, a pior oportunidade para calamidade e tensão, tornou-se silenciosa e ordeira.

À noite, na saleta do enfermeiro-chefe Gromek, anexa à enfermaria, Meatyard conversava com ele e ouvia cuidadosamente todas as suas mazelas. Por dias e semanas Meatyard nutriu todos os muitos ressentimentos do enfermeiro com a vida, e um em particular. Dizer que o enfermeiro Gromek era feio seria cruel, mas não falso. Em parte, era isso que aproximava os dois: Gromek sentia pena de Meatyard por ele ter uma aparência tão repugnante. Essa pena era uma porta de entrada para Meatyard, e logo ele encontrou a fraqueza que se escondia por baixo de todas as boas qualidades de Gromek e governava todas as outras: ele era um homem amável, mas que não era amado por ninguém. Gostava de mulheres, mas elas não gostavam dele. Quando Meatyard se deu conta disso, sua argúcia se mostrou no ápice. Ele podia sentir a decepção e o ressentimento na aparente resignação de Gromek com o fato de que ninguém o amava. Conseguia perceber o quanto, na verdade, ele estava furioso.

— É errado — disse Meatyard, tomando chá e comendo torradas na saleta — as mulheres não ligarem que você as olhe quando o acham bonito. Mas se não gostam da sua cara, de repente você vira um tarado... um nojento, quem você pensa que é pra ficar me olhando? Elas deixam os peitos à mostra pra qualquer um... menos pra mim ou pra você. Não somos dignos de olhar. — Depois de algumas semanas disso, Gromek estava explodindo de raiva, e tão sob o controle de Meatyard quanto uma bola. Logo Gromek, um homem farto de aguentar merda de garotas, estava trazendo mulheres da enfermaria ao lado. Acostumadas a serem tratadas com delicadeza no Priorado, essas mulheres confiavam nele e não eram vigiadas à noite porque estavam entre os casos mais suaves de insanidade. Meatyard persuadiu Gromek a trazê-las para sua saleta, sabendo que podia manter de bico calado os pacientes que ouviam tudo lá fora. Além disso, muitas vezes os pacientes eram loucos delirantes e cheios de histórias dos terrores do inferno que aconteciam somente em suas mentes torturadas. Agora Meatyard os fazia experimentar esses terrores na realidade. Aonde quer que fosse, ele criava um inferno, mas dentro daquele inferno, fazia um paraíso para si. Não havia nenhum desespero revoltante em ser Kevin Meatyard, nenhum tormento em sua alma se vingando de um mundo cruel. Era o êxtase: causar dor, atormentar almas, estuprar. Ele se deliciava em ser assim.

À noite, os lunáticos ouviam as garotas gemendo baixinho — Meatyard gostava que chorassem um pouco, mas não podiam fazer barulho. Havia ocasionais gritos altos de dor e, em resposta, ganidos de algum louco na enfermaria, pensando que fossem seus próprios demônios que vinham finalmente puxá-lo para baixo. De vez em quando, Meatyard saía para fumar, balançando alegremente a pedrinha amarrada no barbante, e conversava com Cale, deitado na cama, olhando para as vigas do teto e o breu lá fora.

— Você toma cuidado — dizia Meatyard para Cale. — E se não puder tomar cuidado, tome tudo o que puder tomar.

Foi durante um desses intervalos, quando Kevin Meatyard, depois de deixar Gromek em sua saleta para aproveitar sua vez sozinho com uma garota, baforava um cachimbo e privilegiava Cale com suas opiniões, que os acontecimentos sofreram uma reviravolta inesperada.

— Você precisa ter a atitude certa — dizia Meatyard a Cale, que, como de costume, fitava o vácuo acima deles. — Precisa aproveitar as coisas ao máximo. Não adianta ficar deitado, sentindo pena de si mesmo. Esse é o seu problema. Você precisa se mexer, como eu. Se não fizer isso, não está no jogo. Este mundo é uma bosta... mas você precisa seguir em frente, como eu, está vendo? — Ele não esperava uma resposta, e tampouco a recebeu.

— O que você quer, Gibson?

Essa pergunta foi endereçada a um homem de 40 e tantos anos que havia aparecido ao lado de Meatyard. O homem não respondeu, mas o apunhalou no peito com uma lâmina com cerca de 25 centímetros de comprimento. Meatyard se encolheu para um lado, em agonia, enquanto Gibson tentava arrancar a lâmina, quebrando-a no peito de Meatyard ao tentar. Era uma faca de cozinha barata que um dos homens da enfermaria encontrou enferrujando atrás de uma velha despensa no refeitório. Horrorizado e estupefato, Meatyard caiu, e num momento meia dúzia de lunáticos estavam em cima dele, segurando-o no chão. Cale, enquanto isso, rolou da cama e se afastou da briga, trêmulo e fraco como um gatinho por causa da visita recente de Nanny Powler, Martini e o resto de seus demônios. Ele observou enquanto outros quatro homens se acotovelaram no anexo e arrastaram o enfermeiro-chefe Gromeck para o espaço principal da enfermaria. Ele lutava com muita dificuldade, atrapalhado pela calça em volta dos tornozelos, da qual estava tentando se livrar.

Os lunáticos haviam decidido matar Gromek primeiro, para que Kevin Meatyard tivesse oportunidade de apreciar adequadamente o que iria lhe acontecer. Também era para lhe dar um breve aperitivo, nesta vida, do que o esperava por toda a eternidade no além.

O terror pode deixar os homens fracos ou milagrosamente fortes. Liberando uma perna da calça enrolada nos tornozelos, Gromek conseguiu, apesar dos homens que o seguravam, aderência suficiente para cambalear pela enfermaria e chegar à porta trancada, gritando por socorro no caminho. O lunático colocou o braço em volta do pescoço de Gromek, imediatamente o ergueu para a sua boca, sufocando seus gritos o suficiente para que qualquer um passando pensasse que era só um paciente batendo as botas. Como se estivessem andando numa forte correnteza, os cinco se arrastaram pela enfermaria, então mais dois pegaram as pernas de Gromek, até que sua força maximizada pelo pânico se esgotou e ele desabou no chão. Determinados a afastá-lo da porta e levá-lo de volta para onde Meatyard estava sendo segurado, eles começaram a puxar Gromek pelo corredor central. Enquanto isso acontecia, Kevin Meatyard relacionava, em voz alta mas calma, o que iria fazer com seus captores quando se soltasse:

— Vou empurrar você de volta na xoxota da sua mãe. Vou mijar na sua garganta. Vou foder seu ouvido.

Depois de arrastarem Gromek para perto de Meatyard, este foi levantado e apoiado na parede, para poder ver bem a morte de Gromek.

Sem a faca de cozinha, os lunáticos precisavam pensar de novo. Naturalmente, qualquer coisa na enfermaria que pudesse ser usada como arma havia sido removida — mas embora as pernas das camas fossem cuidadosamente parafusadas no lugar, eles haviam conseguido soltar uma. Enquanto ele ainda lutava, grunhindo e gemendo, um dos lunáticos pegou Gromek pelo queixo e ergueu-lhe a cabeça, expondo sua garganta para que outros dois pudessem apertar a perna da cama sobre seu pescoço. Um terrível grito sufocado explodiu do fundo do peito de Gromek quando este percebeu o que eles iam fazer. O terror novamente lhe deu uma força sobrenatural, e isso, junto com o suor escorrendo de seu rosto, fez com que o homem que segurava o seu queixo perdesse a pegada. Mais duas tentativas se seguiram, enquanto Meatyard, que assistia a tudo, continuava com suas pavorosas ameaças de vingança — "Vou mastigar seus bagos e socá-los no seu cu" —, mas até ele ficou em silêncio quando o pescoço de Gromek foi arqueado para trás e a perna da cama foi pressionada sobre sua laringe, com um homem ajoelhado de cada lado. Não foi rápido. Os sons pareciam coisa do outro mundo — um engasgar úmido e um esmigalhar de carne que respirava. Cale estava hipnotizado pelas mãos de Gromek, agitando-se e tremendo no ar, um de seus dedos apontando e balançando como se ele estivesse dando bronca numa criança. Depois de um século, as mãos trêmulas ficaram tensas por um momento, e então caíram abruptamente no chão. Os lunáticos ajoelhados ficaram como estavam por mais um minuto inteiro e então se levantaram devagar. Eles olharam para Kevin Meatyard, imobilizado com as costas contra a parede.

Quando se aproximaram de Kevin, Cale falou com eles.

— Tomem cuidado. Vejam se o estão segurando firme. Não deixem que ele se levante.

Mas por que prestar atenção nos avisos de um garoto que não fazia nada além de ficar deitado e tentar vomitar por algumas horas ao dia? Eles se aproximaram de Meatyard. Os seis lunáticos que o seguravam o colocaram de pé, e Meatyard, sabendo que aquela seria a sua única chance, tirou vantagem do impulso ao ser erguido e, usando toda a sua força lúmpen, se desvencilhou deles. Então ele tomou o assombrado Pequeno Brian nos braços e correu pela enfermaria, usando o garoto como um aríete. Chegou à porta e se virou para encarar os lunáticos quando estes começavam a formar um semicírculo ao seu redor. Ele apertou o pescoço do garoto e o fez gritar de medo e dor.

— Fiquem onde estão, ou torço o pescoço desse merdinha. — Então ele golpeou a porta com o calcanhar, fazendo-a estremecer e bater como se um gigante estivesse tentando sair. — Socorro! — gritou ele, continuando a dar pontapés. — SOCORRO!

Agora os lunáticos ficaram com medo — se Meatyard escapasse, eles estavam acabados. Haviam planejado dizer que os dois começaram a brigar para ver quem ficava com a garota primeiro, e que eles mataram Meatyard tentando salvar Gromek.

Com Meatyard livre e apenas a palavra de lunáticos assassinos contra ele, seriam segregados para o manicômio de Belém, onde os sortudos morriam no primeiro ano e os azarados continuavam vivos.

— Largue-o. — Cale abriu caminho entre os homens que rodeavam Meatyard.

— Vou torcer o pescoço dele — disse Meatyard.

— Não me importa o que vai fazer com ele, contanto que o largue.

É um truísmo falso que todos os valentões abusados são no fundo covardes — e ele certamente não se aplicava a Kevin Meatyard. Ele estava com medo, como tinha todos os motivos para estar, mas controlava seu temor como qualquer bravo faria — embora seu tipo de coragem não fosse bravura. Tampouco ele era tolo, e ficou imediatamente alerta para a peculiaridade da insolência de Cale. Ele era uma de suas vítimas, e Meatyard sabia como as vítimas se comportavam, mas pela segunda vez naquela noite, elas não estavam se comportando como deveriam e, para ser justo com Meatyard, como normalmente se comportavam. Cale estava agindo de uma forma estranha.

— Todos nós podemos sair dessa — mentiu Cale.

— Como?

— Vamos dizer que foi Gromek que atacou a garota e que todos nós, inclusive você, envergonhados de deixar algo assim acontecer, fomos obrigados a tirá-lo de cima dela, e que ele morreu durante a luta. A garota vai confirmar. — Ele olhou por cima do ombro, ainda se movendo devagar. — Não vai?

— Não vou confirmar porra nenhuma! — gritou a garota em resposta. — Quero que ele seja enforcado.

— Ela vai ouvir a voz da razão, só está nervosa. — O tempo todo Cale estava se aproximando do desconfiado porém esperançoso Meatyard, sua mente fervilhando enquanto ele tentava imaginar o que fazer em seguida.

— Eles quase partiram o pescoço do cara — disse Meatyard. — Ninguém vai acreditar que ele foi morto por acidente. Prefiro me arriscar.

Meatyard deu mais pontapés na porta, e a primeira sílaba de um grito de socorro já havia saído quando Cale o atingiu na garganta com toda a força. Infelizmente para Cale e os lunáticos, toda a sua força não representava muita coisa. Foi a precisão do golpe que machucou Meatyard, que o fez se encolher para a esquerda e fez a nuca do Pequeno Brian bater na lâmina enferrujada que saía do seu peito. Agonizando com a faca, ele largou o Pequeno Brian. Cale bateu com o pulso no meio do peito de Meatyard. Quando ele tinha 10 anos, qualquer um dos dois golpes teria derrubado Meatyard como se ele estivesse de pé sobre um alçapão, mas Cale já não tinha mais 10 anos. Meatyard revidou e errou o golpe, mas o seguinte atingiu em cheio a têmpora de Cale. Ele caiu como se tivesse sido abatido por um urso. O sangue latejava em seus ouvidos, e a pouca força que ele tinha nos braços estava se esgotando num formigamento. Meatyard avançou dois passos e teria dado em Cale um pontapé forte o suficiente para jogá-lo no outro mundo, mas ainda havia alguma força nas pernas de Cale, então ele atingiu o pé de apoio de Meatyard e este desabou com estrondo no chão de madeira. Para sorte de Cale, seu adversário estava exausto, e isso lhe deu tempo para pôr-se de pé. Sua cabeça parecia ocupada por um enxame de vespas, seus braços tremiam. Ele só tinha força para mais um soco, mas não dos bons.

Com a luta, os lunáticos haviam recuado, como se o fato de Cale ter assumido o controle lhes tivesse roubado a força de vontade coletiva que os animara até então. Foi a garota que os salvou.

— Ajudem — gritou ela, correndo e saltando em cima de Meatyard. Isso o fez optar pelo seu plano mais desesperado, no qual ele havia pensado enquanto sentia arrepios ao ser obrigado a ver o pobre Gromek morrer sufocado. Meatyard agarrou a garota e a rodopiou como um taco na direção dos três homens que barravam seu acesso à grande janela do outro lado da sala. Eles o soltaram, porque isso o afastava da porta que importava. Qualquer outro lugar seria uma armadilha — por isso o deixaram recuar para a janela e entraram em formação para cercá-lo pela última vez. Mais cedo, o desespero e a falta de qualquer coisa a perder lhes deram uma coragem imprudente, mas agora nenhum deles queria ter seu pescoço quebrado, quando um pouco de cautela os ajudaria a levar a melhor. Por isso, deram a Meatyard mais tempo para recuar do que teriam dado em outra situação.

— Rápido — disse Cale, quase desmaiando, sentindo o barulho da circulação em seus ouvidos. Parecia que seu cérebro ia explodir. A maioria não o ouviu. Meatyard foi até a janela e os lunáticos ficaram parados, só olhando. Afinal, ele não iria a lugar algum. A janela estava pregada, mas não era reforçada com barras porque ficava no quarto andar, a uns 18 metros do chão. Meatyard sabia disso, mas também sabia, por ter se oferecido como voluntário na faxina da enfermaria para conquistar Gromek, que havia uma corda presa à parede e enrolada atrás de uma velha despensa. Ela havia sido colocada ali vários anos antes, como uma forma barata de escapar de um incêndio.

Os lunáticos o observaram recuando rumo à janela, então se agitaram quando ele esticou o braço por trás da despensa e puxou a longa corda. Eles levaram alguns segundos para se dar conta do que ele ia fazer, e então avançaram juntos. Meatyard derrubou a despensa com enorme estrondo e, segurando a ponta da corda, correu para a janela, virando-se de costas no último momento. Todo o caixilho, boa parte dele podre, cedeu, e Meatyard desapareceu na noite, a corda se desenrolando atrás dele. Ela ficou retesada por um segundo e então se afrouxou.

Jamais testada, a corda era curta demais. O resultado foi que Meatyard, depois de cair de cabeça pelo ar, tinha parado abruptamente a três metros do chão, sendo jogado sobre uma árvore que amorteceu a queda que poderia matá-lo. A sorte, a perversa coragem e a imensa força física ajudaram Meatyard a mancar dolorosamente rumo à liberdade. Cale observou Meatyard sumir na escuridão pela janela estilhaçada. Ele se virou e chamou os lunáticos.

— O que aconteceu hoje foi que os dois trouxeram a garota para cá e começaram a brigar por ela. Certo? — disse Cale.

A garota fez que sim com a cabeça.

— Meatyard matou Gromek, e quando vocês tentaram segurá-lo, ele se jogou pela janela... é só isso que vocês sabem. Agora vocês vão formar uma fila e cada um vai repetir o que acabei de dizer. E se alguém falar errado, agora ou depois, não vai precisar de Kevin Meatyard para mastigar-lhe os bagos e socá--los no cu.

Embora as pessoas bem-intencionadas que administravam o hospício estivessem chocadas com a terrível violência da morte do enfermeiro-chefe Gromek, ataques brutais de pacientes descontrolados não eram algo desconhecido. O que causava mais espanto era que Gromek estivesse abusando de suas pacientes de maneira tão revoltante. Pacientes que podiam pagar pelo tratamento — um pequeno número que deveria incluir Cale — eram admitidos no hospício a fim de levantar dinheiro para pagar o tratamento daqueles que não podiam. Era um lugar tão acolhedor quanto se poderia razoavelmente esperar de uma instituição assim, e Gromek era tido em alta conta, ao menos até a chegada de Kevin Meatyard, como um supervisor pouco genial, mas confiável. O aviso de Cale aos lunáticos para contar a história que ele esboçara lhe ensinou, subsequentemente, a tomar mais cuidado ao fazer brincadeiras com pessoas que ele não conhecia, particularmente aquelas que não batiam muito bem da bola e tinham a tendência de lidar com a terrível confusão que existia em suas mentes apegando-se ferozmente a qualquer coisa que lhes fosse dita com clara determinação e sem ambiguidade. Foi assim que a incomum repetição das frases decoradas sobre o incidente começou a deixar os superintendentes desconfiados. De início, a história havia sido geralmente bem aceita — afinal, Gromek estuprara mesmo várias pacientes com a ajuda de Kevin Meatyard, e fora realmente assassinado, e o acusado fugira mesmo, e de forma desesperada —, mas agora eles estavam se preparando para investigar a verdade, e, sem dúvidas, teriam conseguido descobrir o que verdadeiramente havia acontecido, quando os eventos mudaram a favor de Cale. Henri Embromador e IdrisPukke chegaram, esperando encontrá-lo refestelado no conforto pelo qual pagaram, e esperando que ele estivesse a caminho de ser curado.

— Você realmente precisa — disse IdrisPukke para Cale quando este foi trazido para a sala particular reservada apenas para visitas importantes — provar que seus difamadores estão tão certos quando dizem que aonde quer que você vá, as calamidades vão atrás?

— E — disse Henri Embromador — mais um funeral.

— E como vai um dos maiores erros de Deus? — perguntou Cale para Henri Embromador.

— Diga por você mesmo — respondeu ele.

Cale explicou, magoado, que não apenas ele tinha chegado a extremos humilhantes para evitar encrencas, mas estava doente demais para agir de outra forma, mesmo se quisesse. Sobre os detalhes dos abusos de Meatyard, guardou segredo.

Fez um relato detalhado da verdade, das mentiras que fizera todos contarem para acobertá-la, bem como da peculiar má sorte que o havia levado até a ala dos lunáticos. IdrisPukke saiu para falar com a recém-nomeada diretora do hospício e fez um escândalo sobre o tratamento dispensado a alguém tão importante. Que espécie de instituição ela dirigia?, quis saber ele, junto com outras perguntas retóricas do tipo. Em pouco tempo conseguiu arrancar dela a promessa de encerrar a investigação dos acontecimentos daquela noite, e de pôr Cale sob os cuidados diários de seu mais habilidoso médico sem cobrar nenhum extra. IdrisPukke também exigiu, e lhe foi prometida, uma redução pela metade no custo do tratamento de Cale.

De nenhuma maneira sua raiva era simulada. Ele não esperava uma cura, visto que o colapso de Cale fora tão grande, mas esperava uma melhora, tanto por sua grande afeição ao rapaz como também porque queria trabalhar com Cale numa estratégia muito mais ampla de longo prazo para dar um jeito nos Redentores. Mas Cale não conseguia nem falar por muito tempo sem parar para descansar e organizar as ideias: além disso, havia o seu aspecto pavoroso. Quando Cale revelou casualmente que aquele era um dia anormalmente bom, IdrisPukke se deu conta de que a ajuda de Cale de que eles precisavam desesperadamente poderia chegar tarde demais, se é que chegaria.

IdrisPukke exigiu que a diretora convocasse o médico de cachola que iria cuidar de Cale, para que ele ficasse tranquilo quanto à sua qualidade. A diretora, sabendo que IdrisPukke precisaria partir no dia seguinte, mentiu dizendo que a médica estava ausente, num retiro, e só voltaria dali a três dias.

— Ela é uma anomista — disse a diretora.

— Não conheço essa palavra.

— Ela trata a anomia, as doenças da alma, conversando, às vezes por horas ao dia, e por muitos meses. Os pacientes chamam isso de cura falada. — Ele podia ter certeza, disse a diretora, de que ela era uma terapeuta de habilidade incomum, e que fizera progressos até com os casos mais intratáveis.

Embora ele não soubesse se devia acreditar naquele "retiro" tão conveniente, IdrisPukke podia sentir a sinceridade da admiração da diretora pela mulher supostamente ausente. Ele ficou mais esperançoso com isso, por querer que fosse verdade, do que sua natureza pessimista normalmente permitiria. Essa natureza teria se confirmado plenamente quando, cinco minutos depois que ele saiu para voltar para Cale, alguém bateu à porta da diretora, que se abriu antes mesmo que ela pudesse dizer "entre". A mulher que entrou, se era uma mulher, tinha uma aparência muito curiosa, e segurava na mão esquerda algo tão estranho que nem mesmo IdrisPukke, com todas as suas inúmeras experiências do peculiar e do fantástico, jamais vira nada parecido.

5

Kevin Meatyard não estava bem. Torceu o tornozelo com gravidade, deslocou o ombro, fez um grande corte do lado esquerdo da cabeça e tinha uma variedade de hematomas, cortes e arranhões. Mas nenhum deles iria matá-lo. A faca cravada em seu peito faria isso. A Ilha de Chipre não era uma ilha coisa nenhuma, mas um grande istmo que se expandia no Mar de Madeira. Seu sistema de justiça paroquial se estendia por 80 quilômetros no interior, de modo que até pequenas aldeias tinham um agente policial especial — mesmo se fosse apenas o ferreiro. Meatyard tinha todos os motivos para crer que seria seguido, embora também soubesse que seria caro e difícil demais manter meia dúzia de homens na estrada por muito tempo. Seu problema era que ele sabia que precisava ficar longe de qualquer lugar onde a faca pudesse ser removida e o ferimento limpo. No fim das contas, ele confiava que sua compleição o manteria vivo tempo suficiente para chegar a algum lugar onde ninguém tivesse ouvido falar dele. Foi assim que, enquanto Kevin Meatyard estava tentando deixar Chipre por uma estrada longe de estranhos enxeridos, os Dois Trevors tentavam chegar a Chipre por uma estrada longe de estranhos enxeridos. Portanto, foi por menos coincidência do que poderia ter sido que os dois assassinos toparam com Kevin Meatyard estirado perto de um laguinho. Por razões óbvias, no bundu, até pessoas muito menos experientes na maldade do que os Dois Trevors consideravam sensato evitar se aproximar de um corpo deitado na estrada. Por outro lado, eles e seus animais estavam morrendo de sede. Depois de verificarem que não se tratava de uma armadilha (e quem entendia mais de emboscadas do que eles?), Trevor Lugavoy jogou uma pedra grande no corpo encalombado e, obtendo apenas um gemido fraco em resposta, decidiu que qualquer possível perigo poderia ser evitado ficando de olho nele sem tocá-lo.

Alguns minutos depois, enquanto os cavalos ainda sorviam a água deliciosamente doce, Kevin se mexeu e tropegamente ficou de pé, observado com atenção pelos dois homens. Ele começou a se aproximar do laguinho para beber, mas, ainda instável e fraco, desabou com um impacto tão pesado que ambos os Trevors se encolheram.

Pode-se pensar que, por exercerem uma profissão tão sangrenta, os Dois Trevors fossem homens sem compaixão. Mas enquanto certamente era verdade que os dois não eram mais gentis do que outras pessoas, tampouco, a não ser quando eram pagos para matar você, eles eram muito piores. Isso se aplicava particularmente quanto mais velhos e mais supersticiosos eles ficavam. Estavam começando a imaginar se alguns poucos atos de generosidade poderiam ser de alguma valia caso um dia descobrissem que de fato haveria uma prestação de contas no além — embora os dois soubessem, no fundo, que iriam precisar resgatar um número absurdo de crianças de uma imensa quantidade de prédios em chamas para ter alguma influência na balança, depois de todas as maldades pelas quais foram responsáveis. Ainda assim, era crueldade deixar um homem evidentemente ferido caído a poucos metros de um gole d'água desesperadoramente necessário. Eles o revistaram, o acordaram e o fizeram beber de uma das taças deles.

— Obrigado — agradeceu Kevin, depois de virar cinco taças seguidas do que parecia vida líquida.

— Olha aqui, John Smith — Kevin naturalmente havia lhes dado um nome falso. — Você não vai conseguir chegar em Drayton... fica a 80 quilômetros daqui, e a estrada não é boa. Isso — ele acenou para a lâmina quebrada no peito de Meatyard — precisa sair agora, senão vamos emprestar uma pá e você pode começar a cavar.

— O que é uma pá?

— Uma ferramenta — explicou Trevor Lugavoy — que pode ser usada para cavar um buraco com sete palmos de profundidade e dois metros de comprimento.

— Vocês conseguem? — perguntou Kevin, cheio de dúvidas. — Tirar isto sem me matar?

— Bem difícil, garoto. Eu diria que as chances são 70%.

— A favor?

— Contra.

Isso fez Kevin perder o pouco fôlego que lhe restava.

— Vocês acham que há um cirurgião decente em Drayton?

— Você não vai conseguir chegar em Drayton. E mesmo se chegasse, e não vai chegar, seria operado pelo barbeiro local. E ele vai querer ser pago. E serão feitas algumas perguntas. Você tem dinheiro? Você tem respostas?

A essa altura, os Dois Trevors começavam a sentir sua paciência se esgotando, diante da falta de gratidão de Kevin.

— O meu amigo generoso aqui é a melhor coisa à sua disposição num raio de 300 quilômetros. É sorte sua tê-lo aqui. E você não tem muita escolha. Se não quiser ir pro céu, é melhor segurar um pouco a onda.

A menção do céu concentrou a mente de Kevin e ele fez um belo esforço de se desculpar para o agora furioso Trevor Lugavoy. Depois do que, Lugavoy pôs as mãos à obra. Na verdade, ele poderia muito bem ganhar a vida como cirurgião. Obrigado a aprender o ofício por motivos práticos, também se orgulhava de sua habilidade, e pagara aulas com cirurgiões Redentores considerados os melhores por todos, não que isso dissesse muita coisa. Ele pagara caro pela pinça médica com a qual segurou o pouco que restava da lâmina saindo do peito de Meatyard. Ela foi removida de uma só vez, acompanhada apenas por um grito medonho de dor.

O pior estava por vir, pois estava claro, pelos dois pedaços que faltavam na lâmina, que havia mais a fazer.

— Não se mexa, ou não me responsabilizarei pelas consequências.

Meatyard tinha prática em causar dor, mas conseguia suportá-la também.

— Muito bem — disse Trevor Lugavoy, depois de cinco minutos que devem ter parecido cinco dias cavoucando no ferimento, certo de que não havia ficado nada lá dentro. — É isso que mata você — disse para o traumatizado Meatyard. Ele limpou o ferimento com vários litros de água e começou a derramar uma mistura de mel, alfazema, calêndula e mirra em pó. Kovtun, vendo que ele estava prestes a usar o unguento, puxou Lugavoy para o lado e salientou que custava caro, e que eles mesmos poderiam muito bem precisar dele. Lugavoy concordava em princípio, mas argumentou que todos os seus esforços seriam em vão se a ferida infeccionasse — e isso iria acontecer.

— Eu me orgulho do meu trabalho. O que posso dizer? Além disso, ele mostrou muita coragem. Eu teria gritado mais alto. Ele merece um pouco de generosidade. — E foi isso. Eles decidiram ficar e vigiá-lo à noite; na manhã seguinte o deixaram com alguns suprimentos (não muitos, por insistência de Kovtun) e seguiram caminho. Mas antes que partissem, uma ideia ocorreu a Kovtun.

— Já ouviu falar do Priorado? — perguntou Kevin.

Para sorte de Meatyard, sua expressão de alarme pôde facilmente ser transformada numa de dor.

— Não, sinto muito — disse o garoto ingrato, e com isso os Dois Trevors se foram. Dois minutos depois, Lugavoy voltou. Ele largou um grande bloco embrulhado em papel encerado, um acréscimo impulsivo aos suprimentos que já haviam deixado com ele.

— Trate — disse ele a Kevin — de comer 100 gramas disto por dia. É um bom alimento, mesmo tendo gosto de bosta de cachorro. Os Redentores chamam de Pé de Defunto. Tem um endereço dentro, se você sobreviver, vá lá, vai ser empregado. Diga que Trevor Lugavoy mandou você... e nada mais, entendeu?

Se você perguntasse a Trevor Lugavoy se a virtude é recompensada, ele ficaria surpreso e divertido ao mesmo tempo, não porque fosse cínico (ele considerava ter superado tudo isso), e sim porque a experiência o levava a não ver o mundo como um lugar equilibrado. Nessa ocasião, no entanto, enquanto voltava para garantir que Kevin Meatyard dispusesse de comida nutritiva suficiente para ter a melhor chance de sobrevivência, sua bondade foi recompensada: ele notou que estava sendo observado de uma colina a uns 300 metros dali. Quando ele voltou para se juntar a Trevor Kovtun, tinha certeza de que sabia quem era o espião.

Ele alcançou Kovtun um pouco antes do que esperava. Kovtun apeara e estava de quatro, com o cinto desafivelado, enfiando dois dedos na goela e tentando provocar o vômito. Depois de mais algumas tentativas com ruídos desagradáveis, ele conseguiu. Havia sangue no vômito.

— Melhorou?

— Um pouco.

— Estamos sendo seguidos.

— Bosta, merda, caralho e porra — disse Cadbury, sentado a 800 metros de distância dos Dois Trevors. — Eles sabem que os estamos seguindo. — Cadbury olhou para a garota que estava à sua espera ao pé da colina, enquanto ele espionava Trevor Lugavoy. Atrás dela, afastados, havia uma dúzia de homens de aspecto desagradável.

— Você deixou que eles te vissem — disse a garota. Ela era uma coisinha magra como um barbante, mas o tipo de barbante em cuja resistência se pode confiar, com um rosto estranho que, se você a visse num retrato, diria que não finalizaram o desenho. Alguma coisa parecia estar faltando, um nariz ou um par de lábios, só que estava tudo ali.

— Se você acha que consegue fazer melhor, fique à vontade.

— É o seu trabalho, não o meu.

— Pra rastrear gente competente como aqueles dois, você não pode chegar perto demais e não pode ficar longe demais. É o maior azar.

— Não acredito em azar.

— Porque você é uma bebezinha e não consegue nem achar a própria bunda usando as duas mãos.

— Você vai ver o que eu consigo. Um coração inteligente adquire conhecimento, e o ouvido do sábio o procura.

— Vou, é? Estou todo arrepiado.

Mas mesmo com toda a provocação, ele achava a presença da garota decididamente apavorante, inclusive porque ela estava sempre citando algum tratado religioso que tinha, aparentemente, opiniões sobre tudo. Mas ela dizia esses provérbios e ditados de um jeito estranho, de modo que você não conseguia entender aonde ela queria chegar. Estava tentando deixá-lo nervoso? Ele tinha bons motivos para estar sobressaltado.

Três dias antes, Kitty das Lebres o chamara para discutir o que deveria ser feito a respeito dos Dois Trevors e de sua busca por Cale, à luz da certeza de que só havia uma coisa que os Dois Trevors faziam com qualquer pessoa que estivessem procurando, quando a encontravam.

— Sabe quem está pagando aos dois? — perguntou Cadbury na ocasião.

— Os Redentores, provavelmente — ciciou Kitty. — Espionar não é exatamente o dom deles. Fanáticos têm dificuldade em se misturar, como o enforcamento ordenado por Zog, desgraçadamente ilegal mas totalmente justificado, estabeleceu claramente. Mas poderiam ser os lacônicos. — Era a política de Kitty, bem como sua diversão, nunca dar uma resposta completamente desprovida de ambiguidade. — Eles vão lutar para se recuperar do estrago que ele fez nas fileiras lacônicas. Tampouco se pode descartar a família de Solomon Solomon. Ele tem um talento para antagonizar os outros.

— Poderiam dizer o mesmo de nós.

— Poderiam mesmo, Cadbury.

— Você não acha que ele é encrenqueiro demais?

— Oh, claro que acho — respondeu Kitty. — Mas com os jovens é assim. É uma questão de possibilidades. Sua capacidade para a ruína precisa ser direcionada, e eu preferiria estar por trás dele e não na frente. Mas pode chegar facilmente uma hora em que esse não será o caso. É bom você ter isso em mente.

A porta se abriu e o criado de Kitty entrou com uma bandeja.

— Ah — disse Kitty —, o chá. A xícara que alegra sem embebedar — acrescentou, em tom de zombaria.

O criado aparelhou a mesa com xícaras e pires, bandejas de sanduíches de presunto, bolos de gergelim e biscoitos com creme de ovos, depois saiu sem uma palavra ou reverência. Os dois olharam para a mesa, mas não por causa das iguarias servidas.

— Sem dúvida você deve ter notado, Cadbury, que a mesa está posta para três.

— Notei, sim.

— Tem uma pessoa que quero que você conheça. Uma jovem na qual quero que você fique de olho. Dê-lhe o benefício da sua experiência. — Ele se aproximou da porta e chamou: — Querida! — Um momento depois, uma garota de uns 20 anos apareceu e deu o maior susto em Cadbury. A sensação de ver um fantasma do passado é perturbadora para qualquer um, mas imagine o quanto é pior quando você é o responsável por ele ser um fantasma. A última vez que Cadbury a vira fora enquanto ambos estavam espionando Cale em Treetops — uma tarefa que acabara com ele cravando uma flecha nas costas dela. Na perpétua penumbra exigida por Kitty das Lebres para proteger seus olhos tão sensíveis, Cadbury levou alguns instantes para perceber que aquela não era a falecida Jennifer Plunkett, nem sua irmã gêmea, e sim uma parente mais jovem, porém perturbadoramente parecida. Não era apenas a sua aparência que a tornava semelhante, mas a mesma vacuidade que desfigurava seu semblante.

— Amada, este é Daniel Cadbury. — Esse tratamento peculiar era dirigido à garota e era apenas uma alternativa a "querida", mas deliberadamente mais desconcertante. — Ele e sua irmã eram grandes amigos e muitas vezes trabalharam juntos. Daniel, esta é Deidre Plunkett, que vai trabalhar conosco e contribuir com sua considerável habilidade.

Mesmo tendo percebido seu engano na mesma hora, ainda havia motivo para Cadbury ficar nervoso: de maneira geral, é melhor evitar os parentes de pessoas que você assassina.

Kitty insistiu para que Cadbury levasse Deidre com ele na tentativa de localizar os Dois Trevors:

— Acolha-a sob sua asa, Cadbury — disse ele. Mas a questão, para Cadbury, era que tipo de zombaria estava envolvida nisso. Jennifer Plunkett era uma maníaca assassina que, sem nunca trocar uma palavra com o garoto, havia desenvolvido uma paixão profunda por Cale enquanto passava dias o observando nadar pelado nos lagos ao redor de Treetops. Cale ria e gritava de alegria pela primeira vez na vida enquanto nadava, pescava e comia as refeições maravilhosas preparadas por IdrisPukke, e cantava versões deturpadas e horrivelmente desafinadas das canções que tinha escutado enquanto ainda estava em Memphis: Pese uma torta no céu. As formigas são minhas amigas. Ela tem orelhas de abano, Ela tem orelhas de abano.

Jennifer tinha se convencido de que Kitty queria prejudicar Cale: esse não era o motivo, na verdade, ou ao menos não era provavelmente o motivo. Jennifer havia tentado apunhalar Cadbury para proteger o seu amado, e quando isso falhou, correu na direção do espantado Cale gritando que ele estava em perigo. Foi nesse momento que Cadbury cravou uma flecha em suas costas.

Que escolha ele tinha? Depois, ele havia decidido que o melhor era dizer a Kitty que Cale fora responsável, reagindo por reflexo àquela aparição repentina de uma berrante harpia assassina. "Honestidade é a melhor política" pode não ser uma diretriz virtuosa (alguém que acredita que honestidade é a melhor política só pode não ser honesto), mas ele deveria tê-la seguido, nesse caso. Não só ele enfrentava, agora, o problema do que fazer com Deidre Plunkett, mas também o de descobrir se sua aparição repentina era apenas uma coincidência ou a vingança de Kitty por Cadbury ter mentido. Nesse último caso, a questão era que tipo de lição o seu empregador tinha em mente.

De qualquer forma, ele levou Deidre para negociar com os Dois Trevors. Se as coisas ficassem complicadas, como provavelmente poderiam ficar, havia uma chance de que os Trevors iriam resolver esse problema para ele. Por outro lado, eles também poderiam resolver todos os problemas de Cadbury permanentemente.

— Você vem comigo, fique com essa matraca fechada e não faça nenhum movimento brusco.

— Você não tem direito de falar assim comigo.

Cadbury não se deu ao trabalho de responder.

— O resto de vocês — disse ele aos outros —, fiquem para trás, mas perto o bastante para ouvirem, se eu chamar.

O grupo ignorou Kevin Meatyard ao passar por ele, por estar claro que ele não daria trabalho naquele estado, e em alguns minutos alcançou os Dois Trevors.

— A gente pode conversar? — gritou Cadbury de trás de uma árvore.

Lugavoy acenou para que os dois se aproximassem.

— Aí está bom. O que vocês querem?

— Kitty das Lebres acha que houve um mal-entendido e gostaria de resolvê-lo.

— Considere-o resolvido.

— Ele gostaria de resolvê-lo pessoalmente.

— Com certeza vamos visitá-lo da próxima vez que passarmos por lá.

— Seu amigo parece meio doente.

De fato, ele estava da cor de argila meio seca.

— Ele vai sobreviver.

— Não sei se você está certo nisso.

— Quem é a sua amiga magrinha? — perguntou Lugavoy.

— Esta jovem é uma pessoa mortalmente perigosa. Eu falaria com um pouco mais de respeito.

— Você me parece familiar, filho.

— Continue falando assim, moço — disse Deidre —, e vai rir por outro buraco na sua cara.

— Minhas desculpas, mas ela é muito jovem e não sabe o que diz.

— Não se desculpe por mim — disse Deidre.

Cadbury ergueu as sobrancelhas, como que para dizer: "Fazer o quê?"

— Pelo que vejo, Trevor, você não vai conseguir chegar aonde pretendia ir, portanto a questão das suas intenções conflitarem com os interesses de Kitty das Lebres não se aplica no futuro imediato. Se quer que seu parceiro sobreviva, realmente não entendo qual é o problema.

— O que impedirá vocês de nos matar enquanto dormimos?

— Você não deveria julgar os outros de acordo com seu baixo padrão.

Trevor riu.

— Argumento aceito. Mesmo assim, eu me preocupo.

— O que posso dizer? Além de que Kitty das Lebres não pensa em fazer isso.

— E o que ele pensa?

— Por que não volta para a Leeds Espanhola e pergunta pra ele?

— Então ele não confia em você o suficiente pra contar?

— Está tentando me magoar? Estou comovido. A questão é que, embora Kitty das Lebres tenha um respeito considerável por vocês dois, os interesses de vocês estão numa rota de colisão com os dele. Ele prefere seus próprios interesses.

— É justo.

— Que bom que você acha. Estamos de acordo?

— Sim.

— Temos caulim. Vai ajudá-lo a se sentir melhor.

— Obrigado.

Cadbury acenou para Deidre Plunkett. Ela tirou um pequeno frasco de seu alforje e, desmontando, andou até Kovtun.

— Tome um oitavo — falou ela. Cadbury enfiou dois dedos na boca e deu um assobio tão estridente que fez Lugavoy se encolher. Em resposta, os 12 homens que esperavam do outro lado da colina emergiram em três fileiras desencontradas de quatro e se espalharam numa formação ampla.

— Que pessoal mais mal-encarado — disse Lugavoy. — Mas alguém aqui sabe o que está fazendo.

A abordagem habilidosa que tinha lhe causado tanta admiração estava sendo dirigida por Kleist; os tipos mal-encarados que este controlava eram cleptos, e portanto menos perigosos do que pareciam. Cadbury os contratara às pressas, porque muitos de seus capangas costumeiros foram acometidos de diarreia, na verdade a mesma febre tifoide de que Trevor Kovtun estava sofrendo, e da mesma fonte: uma bomba de água no centro da Leeds Espanhola. O aumento no número de pessoas se refugiando ali devido aos rumores de uma guerra com os Redentores já estava cobrando o seu preço. Era tudo muito insatisfatório, mas os cleptos tinham a aparência adequada para o papel, e claramente já haviam lutado com os Redentores e continuavam vivos — o que não era dizer pouco. Sobre Kleist, ele não sabia nada — não era um clepto, mas parecia ser sempre ouvido pelo chefe clepto do bando, o qual, por algum motivo, se chamava Bituca. Na verdade, Kleist estava praticamente no comando, mas era melhor que ninguém visse que um garoto era o líder deles.

No caminho de volta, eles precisaram passar por Kevin Meatyard.

— Podemos levá-lo conosco? — perguntou Lugavoy.

— Não temos cavalos suficientes. Além disso, não gosto do jeito dele. — Cadbury fez sinal para Kleist, que estava mais perto. — Qual o seu nome, filho?

— Kleist.

— Dê a ele um pouco de comida... o suficiente para quatro dias, nada mais. — Kevin já havia escondido os suprimentos que os Dois Trevors lhe deram.

Kleist se aproximou de Kevin devagar: também não gostava do jeito dele.

— Tudo bem? — perguntou ele a Kevin, enquanto descia do cavalo e começava a mexer no alforje dos suprimentos para ver o que era menos agradável, e portanto melhor para doar — o pão mais bolorento, os pedaços de queijo mais duros.

— Tem fumo? — perguntou Meatyard.

— Não.

Kleist separou o que só podia ser descrito como uma interpretação pouco generosa de alimentos para quatro dias sobre um pedaço de pano.

— De onde você é? — perguntou Kleist.

— Não é da sua conta, caralho.

A expressão de Kleist não mudou. Ele se levantou, olhou para Meatyard e jogou areia com o pé sobre toda a comida que acabara de separar. Nenhum dos dois disse nada. Kleist subiu no seu cavalo e partiu para alcançar os outros.

6

A vida é como um lago no qual uma criança desocupada joga uma pedra, e a partir desse ato, as ondas vão se espalhando. Errado. A vida é um rio, e não um rio caudaloso, só um regato mixuruca com os rotineiros redemoinhos, meandros e vórtices sem importância. Mas o vórtice e a onda descobrem uma raiz, depois outra, solapam a margem, e a árvore ao lado do rio cai atravessada sobre ele e desvia a água, e os aldeões vêm ver o que aconteceu com o suprimento de água e encontram o carvão revelado pela árvore caída, e aí vêm os mineiros, e prostitutas para servir aos mineiros e os homens para gerenciar as prostitutas e uma cidadela de barracas e barro se torna um lugar de madeira e barro, depois de tijolos e barro, depois seixos pavimentam as ruas, aí chega a lei para andar sobre os seixos que pavimentam as ruas, aí o carvão acaba, mas a cidade sobrevive ou definha. E tudo por causa de um regato mixuruca e de seus redemoinhos e vórtices mixurucas. E é assim com a vida de homens guiados pela mão cheia de dedos do invisível.

A visita que levaria a morte para Thomas Cale pela mão dos Dois Trevors foi interrompida por um copo d'água de um poço contaminado, seus mensageiros levados de volta de onde vieram por um velho amigo que não estava nem aí se Cale viveria ou morreria, de volta para uma cidade onde a esposa do velho amigo que não estava nem aí vagava pelas ruas com sua menina recém-nascida, imaginando morto o seu marido que agora estava voltando na direção dela e que dali a alguns dias iria passar a menos de trinta metros dela em meio às grandes multidões que agora se apertavam dentro dos muros da Leeds Espanhola. Mais e mais vezes, seus caminhos quase iriam se cruzar, se não fosse pelos pequenos redemoinhos e vórtices puxando-os um centímetro para lá, um centímetro para cá.

Às vezes vemos uma nuvem que parece um dragão, às vezes um leão, às vezes igualzinha a uma baleia, mas todos os filósofos mais alegres concordam que até por trás da nuvem mais negra surge o sol. E durante os dias e noites de desgraça em que Kevin Meatyard reinava, Cale descobrira que as antigas maneiras de lidar com o sofrimento voltavam em seu auxílio. No Santuário, ele havia aprendido a se retirar em sua mente, desaparecer em outros lugares na sua cabeça, lugares de calor, comida e coisas maravilhosas — anjos alados que faziam tudo o que você pedia, cachorros que falavam, aventuras sem dor, até morte sem lágrimas e deleitosas ressurreições repentinas, paz e calma e ninguém por perto. Agora, por um par de horas ao dia, ele conseguia fazer o mesmo, quando a ânsia de vômito e a loucura lhe davam algum espaço. Sonhar acordado veio em sua defesa; por minutos a fio ele se via de volta entre os lagos de Treetops, nadando nas águas frescas, tirando caranguejos dos riachos, pensando na palavra que havia descoberto um dia para descrever o som da água nas pedrinhas quando ele destrinchava os caranguejos e os comia crus com talos de alho selvagem, do jeito que IdrisPukke lhe mostrara. E então, à noite, quando os insetos de fôlego longo na floresta faziam sua maravilhosa zoeira palpitante, os dois conversavam e ele absorvia tudo, sentado numa das poltronas que eram quase como camas enquanto IdrisPukke lhe servia uma cerveja leve e oferecia a sabedoria acumulada de meio século, revelações, como ele salientava com frequência, que você não poderia comprar por dinheiro nenhum.

— As pessoas tratam o presente como se ele fosse apenas uma parada a caminho de algum grande objetivo que vai acontecer no futuro, e aí ficam surpresas quando o longo dia se acaba; olham para trás, para suas vidas, e veem que as coisas que deixaram passar tão negligentemente, os pequenos prazeres que elas descartavam tão facilmente eram, na verdade, o significado real de suas vidas... o tempo todo essas coisas eram os grandes e maravilhosos sucessos e o propósito da existência delas.

Então ele servia a Cale mais meio copo de cerveja, não muito.

— Todas as utopias são obra de cretinos, e as pessoas bem-intencionadas que trabalham pela fundação de um futuro melhor são dementes. Imagine o paraíso terrestre onde perus voam por aí já assados e amantes perfeitos encontram o amor perfeito só com um pequeno atraso satisfatório e vivem felizes para sempre. Num lugar assim, homens e mulheres morreriam de tédio ou se enforcariam em desespero, homens equilibrados lutariam e matariam para se aliviar dos horrores do contentamento. Em pouco tempo, essa utopia iria conter mais sofrimento do que a natureza nos impinge no mundo como ele é agora.

— Parece Bosco falando.

— Não. Ele quer varrer os gatos da face da terra porque eles gostam de comer peixes e pegar passarinhos. É como desejar um futuro no qual o leão se deitará com o cordeiro. Mas em parte você tem razão, de certa forma. Eu concordo com Bosco até certo ponto: é verdade que este mundo é um inferno. Mas embora eu também fique horrorizado com a humanidade como uma caricatura grosseira, também sinto pena dela: nesta existência pavorosa, tão cheia de sofrimento, somos ao mesmo tempo as almas atormentadas no inferno e os demônios que as atormentam. Somos camaradas sofredores, por isso as qualidades mais necessárias são tolerância, paciência, autocontrole e caridade. Todos precisamos de perdão, e por isso todos devemos concedê-lo. Perdoai nossas ofensas assim como perdoamos a quem nos tenha ofendido. Essas são virtudes, meu jovem, as quais, e digo isso com carinho, faltam muito em você.

Depois dessa última observação, Cale fingiu estar dormindo, roncando exageradamente.

Mas vagar pelo passado era andar num lugar cheio de armadilhas. Ele queria lembrar a primeira vez em que vira Arbell nua — naquela noite, era sublime estar vivo. Mas o prazer e a dor, o amor e a fúria, conviviam com muita promiscuidade para que isso o levasse para outro mundo. Melhor ficar com as refeições maravilhosas, com as lembranças de zombar do enorme tamanho da cabeça de Henri Embromador, de ouvir IdrisPukke e sempre ter a última palavra em qualquer discussão. Mas ele também pensava e discutia consigo mesmo e tentava entender o que realmente sabia: que o mundo era como um rio cheio de rodopios, redemoinhos e emaranhados de plantas, e que aonde quer que você fosse, a água sempre escorria por entre os dedos.

O quarto que eles lhe deram era bastante simples: uma cama razoavelmente confortável, uma cadeira e uma mesa, uma janela que dava para um jardim agradável, cheio de olmos esbeltos. Tinha dois luxos: ele dormia sozinho e tinha uma chave para se trancar lá e deixar todo mundo para fora. De início não queriam lhe dar uma, mas ele havia insistido com um vago tom de ameaça e, depois de consultar a diretora do Priorado, deram-lhe ressabiadamente o que ele queria.

Alguém bateu de leve na porta. Ele olhou por um buraquinho que havia feito na parte mais fina da porta e, satisfeito, destrancou-a com um giro rápido e recuou bastante. Afinal, nunca se sabe.

Desconfiado, o funcionário do Priorado ficou onde estava.

— Parece — salientou ele — que há um buraco na porta.

— Já estava assim quando cheguei.

— A Irmã Wray pediu para ver você.

— Quem?

— Acredito que ela foi indicada pela abadessa para investigar o seu caso. Ela é muito respeitada.

Cale queria fazer mais perguntas, mas, como muitas vezes acontece com pessoas desajeitadas, ele não queria parecer ignorante para alguém que claramente não gostava dele — e por um bom motivo, pois esse funcionário era exatamente o que Cale havia ameaçado para obter a chave.

— Pessoas que encantam — dissera-lhe IdrisPukke certa vez — conseguem fazer os outros dizerem que sim sem nem fazer o pedido. Ter um talento real para o encanto corrompe muito. Mas não se preocupe — acrescentou ele —, você nunca vai precisar se preocupar com isso.

— Vou levá-lo até ela agora — disse o funcionário. — Depois vou mandar consertar o buraco na porta.

— Não precisa. Entra um ventinho bom.

Ele calçou os sapatos e os dois saíram. O funcionário ficou surpreso em ver, depois de todo o escarcéu que fez, que aquele jovem detestável não se dava ao trabalho de trancar a porta ao sair. Mas quando ele não estava lá dentro, Cale nem se importava com quem mais estivesse.

Em silêncio, eles andaram pelo Priorado. Partes dele foram construídas recentemente, outras partes eram mais antigas, outras mais ainda. Havia prédios altos e de aspecto sombrio, com gárgulas fazendo esgares nos muros, depois uma mudança repentina para as estruturas de pedra elegantes, bem proporcionadas e suaves, com grandes janelas de vidro irregular, que num lugar refletiam o céu e em outro, a grama, tão variadas e mutáveis que o prédio parecia estar vivo por dentro. Finalmente, atravessando passagens em grandes muralhas, a dupla silenciosa emergiu num pátio mais agradável em sua amplidão e cativante simplicidade do que qualquer outra coisa que Cale já vira até mesmo em Memphis. O funcionário o levou por uma entrada em arco e subiram dois lances de escadas. Cada andar tinha uma grossa porta de carvalho preto de cada lado da escada. Ele parou diante de uma no último andar e bateu.

Parte Dois

Para não vermos onde estamos,
Perdidas em medonhos matagais,
Crianças com medo da noite
Boas ou felizes jamais.

W. H. Auden, "September 1, 1939"

7

— Entre. — Era um convite suave e atraente. O funcionário abriu a porta e recuou, introduzindo Cale. — Volto em exatamente uma hora — disse ele, e fechou a porta.

Havia duas grandes janelas à direita de Cale, que inundavam a sala com luz, e no lado oposto, sentada perto da lareira numa poltrona de espaldar alto que parecia confortável o suficiente para se morar nela, estava uma mulher alta. Mesmo sentada, Cale podia ver que ela media mais de 1,85 m, um pouco mais alta do que o próprio Cale. A Irmã Wray estava coberta dos pés à cabeça pelo que parecia ser algodão preto. Até seus olhos estavam ocultos atrás de uma fina tira de material no qual havia numerosos buraquinhos que lhe permitiam enxergar. Por mais estranho que tudo aquilo fosse, havia algo muito mais estranho: em sua mão direita e apoiada no colo estava uma espécie de boneca. Se uma das crianças em Memphis a estivesse segurando, ele não a teria notado — as meninas dos Materazzi muitas vezes tinham bonecas que eram espetaculares de se ver, com roupas absurdamente caras para todo tipo de ocasião, de um casamento a um chá com o duque. Aquela boneca era um pouco maior, com roupas cinza e brancas e um rosto simples desenhado, sem nenhuma expressão.

— Venha, sente-se. — Novamente a voz agradável, gentil e bem-humorada. — Posso lhe chamar de Thomas?

— Não.

Houve um leve aceno, mas quem poderia dizer de que tipo? A cabeça da boneca, no entanto, girou lentamente para olhar na sua direção.

— Por favor, sente-se. — Mas a voz ainda era amigável e cheia de gentileza, como se tivesse ignorado completamente sua assombrosa grosseria.

Ele se sentou, com a boneca ainda olhando e — mas como, ele pensou, isso era possível? — fazendo uma péssima opinião do que ela estava vendo.

— Eu sou a Irmã Wray. E esta — apresentou ela, movendo um pouco a cabeça coberta para olhar a boneca no seu colo — é Poll.

Cale olhou ameaçadoramente para Poll, e a boneca olhou ameaçadoramente em resposta.

— Do que vamos chamar você?

— Todos me chamam de "senhor".

— Parece um pouco formal demais. Pode ser Cale mesmo?

— Como quiser.

— Que garotinho horroroso.

Não era particularmente difícil surpreender Cale, não mais do que a maioria das pessoas, mas não era nada fácil fazê-lo demonstrar isso. Não foi a opinião que o fez arregalar os olhos — ele já fora, afinal, chamado de coisas bem piores — e sim o fato de que foi a boneca quem falou. Sua boca não se mexeu porque não fora feita para isso, mas a voz definitivamente veio da boneca, e não da Irmã Wray.

— Quieta, Poll — ordenou ela, e então se virou um pouco para Cale. — Você não deve prestar atenção nela. Infelizmente, acho que a mimei, e como muitas crianças mimadas, às vezes ela fala demais.

— Por que estou aqui?

— Você esteve muito doente. Li o relatório preparado pela assessora quando você chegou.

— A imbecil que mandou me trancar junto com os outros malucos?

— Parece que ela interpretou errado a situação.

— Bem, tenho certeza de que ela foi punida. Não foi? Que surpresa.

— Todos cometemos erros.

— De onde eu venho, quando alguém comete um erro, algo ruim acontece... e em geral envolve muitos gritos.

— Eu lamento.

— O que há pra você lamentar? Você foi responsável?

— Não.

— Então, o que vai fazer pra me deixar bom de novo?

— Conversar.

— Só isso?

— Não. Nós vamos conversar e então terei melhores condições de decidir que remédios prescrever, se for o caso.

— Não podemos pular a conversa e ir direto pros remédios?

— Infelizmente, não. Conversa primeiro, remédios depois. Como você está hoje?

Cale ergueu a mão na qual faltava um dedo.

— Está doendo.

— Com frequência?

— Uma vez por semana, talvez.

A Irmã Wray consultou suas anotações.

— E a sua cabeça e o ombro?

— Fazem o melhor que podem pra substituir minha mão quando ela resolve não doer.

— Você deveria ter sido examinado por um cirurgião. Houve um pedido, mas parece que ele desapareceu. Vou receitar algo para a dor.

Por meia hora, ela perguntou sobre o passado dele, de vez em quando interrompida por Poll. Quando Cale, com um certo prazer, contou que havia sido comprado por seis centavos, Poll exclamou:

— Muito caro.

Mas a maioria das perguntas eram simples, e as respostas, sombrias, embora ela não se demorasse em nenhuma delas, e logo eles estavam falando dos acontecimentos da noite em que Gromek fora morto e Kevin Meatyard tinha fugido. Quando ele terminou, a Irmã Wray escreveu por algum tempo nas várias folhinhas de papel espalhadas no seu joelho esquerdo, enquanto Poll se debruçava sobre elas e tentava ler, e era empurrada várias vezes para trás, como um cachorro insolente, porém muito amado.

— Por que — perguntou Cale, enquanto a Irmã Wray ficava em silêncio por alguns minutos para terminar de escrever e Poll o olhava maldosamente, embora ele soubesse que isso também era impossível —, por que você não trata os malucos da enfermaria? Pouco dinheiro?

A Irmã Wray levantou a cabeça do seu trabalho.

— As pessoas daquela enfermaria estão ali porque sua loucura é de um tipo particular. Existem tantas doenças da mente quanto existem doenças do corpo. Você não ia tentar convencer uma perna quebrada a se curar com conversa, e algumas fraturas da mente são quase a mesma coisa. Eu não posso fazer nada por elas.

— Mas pode fazer algo por mim?

— Não sei. É o que estou tentando descobrir.

— Se você deixar, seu moleque maldoso.

— Quieta, Poll.

— Mas é verdade. — Um sorrisinho nada atraente de Cale. — Eu sou um moleque maldoso.

— Foi o que me disseram.

— Já fiz coisas terríveis.

— Sim.

Fez-se um silêncio.

— O que acontece se as pessoas que estão pagando o meu tratamento pararem?

— Então seu tratamento vai parar também.

— Isso não é muito legal.

— Não entendo.

— Simplesmente parar... quando ainda estou doente.

— Como todos, preciso comer e ter um lugar para morar. Não faço parte da ordem que administra o Priorado. Elas vão colocar você numa enfermaria beneficente, mas se eu parar de pagar minhas despesas, vão me expulsar.

— Sim — disse Poll. — Não tivemos Redentores cuidando da gente a vida toda.

Dessa vez, Poll não foi repreendida.

— E se eu não gostar de você? — perguntou Cale. Ele quisera dar uma resposta atravessada para Poll, mas não conseguiu pensar em nada.

— E se — disse a Irmã Wray — eu não gostar de você?

— Você pode fazer isso?

— Não gostar de você? Você parece bem determinado em não me deixar gostar.

— Quero dizer, decidir não me tratar se não gostar de mim.

— Isso preocupa você?

— Tenho muitas coisas com que me preocupar na vida. Você não gostar de mim não é uma delas.

A Irmã Wray riu disso — um som agradável, como o de sinos.

— Você gosta de retrucar — constatou ela. — E temo que isso também seja uma das minhas fraquezas.

— Você tem fraquezas?

— Claro.

— Então como pode me ajudar?

— Você já conheceu muita gente sem fraquezas?

— Não muitas. Mas é que eu sou azarado. Henri Embromador me disse que eu não deveria julgar as pessoas pelo fato de que tive o azar de cruzar com tantos babacas.

— Talvez não seja só questão de sorte — disse mais friamente.

— O que quer dizer?

— Talvez não sejam só obra do acaso as pessoas horrorosas e as coisas terríveis que aconteceram com você.

— Você ainda não falou o que quer dizer com isso.

— Porque não sei o que quero dizer com isso.

— Ela quer dizer que você é um garotinho nojento, que arruma confusão em qualquer lugar que vai. — Mais uma vez, ela não repreendeu Poll e mudou de assunto.

— Henri Embromador é seu amigo?

— Ninguém tem amigos no Santuário, só pessoas que compartilham do mesmo destino. — Isso não era verdade, mas por algum motivo, ele queria chocá-la.

Alguém bateu na porta.

— Entre — disse a Irmã Wray. O funcionário do Priorado ficou parado na porta, em silêncio. Cale, indeciso e furioso, levantou-se, atravessou a sala e saiu para a escada. Então se virou para dizer alguma coisa e viu a Irmã Wray abrir a porta de um dormitório e fechá-la rapidamente atrás de si. Durante todo o caminho de volta para o seu quarto, ele considerou o que vira, ou o que pensava ter visto: um caixão comum, pintado de preto.

— Me fale de IdrisPukke.

Quatro dias haviam se passado, e as sessões começavam diariamente no mesmo horário. Poll estava no colo da Irmã Wray, mas totalmente jogada sobre o braço da poltrona, caída para um lado, para indicar seu total tédio e indiferença à presença de Cale.

— Ele me ajudou no deserto, e em Memphis, quando estávamos na prisão.

— De que maneira?

— Ele me ensinou como são as coisas. Me ensinou a não confiar nele, nem em mais ninguém... não porque as pessoas sejam mentirosas, embora muitas delas sejam, mas porque os interesses delas não são os nossos interesses, e esperar que outras pessoas ponham o que nos interessa à frente do que interessa a elas é estupidez.

— Algumas pessoas diriam que isso é cinismo.

— Não sei o que significa cinismo.

— Significa acreditar que os outros são motivados unicamente por seus próprios interesses.

Cale pensou um momento a respeito.

— Sim — concordou finalmente.

— Sim o quê?

— Sim, entendi o que significa cinismo.

— Agora você só está tentando me provocar.

— Não, não estou. IdrisPukke me avisou, quando não precisava, que eu deveria lembrar que às vezes o que importava para mim e o que importava para ele seriam coisas diferentes, e que até se ele talvez cedesse um pouco para me favorecer, a maioria das outras pessoas não faria isso... quando a coisa ficasse feia, elas iam se ver obrigadas a escolher o que fosse melhor para elas. E só o maior idiota acreditaria que outras pessoas iam nos colocar à frente delas mesmas.

— Então ninguém sacrifica seus próprios interesses pelos outros?

— Os Redentores fazem isso. Mas se aquilo é sacrifício altruísta, pode enfiar no seu cu.

Poll levantou a cabeça lentamente de trás do sofá, olhou para ele, e então desabou para trás com um gemido de desprezo, como se o esforço tivesse sido totalmente desperdiçado.

— Mesmo assim, você sente muita raiva de Arbell Materazzi. Acha que ela traiu você.

— Ela realmente me traiu.

— Mas ela não estava apenas consultando seus próprios interesses? Você não está sendo hipócrita por odiá-la?

— O que é um hipócrita?

— Alguém que critica os outros pela mesma coisa que ele faz.

— Não é a mesma coisa.

— É, sim — disse Poll de trás do braço da poltrona.

— Quieta, Poll.

— Não, não é a mesma coisa — afirmou Cale, olhando diretamente para a Irmã Wray. — Eu salvei a vida dela duas vezes, a primeira contrariando toda a razão e as circunstâncias, e quase morri por causa disso.

— Ela pediu para você fazer isso?

— Não me lembro dela ter pedido para ser jogada de volta... que era o que eu deveria ter feito.

— Mas amar não é pôr a outra pessoa em primeiro lugar, não importa quais sejam as circunstâncias?

— Isso é a coisa mais idiota que já ouvi. Por que alguém faria isso?

— Ele tem razão — concordou Poll, ainda com a cabeça escondida atrás do braço da poltrona.

— Não vou pedir de novo — disse a Irmã Wray.

— Pode rir, se quiser... eu estava disposto a morrer por ela.

— Não estou rindo.

— Eu estou — disse Poll.

— Ela disse que me amava. Eu não a obriguei a isso. Ela disse, e me fez acreditar que era verdade. Não precisava fazer isso, mas fez. E aí me vendeu para Bosco para salvar a própria pele.

— E também salvar o resto de Memphis... o pai dela, todos, não? O que você acha que ela deveria ter feito?

— Ela deveria saber que eu ia dar um jeito. Deveria ter feito o que fez e depois se jogar no mar. Deveria ter dito que nada na Terra, nem o mundo todo, ia me fazer entregar alguém que eu amo para ser queimado vivo. Aliás, antes de me queimar, eles teriam arrancado e cozinhado minhas bolas na minha frente. Acha que estou inventando isso?

— Não.

— O que ela fez deveria ter sido impossível de suportar. Mas ela aguentou muito bem.

Houve um longo silêncio no qual a Irmã Wray, mesmo experiente como era com a raiva dos loucos, se perguntou como as paredes da sala não pegaram fogo, de tão escaldante que era a sua ira. O silêncio continuou — ela não era boba, e foi Cale que o rompeu.

— Por que você tem um caixão no quarto?

— Posso perguntar como sabe?

— Eu? Porque tenho olhos na cabeça.

— Você ia ficar mais tranquilo se eu dissesse que ele não tem nada a ver com nosso trabalho juntos?

— Não. Ninguém gosta de caixões, e eu gosto ainda menos. Vou ter que insistir.

— Não conte nada pra esse enxerido — pediu Poll.

— Vá e veja você mesmo.

Cale estava mais ou menos esperando que ela se recusasse a lhe contar qualquer coisa, embora não fizesse ideia do que teria feito, nesse caso. Ele se levantou, foi até a porta e considerou no que poderia estar se metendo. Seria uma armadilha? Pouco provável. Haveria algo horrível lá dentro? Possivelmente. E se não fosse um caixão, e ele estivesse enganado e fizesse papel de bobo? A porta estava bem fechada, por isso não bastava empurrá-la. Cale poderia abri-la com um pontapé, mas iria causar má impressão se não houvesse uns bandidos esperando do outro lado. O que você prefere, ele pensou, morrer ou parecer idiota? Ele pegou a maçaneta, abriu a porta, correu os olhos rapidamente pelo quarto e recuou de novo.

— Bunda-mole, bunda-mole — cantou Poll. — Teu coração é um rocambole.

Não havia dúvida de que era um caixão, e o quarto estava vazio. Vazio, a não ser pelo que houvesse dentro do caixão. Ele entrou no quarto, afastou a cabeça para trás, esticou o braço, abriu a tampa e saltou para trás, ofegante. Olhou o conteúdo por alguns segundos. Era de madeira bruta, sem forro. Tinha até um pouco de serragem no canto. Por um momento, ele sentiu uma onda de puro terror no peito e achou que ia vomitar. Então o tampou. Voltou para a sala principal, fechou a porta atrás de si e voltou para a sua poltrona.

— Satisfeito agora, seu maricão? — provocou Poll.

— Por que você tem um caixão vazio no quarto?

— Não se preocupe — afirmou a Irmã Wray. — Não é para você.

— Eu me preocupo, sim. Para quem é?

— Para mim.

— Você se preocupa com pacientes contrariados?

Ela riu da ideia — um som adorável, pensou Cale. Será que ela é bonita?

— Eu pertenço à ordem das freiras hieronimitas.

— Nunca ouvi falar.

— Também chamadas de Mulheres da Tumba.

— Também nunca ouvi falar delas. Mas não gostei muito do nome.

— Não? — Ele teve a sensação de que ela sorria. Poll mexeu a cabeça para a frente e levantou seu flácido braço direito de uma forma que foi capaz de indicar ódio e desprezo.

— As hieronimitas são uma ordem Antagonista. — Ela parou, sabendo que aquela seria uma revelação de alguma importância.

— Nunca falei com um Antagonista antes. Você usa essa coisa na cabeça porque tem dentes verdes?

— Não. Quero dizer, não tenho dentes verdes e não estou escondendo nada, embora eu suponha que esse seria um bom motivo. Os Redentores disseram mesmo que os Antagonistas têm dentes verdes?

— Não me lembro exatamente de ter ouvido isso deles. Não de Bosco, pelo menos. Era uma espécie de conhecimento comum.

— Bem, não é verdade. A Hegemonia Antagonista, uma espécie de comissão religiosa, declarou que as hieronimitas eram um grande erro e dissolveram a ordem. Eles mandaram que carregássemos um caixão conosco por 160 quilômetros, para que todos soubessem que não deveriam nos dar água, comida ou abrigo. Era isso ou a morte. Carregamos o caixão e 30 gramas de sal.

— Por quê?

— Sal do arrependimento.

— E você se arrependeu mesmo?

— Não.

— Então temos algo em comum.

— Nós — disse Poll — não temos nada em comum com você, seu valentão ateu assassino.

— Não dê atenção a ela — disse a Irmã Wray.

Cale esperava que ela continuasse, mas a Irmã Wray percebeu que ele estava interessado, e queria que ele ficasse em desvantagem.

— Então, o que vocês fizeram de errado? — perguntou, finalmente.

— Salientamos que o testamento do Redentor Enforcado, embora não diga com todas as letras que a heresia deva ser perdoada, diz que devemos amar quem nos odeia e perdoar suas ofensas não uma ou duas vezes, mas 70 vezes sete. Santo Agostinho diz que se uma pessoa comete heresia pela segunda vez, deve ser queimada viva. Um Redentor Enforcado que diz que se um homem bate em você, você deve oferecer a outra face e deixar que ele bata uma segunda vez não é um Deus a favor do holocausto.

— Eu soube que ele disse isso por meio da donzela de Blackbird Leys... isso de oferecer a outra face, quero dizer. Mas se você oferecer a outra face quando alguém bater, ele vai continuar batendo até arrancar sua cabeça.

A Irmã riu.

— Entendo o que você diz.

— Pode entender quanto quiser. Estou certo, não importa o que você pense.

— Vamos concordar em discordar.

— Eles a queimaram.

— Quem?

— A donzela de Blackbird Leys.

— Por quê?

— Ela estava dizendo o mesmo tipo de coisa que você disse. Tinha uma cópia do Testamento, também. Mas sem caixão e sem sal, ela foi direto pro fogo.

— Quando você diz que ela tinha uma cópia do Testamento, quer dizer uma cópia secreta.

— Sim.

— Antagonistas não têm cópias secretas do Testamento do Redentor Enforcado. É obrigatório lê-lo... ele foi traduzido para uma dúzia de idiomas.

— Talvez — disse ele — seja um Testamento diferente.

— Algumas coisas devem ser iguais, se a queimaram por dizer que o Redentor Enforcado é um Deus de amor, e não de castigo.

— Se isso é tão óbvio, por que puniram vocês por dizer a mesma coisa?

— A humanidade é assim.

— O maior erro de Deus.

— Não acredito nisso.

— Nem eu... Deus é que é o maior erro da humanidade.

— Lave essa boca com sabão, seu ímpio de merda.

Dessa vez, a Irmã Wray não repreendeu Poll.

— Parece — disse Cale, triunfante — que você precisa ensinar à sua amiguinha sobre o perdão.

— Talvez — respondeu a Irmã Wray — você tenha passado dos limites.

— Setenta vezes sete — Cale riu. — Ainda me sobram muitas. Você não vai se safar tão fácil.

— Possivelmente. Depende do tamanho dos pecados que você cometeu.

— Ele diz isso, o Redentor Enforcado?

— Não.

— Então pronto.

— Você não está me dizendo a verdade.

— Eu nunca prometi que diria. Quem é você? Não preciso contar nada que eu não queira.

— Sobre a donzela de Blackbird Leys, quero dizer.

— Fiz o que pude para salvá-la. — Agora ele já não se sentia tão triunfante. — É só isso.

— Não acho que isso possa ser verdade. Estou errada ao pensar que há mais a dizer?

— Não, não está errada.

— Então por que não me conta?

— Não estou com medo de contar.

— Eu não disse que você estava.

— Disse, sim.

— Concordo. Eu disse, sim.

Cale olhou fixamente para a retícula de pequenos buracos que cobria os olhos dela. Talvez ela fosse cega, ele pensou, e aquilo era uma perda de tempo. Idiota. Idiota. Idiota.

— Eu assinei a permissão para que ela fosse justificada.

— Justificada?

— Queimada na fogueira. Viva. Você já viu isso?

— Não.

— É pior do que parece.

— Acredito em você.

— Eu supervisionei o holocausto dela.

— Isso era necessário...? Envolver-se tanto assim?

— Sim, era necessário.

— Por quê?

— Não é da sua conta.

— Mas incomoda você?

— É claro que me incomoda, caralho. Ela era uma menina legal. Corajosa. Muito corajosa, mas burra. Não havia nada que eu pudesse fazer.

— Tem certeza?

— Não, não tenho certeza. Talvez eu pudesse ter me pendurado numa corda mágica e tirado a menina heroicamente de uma praça com 5 mil pessoas e muros de 6 metros de altura. É, eu deveria ter feito isso.

— Você precisava assinar?

— Sim.

— Precisava estar lá?

— Sim.

— Precisava estar lá? — perguntou novamente.

— Eu fui porque achei que eu deveria sofrer... por assinar.. mesmo não havendo mais nada que eu pudesse fazer.

— Então você fez tudo o que pôde. Essa é a minha opinião.

— Que alívio. — Em voz baixa, mas ácida. — Você acha que ela pensaria assim?

— Não posso dizer.

— Esse é o problema, não? Você me perdoa pelo que fiz com ela?

— Deus perdoa você.

— Não perguntei sobre Deus. Você me perdoa?

8

Canto sobre armas e sobre o homem, e sobre queijo; sobre a ira de Thomas Cale e sobre suprimentos adequados de aveia para os cavalos, entregues no lugar certo e na hora certa; canto sobre milhares baixando à casa da morte, carniça para os cães e aves, e sobre o aprovisionamento de barracas, cozinheiros, água para 10 mil no meio da aridez do deserto; canto sobre a suficiência de graxa para eixos e óleo comestível.

Pense num piquenique com a família e os amigos, considere a incapacidade de todos de se encontrarem na hora e no lugar certos ("Achei que você tivesse dito ao meio-dia"; "Achei que o ponto de encontro era o olmo do outro lado da cidade"). Considere o infinito desacerto das coisas, considere a geleia perdida, o local do piquenique compartilhado com um enxame de abelhas, a chuva, o fazendeiro zangado, a rixa entre irmãos que azeda há 20 anos. Agora imagine as bestas da guerra soltas para trazer o fim da humanidade. Trazer o apocalipse requer pedidos de queijo, óleo comestível, aveia, água e graxa para eixos, fazer os pedidos e entregá-los. Por isso Bosco não estava lutando, e sim gastando o tempo de reis, imperadores, líderes supremos, potentados e seus exércitos de ministros e subsecretários disto e daquilo com uma saraivada sem fim de súplicas, pactos, protocolos, requisições e acordos, todos projetados para criar o espaço e o tempo para a logística essencial que iria possibilitar o extermínio total da raça humana. O fim do mundo havia sido adiado para o ano seguinte.

Como nada realmente acontecia numa centena de cidades com muralhas, mês após mês, pelos quatro cantos do mundo, outras ameaças mais urgentes emergiram: doenças, medo da incapacidade de plantar uma safra, a inflação monetária, a saudade de casa e a esperança de que tudo se ajeitaria de alguma forma. Os refugiados começaram a voltar. Como resultado, na Leeds Espanhola a febre tifoide se espalhou quando um velho lixão, aberto para atender ao fluxo de camponeses alarmados e que estava lançando excrementos humanos no reservatório de água, causando a pestilência, foi fechado porque não era mais necessário. Trevor Lugavoy se recuperou, bem como Kevin Meatyard, que compareceu ao endereço que lhe deram e começou a trabalhar carregando sacos de grãos pela cidade.

Os Materazzi sobreviveram, como uma grande família enfrentando a pior das épocas. Não tinham dinheiro, mas tinham uma espécie de capital: os miolos de Vipond e IdrisPukke e o sempre confiável estandarte de ouro do esnobismo. Até o mais tosco dos mascates endinheirados, depois de fazer fortuna com toucinho ou cola de cavalo, descobria, ao ser confrontado pela superioridade desdenhosa das Materazzi, que algo faltava em sua vida: ele era tão vulgar quanto a lama e somente uma beldade dos Materazzi poderia começar a remover essa mácula. Imagine a ideia de ter uma esposa com um sobrenome de mil anos de idade, um sobrenome que poderia ser transmitido aos filhos. Que triunfo! Por baixo da vulgaridade belicosa, a alma daquele mascate não ressoaria mais como uma nota imperfeita. E tudo o que você precisava para se tornar um dos quem-é-quem era o equalizador mais imparcial que existe: dinheiro aos montes.

Os homens Materazzi podiam ser uns merdas, mas não eram arrogantes como suas esposas e filhas. Eles tratavam os plebeus ricos da Leeds Espanhola com a mesma afeição que dispensavam aos seus cavalos e cães. Esses cavalos e cães eram tão amados que imaginavam ser iguais. Deve-se dizer, no entanto, que as Materazzienne, como as mulheres ficaram conhecidas na Leeds Espanhola, nem sempre estavam dispostas a fazer o maior de todos os sacrifícios e entrar para uma família que fizera fortuna com cola ou marmelada. Porém, com o tempo, a realidade que era exigida de quem era especial, mas não tinha nenhuma habilidade especial, significava que muitas eram forçadas a andar, chorando, até o altar e um futuro marido que havia ganhado seu dinheiro negociando banha de porco ou torresmo. Vipond tinha forçado um imposto sobre esses enlaces, mas o fluxo de caixa não chegava perto do que ele precisava, por mais que mandasse furiosamente os chefes das Dez Famílias convencerem suas filhas "na base do pescotapa". Sua velha política de juntar seu cérebro e o dinheiro dos Materazzi agora só podia contar com o primeiro item. Nisso, IdrisPukke e Thomas Cale eram o que ele tinha, em vez de um tesouro. A volta de IdrisPukke do Priorado com notícias do que havia acontecido foi uma decepção, ainda que por motivos menos pessoais do que os do meio-irmão de Vipond. Este admirava Cale e era fascinado por ele, mas não nutria nenhuma afeição especial. Mesmo assim, ele esperava que o rapaz já estivesse melhor.

— Vale a pena investir em Cale? — perguntou ele a IdrisPukke. — Seja franco comigo. Há coisas demais em jogo para não ser.

— Por que está me pedindo honestidade? — respondeu, mal-humorado. — Você não tem o direito de me pedir algo assim. Ele é o que é.

— Isso não há como negar.

— Se quer desistir dele, pode desistir de mim também.

— Não seja tão dramático... daqui a pouco vai cantar uma ária. Eu me expressei mal. Vamos fazer de conta que não falei nada.

Assim, embora o dinheiro andasse curto, Vipond enviava um mensageiro a Chipre a cada duas semanas para atender aos pedidos de informações de Cale: mapas, livros, boatos, os relatórios que Vipond e IdrisPukke conseguiam pegar emprestados ou roubar. Em troca, mas lentamente, vinham seus mapas e seus palpites e certezas sobre o que Bosco faria, e como ele poderia ser frustrado, e o número mínimo de tropas e recursos que isso demandaria. O trabalho era lento por um motivo: Cale estava doente e não apresentava melhoras. Havia épocas em que ele parecia a caminho da cura, dormindo 12 horas por dia em vez de 14, conseguindo andar meia hora por dia e trabalhar mais meia hora. Mas então os ataques, a ânsia de vômito e o esgotamento terrível voltavam. Por nenhum motivo que ele ou a Irmã Wray conseguissem identificar, a doença aumentava e diminuía de acordo com a lua.

— Talvez seja a lua — disse Cale.

— Não é — respondeu a Irmã Wray. — Eu verifiquei.

Poll tinha certeza sobre qual era o problema.

— Você é um garoto muito maldoso e está doente de ruim.

— Talvez a cabeça-de-madeira esteja certa.

— Talvez sim, embora ela não tenha o menor direito de chamar outra pessoa de maldosa. Você está doente pela maldade dos outros. Os Redentores a derramaram em você, e agora sua alma está simplesmente tentando vomitá-la.

— Não deve ter sobrado muita.

— Você não comeu uma costela de porco estragada... você engoliu um moinho.

— Uma daquelas coisas que giram com o vento?

— Não. Como um moinho de sal. Um moinho de sal mágico, como na fábula.

— Nunca ouvi falar.

— Era uma vez um mar de água doce. Um dia, um pescador puxou uma velha lâmpada em suas redes. Quando ele começou a esfregá-la, dela saiu um gênio que fora aprisionado na lâmpada por um mago perverso. Como recompensa, o gênio deu ao pescador um moinho que produzia sal infinitamente. Então o gênio voou para longe, mas o velho pescador estava tão exausto que largou o moinho, e ele caiu no fundo do mar, onde começou a derramar sal sem parar. Por isso o mar é salgado.

— Não sei do que você está falando.

— Precisamos fazer o moinho parar de moer. Precisamos encontrar um remédio.

— Já era tempo.

A Irmã Wray não reagiu. Poll não foi tão reticente.

— Seu arruaceiro ingrato.

— Pelo que eu vou agradecer? — perguntou ele, ainda olhando para a Irmã Wray, que se virou para a boneca.

— Ele tem razão. Precisamos fazer melhor.

— Esse fantoche faz parte da sua religião?

— Não. Poll é só Poll.

Isso fez tudo parecer mais estranho do que havia parecido à primeira vista. Era verdade que ele tinha se espantado ao vê-las pela primeira vez. Por outro lado, estava acostumado, até esperava, que qualquer um vestido de padre ou freira proclamasse crenças anormais e se comportasse de maneira estapafúrdia.

A prece dos Redentores antes do desjejum declarava a firme crença deles nas Oito Coisas Impossíveis. Quase a cada minuto de cada dia, por toda a sua vida, eles lhe contaram alguma coisa sobre demônios pairando acima dele ou anjos ao seu lado, chorando quando ele pecava. Comportamento insano e crenças malucas eram normais para Cale. Ele nem tinha se impressionado muito pelo talento da Irmã Wray para fazer a voz diferente que parecia vir de Poll — já havia visto ventríloquos na porta da Ópera Vermelha, nos dias de touradas.

Um dia ele bateu na porta da Irmã Wray, mas ninguém respondeu. Ele sabia muito bem que deveria bater novamente, mas abriu a porta depois do menor intervalo possível. Ele esperava, é claro, encontrar a Irmã Wray sem o seu obnubilado (ela havia dito que esse era o nome do véu, quando ele tinha perguntado). Certamente não devia usá-lo quando estava sozinha? Talvez ele até entrasse e a encontrasse nua. Será que ela tinha seios enormes e mamilos vermelhos do tamanho dos pirezinhos delicados que os Materazzi usavam no chá? Ele havia sonhado com ela desse jeito. Ou será que era feia e velha, com a pele pendendo do peito como roupa molhada num varal? Ou alguma outra coisa na qual ele nem pensara? Suas esperanças distantes seriam decepcionadas. Entrou silenciosamente — um gato ficaria com inveja dele. Ela estava em sua poltrona, mas dormindo e roncando de leve, como também Poll — só que num tom e num ritmo completamente diferentes. O ronco da Irmã Wray era como o de uma criancinha, suave e baixinho. O de Poll era como o de um velho sonhando com desafetos.

Cale se sentou e ficou ouvindo as duas ofegando, sussurrando e chiando por algum tempo, e pensou em vasculhar o quarto dela. Levantou-se, decidiu não fazê-lo, e em vez disso parou ao lado dela e começou a levantar o seu véu.

— O que está fazendo, seu troço de carne malfeito?

— Procurando uma coisa que eu perdi — disse Cale.

— Bem, não vai encontrar aí — respondeu Poll.

Cale soltou a parte de baixo do véu com tanto cuidado quanto a pegara e em seguida foi se sentar, tão sem culpa quanto um gato mau. Ficou sentado por um minuto inteiro enquanto Poll o encarava.

— Você vai acordá-la? — perguntou a Poll.

— Não.

— A gente poderia conversar — sugeriu Cale afavelmente.

— Por quê?

— Pra nos conhecermos melhor.

— Eu sei tudo o que quero saber sobre você — afirmou Poll.

— Quem me conhece vê que sou um cara legal.

— Não, não é.

— Você acha que entende como eu sou de verdade?

— Você acha que não entendo?

A Irmã Wray dormia a sono solto.

— O que foi que eu te fiz?

Não era uma pergunta magoada, só uma questão de curiosidade.

— Você sabe muito bem.

— Não, não sei.

— Ela — disse Poll, olhando para a Irmã Wray — é pura nobreza, graça e generosidade.

— E daí?

— Sua fraqueza, embora eu a ame por isso, é que essas grandes dádivas que ela oferece aos outros sufocam o medo que ela deveria sentir de você.

Embora Cale tentasse não demonstrar, isso o abalou.

— Ela não tem nenhum motivo para sentir medo de mim.

Poll soltou um suspiro de impaciência.

— Você acha que a única coisa que as pessoas devem temer é o que você pode fazer com elas... socar-lhes nariz ou cortar-lhes a cabeça? Ela tem medo do que você *é*... do que sua alma pode fazer com a dela.

— Que zumbido estranho é esse nos meus ouvidos? — falou Cale. — Parecem palavras, mas não fazem sentido nenhum.

— Você entende o que estou dizendo. Pensa nisso tanto quanto eu.

— Não, não penso, porque tudo o que você diz é um monte de merda.

— Você sabe... você infecta os outros... você *sabe* exatamente, seu embusteirozinho choramingas.

— Eu não choramingo. Ninguém nunca me ouviu choramingar. E é sorte sua eu não saber o que é um embusteiro.

— Senão o quê? — perguntou uma Poll triunfante. — Você ia cortar minha cabeça?

— Você não tem cabeça. Você é feita de lã.

— Não sou — retrucou rapidamente uma Poll indignada. — Mas pelo menos não sofro de assassinato da alma.

Então, pela primeira vez, ele viu Poll ter um sobressalto — com um suspiro culpado de quem entregou um segredo.

— Que história é essa?

— Nada — afirmou Poll.

— Nada o caramba. Por que esse ar de culpada? Está com medo de quê?

— Não de você, com certeza.

— Então me conta, cabeça-de-lã.

— Você merece saber mesmo. — Poll olhou para a Irmã Wray, adormecida, ainda roncando como uma menina de dois anos. Uma pausa. Tentando decidir. Então Poll para Cale outra vez, com toda a bondade, assim lhe pareceu, do olhar de uma doninha que ele encontrou uma vez, devorando um coelho. O animal tinha levantado a cabeça, olhara para ele por um momento, totalmente indiferente, e voltou à sua refeição.

— Eu a ouvi falar com a nova Madre Superiora, quando achou que eu estava dormindo.

— Pensei que vocês duas soubessem tudo uma da outra. Amiguinhas íntimas.

— Você não sabe nada sobre nós duas. Acha que sabe, mas não sabe.

— Anda logo. Minha perna esquerda já está ficando dormente.

— Você pediu.

— Agora posso sentir minha outra perna querendo tirar um cochilo.

— O assassinato da alma é a pior coisa que pode acontecer com você.

— Pior do que a morte? Pior do que agonizar cinco horas com as tripas penduradas pra fora da barriga? O fígado escorrendo pra fora da pança? — perguntou Cale. Ele estava pintando com tintas fortes, mas não mais fortes do que a realidade.

— O assassinato da alma — afirmou Poll — é a morte em vida.

— Anda logo com isso, eu tenho mais o que fazer.

Mas a verdade é que ele não estava gostando muito daquilo — muito menos do olhar de Poll, mesmo que ela tivesse lã entre as orelhas.

— O assassinato da alma é o que acontece com crianças que levam mais de 40 golpes no coração.

— Golpes na cabeça contam? Nunca levei nenhum no coração.

— Eles mataram a sua alegria, Foi o que ela disse.

— Será que você não está mentindo? Eu me enganei sobre a lã... essa sua língua imunda parece feita dos cabelos do cu de um estuprador de ovelhas. Acredito que essa seja uma possibilidade considerável.

— Eu não acho que a sua alegria está morta.

— Eu não me importo com o que você acha.

— Sua alegria está toda concentrada em destruir coisas... desgraça e desolação deixam a sua alma contente.

— Isso é mentira, cacete. Você estava aqui quando eu contei pra Wray...

— *Irmã* Wray!

— ...quando contei pra ela da garota que salvei no Santuário. Eu nem a conhecia.

— E você se arrepende desde então.

— Foi uma piada.

— Ninguém riu; ninguém ri quando você está por perto, não por muito tempo.

— Eu me livrei de Kevin Meatyard.

— É o que você diz.

— Eu salvei Arbell Materazzi.

— Mas não estava pensando com a alma, estava? Pensou com o pinto.

— E salvei o irmão dela.

— É verdade — afirmou Poll. — Concordo que foi uma coisa boa que você fez.

— Então você está errada... você mesma falou — disse Cale, desconfiado.

— Eu não falei que seu coração está morto; muita gente de alma morta tem coração, um coração bom. Aposto que você era um menino adorável. Aposto que ia ser a bondade em pessoa quando crescesse. Mas os Redentores te pegaram e mataram sua alma, e foi isso. Nem todos podem ser salvos. Algumas feridas são profundas demais.

— Vê se morre. — Ele estava abalado.

— Não é culpa sua — disse uma Poll deliciada. — Você não pode evitar. Não nasceu mau, mas é mau assim mesmo. Não se pode fazer nada. Pobre Cale. Não se pode fazer nada.

— Não é o que *ela* acha — disse ele, olhando para a Irmã Wray.

— É, sim.

— Ela nunca disse isso.

— Não precisa dizer. Sei o que ela pensa antes mesmo dela pensar. Você vai fazê-la sofrer, não vai?

— A Irmã Wray?

— Não a Irmã Wray, seu idiota. Aquela vaca traiçoeira sobre a qual está sempre choramingando.

— Eu nunca a machuquei.

— Ainda não, não machucou. Mas vai machucar. E quando você cruzar esse rio, todos vamos sofrer... porque depois que ela estiver morta, nada mais vai segurar você. Sabe de que rio estou falando, não sabe?

— De novo aquele zumbido nos meus ouvidos.

— É o rio sem volta, AS ÁGUAS DA MORTE, e depois desse rio há o REGATO da desolação. É para lá que você está indo, rapaz, o desespero é o seu destino. Você é o sal na nossa ferida, é isso que você é. Você fede a sofrimento, e muito em breve o fedor vai tomar conta do mundo inteiro.

Poll estava começando a gritar.

— Eu ia ter pena de você, se todos nós não fôssemos perder o couro por causa disso. Você é o anjo da morte, sim... fede como tal. Atravesse esse rio sem volta para a terra do contentamento perdido, para o vale da sombra da morte...

Poll erguera tanto a voz que a Irmã Wray acordou com um grunhido alto.

— Quê? — disse ela.

Havia só silêncio.

— Oh, Thomas, é você. Eu peguei no sono. Faz tempo que está aí?

— Não — disse Cale. — Acabei de chegar.

— Desculpe, não estou me sentindo muito bem. Podemos continuar amanhã, se você não se importar.

Cale fez que sim.

A Irmã Wray se levantou e o acompanhou até a porta. Quando Cale estava saindo, ela disse:

— Thomas, Poll não falou nada enquanto eu estava dormindo?

— Não acredite em nada que esse embusteirozinho choramingas diz! — grasnou Poll, assustada.

— Quieta — ordenou a Irmã Wray.

Cale a olhou. Era algo bem difícil de entender, até para um garoto que tinha bebido muito, e desde muito jovem, na fonte da estranheza dos outros.

— Não — negou o jovem. — Ela não falou nada, e eu não teria dado atenção, mesmo se ela falasse.

9

— É fácil pra você falar. Já deixou outro homem te bolinar?

— Que eu me lembre, não.

Conn discutia com o lorde Vipond, observado por Arbell e por um fascinado IdrisPukke.

— Alguma vez o rei *tocou* você? — perguntou Arbell, não exatamente paciente.

— Não.

— Então por que todo esse escarcéu?

— Qualquer filósofo consegue aguentar uma dor de dentes — disse Conn para a esposa —, menos aquele que a tem.

Era uma referência a um dos ditados mais bem elaborados de IdrisPukke.

— Bem — disse Vipond —, já que você quer compartilhar banalidades... — ele estava se dirigindo ao irmão — ...que tal esta: todo problema é uma oportunidade.

A dificuldade e a oportunidade de ouro que eles estavam discutindo envolviam o rei Zog, monarca da Suíça e da Albânia, que tinha desenvolvido uma predileção muito particular por Conn Materazzi. Muitos, é claro, sentiam o mesmo pelo jovem louro, alto e bonito, tão forte e gracioso, com suas boas maneiras e sua receptividade com todos. O merdinha arrogante de menos de um ano atrás precisara crescer, e havia feito isso de forma tão atraente que surpreendeu até seus admiradores. Arbell, que já tinha uma paixão pelo rapazinho mimado — embora o tratasse com frieza e até com desdém, em decorrência disso —, agora descobria que estava começando a amá-lo. Um pouco tarde, talvez, considerando que eles estavam casados havia mais de sete meses e tinham um filho cuja chegada prematura, mas bem gordinho, tinha sido o alvo de alguns boatos pouco generosos. Embora com certeza mais dócil do que antes, consideravelmente até, ele tinha seus limites, sendo um deles sua aversão a tudo no seu imperial admirador: suas roupas sujas ("Posso dizer tudo o que ele comeu no último mês"), sua boca ("A língua dele tremula na boca como um lençol molhado num varal"), suas mãos ("Sempre se tocando e tocando a calça do seu favorito"). Seus olhos ("lacrimejantes"). Seus pés ("enormes"). Até seu jeito de ficar parado ("Repugnante!"). Em resumo, Conn não sentia pelo rei Zog nada além de ódio e desgosto.

— O rei — prosseguiu Vipond — nos tem a todos em suas mãos... mais do que isso até. Todos os países que estão nervosos com os Redentores olham para ele, procurando um sinal do que deveriam fazer. Sem ele, os Materazzi decairão para uma espécie de nada, ou seja, sua esposa, seu filho e você.

— Então você quer que eu lamba o cu dele?

— Conn! — reprimiu sua esposa, rispidamente.

Houve uma pausa desagradável.

— Desculpe — disse Conn finalmente.

— Já ouvi coisa pior — respondeu Vipond.

— Posso dizer uma coisa? — perguntou IdrisPukke.

— Precisa mesmo? — rebateu Vipond.

IdrisPukke sorriu e olhou para Conn.

— Meu caro rapaz — começou ele, piscando para Conn sem que os outros vissem; um sinal de que ele estava do lado de Conn e conspirando contra os outros dois.

— Se ele me tocar, corto-lhe a cabeça — afirmou Conn, interrompendo a tentativa de negociação de IdrisPukke.

IdrisPukke sorriu outra vez, enquanto os outros suspiravam e faziam caretas exasperadas.

— Você não vai cortar a cabeça dele, porque não vai deixar que ele o toque.

— E se ele tocar?

— Você se levanta — disse IdrisPukke —, olha para ele como se já tivesse visto coisas mais adoráveis saindo da bunda de um cachorro e sai da sala em silêncio. Você não *diz* nada.

— Se isso é o melhor que você pode fazer, não precisa ficar aqui por nossa causa — disse Vipond.

— O rei é um esnobe — respondeu IdrisPukke — e, como todos os esnobes, no fundo é um bajulador. A vida toda ele procurou alguém que o desprezasse para ser o objeto de sua adoração. Conn parece um jovem deus... um jovem deus de uma linhagem que remete à era glacial. O rei está maravilhado.

— Pensei em outra palavra — disse Conn.

— Talvez isso também. Mas ele quer que você o trate com desdém. Não vai ousar tocar você. Cada vez que você olhar para ele... e não o olhe mais do que uma ou duas vezes num encontro... derrame cada gota do seu ódio e nojo no seu olhar.

— Não vai ser difícil.

— Então pronto.

Após essa inesperada solução, IdrisPukke tagarelou sobre um jantar ao qual havia comparecido na noite anterior, e então Arbell convidou Conn a sair e os dois irmãos ficaram a sós.

— Acho que tudo correu muito bem. — Não era IdrisPukke falando no seu tom meloso de autocongratulação, e sim Vipond, cuja sisudez desaparecera completamente, substituída por um semblante de considerável satisfação.

— Você acha que ela percebeu?

— Provavelmente — respondeu Vipond. — Mas ela é espertinha. Não vai dizer nada.

— A propósito, você está enganado — disse IdrisPukke.

— Como assim?

— Você disse: "Todo problema é uma oportunidade." — IdrisPukke andou até a janela para aproveitar os últimos raios do sol que se punha. — Na verdade, o que eu sempre digo é: "Toda oportunidade é um problema."

Henri Embromador estava perturbado, mas de forma incomum, como se um peixe tivesse acabado de cair do céu diante dele. Dois dias antes, ao enfiar a mão no bolso para pagar um maço de cigarrilhas na Tabacaria Saudável do Dr. Sobranie, ele tinha descoberto que seus trocados haviam desaparecido e tinham sido substituídos por uma cenoura. Mais precisamente, uma cenoura que havia sido entalhada, sem muita habilidade, no formato de um pênis ereto com a palavra "VOCÊ" escrita nos testículos. Finalmente, ele concluiu que foi vítima de algum punguista metido a espertinho. A questão de por que um ladrão habilidoso iria roubar os trocados no seu bolso esquerdo e não a carteira no direito, dentro da qual havia quase trinta dólares, ele empurrou para os recessos de sua mente. Mas agora a coisa estranhamente peculiar que ele guardara nos recantos da mente não podia mais ficar lá, porque aquilo tinha acontecido novamente. Desta vez, ele descobriu um ovo cozido, com casca, com os dois olhos esbugalhados de um idiota e uma boca com a língua pendurada de um lado desenhados na casca. Do outro lado do ovo havia uma declaração:

Henri Embromador
VERDADEIRO

A noite toda, Henri Embromador revirou no cérebro a questão de qual seria o significado das duas provocações, e se elas eram ou não uma ameaça. Então alguém bateu na porta; ele atendeu, tomando cuidado de esconder um longo punhal atrás das costas. Mas seu visitante teve o bom senso de ficar bem para trás.

— Então foi você?

— Quem mais poderia ter sido? — perguntou Kleist. — Ninguém sabe como eu o quanto você é um colhão.

Henri Embromador estava tão feliz por ver seu velho amigo que a bronca que se seguiu por ele ter fugido sozinho quando estavam nas Terras Crestadas mal durou cinco minutos. Em seguida, estavam sentados e fumando duas cigarrilhas de Tabaco Saudável do Dr. Sobranie e tomando o que havia sobrado de uma garrafa de péssimo vinho suíço. Os dois, é claro, tinham acontecimentos extraordinários para contar.

— Você primeiro, porque pecou mais — disse Henri Embromador, e ficou assombrado quando Kleist, sem aviso, começou a chorar incontrolavelmente. Ele levou meia hora para se recuperar o suficiente para contar o que acontecera. Enquanto ouvia, Henri Embromador ficou pálido, e depois vermelho de raiva e revolta.

— Pronto, pronto — disse ele para o garoto em prantos, dando tapinhas no seu ombro, porque não sabia o que mais fazer. — Pronto, pronto.

Não é o mundo todo que é um palco, mas cada alma humana: a lista de elenco na alma de cada um de nós é longa, variada, e a maioria das personagens forma fila nas coxias e pelas passagens escuras, chegando até o porão, sem nunca ser chamada para fazer teste para um papel. Até aquelas que conseguem chegar ao palco, é só para carregar uma lança ou anunciar a chegada do rei. Nessa esperançosa, mas provavelmente em vias de ser decepcionada, fila de eus interiores aguardando a oportunidade de desfilar pelo mundo, normalmente encontramos nosso tolo interior, nosso mentiroso particular, nosso paspalhão oculto e, ao lado dele, nosso eu mais sábio e melhor; nosso herói e também nosso covarde, nosso trapaceiro e nosso santo, e perto dele nossa criança, depois nosso pivete, nosso ladrão, nossa vadia, nosso homem de princípios, nosso glutão, nosso lunático, nosso homem honrado e nosso bandido.

Chamada de modo inesperado para o início da fila na alma de Henri Embromador, naquela noite, lá estava uma personagem muito perigosa (ao menos para ele): a parte de Henri Embromador que acreditava na justiça e no jogo limpo.

Cale lidava com seu passado se mantendo num estado de fúria quase constante; Kleist, desdenhando qualquer coisa que pudesse tocar seu coração; Henri Embromador, com alegria diante da adversidade. As estratégias dos dois primeiros fracassaram (Cale enlouquecera e Kleist tinha se apaixonado) e agora era a vez de Henri Embromador. A ideia de que um deles pode se casar e fazer outro ser humano, um bebê de verdade, rosado, pequeno e indefeso, fez nascer nele uma raiva tão profunda dos Redentores que as mortes da esposa e do filho de Kleist queimavam como o sol. Por isso ele convocou a mais louca de seu elenco de personagens: aquela que queria que a vida fosse justa, que desejava que aqueles que fizeram mal a alguém fossem punidos e justiça para todos.

Enquanto um Kleist exausto roncava num esquecimento deplorável na cama, Henri Embromador acabava de fumar a última guimba de seu Tabaco Saudável e planejava sua desaconselhável e venenosa conspiração. Destituído para o fim da fila do elenco interno de Henri Embromador, seu eu mais sábio gritava: atrase, fuja, evite, adie o quanto possível o momento de empenhar a si mesmo e aos outros no ofício da morte. Mas era à voz da fúria que ele dava ouvidos.

Se IdrisPukke soubesse o que Henri Embromador estava planejando, teria um troço — em vez disso, estava aproveitando o sucesso absoluto de seu plano para manipular Conn na questão do rei. A cada olhar de desdém e cada suspiro de desprezo, Zog só ficava mais enfeitiçado pelo rapaz. O rei finalmente havia alcançado o paraíso dos esnobes: encontrara alguém digno de humilhá-lo.

Por mais que sua ascensão tivesse sido veloz, e junto com ela a dos Materazzi em geral, até os admiradores mais ferrenhos de Conn ficaram assombrados com o anúncio de que o rei o iria nomear comandante de todos os exércitos da Suíça e da Albânia. Esse passo extraordinário e aparentemente tolo, considerando a ameaça à própria existência que os suíços enfrentavam, encontrou menos oposição do que poderia, porque todos já esperavam que o posto fosse ficar com o visconde Harwood, o agora ex-favorito do rei Zog, um homem sem nenhuma experiência militar ou mesmo qualquer tipo de talento. Dizia-se com confiança que, ao saber da escolha de Conn, Harwood se refugiou em sua cama e chorou por uma semana. Os boatos mais vulgares, provavelmente falsos, sussurravam que seu pênis encolhera até ficar do tamanho de uma bolota. Em vista disso, a nomeação de Conn era menos absurda do que parecia a princípio. Ele tinha mudado muito desde a catástrofe de Silbury Hill. Chegou bem perto de uma morte terrível ali e se viu obrigado a suportar ser resgatado por alguém que ele já havia perseguido e desprezado. Até IdrisPukke, que tinha caído no riso ao saber de sua nomeação para um cargo tão absurdamente poderoso, começou a perceber, depois de alguns dias de reuniões com Conn e Vipond, que a derrota, a morte e a humilhação em Silbury haviam burilado aquele jovem. Ali estava alguém que foi criado para lutar e que aprendeu lições amargas bem cedo. Além disso, Conn, como Vipond o aconselhara a fazer, ouvia IdrisPukke com cuidado e estava clara e genuinamente impressionado pelo trabalho que este fizera a respeito da guerra iminente com os Redentores. Conn não podia saber que boa parte da estratégia havia sido fornecida por Thomas Cale.

— Mas e se Cale voltar? Como Conn vai reagir a isso? — perguntou IdrisPukke.

— Ele sabe? — questionou Vipond.

— Sabe o quê?

— Aquela coisa que seria melhor ele não saber.

— Provavelmente não. Se estivermos pensando na mesma coisa.

— Estamos.

— Será que ele vai voltar... Cale, quero dizer? — perguntou seu irmão.

— Pelo visto, não.

Era uma resposta infeliz, e seria ainda mais infeliz se ele pudesse ver o rapaz de quem continuava, para sua surpresa, sentindo tanta falta. Se as olheiras de Cale mudaram, escureceram — a pele ainda mais branca pela exaustão com a ânsia de vômito que o afligia às vezes por alguns segundos, às vezes por horas. Alguns dias eram melhores — havia até semanas em que ele pensava que talvez estivesse passando. Mas os ataques sempre voltavam, maiores ou menores, de acordo com suas próprias determinações e desejos.

Durante uma dessas melhores semanas, a Irmã Wray disse que queria subir até o topo de uma colina próxima, em busca da verdade sobre os boatos de que a sálvia azul e o azedaraque laranja cresciam no alto dela, e também porque se dizia que o panorama do mar e das montanhas de lá era o melhor de Chipre.

— Pode ser uma colina — sugeriu um Cale ofegante, depois de algumas dezenas de metros de subida —, mas parece uma montanha.

Ainda bem que eles partiram cedo, pois Cale precisava descansar a intervalos de poucas centenas de metros. Na sexta parada, ele cochilou por quase uma hora. A Irmã Wray foi passear em meio à vegetação seca e à terra farelenta. Embora tivesse chovido pouco nos últimos meses, em toda parte, escondidos entre os raquíticos arbustos de bérberis e os pés de cardo, estavam os pequenos prazeres da centáurea roxa, das rosas das pedras, das minúsculas flores ovais do bupleuro.

Quando ela voltou, Cale estava acordado, pálido e com olheiras ainda mais pretas.

— Vamos voltar.

— Não vou chegar até o topo, mas podemos andar um pouco mais.

— Chorão cheio de frescura — disse Poll.

— Você conhece — respondeu Cale num sussurro — alguma erva capaz de fechar a matraca de alguém?

Uns 450 metros acima deles, e 60 metros abaixo do topo da colina, havia uma fenda em forma de V aberta na colina pelas chuvas de inverno. Era o caminho mais fácil até o topo, e os Dois Trevors e Kevin Meatyard estavam por ali, esperando que Cale e a Irmã Wray passassem. Kevin estava empolgado como um cachorrinho, mas os Dois Trevors estavam inquietos. Eles sabiam muito bem que a lei férrea das consequências não intencionais parecia se aplicar até com mais rigor aos assassinatos planejados do que a outras empreitadas. Eles sempre planejavam seus assassinatos como uma história, onde a sequência de acontecimentos podia ser perturbada a qualquer ponto por um detalhe trivial. Não conseguiram matar o arquiduque Ferdinand em Sarajevo porque o cocheiro — um substituto de última hora para o cocheiro de sempre, que cortara o braço naquela manhã enquanto trocava uma roda por precaução — entrara em pânico com as instruções apressadas sobre para que lado ir e tinha virado na esquina errada, não uma (os Dois Trevors haviam levado isso em conta), mas duas vezes. Se tivessem conseguido matar o velhote, sabe-se lá quais seriam as consequências — mas não conseguiram, por isso havia acontecido outra coisa.

A volta dos Dois Trevors à Leeds Espanhola teve uma espécie de recepção anticlimática. Kitty pareceu acreditar quando eles garantiram que, embora não pudessem revelar o negócio do seu cliente, não ameaçavam de modo algum os interesses de Kitty (o que não era verdade, aliás, mas nenhum dos dois lados sabia que o outro estava interessado em Thomas Cale). Kitty supôs que os Redentores provavelmente estavam envolvidos, mas enquanto a situação política estivesse tão confusa, não queria antagonizá-los sem um bom motivo. Ele havia pensado, é claro, em fazer os Dois Trevors sumirem nas lixeiras de Oxyrinchus, só por segurança. Mas agora tinha decidido que o mais seguro seria soltar os Dois — para grande irritação de Cadbury, considerando o trabalho que ele teve para trazê-los de volta. Além de saírem vivos, os Dois Trevors tiveram um golpe menor de sorte: descobriram onde Cale tinha se refugiado, num momento em que Lugavoy foi testemunha do exibicionismo de Kevin Meatyard. Kevin, deliciado, descobriu a reputação de Thomas Cale como uma espécie de renegado durão e estava determinado a informar a todos que ele deu diversas surras de respeito naquele célebre casca-grossa. Ninguém acreditava muito nele, mas a aparência de Kevin, bem como suas histórias de bravatas violentas, deixavam as pessoas nervosas. Se o corpo é o melhor retrato da alma humana, Kevin era claramente alguém a ser evitado. Por isso o empregador de Kevin reclamava dele com Trevor Lugavoy, e assim se deu a descoberta acidental do paradeiro exato de Cale.

— Não gosto de acasos ridiculamente sortudos — disse Trevor Kovtun —, eles me fazem lembrar acasos absurdamente azarados.

Os três haviam chegado a Yoxhall, a cidadezinha às portas do Priorado, exatamente no dia anterior ao passeio de Cale e da Irmã Wray à colina Biggin. Durante cem anos, Yoxhall tinha sido uma estância hidromineral onde os razoavelmente bem de vida vinham tomar as águas e visitar seus parentes no Priorado, que surgiu ali na crença de que as termas locais eram benéficas para o tratamento daqueles que sofriam dos "nervos". Era baixa temporada, e foi fácil arranjar alojamentos de onde se via o portão principal do Priorado. Não era possível elaborar um plano exato sem antes examinar meticulosamente o local e bolar uma ou duas estratégias de fuga. Enquanto faziam o desjejum naquela manhã bem cedo, Kevin, empolgado, desceu do seu posto de vigilância do portão para avisar que Cale e uma espécie de freira estranha, que ele tinha visto algumas vezes no lugar quando estava preso lá, estavam indo para a colina Biggin. Eles o seguiram, se dando conta de que novamente a sorte suspeita estava lhes oferecendo uma oportunidade de ouro, muito embora os Dois Trevors não acreditassem em oportunidades de ouro. Estava claro que Cale e a freira iam para o topo, mas ficavam parando para descansar, por isso os três conseguiram se adiantar bastante, mesmo tendo que fazer um itinerário muito mais íngreme para examinar a fenda na encosta da colina que Kevin garantiu ser um excelente lugar para uma emboscada. No fim, ele estava certo — ele era feio e grosseiro, mas não burro. De fato, quando não estava se vangloriando ou deixando as pessoas constrangidas, ele era astuto, de uma forma desagradavelmente rústica.

Além da aversão dos dois à sorte inesperada, havia também o problema da freira, ou o que quer que ela fosse. Era mais do que uma relutância profissional em matar alguém sem terem sido pagos para isso, mas um desconforto moral. Os Trevors não eram ingênuos a ponto de acreditar que todas as pessoas que eles mataram haviam recebido o que mereciam, embora em geral isso fosse verdade. De fato, provavelmente era sempre verdade. Por que alguém gastaria a enorme fortuna necessária para contratar os Dois Trevors por causa de um inocente? Mas por mais que o lugar fosse ideal para abater Thomas Cale — que sem dúvida alguma merecia o que ia lhe acontecer —, de jeito nenhum eles poderiam deixar uma testemunha ou alguém para dar o alarme. Portanto, foi com uma peculiar mistura de sentimentos que eles observaram Cale e a freira voltando. Mas não havia sentimentos misturados para Kevin Meatyard: ele esmurrou o chão de frustração e xingou tão alto que Trevor Lugavoy o mandou calar a boca, ou iria se arrepender. Eles esperaram uma hora e então desceram a colina, taciturnos e mal-humorados.

Os Trevors não eram os únicos observadores naquele dia. Espiando de uma lindamente conservada *maison de maître* ao pé da colina Biggin estavam Daniel Cadbury e Deidre Plunkett.

Sua chegada tardia naquela manhã no encalço dos Dois Trevors significava que só quando Cale e a Irmã Wray voltaram, seguidos uma hora depois pelos dois homens e seu acompanhante encalombado, Cadbury se deu conta de que quase falhara em proteger Cale. Ou algo dera errado, ou por algum motivo os Dois Trevors estavam seguindo Cale, mas não pretendiam matá-lo. Mas o que eles poderiam estar tramando, se não era um assassinato?

Embora fosse baixa temporada para Yoxhall, havia movimento suficiente das famílias dos doidos ricos para manter as coisas funcionando. Cadbury não queria arriscar ir à cidade e topar com os Dois Trevors, por isso decidiu mandar Deidre em seu lugar. Eles, é claro, a viram rapidamente quando ele os havia trazido de volta para a Leeds Espanhola, mas Deidre estava usando seu costumeiro traje assexuado de sarja. Algo podia ser feito a respeito disso.

Cadbury pediu que o caipira que cuidava da casa chamasse um costureiro.

— Vocês *têm* costureiros aqui?

— Oh, sim, senhor.

— Peça que ele traga uma variedade de perucas. E fique de boca fechada, e mande o costureiro fazer o mesmo. — Ele deu dois dólares ao caipira e cinco para o costureiro.

— Você acha que cinco dólares foram suficientes? — perguntou ele a Deidre depois que o velho saiu. Ele não estava interessado na opinião dela sobre o valor do silêncio do homem, só estava tentando fazê-la falar. Precisava descobrir se a jovem sabia que ele tinha assassinado sua irmã. Quanto mais tempo passava com essa mulher, que era ainda mais peculiar que a falecida Jennifer, mais isso se apoderava de sua mente. Deidre raramente abria a boca. Mas sempre que ele lhe fazia uma pergunta direta, ela respondia com algum ditado aforístico — ou algo parecido. Tudo o que ela dizia era pronunciado com um leve sorriso, e num tom tão sucinto que era difícil não achar que ela estivesse zombando dele. Às vezes ela parecia tão silenciosamente onisciente quanto um Buda metido a besta. Mas ela era sábia e silenciosamente onisciente a respeito *do quê*? Estaria ela apenas esperando a hora certa?

— O suficiente é como um banquete para o sábio — disse ela, em resposta à sua pergunta sobre o dinheiro. Havia um traço de desdém bruxuleando nas profundezas daqueles olhos rasos e sem expressão? E nesse caso, o que significava? Ela sabia e estava esperando? Essa era a questão. Ela sabia?

Como não havia mais nada a fazer até que o caipira voltasse, ele tentou ler. Sacou seu novo exemplar de *O Príncipe Melancólico*, cujo exemplar anterior tinha se desfeito durante uma visita a Oxyrinchus para providenciar a remoção de um funcionário corrupto responsável pelas lixeiras da cidade. Ele era corrupto no sentido de não estar repassando a parte de Kitty das Lebres nos lucros, que lhe era devida pelo fato de ter sido Kitty das Lebres quem pagara a propina para que ele fosse nomeado. Quando Cadbury decidiu tristemente jogar fora seu exemplar desfolhado de *O Príncipe Melancólico* — tantas lembranças — ficou intrigado ao ver que sua futura vítima havia dividido, de forma inteligente, o lixo local em diferentes caçambas: para comida, lixo misturado e papel. De acordo com o contrato com a cidade, ele deveria levar o papel para Memphis, onde alegava que podia vendê-lo para custear parte dos custos da limpeza urbana, e assim explicar por que seu lance na licitação tinha sido mais baixo que o da concorrência. Isso era mentira. Na verdade, ele levava o papel para o deserto perto dali e o enterrava.

Agora Cadbury abriu seu novo exemplar e começou a ler, mas, ainda que fosse agradável ler novamente as palavras familiares ("Ninfa, que em tuas orações todos os meus pecados sejam lembrados"), a presença silenciosa de Deidre o perturbava.

— Você gosta de livros? — perguntou ele.

— Fazer muitos livros não tem fim — respondeu. — E muito estudo cansa a carne.

Aquilo tinha sido um sorriso?, ele pensou. *Era definitivamente um sorriso.*

— Você não acha que o conhecimento é uma coisa boa, então? — O sarcasmo despeitado de Cadbury não deixava dúvidas.

— Quem aumenta o conhecimento — disse ela — aumenta o sofrimento.

Aquilo realmente o deixou aborrecido. Cadbury era um homem instruído e levava seus próprios estudos, e os dos outros, a sério.

— Então você não compartilha a opinião de que a vida sem estudo não vale a pena ser vivida? — Mais sarcasmo.

Deidre não disse nada por um momento, como se estivesse deixando a exclamação dele pousar no ar seco da sala, cheio de partículas de poeira flutuando nas nesgas de sol que entravam pelas janelinhas.

— Para quem está com os vivos há esperança; pois um cão vivo é melhor do que um leão morto.

Para Cadbury, aquilo parecia uma ameaça, muito mais ameaçadora porque fora pronunciada num tom ainda mais neutro do que de costume.

A irmã dela seria o leão morto? Ele seria o cão vivo?

— Talvez — disse ele — umas roupas novas possam deixar você feliz.

A mulher sorriu, um acontecimento raro.

— Não há nada de novo sob o sol.

Vinte minutos depois, o caipira voltou com o costureiro, carregado de sacolas. Cadbury explicara que ele queria que Deidre usasse um vestido e uma peruca — seu cabelo era quase raspado — e fosse procurar os Dois Trevors. Ele não podia imaginar que os dois iriam reconhecê-la; depois que o costureiro terminou, nem Cadbury conseguia. O vestido e o cabelo falso não a transformaram numa beldade. Na verdade, ela parecia ainda mais estranha do que antes — como uma boneca, um autômato que ele tinha visto numa demonstração no Old King Cole Palace, em Boston. Depois que o pó de arroz e o batom foram aplicados, Deidre ficou muito, mas muito estranha, como se alguém tivesse descrito uma mulher a um escultor cego de nascença, o qual tinha tentado então fazer uma, que ficou impressionante à sua maneira, considerando as limitações do artista, mas nem por isso totalmente convincente. No entanto, aquilo certamente surtiria efeito. Ninguém iria reconhecê-la.

Àquela altura, já havia escurecido. Ele pagou ao costureiro e ao caipira, acenou para que Deidre fosse até a janela maior e levantou a lanterna, para que ela pudesse se ver refletida no vidro. Ele achou que o semblante dela se abrandou por um momento enquanto ela virava para um lado e para o outro, e então ele viu uma expressão de puro deleite.

— Quem é esta? — perguntou ela. — Quem chega do deserto como uma coluna de fumaça cheirando a incenso e mirra? — E então ela riu.

— Eu nunca tinha ouvido você rir — disse Cadbury, assombrado.

— Há uma hora para rir — falou Deidre, virando-se para se admirar na janela — e uma hora para chorar.

Depois de ouvir as instruções de Cadbury sobre o que ela devia e não devia fazer ("Não deixe os Dois Trevors verem você e não mate ninguém"), ela se foi por quase duas horas, durante as quais Cadbury teve todo o tempo para considerar o que sua avó queria dizer quando o avisava repetidamente que preocupar-se é o passatempo favorito do diabo.

Se ele soubesse a verdade sobre Deidre, ficaria menos preocupado com sua própria segurança, mas até mais apreensivo quanto à realização bem-sucedida do trabalho deles. Deidre Plunkett, se não era imbecil, com certeza estava no alto da escala dos simplórios. Sua mãe, membro devoto do Povo Simples, que temia a esquisitice da filha mais do que sua falta de entendimento, lia em voz alta diariamente para Deidre o Livro Sagrado, na esperança de que a sabedoria do volume afastasse a esquisitice da moça. Nisso ela fracassou, em especial por causa da influência da falecida Jennifer, a irmã igualmente esquisita, mas muito mais esperta. Devotada a Deidre, Jennifer demonstrava seu poder intelectual superior criando jogos para a irmã, o menos chocante dos quais envolvia torturar animaizinhos para obter uma confissão, os levando a julgamento com acusações fraudulentas e depois inventando execuções horrivelmente complicadas. Embora o poder de entendimento fosse fraco, Deidre era naturalmente perspicaz para matar, da mesma forma que um lobo é astuto. Nenhum lobo sabe falar ou contar, mas um matemático que fala uma dúzia de idiomas provavelmente não iria durar uma hora com um único lobo numa floresta escura ou montanha fria. E ela não era tão simplória; mantendo a boca fechada e adotando o quase sorriso enigmático que a irmã tinha lhe ensinado, ela conquistou uma reputação de pragmatismo e acuidade, que parecia adequadamente confirmada por seu talento para o assassinato.

Qualquer um que tentasse puxar conversa com Deidre logo se sentiria constrangido por um olhar vazio que, paradoxalmente, parecia sugerir uma astúcia profunda e desdenhosa. Suas respostas sucintas — sucintas porque ela raramente entendia o que lhe diziam — pareciam implicar que ela considerava qualquer interlocutor um tolo falastrão. As citações enigmáticas e muitas vezes vagamente ameaçadoras da bíblia do Povo Simples eram desencadeadas pelas palavras de quem falasse com ela. Dessa forma, suas respostas pareciam sempre relevantes, ainda que estranhas de modo zombeteiro. Em outras circunstâncias, um malandro sabido como Daniel Cadbury a teria decifrado, mas o medo (não a culpa, bem entendido, pois Jennifer tinha tentado assassiná-lo primeiro e inquestionavelmente recebera o que merecia) e a preocupação de que ela soubesse de tudo e estivesse só esperando a hora certa o cegavam para a verdade, sendo uma parte dessa verdade que Deidre começava a gostar dele. Sua atração por ele era o que a deixava, de fato, mais faladeira que de costume — a única forma de que ela dispunha para flertar com ele era esperar até que uma palavra sua ativasse alguma coisa que ela reconhecia do Livro Sagrado. Infelizmente, boa parte do Livro Sagrado consistia em ameaças bastante brilhantes de uma espécie ou outra contra os descrentes, daí a sensação de Cadbury de que havia algo ameaçador no modo como Deidre falava com ele.

Deidre já saíra havia quase uma hora e meia quando ele não pôde suportar mais. Decidiu correr o claro risco de esbarrar nos Trevor e ir ver o que estava acontecendo.

A mulher podia estar disfarçada, mas era fácil de se avistar, com a aparência e o comportamento tão estranhos. Ainda bem que Cadbury a encontrou, pois ela tinha chamado a atenção de um trio do que se consideravam dândis naquela parte do mundo: cartolas, suspensórios vermelhos e sapatos de bico fino. Os quatro, Deidre com sua peruca loura, olhos tresloucados e bochechas maquiadas, pareciam o pesadelo de uma criança infeliz.

— Tem outras como você na sua casa, lindinha? — zombava o rufião, que claramente se achava muita coisa. Deidre o encarou e emitiu uma espécie de gemido estrangulado, sua melhor tentativa de bancar a relutante elegantemente.

— Que tal um corte seco na entrada? — perguntou um dos outros. Deidre não sabia o que fosse um corte seco nem uma entrada, mas sabia reconhecer a violência ao ouvi-la. O terceiro rufião de cartola a segurou pelo braço.
— Beijinho! — falou, rindo.

Cadbury estava prestes a interferir quando um homem de uns 50 e tantos anos gritou nervosamente para os rufiões:

— Deixem a moça em paz.

Os três se viraram para o salvador de Deidre.

— Por que não vem aqui e obriga a gente, gordão?

Já pálido, o homem empalideceu mais e não se mexeu. Cadbury decidiu fingir ser um apaixonado aliviado por encontrar sua namorada perdida ("Aí está você, querida. Estou à sua procura há meia hora!"). Mas ele demorou demais. O rufião apertou mais forte o braço de Deidre quando tirou os olhos dela. A mão esquerda dela já estava no bolso, puxando um punhal curto de lâmina larga. Com toda a sua força magrinha, ela o cravou nas costas dele, entre a sexta e a sétima costelas, desvencilhando seu braço direito enquanto ele caía gritando. O líder se afastou e se virou, e o golpe que ia atingi-lo nas costas o pegou no estômago, seguido por outro no coração. O terceiro rufião tentou falar, erguendo as mãos para proteger o peito e a barriga.

— Eu... — Mas ele não concluiu o que ia dizer. O punhal de Deidre atravessou o seu olho. Ela olhou na multidão para ver se mais alguém iria atacá-la. Mas a multidão estava parada e em silêncio, incapaz de entender aquela mulher que parecia uma boneca pintada, o vazio selvagem de seus olhos e o sangue no chão.

Cadbury andou na direção de Deidre, quebrando aquele silêncio quando ele a abordou ao lado do terceiro homem sem um olho, que gritava por sua mãe.

— Querida — disse Cadbury —, querida — tomando cuidado para trazê-la de volta do êxtase que parecia ter tomado conta dela. Deidre piscou, a reconhecendo. Devagar, ele colocou a palma da sua mão aberta sobre a dela, tomando cuidado para não apertá-la ou puxá-la enquanto a levava embora.

Pouco surpreendentemente, ninguém os seguiu, e dobrando esquinas nas belas, porém estreitas ruas, eles estavam a salvo no momento. Os guardas da pacífica cidadezinha não estavam acostumados a nada mais do que as ocasionais brigas de bêbados na madrugada. O resultado de tudo azedar dessa forma foi no mínimo a compreensão: o negócio era sair de lá e seguir andando. Mas à espera de Cadbury na Leeds Espanhola estava um ansioso Kitty das Lebres, e explicar-lhe como esse fiasco acontecera, junto com a probabilidade de Cale ter sido perdido para os Dois Trevors, não comportava muita reflexão. Cadbury precisava mostrar que tinha feito uma séria tentativa de resolver a situação. Não poderia haver contraste maior do que entre Bosco e Kitty das Lebres, exceto que os dois achavam que Thomas Cale era um talismã para o futuro. ("O espírito da época, meu caro Cadbury, possui algumas pessoas, e a coisa a se fazer quando encontramos uma dessas é seguir seu rastro até que seu impulso se esgote.")

Ao chegar a uma pequena pia incrustada no muro de uma igreja, Cadbury mandou Deidre lavar a maquiagem, enquanto ele pensava no que fazer. O problema era o tempo: era como decidir quando sair dos mangues de um estuário na mudança da maré — apenas alguns segundos de antecipação faziam a diferença entre andar até a margem com tempo de sobra ou se afogar.

Cadbury olhou para Deidre. A água só tinha borrado o blush, o lápis preto e a base por todo o seu rosto. Ela parecia uma aparição do oitavo círculo do inferno.

— Você soube alguma coisa deles? Dos Dois Trevors?

— Não.

— E daquele brutamontes que anda com eles?

— Não.

Ele estava tentando descobrir como chegar até Cale àquela hora da noite — presumivelmente, não era permitido entrar num manicômio sem ser anunciado —, mas também estava considerando onde esconder Deidre. Se os Dois Trevors não assassinaram Cale quando tiveram uma chance tão boa naquela manhã, dificilmente tentariam fazer alguma coisa à noite. Então ele não precisava levar Deidre junto, mas encontrar algum lugar para escondê-la, de onde pudesse cair fora com ela logo depois de avisar Cale — ele não tinha tempo para isso. E então a solução ficou clara: quem tinha mais cara de maluca do que Deidre?

Rapidamente, a maré está subindo. Puxando Deidre atrás de si, ele se dirigiu ao Priorado, com sua alta torre do relógio dominando as cercanias da cidade. Em menos de cinco minutos, ele estava batendo na pesada porta de entrada.

10

Uma portinhola dentro do portão principal do Priorado se abriu.

— Já fechou. Voltem amanhã.

— Sim, desculpe o atraso — pediu Cadbury. — Mas é que... a roda da carruagem quebrou... já estava tudo acertado. Ela está muito doente.

O vigia abriu uma aba da lanterna em sua mão e a apontou para Deidre, que estava cabisbaixa. Um puxão de Cadbury em sua manga a fez erguer os olhos. Familiarizado com a distorção do semblante causada pela loucura, ainda assim o homem teve um sobressalto ao ver seu olhar fixo, os borrões pretos e a boca que parecia ter derretido por chegar perto demais do fogo.

— Por favor — disse Cadbury, e apertou uma moeda de cinco dólares na mão do homem. — Tenha piedade.

A compaixão e a ganância derreteram o coração do vigia. Afinal, não havia muito a temer. Aquele era um lugar de onde as pessoas tentavam fugir, não invadir. E a garota certamente parecia precisar ficar trancafiada.

Ele os deixou entrar pela portinhola.

— Está com sua carta?

— Infelizmente, ela ficou na minha mala de viagem. Por isso estamos sem bagagens. O cocheiro vai trazê-las de manhã. — Parecia pouquíssimo convincente.

Mas o vigia parecia ter desistido das perguntas. Exceto uma:

— De quem era a carta?

— Ah... minha memória... oh... do doutor... do senhor...

— Do sr. Butler? Porque ele ainda está no escritório, ali. A luz ainda está acesa.

— Sim — concordou Cadbury, grato. — Era do sr. Butler.

— Ela é segura? — perguntou o vigia, baixinho.

— Segura?

— O senhor precisa de escolta?

— Oh, não. Ela é muito meiga. Só... não bate bem da bola.

— Que noite movimentada.

— É mesmo? — falou Cadbury, sem se interessar pela noite de ninguém além da sua.

— É a segunda chegada inesperada nos últimos dez minutos. — Cadbury sentiu suas orelhas começando a arder.— Dois cavalheiros da Leeds Espanhola com um salvo-conduto real. — Ele olhou para cima ao achar a chave para destrancar o segundo portão, que dava acesso ao Priorado propriamente dito. — Também os mandei para o sr. Butler — não tinha nada no registro, é claro. A papelada deste lugar não seria mais inútil se os pacientes estivessem no comando.

O vigia os deixou entrar e apontou para o outro lado do quadrilátero e para a única janela ainda iluminada.

— Aquele é o escritório do sr. Butler.

Depois que eles passaram e o segundo portão foi trancado atrás deles, Cadbury parou para pensar no que fazer em seguida.

— O que foi? — perguntou Deidre. Era raro Deidre começar uma conversa, mas ela tinha um talento animal para ações perigosas, e se sentia instintivamente à vontade, agora que conseguia entender o que as pessoas estavam lhe dizendo.

— Os Dois Trevors estão aqui para tentar matar Thomas Cale.

— Onde ele está?

— Não sei — afirmou ele, olhando para a janela de Butler. — O homem naquela sala poderia nos dizer, mas está morto.

— Então grite para avisar Thomas Cale.

— Quê? — Ele ainda estava tão surpreso pela atitude dela que teve dificuldade para acompanhar sua linha de pensamento.

— Suba naquilo — ordenou ela, apontando para a torre do campanário. — Toque. Grite um aviso.

De início, ele tinha suspeitado que havia algo tolo em Deidre. Mas com a argúcia de um predador, ela havia interpretado a situação no mesmo instante, e estava certa. Vagar por um lugar com uns 300 quartos, vigias armados e pátios sem luz era um jeito garantido de ser morto, especialmente com os Dois Trevors esperando nas sombras como um par de aranhas mal-humoradas.

— Se esconda aqui — orientou Cadbury. Deidre não respondeu e, presumindo que ela tivesse concordado, ele atravessou rapidamente a parte do pátio que estava nas sombras, indo para a torre do campanário, que se encontrava destrancada. Ela esperou para se certificar de que Cadbury havia desaparecido de vista, e então, mantendo-se nas sombras, foi até o centro do Priorado.

Cadbury subiu as escadas, sentindo o seu peito começando a arder e se preocupando porque, para avisar Cale, precisaria revelar sua própria posição, uma posição que só tinha uma saída. Ele teria que ir embora o mais rápido possível, descendo 200 degraus no escuro. Quando chegou ao topo, ele esperou dois minutos para se recuperar para a fuga. Então puxou a corda do sino quatro vezes. As badaladas ensurdecedoras chamariam a atenção de qualquer um num raio de um quilômetro e meio. Ele esperou que o som morresse, respirou fundo e berrou.

— Thomas Cale! Thomas Cale! Dois homens estão aqui pra matar você! — Ele tocou o sino mais uma vez. — Thomas Cale! Dois homens estão aqui pra matar você!

Em seguida, desceu as escadas, torcendo para que os Dois Trevors tivessem outras coisas para se preocupar além dele. Se Cale realmente era um durão habilidoso como todos diziam, agora os dois estavam encrencados. Se isso não satisfizesse Kitty das Lebres como o melhor que Cadbury poderia fazer, então Kitty podia ir pro inferno. Ele pegaria a Doidinha Plunkett e depois ia pensar no que fazer com ela.

Chegando aos últimos degraus da torre, ele parou, puxou um punhal longo e outro curto, sua combinação favorita para lutar com duas pessoas, e voou pelo pátio como se tivesse sido lançado pela pólvora de Hooke. Cruzou o pátio e chegou à segurança das sombras em poucos segundos, tentando desesperadamente controlar sua respiração ofegante depois do esforço, pois ela era um chamado, ou parecia ser, aos seus ouvidos, um apelo ensurdecedor para que os vingativos Trevors o encontrassem e o degolassem. Mas eles não apareceram, e logo ele estava respirando quase em silêncio. Devagar, começou a tatear o caminho até o lugar onde deixara Deidre. Mas ela sumira.

A essa altura, o pátio estava se enchendo de loucos curiosos, pelo menos os loucos mais ricos e menos violentos, que tinham acesso às outras dependências do Priorado, todos querendo quebrar a rotina, saindo dos quartos para descobrir que barulheira era aquela. Juntavam-se a eles médicos e enfermeiros alarmados tentando levá-los para lugares mais seguros. Alguns dos mais nervosos entendiam tudo errado:

— Socorro! — gritavam. — Eles vão me pegar! Homicidas! Assassinos! Eu sinto muito! Eu não queria! Ajudem um pobre combatente! Ajudem um pobre combatente!

A confusão com certeza ajudou Cadbury a andar com mais segurança em meio à multidão, na esperança de encontrar Deidre e sair sem, ele esperava, precisar enfrentar nenhum dos Dois Trevors.

Antes de tudo isso, Cale estava sentado no claustro do Priorado com a Irmã Wray, discutindo a existência de Deus — por insistência de Cale; era um desafio a ela devido ao mau humor de Cale por não ter conseguido chegar ao topo da colina.

— Não desconte sua raiva em mim — falou ela —, mas, caso alguma outra parte de você esteja ouvindo, vou falar de Deus. Quando eu estava na colina hoje, olhando para o mar, o céu e as montanhas, eu podia senti-Lo em toda parte. Não me pergunte por que, eu podia e pronto. E não se preocupe, eu sei tanto quanto você que boa parte da vida é dura e cruel. — A Irmã Wray virou a cabeça e Cale teve a impressão muito forte de que ela estava sorrindo. — Bem, talvez não exatamente tanto quanto você. Mas por mais dura e cruel que ela seja, ainda sinto Sua presença. Ainda acho o mundo lindo. — Ela riu, um som agradável.

— O que foi? — perguntou ele.

— Me conte o que viu quando estava lá em cima. Com as montanhas, o céu e o mar. Fale com sinceridade.

— Tudo bem — concordou ele. — Eu vi o delta de um rio, fácil para um desembarque de tropas, mas impossível de defender. Acima dele, vi a bacia do rio — era possível conduzir um exército por ela com facilidade... mas aí ela se estreita e uma depressão a divide em duas, com uns dois metros e meio de profundidade. Poderia defendê-la durante dias contra um número quatro vezes maior de inimigos. Mas há uma pequena passagem à esquerda, na encosta da colina. Se eles a tomarem, estará tudo acabado. Mas também tem um caminho para a parte de trás do vale. Sincronizando bem, você pode mandar seus homens recuarem em grupos de cem, e tirá-los de lá, mesmo sendo apertado. Eles poderiam cobrir o restante das colinas quando precisarem abandonar o front. Mas qualquer tentativa de seguir em grande número irá te deixar presa como uma rolha numa garrafa. — Ele riu. — Desculpe, não era o que você queria ouvir.

— Não estou tentando reformar você.

— Pode ficar à vontade. Estou tão cansado de mim mesmo. Cansado de ser assim. — Ele sorriu de novo. — Pode me redimir o quanto quiser. — Uma pausa. — Você pode me deixar melhor?

— Posso tentar.

— Isso quer dizer não?

— Quer dizer que posso tentar.

Mais um silêncio, ou tanto silêncio quanto o zumbir pulsante das cigarras nas árvores permitia.

— E você? — perguntou ele, depois de um minuto ou dois.

— Quando você viu o sol sobre a montanha hoje, você viu um disco de fogo mais ou menos do tamanho de um dólar de ouro? — questionou a Irmã Wray.

— Sim.

— Eu vi uma incontável falange do exército celeste gritando: "Santo, Santo, Santo é o Senhor Deus Todo-Poderoso."

Mais um silêncio.

— Bem diferente, então — falou Cale, finalmente.

— Sim — disse a Irmã Wray.

— Deus não existe — afirmou Cale. Ele não quis dizer aquilo como um insulto. Nem queria dizer. A frase escapou dele. Ele sentiu Poll subindo pelo seu braço e murmurando bem baixinho em seu ouvido, para que a Irmã Wray não ouvisse:

— Cuzão blasfemador!

Naquele momento, algo extraordinário aconteceu, uma coincidência tão absurda que só poderia ser encontrada numa improvável história de ficção ou na própria vida: quatro badaladas trovejantes partiram da torre do campanário e uma voz poderosa do alto gritou:

— Thomas Cale! Thomas Cale! Dois homens estão aqui pra te matar. — Mas Cale entendeu errado — embora o grito de Cadbury tivesse a intenção de avisá-lo, ele o interpretou como uma ameaça dos céus, para puni-lo por sua declaração profana.

Imediatamente ele olhou ao seu redor, no escuro, e percebeu que o claustro era uma armadilha natural — um recinto com apenas uma entrada, quatro vezes maior no comprimento do que na largura, com um passeio coberto ao redor que criava sombras escuras nos quatro lados. O sino tocou outra vez, seguido pelo grito:

— Thomas Cale! Thomas Cale! Dois homens estão aqui pra matar você.

A Irmã Wray começou a se levantar. Ele segurou braço dela e ao mesmo tempo se apoiou no chão e se jogou para trás, fazendo virar o banco de madeira de espaldar alto onde os dois estavam sentados.

Quando já se moviam pelas sombras do claustro, posicionando-se, os sinos e o alerta pegaram os estupefatos Trevors de surpresa. Depois de se separarem para dois lados opostos do passeio coberto, ambos decidiram abrir fogo com suas pequenas bestas super-retesadas — mas ao virar o banco, Cale foi uma fração de segundo mais rápido e as setas passaram por cima deles com um zunido venenoso. De pé, Cale agarrou a Irmã Wray com a outra mão e a arrastou para trás, para a escuridão do passeio coberto. Ele a obrigou a deitar perto de uma estátua de Santa Frideswide e murmurou:

— Fique aí! Não se mexa.

Só havia um plano possível ou necessário para seus assassinos. Um deles ficaria perto da única saída à sua esquerda, enquanto o outro já estaria se movendo pelo outro lado, para se aproximar de Cale vindo da direita. Cale estava numa enrascada. Se tentasse correr na diagonal cruzando o vão aberto do claustro, os dois teriam todo o tempo necessário para espetá-lo com suas flechas, pela frente e por trás. Ele não podia ficar onde estava.

— Me dê seu hábito e seu véu. Rápido.

A Irmã Wray não perdeu tempo chocando-se, mas estava com medo e se atrapalhou com os botões.

— Depressa! — Ele pegou a frente do hábito e o abriu com um puxão. A Irmã Wray gritou, mas não entrou em pânico e o ajudou a tirá-lo pelos pés. Então, sem pedir permissão, ele tirou o véu dela. Assustado demais para parar e ficar olhando o que viu, Cale vestiu o hábito e cobriu-se com o véu, arrancando a pequena tira perfurada que cobria os olhos. — Não se mexa — repetiu Cale, e, com o hábito negro levantado até os joelhos, correu para o meio do pátio. Mas ele não tentou correr pela diagonal mais longa para alcançar a saída, e sim deu um pique, atravessando pelo caminho mais curto para o lado oposto. Mais claro que os passeios em volta, mergulhados nas sombras, mesmo assim o pátio era fracamente iluminado apenas pela lua entre as nuvens, e a má iluminação e o hábito negro tornavam seus movimentos indistintos e estranhos. Surpresos pela estranha aparência da freira e com medo de que fosse uma isca para obrigá-los a revelar suas posições, os Dois Trevors hesitaram e deixaram a figura passar, desfraldando o hábito, para as sombras invisíveis do passeio.

Cale havia apresentado aos Dois Trevors um problema: o que era simples se tornara complicado. Naturalmente, os dois não demoraram para entender o que provavelmente tinha acontecido. Mas só provavelmente. Provavelmente era Cale enrolado no hábito da freira. Mas só provavelmente. Talvez ela fosse jovem e em forma. Talvez Cale tivesse ameaçado cortar-lhe a cabeça se ela não corresse. Talvez a freira tivesse decidido se sacrificar por Cale, mas se salvara. Lugavoy estava vigiando a saída, e era óbvio que ele precisava ficar ali dentro; Kovtun, no alto do claustro, era quem devia decidir se Cale ainda continuava à sua esquerda ou estava agora à sua direita, vestido de preto dos pés à cabeça. E precisava ser rápido. O alerta da torre indicava que eles estavam sendo procurados. O problema de agir rápido era que isso significava que eles poderiam cometer um erro a qualquer momento. Mas agir mais devagar significaria enfrentar os guardiões dos lunáticos mais perigosos, bem mais para dentro do Priorado. O próprio Kovtun se encontrava numa armadilha — de um lado, uma freira presumivelmente inofensiva, do outro, um maníaco homicida. Ele ficou ainda mais nervoso com o estranho som convulsivo, como de um animal uivando na escuridão.

Kovtun não sabia, é claro, que sua posição era consideravelmente menos grave do que imaginava. Não sabia que o som era nada mais do que Cale botando os bofes para fora depois dos terríveis esforços exigidos de seu físico miseravelmente decadente. Mas Kovtun precisava se mexer, e sua habilidade e instinto o levaram à escolha certa. Ele voltou por onde tinha vindo, aproximando-se cada vez mais do garoto fatigado e exausto. Cale estava desarmado, não que fizesse muita diferença se ele estivesse empunhando a própria Espada de Danzig, e sabia que precisava ir para a saída ou morreria ali mesmo. Ele estava encharcado de suor, sentindo os lábios formigando. Cale avançou lentamente em direção à saída — se andasse mais rápido, cairia desmaiado. Para sua sorte, Kovtun, ainda assustado, também o seguia com muita cautela. O tempo não ajudava nem Cale, nem os Dois Trevors, mas os três sabiam que a falta de paciência poderia matá-los. Cale estava de quatro, tateando e avançando para o canto direito do claustro, rumando para a saída e para quem quer que estivesse à sua espera lá e tentando não respirar fundo demais nem se entregar vomitando de novo. Atrás dele, Kovtun rastreava lentamente o passeio. Cale percebeu que o maior obstáculo às suas chances de sair era o luar se derramando pela grande entrada do claustro. Qualquer um que tentasse passar por ali ficaria iluminado feito Santa Catarina na roda. Ele avançou para o limite da luz e se preparou para correr, esperando pegar desprevenido quem estivesse vigiando a saída. Atrás de si, ouviu o som de Kovtun escorregando de leve numa laje irregular. Ele correu — um segundo, um e meio, dois segundos, e então sentiu um forte golpe na têmpora quando Trevor Lugavoy, que aguardava do outro lado do clarão do luar, avançou e bateu nele com o lado mais pesado de sua besta. Um golpe bem mais fraco já teria derrubado Cale naquele estado deplorável, e ele desabou como um saco de martelos, caindo de costas aos pés de uma estátua de Santa Hemma de Gurk.

11

Puxando seu longo punhal, Lugavoy se abaixou e tirou o véu da cabeça de Cale para se certificar de que ia matar a pessoa certa.

— Thomas Cale? — perguntou ele.

— Nunca ouvi falar — sussurrou Cale. Lugavoy, que era canhoto, levantou o punhal longo e se movimentou para apunhalar Cale, que gritou, mas então se ouviu um THWACK! alto, como uma velha batendo um tapete. Trevor Lugavoy viu, mas não entendeu, que a parte inferior do seu antebraço, com a mão que estava segurando o punhal longo, agora jazia no chão do claustro. Ele levantou o braço amputado e olhou para o coto, completamente intrigado.

Então o choque o atingiu e ele se sentou pesadamente. Um borrão passou diante dos seus olhos e atingiu Trevor Kovtun, que havia se posicionado diretamente atrás de Cale, no peito. Não é nada fácil matar um homem instantaneamente com um punhal, mas Kovtun estava perto da morte segundos depois de desabar no chão. Lugavoy havia se ajoelhado e pegado seu antebraço amputado, como se estivesse se preparando para recolocá-lo no lugar. Então olhou para cima e viu uma criatura cujos olhos, nariz e boca pareciam ter sido espalhados por todo o rosto em tons de azul e vermelho. Se ele viu algo mais terrível depois disso, não há como saber — ninguém volta daquele lugar, com ou sem hora marcada.

Depois de acabar com Trevor Lugavoy, algo que, para constrangimento de Deidre, requereu três golpes em vez de um, ela se virou para o garoto estarrecido, sentado exausto à sua frente, e disse:

— Você é Thomas Cale?

Mesmo esgotado como estava, Cale era desconfiado demais por natureza para responder no mesmo instante. E se fosse apenas uma assassina rival e quisesse matá-lo ela mesma? Ele ofegou com ainda mais pesar para indicar que não conseguia falar e estendeu a mão direita, com a palma para a frente, num gesto de concordância. Não funcionou.

— Você é Thomas Cale? — insistiu a mulher.

— Tudo bem, Deidre. É ele, sim. — Era Cadbury, com quatro homens ameaçadoramente enormes da seção dos lunáticos perigosos do Priorado. — Trabalho maravilhoso, Deidre. Maravilhoso, maravilhoso, maravilhoso. Agora seja uma boa menina e guarde a espada.

Mansa como uma garotinha doce e educada, Deidre fez o que ele mandava.

— Se me permite dizer — observou Cadbury para Cale —, você não parece muito bem.

— Eu diria — uma pausa para parar de vomitar — que as coisas — outra pausa — poderiam ser bem piores — respondeu Cale, estendendo a mão.

Cadbury o puxou de pé e o olhou de alto a baixo, sorrindo.

— Aprecio seu desejo de expiar todas as suas maldades, mas tem certeza de que seu lugar é numa ordem religiosa?

Cale tirou o hábito da Irmã Wray e andou cansadamente até as sombras do passeio coberto.

— Está tudo bem, sou eu — falou para a escuridão. — Você está a salvo, estou com... — ele não sabia ao certo como chamá-las — ...suas roupas. — Ele deixou o hábito e o véu numa pequena área do pavimento iluminada pela lua e se afastou. — O negócio do rosto está um pouco rasgado. Desculpe. — Nada aconteceu por um momento, e então um braço assombrosamente branco apareceu na luz e puxou o hábito e o véu lentamente para a escuridão. As folhas farfalharam por um momento.

— Você está bem? Não está machucado? — disse a Irmã Wray das sombras.

— Não estou machucado. — Uma pausa. — Você está bem? — perguntou Cale.

— Sim.

— Alguém me salvou. Você acha que foi Deus?

— Depois que você falou na cara Dele que Ele não existia?

— Talvez Ele queira me salvar, para coisas melhores.

— Você deve ter uma ótima opinião sobre si mesmo.

— Na verdade, não acho que foi Deus — a mulher que me salvou não parece ter muito a ver com anjos. Talvez o diabo estivesse atrás de mim o tempo todo.

— Então — disse Poll, da escuridão. — Então você ainda é o escolhido, e não apenas um garotinho arrogante com o dom para matar.

— Eu tinha esperanças — respondeu Cale — de que você tivesse levado uma flechada na boca. É melhor você sair daí e conhecer nossos salvadores. — Mas a meio caminho pelo claustro, ele mudou de ideia. — Talvez não. Existem pessoas, não sei... é melhor não chamar a atenção delas.

Cale sumiu na escuridão, mas a Irmã Wray decidiu que estava farta de obedecer a ele. Ela avançou lentamente até conseguir se esconder no ângulo esquerdo do claustro. Cale estava conversando com um homem alto, elegantemente vestido de preto, e ao lado deles, uma mulher de costas para a Irmã Wray que claramente perdera o interesse pelo que estava acontecendo ao seu redor e olhava para a escuridão no fundo do claustro. Quando Deidre Plunkett se virou, a Irmã Wray recuou para as sombras e começou a achar que Cale tinha razão. Era melhor esquecer aquele rosto.

— Não podemos ficar — disse Cadbury. — Aconteceram umas coisas desagradáveis mais cedo na cidade, e está na hora de irmos embora daqui. Ela precisa de um banho, precisa tirar essa roupa.

— E os cadáveres?

— Considerando que eles estavam prestes a matar você antes que a gente interviesse, eu acho que não estou abusando se pedir que você cuide deles. Não se incomode em agradecer a ela, a propósito.

— Oh, sim. Obrigado — disse Cale para Deidre, que apenas olhou para ele por um momento e então desviou o olhar outra vez. Ele teria se oferecido para levar seus salvadores até seu quarto, mas estava claro, pela presença dos vigias, que eles não iriam a lugar nenhum. Então chegou a diretora do Priorado, furiosa, e estava para exigir uma explicação quando viu os dois cadáveres, o braço decepado e em seguida o rosto de Deidre Plunkett. O sangue havia secado em seus lábios, como era de se esperar, mas ela era feita de material resistente.

— Venham cá — chamou ela, e se afastou da entrada do claustro.

Por vários minutos, Cale e Cadbury tentaram futilmente explicar o que havia acontecido, até que foram interrompidos pela Irmã Wray.

— Fui testemunha e participante. Aqueles dois homens tinham vindo nos matar. Por que, não sei dizer, mas foi completamente sem motivo, e se... — ela fez uma pausa — ...a jovem e este homem não tivessem intervindo, nossos corpos é que estariam no chão.

— E o que — disse a diretora — devo fazer com os corpos que estão aqui?

— Eu cuido deles — disse Cale.

— Tenho certeza de que vai cuidar — disse a diretora. — Tenho certeza de que é esse tipo de talento que você tem em abundância.

— Chame o magistrado — disse a Irmã Wray.

— Ele está em Heraklion — respondeu a diretora. — Só iria conseguir chegar aqui no fim da tarde de amanhã, na melhor das hipóteses. — Ela olhou para Cadbury e Deidre. — Vamos ter que manter vocês presos até lá.

— Acho que nem eu, nem minha jovem colega — Cadbury acenou para Deidre — iríamos ficar felizes com isso. — A notícia das três mortes no mercado obviamente ainda não tinha chegado ao Priorado. Quando chegasse, Cadbury e Deidre estariam ferrados: não teriam como explicar essas mortes nem as dos Trevors. Ele começou a considerar suas chances de fugir do Priorado.

— Eles podem ficar comigo no meu quarto — disse Cale. — As janelas têm barras, e você pode colocar quantos guardas quiser na porta. Acho que é justo.

A diretora teve o bom senso de ficar apreensiva com a possibilidade de prender de fato Cadbury e a jovem esquisita — se era isso que ela era.

— Dou minha palavra — afirmou Cale, algo que não significava absolutamente nada, mas que, ele tinha notado, parecia satisfazer muita gente. De qualquer forma, o desejo de solucionar o problema da forma mais fácil persuadiu a diretora. Ela se virou para o mais velho dos guardas.

— Leve os dois para o quarto do sr. Cale. Você e todos os seus homens, fiquem na porta até segunda ordem. — Ela se virou para a Irmã Wray. — Gostaria de falar com você em particular.

Cinco minutos depois, os três foram entregues no quarto de Cale, e a porta, trancada. Antes que a chave girasse na fechadura, Cadbury já estava verificando as barras impressionantes na janela. Ele se virou para Cale.

— Por que mesmo estamos melhor aqui?

— Porque não me importa ter barras na janela, desde que eu possa fazer algo a respeito. — Cale tirou uma faca da gaveta da escrivaninha e começou a cutucar a parede. Ela esfarelou com facilidade surpreendente, porque era feita de brita e pó amalgamados com sabão, revelando um pino de metal que ancorava as barras dentro da parede, abaixo da janela. — Venho afrouxando essas barras há algum tempo. Vocês podem sair daqui em dez minutos.

— Qual a altura?

— Mais ou menos um metro. Não prendem malucos perigosos aqui há anos. As barras impressionam, mas dentro da parede estão bem enferrujadas.

— Nada mau — disse Cadbury. — Me perdoe por duvidar de você, mas um dos meus maiores defeitos é a falta de confiança. — Ele olhou para Deidre. — Você tem sabão?

Cadbury levou quase meia hora esfregando o rosto de uma mal-humorada Deidre, para livrá-la da maquiagem, enquanto Cale escavava a parede já enfraquecida. O que emergiu gradualmente da água e sabão foi uma Deidre mais familiar: pálida, de lábios finos, mas ainda com o olhar tresloucado. Eles a vestiram com um dos ternos de Cale; ficou folgado, com a calça sustentada por um cinto que precisou de um novo furo pelo menos 15 centímetros mais apertado.

Durante os dez minutos adicionais que levou para remover as barras, Cale extraiu de Cadbury informações sobre os Dois Trevors.

— Não posso dizer com certeza que foram os Redentores que os enviaram, mas por anos eles operaram a partir do território dos Redentores, por um preço: se vocês dois quiserem uma aposentadoria tranquila sob nossa proteção, façam o que pedimos quando pedirmos.

— Há outras pessoas que não gostam de mim — disse Cale.

— Mas não que pudessem entrar em contato com os Dois Trevors, ou pagar o que eles cobram, mesmo se pudessem. Foram os Redentores.

— Você não tem como ter certeza.

— Certeza, não.

— Se aqueles dois eram tão maravilhosos como você diz, como uma garotinha conseguiu matá-los?

— Ela não é uma garotinha, e os Trevors deram azar. Essa missão foi a gota d'água.

— Acontece que a sua amiga...

— Ela não é minha amiga.

— ... parece meio familiar.

Cadbury mudou de assunto.

— É melhor você pensar em vir conosco.

— Eu? Eu não fiz nada de errado.

— Acho que a velha adorável que manda neste lugar não vai concordar com isso.

— Eu não me preocupo com ela.

— Você não pode ficar aqui. Eles não vão parar.

— Conheço os Redentores muito melhor do que você. Preciso pensar um pouco.

— Tem um recado para Kitty?

Cale riu.

— Diga a ele que fico grato. Também a você e à sua amiga louca.

— Já falei, ela não é minha amiga, e eu não estou muito certo se o que Kitty procura é exatamente gratidão. Você pode estar mais seguro em Leeds do que em qualquer outro lugar.

— Talvez eu faça uma visita a vocês dois da próxima vez que for pra lá.

E foi isso.

Na manhã seguinte, a diretora chegou com a Irmã Wray e teve um tremendo acesso de fúria.

— Eles me forçaram — disse Cale, e isso foi tudo. Houve muita gritaria e uma incrível quantidade de insultos pessoais, mais ainda quando ficou claro que os dois fugitivos foram responsáveis por outras três mortes, que todas precisariam ser explicadas ao magistrado de Heraklion. Eles trancaram Cale por três dias, mas como estava claro que ele não tinha nada a ver com os assassinatos na cidade e, como a Irmã Wray salientou com considerável veemência, ele era a vítima pretendida no claustro, foram obrigados a soltá-lo. A diretora deu a Cale uma semana de prazo para partir, atitude totalmente justificável por ele representar um grave risco para todos no Priorado.

— Pra ser sincero — confessou à Irmã Wray —, fiquei até surpreso por ela me dar tanto tempo. Eu deveria agradecer a você, não?

— Achei que era justo — afirmou. — Aonde você irá? Não me conte.

Cale riu dessa mudança de direção.

— Não tenho certeza. Poderia ir para o norte, mas ouvi falar que é horrível lá. Além disso, Bosco não vai me deixar em paz, não importa aonde eu vá. Talvez Cadbury tenha razão, estou mais seguro na Leeds Espanhola do que vagando pelo bundu.

— Não faço ideia do que é bundu, mas você não está bem o suficiente para se virar sozinho — ou algo do tipo.

— Então está decidido. Vai ser Leeds.

— Posso pedir que me prometa uma coisa?

— Pode pedir.

— Fique longe desse tal de Kitty das Lebres.

— Falar é fácil. Eu preciso de dinheiro e poder, e Kitty tem as duas coisas.

— IdrisPukke gosta de você — fique com ele.

— Ele não tem nem dinheiro, nem poder. E tem seus próprios problemas.

Houve um momento de silêncio. A Irmã Wray foi até um armário cheio de gavetinhas e abriu duas delas, colocando dois pacotes sobre a mesa em seguida, um grande, o outro minúsculo.

— Isto é Erva de Tipton. — Ela abriu o pacote e derramou um pouco na palma da mão. — Ponha esta quantidade numa xícara de água fervendo, deixe esfriar e beba todo dia no mesmo horário. Você vai encontrar em qualquer herborista da Leeds Espanhola, mas vão chamá-la de Planta de Singen ou Espanta-Demônio.

— Pra que serve?

— Ajuda a espantar o demônio. Vai ajudar você a se sentir melhor, equilibrar as coisas. Se começar a ficar zonzo ou com sensibilidade à luz, é só reduzir a dose até passar. Também é boa para ferimentos.

A Irmã Wray bateu no outro pacote.

— Isto é Fedra e Morfina. Pensei muito se deveria dá-la a você. — Ela abriu o pacotinho e derramou uma quantidade minúscula de pó branco salpicado de verde sobre a mesa, e então, com uma faquinha, separou um tanto do tamanho de uma unha. — Tome isto quando estiver desesperado. Tão desesperado quanto ficou naquela noite, só em casos assim. Vai lhe dar forças por algumas horas. Mas ela se acumula no corpo, por isso, se você tomar por mais do que algumas semanas, o que você sofreu nos últimos meses vai parecer um inconveniente sem importância. Entendeu?

— Não sou burro.

— Não. Mas acho que vai chegar um momento em que esse irá parecer o menor de dois males. Tome por mais de três semanas ao todo — vinte doses, quero dizer —, e você vai descobrir que provavelmente não é.

— Tome tudo agora — disse Poll. — Acabe com seu sofrimento e o do resto do mundo também.

Mandando Poll ficar quieta, a Irmã Wray fez Cale repetir as instruções de preparo da Erva de Tipton e o fez dividir a Fedra e Morfina em vinte partes, para que ele entendesse quão pouco podia tomar. Alguém bateu na porta.

— Entre. — Uma das funcionárias do Priorado entrou.

— Por favor, irmã — disse a garota, claramente empolgada. — Uma mulher linda numa carruagem está perguntando por Thomas Cale. Ela tem soldados e criados elegantes em cavalos brancos. A diretora o mandou ir lá o mais rápido possível.

— Quem você...? — Mas a Irmã Wray já estava vendo Cale pelas costas.

12

Um dos maiores equívocos da pessoa culta é achar que, por ter a mente sofisticada, ela automaticamente também tem emoções sofisticadas. Mas que tipo de alma sente ódio ou dor sofisticados por, digamos, uma criança assassinada? O coração partido da pessoa educada e refinada é diferente daquele do selvagem? Por que não dizer que os esclarecidos e estudados sentem as dores do parto, ou as pedras nos rins, de forma diferente do rústico simplório ou do pivete? A inteligência tem muitos tons, mas a fúria tem a mesma cor em toda parte. A humilhação tem o mesmo sabor para todos.

Quanto ao coração de Cale, ele era sofisticado e selvagem ao mesmo tempo. Nenhum grão-mestre enxadrístico possuía uma habilidade sutil comparável à que Cale usava ao interpretar uma paisagem — como defendê-la ou atacá-la, como ajustar essa leitura num segundo a uma mudança no vento ou na chuva, como entender as sutilezas das regras conhecidas e desconhecidas de uma batalha, que podem ser alteradas pelos deuses a qualquer momento sem pedir autorização ou consultar ninguém. A vida, em todo o seu horror e incompreensibilidade, se desenrola até na mais simples escaramuça. Quem era mais frio ou mais inteligente do que Cale naquela que era a mais terrível das provações humanas? Mas esse prodígio da complexidade das coisas agora rolava escada abaixo, com o coração explodindo de esperança: *ela voltou para implorar o meu perdão. Tudo vai ser explicado. Vou rejeitá-la e ameaçá-la. Vou tratá-la como se não me lembrasse dela. Vou torcer o pescoço dela. Ela merece. Vou fazê-la chorar.*

Então uma espécie de sanidade voltava: *E se não for ela? E se for outra pessoa? Quem mais poderia ser? Ela quer alguma coisa. Ela não vai conseguir.* E isso continuava, a loucura se partindo dentro dele enquanto seu coração selvagem e seu coração inteligente se digladiavam pelo comando. Ele parou e viu que estava ofegante.

— Volte à realidade — disse em voz alta. — Controle-se, fique calmo. Relaxe e mantenha a cabeça no lugar.

Cale estava suando. *Talvez,* ele pensou, *tenha sido aquele chá que a Irmã Wray me deu. Não entre lá assim.* Aí a loucura voltou. *Talvez ela vá embora se eu demorar. Talvez só esteja de passagem, entrou por um capricho e já está se arrependendo. Ela pode ir embora, preocupada com o que vou fazer.* E então sua maior loucura o visitou. *Ela veio rir de mim, sabendo que está segura agora que estou fraco e doente.*

Mas uma forma de orgulho triunfou até sobre a loucura, o medo e o amor. Ele voltou para o quarto, se lavou rapidamente na pia — ele precisava — e trocou de camisa. Lentamente, por causa do medo de suar demais de novo, Cale caminhou até a sala da diretora. Mais um momento na porta para juntar forças. Então, a batida firme. Então, a entrada antes que a palavra "Entre" acabasse de sair da boca da diretora. E lá estava ela — Riba, não Arbell. Quebra, fratura, divide, fragmenta e esmaga. O que seu pobre coração não suportou? Ele precisou de todas as suas forças para não chorar com a pavorosa perda. Ficou bem paradinho, olhando para ela.

— Ia ser incômodo demais pedir que me deixasse falar com Thomas a sós? — perguntou ela à diretora. Em outras circunstâncias, Cale ficaria assombrado, ainda que agradavelmente, com o tom gracioso do pedido de Riba e o claro entendimento das duas mulheres que aquele não era um pedido a ser confundido com o tipo para o qual a resposta pudesse ser "Não". Seu tom de voz era de autoridade encantadora e implacável. A diretora sorriu amarelo em obediência a Riba, olhou maldosamente para Cale e saiu, fechando a porta atrás de si. Um silêncio se seguiu, carregado de estranhas emoções, todas elas horríveis.

— Posso ver que você esperava outra pessoa — disse finalmente. — Sinto muito.

Era verdade que ela lamentava por vê-lo tão decepcionado e tão doente, com olheiras tão escuras — mas também era verdade que estava contrariada por ser o motivo de uma decepção tão terrível. Não era nada lisonjeiro, especialmente porque ela esperava surpreendê-lo alegremente com sua maravilhosa história de amor e transformação. Mas nesta lenda de dor, sofrimento, chacina e loucura, é bom ser lembrado de que nem tudo evolui para o pior, no pior dos mundos possíveis, uma história que hoje está ruim, amanhã vira medonha, até que finalmente a coisa mais horripilante de todas acontece. Existem finais felizes, a virtude é algo recompensado, os bons e generosos recebem o que merecem. Foi assim com Riba. Ela entrou na história do pobre, atormentado e miserável Cale da maneira mais revoltante: de mãos e pés atados e esperando para ser estripada apenas para satisfazer a curiosidade do Redentor Picarbo sobre a fonte corporal da monstruosa impureza que possuía todas as mulheres.

Riba sabia perfeitamente bem, porque Cale a lembrava disto sempre que possível, que ele era o salvador mais relutante da História, e que se tivesse que fazer aquilo de novo, teria deixado Picarbo continuar suas repulsivas investigações. Ela realmente não acreditava que Cale a deixaria morrer, ou ao menos provavelmente não acreditava. Nunca se sabe do que ele seria capaz. Depois dessa situação complicada, a escalada de Riba ao auge foi incrivelmente fácil. Ela era linda, ainda que incomumente gordinha, mas em Memphis a beleza era algo comum. Helena de Troia tinha nascido em Memphis e era considerada, de maneira geral, um tanto sem graça comparada com as outras mulheres da região. O que chamava a atenção de muitos homens da cidade em Riba era ela ser gentil, de boa índole e inteligente, mas também que seu corpo, fofinho a ponto de ser obeso, exprimia em carne a generosidade e o aconchego do coração dela.

Criada da odiada Arbell — embora não odiada por Riba —, ela tinha sido capturada, como sua patroa, pela queda de Memphis e a terrível fuga da ameaça dos Redentores, na qual tantos dos Materazzi que sobreviveram a Silbury Hill morreram de fome e doenças. Embora ela ainda fosse criada de Arbell quando o que sobrou dos Materazzi chegou, aos tropeços, à Leeds Espanhola, era inevitável que seu charme natural e inteligência despertassem a atenção de homens de todos os tipos e classes. E, ao contrário das Materazzienne, ela tinha a vantagem esmagadora de gostar de homens em vez de desprezá-los. E como podia escolher! Era adorada por carregadores de carvão, açougueiros, advogados e médicos, bem como pelos aristocratas de Memphis e da Leeds Espanhola.

Felizmente para sua paz de espírito, desse leque de possíveis futuros (um figurão ou alguém insignificante?), ela se apaixonou por Arthur Wittenberg, embaixador da corte do rei Zog e filho único do presidente da Hansa, a liga de todos os países ricos do Eixo Báltico. Compreensivelmente, o pai dele era contra o casamento, até conhecê-la e ficar tão encantado que por pouco não se empolgou demais e chegou quase a trair o próprio filho, ao estilo de uma tragédia grega, antes de se controlar e resolver se comportar. Como os contadores de histórias e autores de óperas iriam viver, se todos fossem tão comedidos? De qualquer forma, em questão de poucos meses ela ascendeu de nulidade faminta a mulher de grande riqueza e enorme influência política.

Ainda assim, apesar do choque de Cale, ela entendia sua decepção — mesmo que com um pouco de despeito por sua vaidade ferida — e lhe deu tempo para se recuperar aos poucos, tagarelando de forma divertida e autocrítica sobre sua ascensão à fortuna. Depois de mais ou menos uma hora, Cale tinha voltado ao normal e já conseguia disfarçar sua decepção e sua considerável vergonha pelo tamanho desse desapontamento. Ele estava, afinal das contas, feliz em vê-la, feliz por sua atual fortuna, ao mesmo tempo em que pensava em como poderia usá-la. Ela falava sem parar sobre o passado, e tinha uma riqueza de histórias divertidas para contar sobre os absurdos da vida em meio à nobreza.

— Arbell foi ao seu casamento?

— Foi, e estava muito feliz.

— Aposto que ela encaixou o compromisso antes de ir pra fazenda ajudar a alimentar os porcos. Ouvi dizer que os Materazzi andam muito mal.

— Já nem tanto. Conn se tornou o queridinho do rei, que não dá ouvidos a mais ninguém. Isso já lhe deu algum dinheiro e estão falando num cargo.

— Qual?

— Estão dizendo que ele vai ser segundo em comando do general Musgrove e ficará à frente do exército do Eixo todo — se conseguir convencê-los a lutar com os Redentores.

— E eles vão lutar?

— Arthur diz que vão conversar, mas não farão nada enquanto os Redentores não tomarem a iniciativa, quando já será tarde demais.

— Vipond está empregado?

— Sim, mas não com o poder que ele quer ou necessita. Os suíços o mandaram pastar, pelo que Arthur me disse, e IdrisPukke está comendo grama junto com ele.

Cale olhou para ela, avaliando qualquer mudança que a fortuna dela pudesse ter causado em sua simpatia por ele.

— Você confia no seu marido — na habilidade dele, quero dizer?

— Sim.

— Então faça um favor pra ele e o apresente formalmente a Vipond e IdrisPukke. Ele vai ver que os dois estão se esforçando e que precisa deles. E eles precisam de sua influência e do seu dinheiro.

— Ele é meu marido. Não posso mandar nele.

Cale balançou a cabeça e ficou em silêncio, permitindo que ela percebesse que o havia decepcionado, e profundamente. Enquanto andavam pelos jardins, evitando o claustro, ele falava dos pássaros, das flores e de como era, à noite, olhar para a estrada leitosa de estrelas que atravessava o céu noturno. Houve uma pausa. Ele riu. Ainda bem, ela pensou, que ele esqueceu o assunto de Vipond e IdrisPukke.

— O mundo é muito engraçado — falou casualmente.

— Por quê?

— Bem, eu estava pensando em como a vida é singular e assustadora — que agora você é uma linda dama com um figurão tomando conta de você, quando há pouco tempo estava deitada numa mesa, amarrada, espancada e prestes a ter as tripas derramadas pra todo lado. E se eu tivesse seguido em frente? Eu era um mau menino, naquela época — poderia ter feito isso. Mas não fiz. Eu me virei e...

— Tudo bem. Chega. Já apresentou seu argumento.

Cale deu de ombros.

— Eu não estava apresentando um argumento. Só estava falando dos velhos tempos.

— Estou completamente consciente de tudo o que devo a você, Cale.

— Eu também.

E com isso, eles percorreram o resto do jardim em silêncio.

No dia seguinte, Cale pediu que Riba o deixasse voltar com ela para a Leeds Espanhola.

— É seguro? — perguntou a mulher.

— Pra você?

— Você voltar. Está se sentindo bem o suficiente?

— Não — não estou bem o suficiente. Mas não é mais seguro ficar aqui, nem em qualquer outro lugar. Achei que se eu fosse pra muito longe, Bosco ia me deixar em paz, mas ele vai continuar me perseguindo, não importa o que eu faça. — Na verdade, Cale estava errado a respeito disso, mas sua conclusão errada era a única plausível.

— Você vai destruir os Redentores?

— Você me faz parecer louco quando fala desse jeito. Me dê outra escolha que eu aceito.

— Vai precisar de roupas para a viagem e de um bom chapéu.

— Eu gostaria de ter um bom chapéu. — Cale pensou por um minuto. — Vou poder viajar dentro da carruagem, com você?

— Para fazer grandes coisas, precisa ser mais agradável. Arthur tem muito a ensinar a você. Ele sabe que você me salvou e está desesperado para retribuir. Não jogue a boa vontade dele fora.

Cale riu.

— Me ensine a me comportar na viagem. Vou dar ouvidos, prometo.

— É bom mesmo — seus punhos não podem mais te proteger.

O jovem olhou para ela. Odiosamente seria a palavra.

— Desculpe — falou ela, e riu. — Minha boa sorte me deixou convencida e esnobe. É o que Arthur diz.

— Quando nós podemos ir embora?

— Amanhã de manhã. Cedo.

— Que tal amanhã de manhã, tarde?

Mas mesmo o fim da manhã era ruim para Cale. Ele conseguiu chegar à carruagem, com o olhar cansado, mas se deitou no assento estofado e dormiu por mais de seis horas.

Observando-o a distância estava Kevin Meatyard, que percebera que os boatos sobre as mortes no Priorado deviam ser verdade, e que agora ele estava desempregado, além de desprotegido numa cidade onde era procurado, ainda que por um assassinato que ele não tinha cometido. Ninguém em Chipre tinha ouvido falar dele por muitos anos, mas quando ouvissem, seria na esperança de que ele tivesse esquecido tudo sobre eles. Mas isso é outra história.

A carruagem que levava Cale e Riba parou depois de quatro horas de viagem, mas ele não quis ser perturbado, e Riba e seu séquito comeram bem sem ele. Ele foi acordando aos poucos uma hora depois de seguirem viagem, mas era mais como recobrar a consciência do que acordar de um sono reparador. Ele não abriu os olhos, porque não conseguia, por uns 20 minutos. Mas havia algo agradável a ser ouvido: Riba cantando e murmurando baixinho para si mesma uma canção que era a última sensação na Leeds Espanhola.

Por favor, diga a verdade sobre o amor
É verdade mesmo o que cantam?
É verdade mesmo o que cantam?
Que o amor não tem fim?

Venha para a sombra do meu guarda-sol
Venha para o abrigo do meu guarda-chuva
Sempre serei sincera com você
E você vai me amar, meu amor, para sempre

Oh, diga a verdade sobre o amor
É verdade ou mentira,
Que o primeiro amor nunca morre?

Mas por favor, não diga nada se não for assim
Por favor, não diga nada se não for assim
Pois não quero saber
Pois não quero saber

Cale ergueu o corpo devagar e Riba parou de cantar.

— Está se sentindo mal?

— Sim.

— Muito mal?

— Sim.

— Eu tive medo de perguntar, mas tem alguma notícia das meninas?

— Meninas?

— As garotas que estavam comigo no Santuário. Acha que Bosco já as matou?

— Provavelmente não.

Riba ficou surpresa com isso, e esperançosa.

— Por quê?

— Ele não tem motivo para matá-las.

— Ele não tem motivo para mantê-las vivas.

— Não.

— Pensei — disse ela, depois de um silêncio — que ele pudesse estar mantendo as garotas vivas para usá-las contra você.

— Não mais, obviamente.

— Posso fazer alguma coisa para ajudá-las?

— Não.

— Tem certeza?

— Você sabe que não pode ajudá-las, então por que fica perguntando se pode? Está se sentindo culpada?

— Por estar viva e feliz? Às vezes.

— Mas não o tempo todo.

Ela soltou um suspiro.

— Não o tempo todo. Nem a maior parte do tempo.

— Só culpada o suficiente para ficar bem consigo mesma e se sentir no direito de curtir sua felicidade. Vá em frente. Elas não podem ser felizes, então fique feliz por elas.

— Não é você que vai me dizer o que fazer. Sou uma pessoa muito importante e você precisa me obedecer.

Riba riu.

— Sim. Decidi seguir ordens daqui pra frente. Uma mulher linda e rica que me deve a vida — acho aceitável receber ordens de alguém assim.

— Bem, você não pode mais matar qualquer um de quem você não goste, então vai ter que aprender a ser agradável, não vai?

— Agradável? — Ele pronunciou a palavra como se já a tivesse ouvido, mas jamais tivesse esperado precisar dela de qualquer forma prática. Era bom ver Riba de novo, e um prazer vê-la tão bem resolvida. Ele não sabia o que dizer, mas disse assim mesmo. — Descobri por que Picarbo queria você, o que ele estava fazendo. — Ele contou para ela, simples e rapidamente.

— Horrível — comentou, baixinho —, e louco.

— Bosco achava a mesma coisa — que ele era louco, quero dizer — por isso talvez mantenha as outras garotas vivas. Bosco desaprovava.

— Você não parece ter mais uma opinião tão negativa sobre Bosco como tinha antes — observou ela.

— Eu não diria isso. Eu o entendo melhor, e gostaria de entendê-lo mais ainda antes de lhe cortar a cabeça.

13

Longe dos quatro cantos do mundo, nas grandes, verdes e sebosas selvas do Brasil, uma tempestade de força incomensurável está chegando ao seu auge. Ventos sopram, a chuva fustiga, há relâmpagos e trovões suficientes para rachar o mundo ao meio — e então ela declina uma fração de uma fração infinitesimal, um sopro de ar sem força suficiente para mover um só grãozinho de poeira de uma encosta escorregadia. A grande tempestade está começando a se dispersar.

O general Redentor Gil, agora com o título honorário de Defensor do Sacro Júbilo, entrou na sala de guerra do papa Bosco e se curvou com um pouco menos de humildade do que seria adequado.

— Alguma coisa?

Não restava dúvida, apesar do fato de que eles provavelmente estavam discutindo a questão de dar um fim no mundo, que essa pergunta se referia a Thomas Cale.

— Como eu disse a Vossa Santidade ontem, as últimas notícias eram de que ele estava em Leeds e provavelmente sofrendo os efeitos da disenteria — doente, resumindo. Ele partiu, agora, mas ainda não sei dizer para onde.

— Você colocou mais gente nisso?

— Como eu disse que ia fazer — ele pausou — ontem.

— Gente boa?

— Os melhores. — Isso era verdade até certo ponto, um ponto não muito distante, já que a gente boa que ele tinha mandado para procurar Cale eram os Dois Trevors. Gil decidira que o fim do mundo, um projeto no qual ele acreditava profundamente, ia acontecer muito antes se fosse precedido por Cale anunciando-o pessoalmente a Deus. A crença obsessiva de Bosco de que a morte do mundo não poderia acontecer a não ser que Cale a administrasse era uma ilusão, na opinião de Gil — uma blasfêmia que ele ocultava cuidadosamente. Cale nunca fora a encarnação da ira de Deus, era só um garoto delinquente. Quando sua morte fosse confirmada, Bosco teria que simplesmente aceitar e seguir em frente.

— Quero saber assim que você ouvir qualquer coisa.

— É claro, Santidade.

Era um jeito de dispensá-lo, mas Gil não se moveu. Durante toda a conversa, Bosco não tirara os olhos do grande mapa das forças do Eixo estendido sobre uma das enormes mesas da sala.

— Não está preocupado que ele entregue o plano de Vossa Santidade de atacar o Eixo através de Arnhemland?

— Longe daqui, Cale é apenas uma pedra no próprio sapato. Ele poderia gritar isso no meio de Kirkgate num dia de feira e ninguém lhe daria ouvidos — especialmente Ikard e aquele bufão do Zog. Havia mais alguma coisa?

— Sim, Santidade. O fim do mundo. Temos problemas.

Bosco riu, deliciado com isso.

— Você esperava causar o apocalipse sem problemas?

— Temos problemas que não esperávamos. — Gil estava achando mais difícil, naqueles dias, não se irritar com seu pontífice.

— Sim?

— Evacuar as populações dos territórios que anexamos está desviando mais suprimentos e materiais do que seria possível fornecer com facilidade. Há gente demais para levar para o Oeste e comida ou transporte insuficientes para fazer isso sem roubar esses mesmos recursos dos nossos militantes. Precisamos diminuir o ritmo numa frente ou na outra.

— Vou pensar a respeito. O que mais?

— Brzca veio me ver. — Brzca era um homem com um talento, um gênio, podia-se dizer, no tocante a matar em grandes quantidades. Ele estava encarregado da questão prática de transportar pessoas capturadas para o Oeste e começar o processo de acabar com o maior erro de Deus. — Ele está tendo problemas com seus carrascos.

— Ele tem total liberdade de acesso a qualquer pessoa adequada entre os militantes. Deixei claro que ele tem prioridade.

— Eu fiz tudo que Vossa Santidade pediu — disse um Gil cada vez mais irritado.

— Então qual é o problema?

— Muitos carrascos estão ficando doentes — da cabeça, quero dizer.

— Ele sabe a importância disso, por que não falou disso antes?

— A maior parte deles só começou a assumir seus deveres há três meses. Resulta que matar 2 mil pessoas por semana começa a pesar depois de alguns meses. Quase metade do pessoal dele não tem capacidade de continuar. Não é tão difícil assim de entender. Sei que isso é necessário, mas eu não iria querer fazer. Mas é isso.

Bosco não disse nada por um momento, e então foi até a janela. Finalmente, depois de algum tempo, voltou para Gil.

— Você sabe que tenho orgulho deles, dos meus pobres trabalhadores. Quando penso no que somos obrigados a fazer, o horror me enoja. Suportar o que eles devem suportar e continuar sendo uma pessoa decente — bem, está claro o tipo de fortaleza espiritual que isso requer. Ele ainda está aqui?

— Sim.

— Peça para ele entrar. Juntos descobriremos uma maneira de ajudar nossa gente a encontrar a coragem espiritual para continuar.

— Santidade. — Gil começou a se retirar. Bosco o chamou outra vez.

— Conheço Brzca há muito tempo: lhe diga que não deve matar aqueles que fracassaram. Precisamos fazer uma concessão à fraqueza humana.

14

— Nome?

Henri Embromador olhou para seu interrogador com uma expressão de surpresa prestativa.

— Desculpe, não me disseram o seu nome.

— Não o meu nome. O seu nome.

Uma pausa — da duração exata que ele achava que passaria impune.

— Sim.

— Quê?

— Sim, entendi.

— Então qual é?

Apesar da dificuldade de sua situação, Henri Embromador estava gostando de parecer tonto quando na verdade estava sendo irônico, uma atividade perigosa que ele tinha aperfeiçoado em muitos anos atormentando os Redentores, e o motivo pelo qual Cale tinha lhe dado esse apelido havia cinco anos. Agora ninguém o conhecia de outra forma.

— Dominic Savio.

— Bem, sr. Savio, o senhor cometeu um delito gravíssimo.

— O que significa delito?

— Significa um crime.

— O que significa cometeu?

— Significa "fez". Significa que você fez um crime.

— Eu sou um bom menino.

E também um idiota, pensou o interrogador. Ele se acomodou na cadeira.

— Tenho certeza que é. Mas é crime cruzar a fronteira sem documentos, e também entrar no país por qualquer lugar que não seja um posto oficial de fronteira.

— Eu não tenho documentos.

— Eu sei que você não tem documentos, é por isso que está aqui.

— Onde que eu posso arranjar documentos?

— A questão não é essa. É crime tentar entrar no país sem documentos.

— Eu não sabia dos documentos.

— Ignorância da lei não é desculpa.

— Por que não?

— Porque senão todos diriam que não sabiam da lei. Poderiam dizer: eu não sabia que matar é contra a lei. Você ia soltar alguém que cometeu um assassinato se ele dissesse que não sabia que matar gente era contra a lei?

— Soldados matam gente, isso não é contra a lei.

— Isso não é assassinato.

— O senhor disse "matar gente".

— Eu quis dizer assassinato.

— Entendi.

O interrogador não sabia ao certo como havia deixado o interrogatório do garoto chegar a esse ponto. Mais uma vez, ele tentou retomar o controle da situação.

— Por que você tentou entrar no país por um lugar ilegal?

— Eu não sabia que era ilegal.

— Certo. Por que estava tentando entrar no país?

— Os Redentores estavam tentando nos assassinar. Perdão, nos matar.

— Como assim?

Henri Embromador olhou para ele de olhos arregalados, alarmado com a pergunta.

— Quero dizer, nos fazer não viver.

— Eu sei o que significa matar. Por que você disse assassinar e depois mudou para matar?

— O senhor disse que os soldados não podem cometer assassinatos.

— Acho que eu não disse isso.

Henri Embromador olhou para ele. Neutro.

— Por que estavam tentando matar você?

— Não sei.

— Deviam ter um motivo.

— Não.

— Até os Redentores precisam de um motivo para matar alguém.

Henri Embromador ficou tentado a dizer algo sarcástico, mas teve o bom senso de se controlar.

— Talvez eles pensassem que nós éramos Antagonistas.

— Vocês são?

— Isso é crime?

— Não.

— Não sou Antagonista.

— Quem é você, então?

— Eu vim de Memphis.

— Finalmente.

— Perdão?

— Deixe pra lá. O que você fazia em Memphis?

— Trabalhava nas cozinhas do Palazzo.

— O emprego era bom?

— Não. Eu lavava pratos.

— Pais?

— Não sei. Mortos, acho. Talvez só estejam indo, como eu.

— Indo?

— Indo de lugar em lugar, procurando trabalho. Ficando longe dos Redentores.

— Mas você não fez isso — ficar longe deles, quero dizer.

— Eu vou pra prisão?

— Não está preocupado com seus amigos?

— Não são meus amigos. — Isso era verdade. — Eu só estava viajando com eles. Cozinhava um pouco. Parecia mais seguro.

— Você sabe quem eles são?

— Só gente indo procurar trabalho, ficando longe dos Redentores. O senhor faria isso, se fosse eles — se fosse eu.

O interrogador ficou em silêncio por um momento.

— Não, em resposta à sua pergunta. Você não irá para a prisão. Nós temos um campo para invasores, gente como você, a uns 50 quilômetros daqui, em Koniz. Você vai ter que morar numa barraca. Mas será alimentado. Lá há guardas para você ficar seguro. Talvez façam mais perguntas.

— Eu vou poder sair?

— Não.

— Então é uma prisão?

— Não, é uma espécie de lugar de contenção enquanto descobrimos mais a seu respeito. Milhares de pessoas estão fazendo o que você fez. Não podemos permitir que fiquem vagando pelo país. Haveria quinta-colunistas dos Redentores por toda parte.

Henri Embromador pareceu considerar isso.

— O que é um quinta-colunista?

— Uma espécie de espião. Entendeu agora?

— Sim — disse Henri Embromador.

— Certo, então. Você vai para o campo e vai ficar seguro por lá. Depois a gente vê. As coisas provavelmente vão se ajeitar. Aí você poderá seguir seu caminho.

— É o que o senhor acha? Que tudo vai se ajeitar?

O interrogador sorriu. Ele queria acalmar o garoto.

— Sim, é o que eu acho. — E, considerando as probabilidades, era realmente isso que ele achava. Afinal, de que adiantava para os Redentores lutar uma guerra em tantas frentes? Houve grandes concessões à anexação de Nassau e Rockall e garantias plausíveis do papa em decorrência dela. Era difícil, para uma pessoa cautelosa e pessimista, que era o que ele se considerava, entender o que os Redentores poderiam ganhar com uma guerra total. Não tinha restado nada para conceder, tudo já havia sido entregue. Qualquer coisa mais seria simplesmente a rendição incondicional, e nem mesmo os mais recalcitrantes e fracos tolerariam isso. De agora em diante, ou os Redentores ficavam satisfeitos com as significativas concessões oferecidas a eles, e que não lhes custava nada, ou arriscavam tudo o que tinham numa guerra universal, que poderia lhes custar tudo. Uma guerra, no fim das contas, não parecia plausível. Ele empurrou um pedaço de papel sobre a mesa.

— Assine isto — pediu ele calmamente.

— O que é?

— Leia, se quiser.

— Não sei ler — disse Henri Embromador.

— Pergunta se você trouxe ou não carne ou hortaliças verdes para o país. E manda dar detalhes, se for o caso, de qualquer malfeito cometido aqui ou em outros países. Malfeito significa crime.

— Oh — exclamou Henri Embromador. — Nenhum crime. Nem aqui, nem em lugar nenhum. Sou um bom menino.

No dia seguinte, ele estava num comboio a pé, a caminho da cidade de barracas de que o interrogador havia falado. Ele achava improvável que conseguissem levá-lo para lá, pois havia uns 300 refugiados, entre eles mulheres e crianças, e apenas quinze guardas. No final, o campo de Koniz ficava no caminho para a Leeds Espanhola, portanto fazia sentido deixar que os guardas da fronteira o alimentassem e o mantivessem a salvo, como o interrogador dissera que eles fariam. Ele provavelmente fugiria antes que chegassem lá, ou depois, se isso parecesse mais sensato.

Uma prisão com barracas não seria capaz de conter alguém que tinha escapado do Santuário — ideias vangloriosas que ele precisou revisar nos dias seguintes. Os guardas suíços sabiam o que estavam fazendo, portanto, talvez os guardas de Koniz também soubessem. Mesmo assim, as coisas poderiam ser piores. Ele poderia estar morto, como a maioria dos 12 Redentores com os quais ele e Kleist lutaram na fronteira para matar o Redentor Santos Hall por ter assassinado a esposa e o bebê de Kleist na região deserta a caminho da Silésia.

Dos quatro tipos de fracasso militar, o fracasso da pequena expedição de Henri Embromador para matar Hall foi o pior: desastre desde o primeiro instante. Nada deu certo: a chuva começou assim que eles partiram e não parou mais, os cavalos e os homens ficaram doentes. Eles esbarraram em três patrulhas dos Redentores, quando por um minuto a mais ou a menos teriam passado despercebidos. Mesmo antes de chegar ao acampamento de Santos Hall em Moza, já tinham perdido dois homens. Quando chegaram, simplesmente entraram andando no acampamento, bem capazes de se misturar a homens com os quais viveram a maior parte da vida; infelizmente, um dos Purgadores foi reconhecido imediatamente por um oblato que estava sendo enviado de volta a Chartres com uma podridão horrorosa no pé. Mais uma vez, chegando um momento antes ou depois, eles poderiam ter compensado a semana anterior de desastres.

Depois de passarem apenas pela primeira muralha de defesa, conseguiram lutar para sair, mas não sem perder mais quatro Purgadores. Na escuridão da fuga, ele tinha se desencontrado de Kleist e não sabia se este estava vivo ou morto. Ainda assim, embora tivesse fracassado miseravelmente, e a ideia já fosse idiota pra começo de conversa, sua tentativa de matar Santos Hall havia sido bem planejada por duas pessoas que sabiam o que estavam fazendo. Ninguém poderia ter previsto os terríveis momentos de má sorte deles, nem sua frequência. Eles tinham jogado uma moeda 12 vezes e em todas elas deu coroa. Henri Embromador tinha muito tempo para considerar o que ele havia feito de errado no planejamento e na execução do ataque, e estava bastante disposto a aprender com seus erros. Mas até onde podia ver, ele não tinha cometido nenhum, na verdade, à parte começar a empreitada.

Depois de alguns dias, sua maré de azar o abandonou e uma tempestade o ajudou a fugir pouco antes que a coluna chegasse em Koniz. Uma semana depois, Henri Embromador estava de volta na Leeds Espanhola, tendo aprendido uma importante lição — embora não soubesse ao certo qual era. Nunca faça nada, talvez.

Dois dias depois, ele ficou encantado e aliviado com a chegada de Kleist, mas em seguida os dois souberam de Cadbury que Cale estava de volta e sendo cuidado com um certo luxo por Riba, agora esposa do embaixador hanseático na corte do rei. Henri Embromador ficou feliz com a volta de Cale, mas contrariado pelas notícias de Riba, por alimentar uma certa paixonite por ela desde que a espiara de maneira desavergonhada, banhando-se nua num lago nas Terras Crestadas, depois de sua fuga do Santuário. Mas tanto ele quanto Kleist tinham problemas mais urgentes. Cadbury não os tinha visitado para informá-los das fofocas locais, e sim para convocá-los a comparecer diante de Kitty das Lebres, que sabia muito bem o que os dois estavam aprontando, e estava revoltado com a idiotice deles.

— Se vocês conhecem alguma oração, façam agora — disse Cadbury, os levando até a porta.

A tentativa jovial de Cadbury de alarmar os dois garotos pareceu menos divertida quando ele os deixou na casa de Kitty, perto do canal. Cadbury viu dois homens entrando nos aposentos de Kitty. Ele não os reconheceu, mas tinha passado tempo suficiente entre os perversos para não reconhecer a perversidade quando a via em alguém. O modo como eles se portavam, se moviam e olhavam para os outros traía a revolta dos dois contra a vida. Claro que havia outros motivos possíveis para a presença dos dois: eram poucas as pessoas de elevada estatura moral que vinham fazer negócios com Kitty das Lebres. Mesmo assim, seu sexto sentido para encrencas estava tinindo. Ele mandou um dos criados de Kitty chamar Deidre. Virou-se para os dois garotos e, com um gesto, mandou que se aproximassem da mesa perto da parede.

— Cavalheiros, o seu material.

Cadbury sorriu para sinalizar que qualquer alegação de não saber do que ele estava falando seria um insulto para os três. Kleist e Henri começaram a esvaziar seus vários bolsos ocultos sobre a mesa: uma faca, um punhal, um picador, um martelo, mais uma faca, uma navalha, um espeto pequeno, um furador, um formão e, finalmente, um alicate.

Houve uma pausa.

— E o resto — disse Cadbury.

Mais outra faca, uma flecha, um perfurador (grande), um machado (pequeno), uma maça (surpreendentemente, não pequena) e, por fim, uma agulha do tipo usado para consertar velas grossas.

— Qual é o problema — ninguém gosta de vocês?

— Não — respondeu Kleist.

— Mas a gente não liga — acrescentou Henri Embromador.

Cadbury sabia que eles deviam ter mais armas, embora estivesse surpreso com a quantidade. Mas ele já havia se garantido, e não tinha coragem de mandar os dois garotos totalmente desarmados para dentro da sala. Não era frequente Cadbury sentir medo, a não ser por sua própria pele, mas estava sentindo agora. Sua má consciência gritou com ele, zangada e zombeteira. *Você não tem nenhum direito de ter consciência agora, seu hipócrita, depois de todo o mal que tinha seu dedo no meio.* A porta de Kitty se abriu e o mordomo dele apareceu.

— Eles devem entrar agora — disse o mordomo. Cadbury balançou a cabeça para os dois garotos, que estavam alarmados, agora, Henri Embromador mais do que Kleist. Foram levados pelo mordomo, que fechou a porta atrás deles. Normalmente, pensou Cadbury, o mordomo entraria junto com eles, mas dessa vez não. O mordomo olhou para Cadbury, obviamente pouco à vontade. O que significava aquilo? — Meu patrão disse que o senhor já pode ir embora.

O mordomo se virou e saiu andando, sua inquietação contida visível pela posição dos ombros e até pelo modo como ele andava. Trabalhar para Kitty significava ter uma enorme capacidade de fazer vista grossa para o mal, mas quase todos têm seus padrões, uma linha que não querem cruzar. Até nas prisões o assassino desdenha o ladrão comum, o ladrão desdenha o estuprador e todos eles têm nojo do pedófilo. Era de se esperar que o mordomo insinuasse que algo feio estava para acontecer. Mas o que ele poderia fazer a respeito? Cadbury tinha recebido ordens para ir embora, então foi isso que ele fez.

Sair para a luz do dia foi como emergir para o sol depois de um ano no escuro. Mas o medo do que iria acontecer o acompanhou, e era tão visível que, ao encontrar Deidre Plunkett, que se aproximava apertando o passo, até ela podia ver que ele estava intensamente ansioso.

— O que foi? — perguntou a mulher.

— Não estou bem. Precisamos voltar pra casa.

— Eu acabo de chegar de casa.

— Então vamos voltar — gritou ele, e a puxou para o outro lado da rua e para longe da casa de Kitty das Lebres.

Depois que a porta se fechou atrás deles, não faria nenhuma diferença se Kleist e Henri Embromador estivessem carregando todas as armas que Cadbury tinha tirado deles, e mais dois tantos daqueles. Demorou alguns segundos até que se acostumassem à penumbra após a porta ser fechada, mas de qualquer forma não havia nada a fazer a respeito do par de pequenas super-retesadas apontadas para eles por um dos homens que havia causado tanta perturbação em Cadbury. O outro segurava dois bastões do tamanho de cabos de vassouras com laços na ponta, do tipo usado para capturar cachorros bravos.

— Virem de costas.

Eles obedeceram, e com grande habilidade os laços foram passados por seus pescoços e ombros e apertados em volta do peito, prendendo seus braços.

Não era a primeira vez que Kitty admirava a finesse daqueles homens tão corpulentos. Nenhum dos garotos disse nada, nem tentou fugir, o que também o impressionou.

— Vamos sentar vocês naqueles dois banquinhos — disse um dos homens. Eles empurraram de leve as hastes de madeira que seguravam os laços e guiaram os garotos para a frente até sentarem nos bancos. Em seguida, encaixaram as hastes de madeira em dois pequenos buracos no chão. Ouviu-se um CLIQUE! alto, e as pontas das hastes ficaram travadas.

— Podem puxar, se quiserem — zombou um dos homens.

— Sr. Mach — sussurrou Kitty das Lebres. — O senhor não vai se comportar com rudeza. Estes dois meninos vão morrer aqui. Mostre o respeito condizente com esse fato ou fique quieto.

Henri Embromador e Kleist estavam acostumados a sofrer ameaças a vida inteira e as viram sendo concretizadas com grande, ainda que pia, crueldade. Eles sabiam que aquilo não era uma ameaça. Ia acontecer. Atrás deles, os dois homens continuavam com seus preparativos, Mach um tanto de cara no chão por ter sido admoestado. Precisaram de pouco esforço. Dos bolsos internos, os dois tiraram pedaços de fio reforçado, com as pontas enroladas em cabos de madeira de uns dez centímetros.

— Por quê? — gritou Henri Embromador. Os dois homens, mais por ritual do que por necessidade, testaram a resistência da madeira e do fio puxando os cabos duas vezes. Satisfeitos, procederam em passar os fios em volta dos pescoços dos garotos.

— Esperem — murmurou Kitty. — Já que você perguntou, deve querer fazer isto durar mais do que o necessário. Eu vou contar. Suas ações idiotas contra os Redentores perturbaram o equilíbrio da minha paz. Tive muito trabalho e despesas para garantir que nada aconteça — que essa guerra demore e se atrase tanto quanto eu e meus negócios queremos. Vocês tentaram começar uma guerra que eu não quero que comece. Quando uma guerra começa, acontece todo tipo de coisa desagradável, o que significa que eu não sou pago. Mas uma guerra que pode ou não pode acontecer é puro êxtase — 50 mil dólares por semana em suprimentos. Por isso a grande porta se abre para vocês. Não posso garantir que não vai doer, mas será rápido, se vocês não resistirem.

Os dois homens deram um passo à frente e passaram os fios em volta do pescoço dos dois.

— Pelo amor de Deus — murmurou Kleist.

— Eu sei quando eles virão os Redentores! — gritou Henri Embromador. — Sei que dia.

— Esperem um pouco — pediu Kitty.

— Tudo bem, admito — Henri Embromador ainda conseguia mentir bem em circunstâncias terríveis, ajudado por todos os seus anos de prática enganando os Redentores —, não sei o dia, mas sei a semana.

Uma pausa. Kitty das Lebres parecia convencido pela confissão; afinal, quem não iria exagerar, naquelas condições?

— Continue.

— Eu observei o acampamento por quase 20 horas, antes de nós tentarmos entrar lá. Durante esse tempo, 50 carroças chegaram. Cada carroça leva mais ou menos meia tonelada. Trinta das carroças eram só de comida. Cada barraca precisa de cinco toneladas. São mais de 200. Isso dá mil toneladas. O campo só tem uns 2 mil homens no total. Dá meia tonelada de comida pra cada homem.

— Então o acampamento é um posto de distribuição.

— Não. Nada além de algumas carroças saiu de lá, e nenhuma delas levava comida. As carroças da logística são diferentes.

— Armazenando para o inverno, então?

— Não se acumulam estoques antes do verão. A maior parte dos suprimentos iria estragar nas barracas. Não são necessários tantos estoques para manter um acampamento no verão. Nessa época do ano, dá pra viver do campo, comprando e confiscando.

— E então?

— Eles devem estar preparando um ataque. Se fossem ficar onde estavam, não precisariam de vinte desses estoques.

— Dois mil homens não vão avançar sobre a Suíça.

— Ia demorar só duas semanas convocar mais 40 mil, mas aí eles precisam atacar. Não têm escolha. Quarenta e tantos mil homens consomem aproximadamente de 30 a 50 toneladas por dia. Não podem ficar num só lugar juntos nessa quantidade. Santos não pode trazê-los em menos do que 10 a 14 dias. E também não pode mantê-los parados ali, devorando os estoques. Vai precisar agir numa semana, duas no máximo.

— Sabe, eu já ouvi inúmeras mentiras possíveis.

— Não são mentiras.

— Como você entende tanto de toucinho e farinha?

— Não sou como Cale nem Kleist. Eles foram treinados para a milícia; eu sou da logística. Ninguém luta sem suprimentos — madeira, água, carne e farinha.

Kitty refletiu, uma pausa horrorosa para os garotos.

— Vou mandar chamar alguém que tem competência em tudo isso. Se ele achar que tudo isso são balelas — e eu desconfio... desconfio que são — vocês vão desejar ter ficado de boca fechada, porque a esta hora já estariam mortos e seu sofrimento teria acabado.

Dez minutos depois, tremendo de terror, Henri Embromador e Kleist foram trancados num quarto surpreendentemente confortável no porão da casa.

— Mentiras boas — disse Kleist depois de um momento. — Mentiras boas pra cacete.

Parte Três

As superpotências muitas vezes se comportam como dois cegos
fortemente armados tateando dentro de uma sala, cada um deles
supondo-se mortalmente ameaçado pelo outro, que ele presume ter
visão perfeita. Cada lado deveria saber que muitas vezes a incerteza,
a concessão e a incoerência são a essência do fazer político.
No entanto, cada um tende a atribuir ao outro consistência,
providência e coerência desmentidas por sua própria experiência.
Naturalmente, com o passar tempo, mesmo dois cegos armados
podem causar enormes danos um ao outro,
sem falar da sala onde estão.

Henry Kissinger, *The White House Years* (1979)

15

— Então — disse IdrisPukke — você voltou.

— Voltei.

— E o que aprendeu durante sua ausência?

— Que devo evitar a dor e ter toda a felicidade que eu puder.

IdrisPukke deu uma risada seca de escárnio.

— Ridículo.

— É o que você diz.

— Digo mesmo. Considere um jovem saudável, com cada músculo e tendão forte e flexível. Exceto por uma coisa: ele está com dor de dente. Ele se alegra com sua força e sente prazer pela maravilha multiforme e total do seu corpo jovem, embora uma fração mínima dele esteja doente? Não. Só pensa em sua terrível dor de dente.

— Ele só precisa mandar arrancar aquele dente, e então vai se achar no paraíso.

— Você caiu, um pouco fácil demais, devo dizer, na minha armadilha. Exatamente. Ele sente de forma absoluta o prazer intenso da ausência de sofrimento, não o prazer que todas as outras partes do seu corpo lhe proporcionam.

— Estou de saco cheio de sofrer. Já tive mais sofrimento do que mereço. Olhe pra mim. Você não pode negar.

— Posso, sim. Nesse paraíso no qual decidiu acreditar como sua meta definitiva, você consegue tudo sem muito esforço e os perus voam por aí já assados — mas o que seria de pessoas até muito menos problemáticas do que você num lugar tão feliz? Mesmo a pessoa de natureza mais agradável iria morrer de tédio, ou ia se enforcar ou puxar briga para matar ou ser morta por alguém ainda mais louco pela falta de luta. A luta nos fez o que somos e nos adaptou à natureza das coisas, de modo que nenhuma outra existência é possível. Seria como tirar um peixe do mar e encorajá-lo a voar.

— Como sempre, você tenta fazer parecer que estou dizendo uma idiotice só pra ganhar a discussão. Eu não espero um mar de rosas, Deus sabe, só algo melhor do que isto — um pouco menos de dor e um pouco mais de cerveja e boliche.

— Eu entendo que você passou por poucas e boas na vida. Só posso dizer que está enganado em achar que mais prazer é a solução. A verdade é que, não importa o que as pessoas pensem, o prazer nos domina por pouco tempo. E se você discorda, considere o prazer e a dor de dois animais, um sendo comido pelo outro. Aquele que come sente prazer, mas esse prazer logo é esquecido quando a fome, como sempre, volta. Considere, ao contrário, a sensação de sofrimento do animal sendo comido — ele está experimentando algo de uma ordem completamente diferente. A dor não é o oposto do prazer — é algo totalmente diferente.

— Você estava guardando essa fala pra minha volta?

— Se está perguntando se por acaso tive essas ideias exatamente quando você, também por acaso. disse algo mais idiota que o normal, claro que não. Pensei em tudo que tenho a dizer com muito cuidado. Apenas mentes inferiores falam ou escrevem para descobrirem o que estão pensando.

A agradável discussão foi interrompida pela chegada barulhenta de Cadbury brigando com o guarda na entrada e exigindo ver Cale. Depois de entrar, ele foi direto ao assunto.

— Você acha que eles ainda estão vivos?

— É possível. Provavelmente não.

— Por que ele está fazendo isso? — perguntou IdrisPukke.

— Kitty não gosta de quem age contra os interesses dele, especialmente quando é alguém pago por ele. Kitty tem muito a perder se esta guerra começar agora. "Não encoste em mim" é seu lema, e ele fará o que for preciso para defendê-lo.

— Não faz nem duas semanas que ele teve tanto trabalho para salvar minha vida — e agora isso.

— O seu valor caiu — respondeu Cadbury. — Ele não ficou impressionado com o relato que recebeu da sua luta com os falecidos Trevors.

— O relato que você fez, quer dizer — disse IdrisPukke.

— Kitty das Lebres paga meu salário. Eu não devo nada a Thomas Cale.

— Então por que está aqui? — perguntou Cale.

— Essa é uma pergunta para a qual ainda não encontrei uma resposta que me satisfaça. Não pode ser por redenção. Quem é que poderia ficar bem aos olhos de Deus salvando você?

Mas Cale não estava escutando.

— Se eu preciso de alguma coisa para aumentar o meu preço — disse ele, finalmente —, o que Kitty quer?

— Não é dinheiro. Dinheiro ele tem. Poder — dê-lhe o poder para proteger o que ele já tem.

— Ou seja? — disse IdrisPukke.

— O que vocês sabem que ele não sabe? Perdão — é hora de ir embora. Kitty vai querer minha cabeça quando descobrir o que fiz.

Ele já estava na porta, quase saindo.

— Como eu entro lá? — perguntou Cale.

Cadbury olhou para ele.

— Você não entra. Bata forte demais na porta e eles vão arrebentar você antes que possa respirar.

— Quantos guardas?

— Quinze, mais ou menos. Mas todas as portas são de placas de ferro — a madeira dos dois lados é só um revestimento. Cada porta ia precisar de uns 12 homens trabalhando por uma hora para ser aberta. Mas você não vai ter uma hora. Kitty está revoltado com aqueles garotos e não abrirá mão deles sem uma propina — e das grandes.

— Obrigado — agradeceu Cale. — Te devo uma.

— Você já me deve, e veja o quanto isso me ajudou.

Depois que Cadbury foi embora, Cale se sentou e olhou para IdrisPukke por algum tempo.

— Não importa — disse IdrisPukke finalmente —; mesmo se eu soubesse algo importante o suficiente, não ia poder contar pra você nem se minha vida dependesse disso.

— Eu pensei que você gostasse do Henri.

— Gosto do Kleist também, mesmo você não gostando. Eu sei o que é afeição. Admito que há coisas que sei. Mas não posso colocá-las nas mãos de alguém como Kitty. Não poderia fazer isso nem se eles fossem meus filhos.

— Falar é fácil.

— Suponho que seja. Não posso ajudar você. Sinto muito.

Quinze minutos depois, Cale estava em seus novos aposentos na embaixada da Hansa, pressionando o marido de Riba.

— Não tenho tempo para ser delicado com isto: eu salvei a vida da sua esposa, praticamente arriscando a minha. Agora é hora de retribuir.

— Você conversou sobre isso com Riba?

— Não, mas converso, se você quiser.

— Não sou só o marido de Riba. A vida de muitos milhares — mais, até — dependem de mim.

— Não me importa.

— Eu vou com você e nós vamos tentar tirar seus amigos de lá, juntos. A questão não é a minha vida.

Cale quase disse alguma coisa profundamente ofensiva.

— Não ia importar se eu tivesse vinte homens como você. De força eu entendo. A força não vai resolver. Ele quer o que você sabe.

— Não posso. — Foi a recusa mais sofrida que Cale já tinha ouvido. Estava ficando bom.

— Não precisa.

— Me desculpe.

— Não precisa contar pra ele o que você realmente sabe, basta contar o que você poderia saber.

— Eu me dou conta de que estou sendo ignorante. Pode elaborar um pouco mais?

Cale fechou os olhos, claramente irritado.

— Você já deve ter pensado nas várias coisas que poderia fazer diante da ameaça dos Redentores, certo?

— Explorar reações alternativas?

— Sim. Isso. Eu não quero saber o que você decidiu. Não me conte. Não me importa. Só quero uma das escolhas que você não utilizou, seja qual for, e todos os detalhes dela por escrito.

Uma longa pausa.

— Não posso escrever nada. Se alguém soubesse, poderia ser a ruína da Hansa.

Não foi fácil para Cale evitar pegar o belo ornamento sobre a mesa ao seu lado e jogá-lo na parede. Sua cabeça doía e ele achava que provavelmente morreria nas próximas horas.

— Escute aqui — disse ele —, Kitty das Lebres pode mastigar você, cuspir, e mais uma dúzia de pessoas como você. Ele não vai aceitar minha palavra por nada. Ele sabe que sou um merdinha mentiroso, está bem?

— Escrever uma mentira é tão grave quanto dizer a verdade. Isso vai vir à tona — e se estiver por escrito, as pessoas vão acreditar. Não posso.

Agora a cabeça de Cale latejava como se estivesse se expandindo e contraindo alguns centímetros com a respiração.

— E se eu prometer me certificar de que o documento vai ser destruído?

— Como você pode ter certeza?

— Estou dando a palavra de alguém que impediu que sua esposa fosse estripada ainda viva, seu ingrato do caralho. — Ele olhou para Wittenberg e decidiu que não tinha nada a perder. — E vou ter que contar pra Riba que você se recusou a ajudar as três pessoas que salvaram a vida dela — mesmo com uma delas prometendo não envolver você.

— Uma ameaça particularmente feia, devo dizer. Mas suponho que você esteja desesperado.

— Eu sou uma pessoa feia.

— Muito violenta, eu diria no mínimo.

— Pra sorte da tua esposa.

— Mas você está muito doente. Sua habilidade em deslocar exércitos não vai ser muito útil sem esses exércitos por perto. Feio ou violento, agora você é alguém comum. Não posso ajudar você nisso, não importa quais sejam minhas obrigações pessoais. Saia da minha casa amanhã ao meio-dia, se não se importa.

— Na verdade, eu me importo.

— Saia do mesmo jeito.

Cale foi para seu quarto, abriu um dos pacotinhos de Fedra e Morfina, bateu a pequena quantidade de pó branco nas costas da mão, tampou a narina esquerda com um dedo, curvou-se e aspirou com força. Ele gritou de dor; foi como se um pacotinho de agulhas explodisse na sua cabeça. A sensação levou um minuto para sumir, e depois de enxugar as lágrimas dos olhos, ele começou a se sentir melhor. Depois, muito melhor. Depois, melhor do que jamais se sentiu: alerta, claro e forte. Ao sair, passou por Riba.

— Você conversou com Arthur — disse ela.

— Sim.

— E?

— Ele não é tão burro quanto parece.

Enquanto andava até a casa de Kitty, ele atravessava uma cidade e um mundo repletos de confusão. Ou era a véspera da destruição, ou a crise havia passado. Algumas pessoas estavam partindo, outras decidiram ficar. Preços antes subiam por medo da guerra, mas agora estavam caindo com os rumores de paz. Homens experientes estavam vendendo ouro, homens experientes o estavam comprando de volta. As coisas podiam seguir um rumo ou o outro. A primeira vítima, no dia seguinte à declaração da guerra, é a lembrança da última confusão do tipo. Nada some dos poderes da memória como a lembrança da incerteza.

Saindo da embaixada da Hansa, Cale parou rapidamente num entreposto usado pelos puxadores — mascates que alugavam seus carrinhos para fazer entregas de todo tipo de coisa, mas especialmente das carnes e hortaliças do mercado do outro lado da praça. Ele deu a um dos homens, de aspecto raivoso, mas robusto, um dólar e a promessa de outro se ele fosse até a rua onde Kitty morava e ficasse de olho em duas ou três pessoas saindo que pudessem precisar ser carregadas. Ele devia ser rápido, sem enrolar.

— Parece que vai ter alguma encrenca — falou o homem. — Dois dólares e mais dois depois.

— Qual o seu nome?

O mascate era cauteloso com isso ao dar nomes, mas o dinheiro envolvido era bom.

— Michael Nevin.

— Faça o serviço e vai ter mais.

— Mais dinheiro ou mais serviços?

— As duas coisas.

Batendo de leve na porta de Kitty, Cale foi recebido, revistado, privado de sua coleção de instrumentos capazes de causar danos físicos e então levado para ver Kitty. Ele estava sentado atrás de uma grande escrivaninha, seu rosto indistinto na penumbra. Sentados perto da janela no fundo da sala estavam os dois homens que chegaram tão perto de matar Kleist e Henri Embromador algumas horas antes.

— O senhor piorou desde a última vez que nos vimos, sr. Cale. Sente-se.

O medo de Cale de ter dois malfeitores tão óbvios atrás de si não era nem um pouco aliviado pela estranheza da posição da poltrona. Era um pouco baixa demais, com braços altos demais, o assento inclinado de forma desajeitada. E estava parafusada no chão.

— Preciso falar com você a sós — disse Cale.

— Não, não precisa.

— Eles ainda estão vivos?

— Eu não ia me preocupar com eles, garoto doentinho.

— Preciso saber se estão vivos ou mortos.

— Estão numa sala de espera. A questão é se você vai ou não esperar com eles.

— Eu? Que mal eu fiz?

— Não completou as empreitadas pelas quais foi pago e mantido.

— Fui um mau funcionário, admito. Vim corrigir isso.

— E então?

— Eu tenho duas coisas para contar. A primeira é para pagar o que eu devo. A segunda será em troca dos meus amigos.

— E por que eu não deveria fazer você me dar essa segunda coisa, sem o ônus de parecer fraco?

— Porque preciso prová-la, além de contar. E a prova não está aqui.

— Veremos. Continue.

— Eles serão soltos.

— Veremos, depois que você pagar o que me deve.

Cale tentou dar a impressão de estar pensando a respeito.

— Certo. Você tem um mapa dos quatro cantos?

— Sim.

— Preciso mostrar no mapa.

Os dois homens levaram alguns minutos para desenrolar o mapa e pendurá-lo nos ganchos altos de uma das paredes. Era óbvio para Cale que Kitty teria encomendado um levantamento geográfico de algum tipo, mas ele ficou surpreso com seu tamanho e detalhes, melhor até mesmo do que qualquer coisa que até os Redentores já tivessem feito, e eles eram cartógrafos habilidosos.

— Você ficou impressionado — atestou Kitty.

— Sim.

Um dos homens lhe entregou uma vareta para apontar pouco mais substancial que uma haste de trigo — nenhuma chance de usá-la como arma. Cale olhou para Kitty, encapuzado e nas sombras, parado como um tronco de árvore. Se alguém tivesse lhe contado histórias da carochinha quando Cale era criança, Kitty seria uma visão capaz de trazer de volta o verdadeiro pavor dos pesadelos infantis. Ele não tinha escolha, por isso seguiu em frente.

— Isto é o que acho, baseado no que sei — falou Cale. — Uma parte é suposição. Mas é isto, ou quase isto.

Kitty emitiu um som agudo e sibilante, uma risada, talvez, e o cheiro de algo quente e úmido encheu o ar por um momento.

— Seus escrúpulos foram registrados.

— As montanhas suíças tornam um ataque quase impossível de qualquer lado, exceto do Norte. Para os suíços, os outros países da Aliança Suíça existem para funcionar como uma série de três barreiras contra qualquer ataque desse lado. O país mais ao norte é a Gália, protegida pela Linha Maginot e pelo deserto de Arnhemland. O pessoal do Eixo acha que a força das defesas da Linha Maginot vai protegê-los e que Arnhemland é vasto e árido demais para ser atravessado por um exército de qualquer bom tamanho. Eles estão enganados. Bosco está adiando o ataque para conseguir cavar uma rede de poços e reservatórios de água no deserto.

— E você sabe disso porque...?

— Porque a ideia foi minha. Os gauleses acham que, mesmo se um exército cruzar o deserto e atacar suas defesas mais fracas, depois de passar seis dias em Arnhemland ele não estará muito em forma para lutar — até defesas fracas devem ser mais do que suficientes para o deter até que possam chegar reforços.

— E eles estão enganados porque...?

— Os Redentores não vão levar seis dias, vão levar um dia e duas noites.

— Vão correr o caminho todo?

— Vão chegar a cavalo.

— Pareço lembrar que você disse, num dos seus relatórios pouco informativos, que os Redentores não tinham nenhuma cavalaria importante, e que demorariam anos para desenvolver uma.

— Não é cavalaria — é só infantaria montada. Leva seis semanas aprender a montar um cavalo, se é só isso que você vai fazer.

— E se a cavalaria gaulesa os alcançar?

— Eles vão desmontar dos cavalos e os enfrentar como enfrentaram os Materazzi em Silbury Hill. E estarão muito mais em forma do que os Redentores que combateram ali. Em Silbury Hill, metade deles estava lutando com papel higiênico socado no rabo pra não cagar perna abaixo.

— Me poupe dos detalhes.

— Mais batalhas são perdidas por causa de diarreia do que por causa de maus generais.

— O que vai acontecer, então?

— Velocidade — de início. Eles vão tomar a Gália em seis semanas.

— Otimista, não acha?

— Não, não acho. Se eu digo que é possível, então é possível. A defesa contra os Redentores se baseia na rapidez com que eles agiram no passado — quão rapidamente todos os exércitos avançaram no passado. Todos fazem guerra da forma que estão acostumados.

— Então os Redentores vão marchar sobre a Gália, depois a Palestina, depois Albion e a Iugoslávia e todo o resto, até chegarem aos portões de Zurique.

— Não vai ser tão fácil.

— Você me surpreende.

— Sempre.

Novamente a risada aguda e sibilante.

— Mas que jovem convencido você é.

— Eu não sou convencido. Só sou sincero sobre como sou muito melhor do que os outros.

Kitty ficou em silêncio por um momento. Mais uma lufada do cheiro quente e úmido.

— Muito bem, então — falou Kitty. — É preciso tolerar a sua soberba, já que você está tão acima dos outros. Continue.

Cale voltou para o mapa e apontou para o rio que cortava a Gália na metade, a caminho do mar.

— Tudo que os Redentores precisam fazer é chegar o mais rápido possível ao Mississippi. Então vão ter uma linha de defesa que podem guardar, ou recuar dela se as coisas derem errado, e isso pelo tempo que quiserem.

— E do Mississippi em diante...?

— Guerra do jeito de sempre, provavelmente — lenta e sangrenta. Mas os Redentores são bons nisso.

— E onde estão os lacônicos nisso tudo?

— Pagos para ficar de fora, se Bosco fizer o que eu mandei.

— E se ele não fizer o que você mandou? Ou se os lacônicos pensarem que depois de tomarem a Suíça, os Redentores irão atrás deles?

— Depois de tomar a Suíça, é exatamente isso que Bosco fará.

— Então por que eles deveriam aceitar isso? Só porque é conveniente para o seu plano que eles façam desse jeito?

— Porque é nisso que querem acreditar. Assim eles recebem dinheiro e uma garantia.

— Sem valor.

— Mas eles não sabem disso. Não faz sentido atacá-los, afinal. A Lacônia não é de grande utilidade estratégica, e não tem porra nenhuma por lá. O custo de conquistá-la não dá nem pra pensar nisso — mesmo para os Redentores.

— Mas Bosco vai tentar.

— Sim.

— Por quê?

— Não sei. Ele só me pediu pra tornar isso possível. Tem algo a ver com Deus, imagino.

— Então você não sabe tudo.

— Sei tudo sobre o que eu sei.

Cale precisava ser sincero com Kitty porque sua vida, a de Henri Embromador e a de Kleist dependiam de seu poder de persuasão. Nada é mais convincente que a verdade. Mas o plano de Bosco de dar uma solução definitiva no problema do mal teria parecido impossível até para alguém tão vil quanto Kitty das Lebres. Algo assim estava fora do plano até da sua imaginação monstruosa porque não tinha nenhum propósito — não haveria como ganhar poder ou dinheiro de um projeto assim.

— E a finalidade do acampamento dos Redentores em Moza, que seus amigos decidiram atacar tão tolamente?

Essa pergunta era complicada. Eles provavelmente contaram algo de útil a Kitty, senão estariam mortos. Por outro lado, talvez ele não quisesse matá-los, apenas assustá-los. Se Cale dissesse a Kitty algo que contradissesse o que os dois já contaram, Kitty iria saber que estavam mentindo. E havia outras possibilidades à esquerda, e à direita, e à esquerda de novo, sempre palpites inteligentes a apresentar e errar completamente. Apostando que Henri Embromador teria decidido contar algo próximo da verdade, Cale fez uma escolha.

— Os Redentores vão atacar pelo Norte, através de Arnhemland, mas vão querer se apertar vindo de extremidades opostas, e a única maneira de atacar os suíços pelo Sul é subindo pela Mittelland, depois através da Passagem Schallenberg até a Leeds Espanhola.

— Quantos?

— Mais ou menos uns 40 mil. Não estou dizendo que ele não vai ficar onde está, encurralar os suíços e esperar que o ataque do Norte venha descendo. Mas se ele conseguir atrair os suíços para um ataque na Mittelland, pode valer a pena. E se eles não saírem para lutar, ele pode fechar a Passagem Schallenberg e esperar ali.

— Por quê?

— Cinco mil homens à frente de Schallenberg poderiam conter os suíços para sempre. São 35 mil a menos do que se ele ficar onde está.

— Por que não atravessar de uma vez e tomar a cidade?

— Porque 5 mil inimigos iam poder defendê-la do mesmo jeito na outra ponta. Mas então, é só uma questão de quanto tempo vai demorar para os Redentores descerem do Norte. Veja bem — tudo depende de eles cruzarem Arnhemland em um dia e duas noites. Depois disso, é só questão de tempo.

— E você falou disso com mais alguém?

— Pra quem eu conto e o que eu conto é assunto meu.

— Você é bem insolente, para alguém que veio em busca de caridade.

— Não, não contei pra ninguém.

— Por quê?

— O que eu sei é tudo o que tenho. Além disso, minha reputação não é mais a mesma de antes. Quem vai acreditar num garoto doente cuja especialidade anterior era se impor?

— E os seus patronos Materazzi?

— Todo mundo quer que eles morram, se isso for possível.

— Mesmo assim, o rei vive babando por Conn Materazzi.

— Conn não vai me aturar por dinheiro nenhum.

— Foi o que eu ouvi. É verdade?

— Desculpe, não entendi.

— Que você é o pai da criança?

— Ela me vendeu para os Redentores.

— Não é exatamente uma resposta. Mas não importa.

— E os meus amigos?

— Você terá que fazer melhor.

— Eu posso fazer.

— Então faça.

— Não com eles aqui.

— Sua reputação pode estar mais frágil, mas sei que você é uma pessoa com talento para a violência, e que nem sempre usa esse talento com sabedoria.

— Não sou mais a pessoa que eu era.

— É você que está dizendo.

— Cadbury te contou o que aconteceu no Priorado — não fui capaz de erguer um dedo pra me salvar. Olhe pra mim.

Por algum tempo Cale ficou parado, enquanto Kitty considerava sua pele branca, suas olheiras, seus ombros caídos e sua magreza.

— Eu poderia mandar estes cavalheiros torturarem você até que fale.

— Você vai precisar de mais coisas além do que eu vou falar. Vai precisar de provas. E eu não as trouxe comigo. Solte-os.

— Acho que não.

— Você ainda terá a mim. Ninguém sabe quem são os dois garotos. Matar os dois não vai passar uma mensagem muito forte. Mas minha morte seria um sinal. Não concorda?

— Está se oferecendo em sacrifício pelos seus amigos? Pensei coisa melhor de você.

— Pretendo sair daqui andando. Só estou salientando que você pode soltá-los, se ficar comigo.

Kitty pensou, mas não por muito tempo.

— Vão pegá-los, vocês dois.

Eles obedeceram, fechando a pesada porta silenciosamente ao sair.

— Você sabe onde estou morando agora.

Era uma afirmação. Em resposta, um longo pio ululante — Kitty estava rindo.

— Por que iria me importar onde você pendura o seu chapéu?

Cale ficou em silêncio.

— Sim, sei onde está morando.

— Descobri o que a Hansa vai fazer. Quer saber?

— Oh, sim — disse Kitty casualmente. — Você tem provas?

— Sim.

— Me mostre. — A risada desagradável de novo. Alguém bateu na porta.

— Entre.

A porta se abriu. Os dois homens que haviam saído, e vários outros, segurando Henri Embromador e Kleist de mãos atadas. Mas as amarras eram mais uma formalidade do que outra coisa. Eles se encontravam em péssimo estado — Kleist, em especial, irreconhecível, com o rosto ensanguentado, os dois olhos inchados e com bolhas de sangue pisado, embora uma tivesse se partido como uma pequena boca aberta e escorresse um delta vermelho por sua bochecha direita. Parecia que esfregaram o rosto de Henri Embromador numa planta venenosa, pois estava inchado e inflamado. Sua língua escorregava para fora da boca como se ele fosse um velho gagá. As mãos esquerdas dos dois haviam sido esmagadas e os garotos tremiam sem controle.

Cale não teve nenhuma reação.

— Deixem os dois lá fora. Alguém vai os reconhecer, e quando eles estiverem a salvo, ele vai trazer as provas do que estou falando.

— Tente me enganar e vai descobrir que a morte tem 10 mil portas, e vou estar lá para fazer você passar por todas.

— A gente pode continuar? Tenho um jantar mais tarde.

Um leve movimento da cabeça e os dois garotos foram empurrados, cambaleando, para a porta.

Dois minutos depois, um dos guardas de Kitty voltou.

— Um puxador com um carrinho veio pegá-los.

— Enquanto esperamos pela carta, vou dizer o que vai acontecer. Assim que eles fecharem a porta. — Um momento, depois Cale continuou: — A Liga Hanseática vai declarar seu apoio ao Eixo e prometer enviar navios, tropas e dinheiro. O dinheiro vai chegar, mas não os navios nem as tropas. Eles vão fazer um estardalhaço, construindo navios em Danzig e Lubeck, mas mesmo se eles forem postos no mar, serão repelidos por tempestades, pela peste, por carunchos ou um ataque de cracas, até onde eu sei. Mas não vão chegar — ao menos não até que os hanseáticos saibam com alguma certeza quem vai ganhar.

— E Wittenberg contou isso enquanto vocês tomavam chá com sanduíches de pepino? Ouvi dizer que ele é um homem discreto e inteligente. Por que ia contar essas coisas a alguém como você?

— Eu gostava de sanduíches de pepino — quando conseguia um.

— Responda.

— Eu salvei a esposa de Wittenberg de um negócio feio com os Redentores. Pode-se dizer que sou o dono da felicidade. Mas ele não me contou diretamente, e eu não teria acreditado, mesmo se ele contasse.

— Então foi ela que contou? É isso que você está dizendo?

— Não. Eu tentei e até a forcei, por assim dizer. Mas Riba é uma garota esperta e não quis nem saber. Eu roubei a chave dele e peguei a carta em seu quarto.

— Parece improvável.

— Parece, sim, mas é verdade do mesmo jeito. Wittenberg é esperto, sutil, como você diz, em negociações, discussões e tudo mais, porém não iria se rebaixar a roubar de forma pessoal. Quero dizer, alguém como ele deixaria milhares morrerem, mas não seria capaz de matar um homem diante deles. Imagino que nem tenha passado pela cabeça dele que eu trairia sua generosidade ou a da sua esposa.

— O que mais você sabe?

— Tudo que eu contei. É uma carta, não uma confissão. É preciso ler um pouco nas entrelinhas, mas não muito. Veja você mesmo, quando ela chegar.

Embora Cale estivesse mentindo, ele havia informado mais ou menos exatamente a posição da Hansa, o que não era muito surpreendente, considerando que ela só tinha um número limitado de opções disponíveis, por ser uma federação comercial que usava o poderio militar para proteger seus interesses financeiros somente quando não havia outra maneira. Mas se tratava de mais do que dinheiro, porque eles já haviam fornecido muita coisa para o Eixo, e forneceriam mais. Em parte, era o risco financeiro imprevisível da guerra: havia um limite para a doação de dinheiro, ainda que fosse uma grande quantia, mas não havia limite para o tesouro que uma guerra poderia sugar. E eles também consideravam a ideia de que a guerra era a mãe de todas as coisas — produzia mudanças até para os vitoriosos, e podia ter consequências indescritíveis. Bem melhor ser um espectador, fazendo promessas vagas sem ter nenhuma intenção de cumpri-las, dando dinheiro e ficando de fora o maior tempo possível.

Infelizmente para Cale, esse alegre jogo de adivinhações não tinha nenhum valor prático além de ser plausível — Kitty esperava uma prova, e não havia prova nenhuma. E ele a esperava para os próximos minutos.

16

Desde que Cale tinha entrado na sala de Kitty, martelos trabalhavam no seu cérebro para bolar um plano de fuga e pensar no que fazer com Kitty das Lebres. Ele jamais tinha visto Kitty fazer nada além de ficar de pé ou sentado. O que ele era? Cale vira a peculiar mão direita em forma de pata, e como ele começara a usar o capuz em ponta e o véu de linho marrom de aspecto sujo, só havia a voz sussurrante e precisa para se guiar. E se ele tivesse dentes capazes de estraçalhar, garras afiadas como navalhas para cortar, braços tão brutais que pudessem arrancar os ossos de alguém, como Grendel, ou pior, como a mãe de Grendel? Ele iria permanecer um mistério até o momento em que fosse atacado. E também havia a porta e os homens lá fora, que podiam abri-la quando quisessem. E a própria fuga. Dúvidas demais para alguém que, já aos 16 anos (se essa era a idade de Cale), não era mais o mesmo. Sua posição era tão ruim que, mesmo enquanto enchia o ouvido de Kitty com toda aquela merda de camelo e olhava ao seu redor na sala procurando um meio de bloquear a porta e também algo que pudesse ajudá-lo na violência que com certeza se aproximava, Cale também estava se maldizendo por deixar de observar um dos aforismos mais refinados de IdrisPukke: resista sempre aos seus primeiros impulsos, frequentemente eles são generosos. Afinal, aqueles dois cretinos resolveram fazer sua trapalhada demente por livre e espontânea vontade. Por que ele deveria morrer pela burrice dos dois? Mas já era tarde demais para isso.

Começou. Cale correu até a enorme estante que ia do chão ao teto, cheia dos livros-caixa de Kitty. Ele saltou o mais alto que pôde e começou a puxá-la como um macaco tresloucado. Por sorte, a estante não estava presa e tombou facilmente, e tão rápido que ele quase caiu debaixo dela quando esta desabou no chão diante da porta, bloqueando-a.

Os guarda-costas de Kitty começaram a empurrar a porta com toda a força. Kitty se levantou de sua enorme escrivaninha e deu alguns passos para trás. Estava esperando, aterrorizado, que seus guardas invadissem a sala ou se preparando calmamente para esquartejar Thomas Cale em pedaços pequenos e suculentos? Cale tinha sido espancado por Bosco até acreditar numa coisa acima de todas as outras: quando você decidir atacar, entregue-se sem reservas ou impedimentos. Cale deu quatro passos na direção de Kitty e golpeou seu rosto com o pulso. O grito que Kitty soltou ao cair deixou até Cale abalado. Não era o lamento de um homem mutilado no campo de batalha ou de um animal encurralado, e sim mais como o de um bebê furioso e assustado — agudo e lancinante. Uma mancha de sangue apareceu na máscara de linho enquanto Kitty uivava e se agitava para se apoiar no chão polido, ao mesmo tempo que a mancha vermelha se espalhava. Atrás de Cale, os guarda-costas colidiam com a porta com tanta força que o grande batente tremia a cada golpe. Cale deu a volta na escrivaninha e a empurrou. Era tão pesada que era como se estivesse parafusada no chão. Mas o medo o deixou forte o suficiente para que ele empurrasse o móvel dois centímetros, depois quatro, depois cada vez com mais velocidade, e seu urro frenético de esforço se misturou aos golpes estrondosos na porta, até que ele atingiu a estante, que já começava a ceder, com a escrivaninha exatamente quando os guarda-costas tomavam distância para o empurrão final. A colisão da escrivaninha com a estante bateu a porta, que se fechou decepando as pontas dos dedos de dois homens.

Seu cérebro estava zumbindo com os berros dentro da sala, os gritos de agonia de fora, e seus lábios latejavam e formigavam à medida que o efeito da Fedra e Morfina começava a diminuir. Ele olhou para Kitty, ainda gritando no canto da sala. Lá fora, os guardas estavam em silêncio, planejando alguma coisa.

Matar um ser vivo é um negócio cheio de dificuldades. Mesmo com os meios à disposição — o objeto contundente, a lâmina útil, a imobilidade causada pelo medo. Qualquer coisa mais complicada do que torcer o pescoço de uma galinha requer coragem, prática e familiaridade. Cale considerou a tarefa que o esperava. Suas pernas e seus braços já estavam tremendo. Nada na sala iria ajudar, estava mais ou menos vazia, a não ser pelos volumes vermelhos encadernados no chão. E com o que ele estava lidando? Kitty das Lebres estava assustado, claro, mas isso não significava que não fosse perigoso. Cale sentia sua força artificial induzida a pó começando a se esgotar. Poderia espancar Kitty até a morte com os punhos? E o que haveria por baixo do véu?

Os empurrões do outro lado da porta recomeçaram. Ele avançou e, curvando-se, agarrou Kitty e o mudou de lugar. Ele apalpou o pescoço de Kitty e tentou encaixá-lo na dobra do seu cotovelo. Kitty percebeu o que ele ia fazer e começou a uivar e gritar de novo, um som tão agudo que feria os ouvidos, seus pés se debatendo no chão encerado. O terror lhe deu forças, ele se desvencilhou e recuou, ainda gritando, até a parede oposta. Novamente, as investidas dos guardas se lançando contra a porta faziam a sala toda tremer. Era impossível continuar sem ver o rosto dele — Cale precisava ver quem, ou o que, era tão vulnerável à dor física. Ele arrancou o capuz pontudo e o véu de linho ensanguentado.

O nojo o fez retroceder, chocado com a feiura do que via. O rosto e o crânio pareciam pertencer a duas criaturas diferentes, uma mais deformada que a outra. O lado direito da sua cabeça estava esticado por toda a sua extensão, como se a pele tivesse sido preenchida com pedras. Sua bochecha direita era um amontoado de saliências verrugosas, seus lábios inchados, 8 ou 10 centímetros maiores num dos lados. Mas no meio da boca os lábios se estreitavam e ficavam bastante normais, e com uma expressão humana reconhecível. Do lado esquerdo da cabeça, sobre a orelha, Kitty tinha deixado os fiapos de cabelo crescer mais de 30 centímetros e os havia penteado para o outro lado, tentando esconder um enorme tumor. Sua mão esquerda, também, era completamente normal e até delicada, enquanto a direita parecia uma pata enorme, como se tivesse sido cortada e cicatrizado em três partes, cada uma com as unhas enormes e pontudas pelas quais Kitty recebeu seu nome.

— Pofavô! Pofavô! — implorava Kitty. — Pofavô! Pofavô!

Mas o que perturbou Cale foram seus olhos, castanho-escuros e delicados como os de uma garota, brilhando de dor e medo. Imagine como é espancar um ser vivo até a morte com mãos fracas e ombros doendo. O tempo que levou, os gritos, o sangue na garganta de Kitty o sufocando, os pés se agitando no chão. Mas os golpes com o punho e o cotovelo precisavam continuar de qualquer jeito. Aquilo precisava ser feito.

Quando acabou, Cale voltou a se sentar no chão. Não sentia horror nem pena. Kitty das Lebres não merecia viver; Kitty das Lebres merecia morrer. Mas também ele, Thomas Cale, provavelmente merecia morrer, por todas as coisas horríveis que já havia feito. Mas ele não estava morto e Kitty estava. Pelo menos naquele momento.

Enquanto Cale matava Kitty, os guardas continuavam investindo contra a porta. Em seguida, pararam. Cale estava encharcado de suor, agora esfriando, e não só pelo esforço de acabar com Kitty. Seus lábios estavam formigando ainda mais, sua cabeça latejava.

— É meia-noite, Cachinhos Dourados — disse ele em voz alta, lembrando mal a história que tinha escutado Arbell contar para suas sobrinhas em Memphis.

Cale ficou de pé e começou a abrir as gavetas da grande escrivaninha de ébano. Nada além de papéis, a não ser por um peso de papéis de latão e um saco de doces fervidos — caramelos. Ele comeu alguns, os mastigando para que o açúcar entrasse logo em seu sistema, e então se aproximou da porta e bateu nela três vezes com o peso de papéis.

— Kitty das Lebres. Ele está morto — disse Cale.

Um silêncio, e depois:

— Então você vai cantar pra ele dormir, seu monte de merda.

— Por quê?

— Por que você acha, caralho?

— Vocês amam Kitty? Ele era um pai para vocês?

— Deixe pra lá o que Kitty era. Prepare-se pra não existir.

— Querem matar o único amigo que vocês têm no mundo? Kitty está morto, e isso significa que todos os inimigos dele, muitos e impiedosos, irão retalhar os bens e serviços dele e reparti-los. Sem incluir vocês — a participação de vocês nos lucros vai ser um lote de terra sete palmos abaixo num dos lixões ilegais de Kitty em Oxyrinchus.

Cale tinha certeza de que podia ouvi-los resmungando e discutindo. Essa deveria ser a parte mais fácil. O que estava contando a eles era verdade e era óbvio. O problema era que a gentalha tinha suas lealdades e afeições, como todos. Além disso, eles estavam insuflados pelo drama e pela ação dos últimos 15 minutos. Haveria uma mudança violenta, de um jeito ou de outro, e Thomas Cale a causara. Se fosse possível confiar nas pessoas para sempre agirem de acordo com seus interesses, o mundo seria diferente. Ele precisava deixar os ânimos se acalmarem.

— Vão buscar Cadbury. Tragam-no aqui e conversaremos.

Silêncio por alguns momentos.

— Cadbury foi pra Zurique.

— E também — gritou o homem que tinha assumido o comando —, foda-se Cadbury. Você fala com a gente. Deixe a gente entrar.

O pedido para falar com Cadbury não deu certo. O que Cale podia fazer, afinal? Ele contava com a pequena demora para ir chamá-lo e descobrir que havia viajado. Agora Cale só tinha conseguido irritar aquele que assumiu o controle. Ele pensou em intimidá-los. Perigoso. Decidiu intimidá-los.

— Eu sou Thomas Cale e acabo de matar Kitty das Lebres de pancada com as mãos vazias. Trucidei Solomon Solomon na Ópera Vermelha em dois segundos, e 10 mil lacônicos estão apodrecendo aos poucos à sombra das montanhas Golan, e eu que os deixei por lá. — Embora ele se sentisse péssimo e sua situação fosse desesperadora, declamar suas façanhas gloriosas em voz alta foi extasiante. É tudo verdade, não é? Ele pensou.

Não houve resposta.

— Olhem. Eu não tenho nada contra vocês. Estavam fazendo o que foram pagos pra fazer. Kitty teve o que merecia, e é assim que funciona. Vocês podem trabalhar pra mim, com todo o dinheiro e privilégios que Kitty dava, mais um bônus de 200 dólares, sem fazer perguntas, ou tentar a sorte com o general Bunda Pelada e o lorde Manteiga de Amendoim — ouvi dizer que o general mantém suas tropas em alerta pendurando os intestinos daqueles que o decepcionam pelas ruas dos cortiços que ele controla.

Essas histórias pavorosas dos rivais de Kitty eram, de fato, verdadeiras. Até na Suíça, um território comercial civilizado com ruas admiravelmente limpas, onde tudo era organizado e o povo era próspero e cumpridor das leis, havia partes que eram as próprias profundezas das trevas. A curta distância das ruas generosas e das almas bondosas que nelas moravam, uma selvageria e uma crueldade impossíveis de se imaginar, exceto pelo fato de que existiam, aconteciam a todo instante e num espaço de poucos passos. Não é a mesma coisa com todas as cidades, em toda parte e em todas as épocas? A civilização e a crueldade desumana estão separadas apenas por uma curta caminhada.

Depois de mais alguns minutos falando, procrastinando para ganhar tempo e permitir que eles se acalmassem e enxergassem as coisas como elas eram, Cale afastou a escrivaninha apenas o suficiente para que eles tivessem como empurrar a porta — nada fácil, pois sua força estava desaparecendo em ondas. Ele se sentou, despreocupado, na poltrona de Kitty e esperou que os guarda-costas empurrassem a pesada estante.

Assim, eles entraram, obviamente cautelosos, mas também devastados pelo cadáver no meio do assoalho. Não era a morte ou o sangue o que os deixava preocupados — afinal, essa era a vocação deles —, mas sim a visão de um poder irresistível interrompido de forma repentina. Kitty era um mito — seu alcance chegava a toda parte. Agora, mesmo na penumbra, não era apenas a morte que lhe roubava o poder, mas sua revelação como ser deformado, carcomido e inchado por tumores, distorcido e apodrecido. O que eles temiam no passado agora lhes dava nojo, e com muito mais força devido à intensidade do medo que sentiam antes. Agora seu terror os humilhava.

— Já vi um peixe-boi — disse um deles — morto na água por uma semana que estava assim. — Ele o cutucou com o pé.

— Deixe-o em paz — ordenou Cale.

— Foi você que o matou — protestou o homem.

— Deixe-o em paz.

— Quem é você pra mandar na gente?

Essa, pensou Cale, *é uma boa pergunta.*

— Sou aquele que sabe o que fazer agora.

Alguns dos homens presentes eram burros, outros inteligentes e ambiciosos, mas a colocação de Cale os desconcertou muito. Não que Cale tivesse a resposta, porque na verdade ele nem imaginava o que fazer a seguir. Sua vantagem sobre eles estava em dar-se conta de que a próxima coisa a fazer era a única coisa que importava.

— Quantos de vocês sabem escrever?

Três dos 15 homens levantaram lentamente as mãos.

— Algum de vocês já trabalhou para o general Bunda Pelada?

Duas mãos se levantaram.

— Manteiga de Amendoim?

Três mãos.

— Quero que vocês três, que sabem escrever, anotem tudo o que sabem no papel. Se os outros tiverem algo a acrescentar, é só avisar. — Ele se levantou. — Enterrem Kitty no jardim. Eu volto em três horas. Tranquem a porta quando eu sair e não deixem ninguém entrar ou sair. Se a notícia da morte de Kitty se espalhar, vocês sabem o que isso significa. — Então Cale saiu, cheio de propósito e confiança. Esperava que a qualquer momento alguém o parasse para fazer as duas perguntas óbvias, que ele não saberia responder. Mas ninguém disse nada. Ele saiu e desceu a escada, ouvindo o som mais bem-vindo que já ouvira na vida: o da porta sendo trancada atrás dele.

Se sentindo pior a cada passo, Cale tinha ido ver IdrisPukke no caminho para encontrar Henri Embromador e Kleist. O alívio no semblante dele ficou evidente até para Cale, esgotado e furioso com IdrisPukke como ele estava; era o olhar de um homem que sentia que havia feito algo horrível, mas que tudo tinha se resolvido no final. Cale lhe contou o que aconteceu e pediu que ele fosse ver os rapazes e que mandasse chamar um médico.

Não era fácil assustar IdrisPukke, e nos primeiros minutos da caminhada, ele ficou em silêncio, então, quando estavam para entrar na casa, ele segurou no braço de Cale e o parou.

— Como foi?

— Foi ruim. Não posso dizer que não foi. Não sinto pena de Kitty — ele teve o que merecia — mas quando eu estava indo até a tua casa, depois de sair de lá, entendi um dos motivos pelos quais ele queria que o mundo tivesse medo dele. Que escolha ele tinha? Ganhar a vida num show de horrores junto com o esquisito que come sapos ou a maravilha sem ossos? Depender da bondade de estranhos? Mas não me entenda mal — eu não estava pensando nisso enquanto esmagava o crânio dele.

— Sinto que agi mal com você — disse IdrisPukke.

Cale não disse nada de início, pensando no que ele dissera. Tudo tinha sido culpa de Henri Embromador e Kleist. IdrisPukke sempre foi muito gentil com todos eles, desde que os conheceu, sem nenhum bom motivo. Cale tinha pedido que ele enganasse o irmão. Mas algo o estava atormentando — mesmo sem entender por que, Cale concordava que IdrisPukke foi, de alguma forma, desleal com ele.

— Não. Não, não agiu mal — afirmou ele. E os dois seguiram em frente.

Só por observá-los por pouco tempo na casa, Cale sabia que os garotos estavam em péssimo estado. Agora que pôde examiná-los com mais cuidado, os dois pareciam ainda pior. Kleist não conseguia falar, de tão inchada estava a sua boca. Os dedos mínimos das mãos esquerdas dos dois foram quebrados, bem como os polegares. Cale contou que Kitty estava morto.

— Foi lento? — perguntou Henri Embromador.

— Mais lento do que você imagina.

Quando o médico chegou, limpou os dois com cuidado; foi doloroso. Exceto pelos rostos e mãos, a maior parte dos ferimentos eram escoriações. Kleist continuava cuspindo sangue, e o médico manifestou em voz baixa a preocupação de que poderia haver uma hemorragia interna.

— Se ele começar a cagar sangue, me chamem imediatamente. — Ainda sobre um leve efeito do efeito da Fedra e Morfina, Cale não pôde deixar de admirar como a sutura do rosto de Henri Embromador, do ferimento do ano anterior, tinha aguentado firme. Mas Kleist não parecia totalmente consciente, ia e vinha.

— Kitty — balbuciou ele.

— Kitty está morto.

— Kitty — balbuciou novamente, e continuou até perder os sentidos por completo.

O médico fez Henri Embromador dormir com uma mistura de valeriana e óleo de papoula, e Cale e IdrisPukke ficaram vigiando os dois.

— O que vai fazer com eles, com o pessoal de Kitty, agora?

Cale pareceu surpreso.

— Nada. Deixar que apodreçam.

— Há dinheiro e poder demais em jogo para simplesmente abandoná-los.

— Então pode ficar com eles.

— Eu esperava que você dissesse isso.

— Você não precisa da minha permissão.

IdrisPukke sentiu a amargura. Não o culpava — estava envergonhado de sua recusa para ajudar no resgate de Henri Embromador e Kleist, mas era uma oportunidade importante demais para deixá-la passar. Uma espécie de império iria ficar às traças.

— Achei melhor chamar Cadbury — disse IdrisPukke. — Ele deve saber detalhes específicos de tudo que Kitty estava tramando.

— Acho que vocês dois formam um lindo casal — disse Cale. E com isso, foi dormir.

De fato, aquela se revelou uma ótima união, ainda que não estivesse escrita nas estrelas. A escória criminosa muitas vezes é sentimental no que diz respeito às suas mães, mas em geral sua lealdade não passa disso. Párias quase por definição, normalmente bandidos não são motivados pela ideia de posição inata, ordem social ou hierarquia, exceto quando isso é imposto pela contínua ameaça de violência. Onde houver mendigos, nunca poderá haver um rei sossegado em seu trono.

IdrisPukke cercou a casa de Kitty para impedir os ocupantes de saírem. Ele não queria escândalo e lhes disse que estava esperando Cadbury chegar para resolver tudo. Também prometeu aumentar o bônus deles para 500 dólares. Na manhã seguinte, Cadbury chegou, tendo sido detido durante sua fuga para Oxyrinchus, ainda maravilhado com a notícia da morte de Kitty. Embora os ocupantes da casa, de maneira geral, não nutrissem afeição por Cadbury, pelo menos ele era alguém familiar e tinha a reputação de ser inteligente. Àquela altura, eles precisavam de um salvador, e a mudança de Kitty das Lebres para IdrisPukke e Cadbury foi tão rápida que em menos de uma semana Kitty já estava relegado ao reino dos mitos, que era o seu lugar natural. Desde então, histórias sobre ele são contadas por mães que ameaçam docemente os filhos para que sejam bonzinhos, ou Kitty das Lebres virá pegá-los. Essas mesmas crianças, ao crescer, vão assustar seus irmãos mais novos com relatos de gelar o sangue do deformado Kitty usando uma corrente e um serrote em criadas indefesas, fadadas a serem desmembradas e comidas; e então, com o passar dos anos, sua reputação alcançará os celtas no Leste, onde o transformarão numa amigável velhinha-lebre que vende bebidas e conta histórias de fantasmas por um penny.

17

À medida que os inchaços diminuíam e os hematomas ficavam roxos e marrons, Henri Embromador ia ficando alegre, quase extático. Kleist não — ele parecia ter sido afetado fortemente pelos acontecimentos na casa de Kitty. Dormia muito e quase não falava quando estava acordado. Eles acharam melhor deixá-lo em paz, que ele iria se recuperar no seu próprio ritmo. Assim que Henri Embromador conseguiu andar, ele e Cale saíram para passear pela Promenade des Bastions e ver as garotas com vestidos de verão esquecendo os pavorosos boatos de guerra que estavam no ar, e os dois garotos esqueciam junto com elas. Compraram bolo de chocolate explodindo de creme, e Cale torturava Henri Embromador arrancando pedaços e quase dando para ele, mas depois pondo em sua própria boca.

No coreto, uma dúzia de músicos tocava "Eu Tenho um Belo Monte de Cocos", a canção mais popular daquela primavera. Algumas garotas mais ou menos da mesma idade dos rapazes repreenderam Cale, tomaram o bolo dele e começaram a alimentar o rapaz das mãos enfaixadas como se ele fosse um bebê. E ele adorou.

— O que aconteceu com suas mãos, pobrezinho? — perguntou uma delas, uma ruiva com cara de rebelde.

— Ele caiu do cavalo — respondeu Cale. — Bêbado.

— Não deem ouvidos a ele — disse Henri Embromador. — Me machuquei salvando um filhotinho de cachorro que estava se afogando.

Mais risadinhas com essa frase — um som adorável, como o de água corrente.

Ele flertou com as garotas por 10 minutos, mordiscando seus dedos quando elas lhe davam bolo, para que elas lhe dessem bronca por morder, mas não a ruiva, que o deixava chupar o espesso creme branco de seu dedo médio por tempo demais, enquanto suas amigas tagarelavam como andorinhas e ficavam delicadamente sobressaltadas com o comportamento chocante dela. Cale estava sentado ao sol do outro lado do banco e olhava para duas das garotas, que não iriam se importar em pôr algo mais do que bolo na boca dele, se apenas recebessem algum encorajamento. Cale absorvia tudo isso: o sol morno, as lindas garotas e o prazer do seu amigo. Mas era como se fosse uma cena feita apenas para ser observada, e não algo que tivesse a ver com ele. Ele nem notou as garotas que o olhavam.

Finalmente, um adulto responsável apareceu, recolheu as garotas e as levou embora.

— A gente sempre vem aqui — disseram elas. — Tchau! Tchau!

— Que estranho — disse Henri Embromador —, alguns dias atrás a gente estava ferrado, e agora temos garotas e bolo.

— Do que você vai se lembrar mais?

— Perdão?

— Da dor e do sofrimento ou das garotas e do bolo? Do que você vai se lembrar mais daqui a um ano?

— Aonde você quer chegar?

— IdrisPukke disse que a dor é muito mais que o prazer — que a gente se lembra mais dela. Se você fosse uma cobra devorando um porco, seria um pouco prazeroso para a cobra, mas completamente terrível para o porco. E isso é a vida — disse ele. — Portanto, você deveria saber, pois experimentou as duas coisas na mesma semana. Dor e sofrimento ou garotas e bolo?

— Por que só eu? — questionou Henri Embromador. — Você não estava se cagando de medo antes de matar Kitty?

— Eu? Eu não. Sou o típico herói de capa e espada. Não tenho medo de nada.

Os dois começaram a rir disso, de forma não muito diferente das garotas que estavam ali havia alguns minutos e que não sabiam nada sobre dor e sofrimento — embora, é claro, fosse impossível saber só de olhar para alguém.

— Eu? Eu voto em garotas e bolo — disse Henri Embromador. — Você?

— Dor e sofrimento.

Os dois começaram a rir de novo.

— Isso me parece bananal — disse Henri Embromador.

Nos dias seguintes, tentaram alegrar Kleist, mas ele se recusava a ficar mais feliz. Finalmente, Cale lhe deu um pouco do seu chá diário de Espanta-Demônio, que tinha ganhado da Irmã Wray, esperando que isso o tirasse da fossa. Não pareceu fazer muito mais do que deixá-lo enjoado.

Alguns dias depois, Cale e Henri Embromador saíram procurando o puxador que havia buscado os dois na casa de Kitty e os levado para casa.

— Meu amigo aqui queria lhe agradecer pessoalmente — disse Cale quando o localizaram.

— Obrigado — disse Henri Embromador.

O homem olhou para ele, sem hostilidade, mas certamente sem gratidão. Cale lhe deu o resto do dinheiro que prometera e mais cinco dólares extra.

— Não há de quê — disse o puxador a Henri Embromador, claramente indiferente ao que ele achava ou deixava de achar.

— Provavelmente você salvou nossas vidas — falou Henri Embromador, sem jeito e irritado pela recusa do puxador em ficar grato por sua gratidão.

— Quinze dólares? — perguntou o puxador. — Suas vidas não valem muito, valem?

Henri Embromador o encarou, depois lhe deu mais 10 dólares, tudo o que tinha no bolso. Esperou algum sinal de reconhecimento, mas o puxador não esboçou nenhuma reação além de enfiar o dinheiro numa sacolinha que tirou do bolso. Ela era fechada por um cordão do qual pendia uma pequena forca de ferro, com um minúsculo Redentor Enforcado. Antagonistas de qualquer tipo não aprovavam essas forcas sagradas. Todos desconfiavam dos Andarilhos, cuja versão da fé remontava a antes do grande cisma.

— Me deixa te dar um conselho — disse Henri Embromador, agora não mais sem jeito — que vale mais de 10 dólares. Guarde essa forca sagrada aí e não a mostre mais até que os maçons sejam convertidos. — Os Redentores achavam que a maçonaria era a mais blasfema das religiões, e que a conversão dos maçons só aconteceria no fim dos tempos.

O interesse de Cale estava em outro lugar.

— Me fale do seu carrinho — pediu ele, olhando para o carrinho de tração humana no qual Kleist e Henri Embromador haviam sido transportados.

Pela primeira vez desde que os dois chegaram, a pergunta de Cale pareceu inspirar entusiasmo. O andarilho evidentemente se orgulhava do seu carrinho. O projeto, ele disse, era tão antigo quanto os próprios puxadores, mas ele tinha feito vários melhoramentos ao longo dos anos; e sempre, salientou com ressentimento, para desaprovação dos outros puxadores.

— Eles caem mortos ainda jovens carregando o peso dos Gorges que mataram seus pais e seus avós antes deles. Fiz este carrinho usando um monte de andaimes de bambu que encontrei no lixão. Tirei a ideia das molas de um cavalo pula-pula que vi num parque de diversões. Paguei dois dólares pra mandar fazer. — Cale e o puxador conversavam sobre o carrinho e tudo que sua leveza e agilidade permitiam fazer, como entregar cargas mais pesadas em ruas mais íngremes. *Por quê?*, pensou Henri Embromador.

— Que fedor! — exclamou Henri Embromador quando eles se afastaram da cidade.

— Você ficou bem fresco, pra alguém cuja ideia de paraíso era um belo rato suculento.

— E que história foi aquela do carrinho?

— Estou interessado em saber como as coisas funcionam. Um homem ignorante de um povo ignorante, aquele puxador — mas esperto. Sujeito interessante.

Quando voltaram aos seus alojamentos, um IdrisPukke irritado os esperava, junto com Cadbury e Deidre Plunkett, que, com seus lábios carmim e bochechas com blush, não se parecia com nada nesta Terra de Deus.

— A pontualidade é educação para os reis — disse IdrisPukke a Cale. — Imagine, então, para alguém que foi vendido por seis centavos.

— Um compromisso nos atrasou. Olá, Deidre. Você está bem?

— Nada estará bem com os perversos.

Houve um breve silêncio.

— Por falar em perversos, Deidre — disse Cadbury —, você iria se importar em observar se alguém está agindo de forma estranha? — Ela saiu em silêncio.

— Ela é adorável — elogiou Henri Embromador.

— Dobre a língua, seu bostinha — respondeu Cadbury. — Estamos vindo do escritório de Kitty das Lebres.

Cale balançou a cabeça.

— IdrisPukke me diz que você está sempre reclamando da sua falta de sorte — mas devo dizer que se tivessem me perguntado quais eram as chances de você sair vivo da conversa com Kitty, eu teria dito: tão ralas quanto sopa homeopática feita com a sombra de um pombo que morreu de fome.

— Eu não sei o que significa homeopático.

— Neste contexto, significa algo que vale menos que a fumacinha saindo de um balde de mijo.

— Vou tentar lembrar. É uma boa palavra, homeopático.

— Não tenho tempo pra isso — disse IdrisPukke. — Seja lá o que for que todos achavam de Kitty, eles o subestimavam. Seus livros-caixa são um labirinto com saídas para cada tesouro do lado de cá da Grande Muralha da China. Eles não sabiam que Kitty estava por trás de suas atividades — contei mais de 20 intermediários. A maioria deles deveria evitar negociar com alguém como Kitty. Meu palpite é que ele os estava chantageando. Mas nunca se sabe o que financistas esplêndidos são capazes de fazer para ganhar ainda mais dinheiro.

— Eu não reclamo da minha falta de sorte — disse Cale.

— Reclama, sim — respondeu IdrisPukke. — De qualquer forma, muita gente deve um bocado de dinheiro a Kitty. Agora, graças a você, herdamos as obrigações dessas pessoas.

— E se elas não quiserem pagar? Kitty morreu, afinal.

— Mas, como Cadbury destacou, cobrar pagamentos dos devedores de Kitty é bem a linha de trabalho dele.

— Qual a minha parte?

— Pensamos num décimo — disse Cadbury.

— Ele mata Kitty e vocês ficam com nove décimos? Acho que você inverteu os números — disse Henri Embromador.

— Você sabe muito sobre como administrar um negócio criminoso, não sabe, seu vira-latinha ingrato? Tenho certeza de que vocês dois têm grandes conhecimentos sobre o comércio de títulos e futuros para garantir dívidas, e o que fazer quando um país inteiro ameaça inadimplência.

— Não — afirmou Henri Embromador.

— Então calem a boca. — IdrisPukke se virou para Cale. — Acha que eu ia te roubar ou prejudicar?

— Não.

— Então estamos de acordo. 10%. Você vai ficar muito rico se Cadbury estiver dizendo a verdade, ou metade da verdade.

— Agora você me magoou — disse Cadbury.

— Sabe aqueles rapazes que Kitty tinha em Memphis? Ele os trouxe para cá?

— Aquilo não tem nada a ver comigo.

— Agora tem. Quero que os encontre e os solte. Dê 50 dólares para cada um deles.

— Cinquenta dólares para um garoto de programa?

Cadbury percebeu imediatamente que Cale não estava com humor para discordância.

— Tudo bem, vou providenciar, mas isso sairá da sua parte. — Mas ele não conseguiu se calar. — Você não pode fazer nada por eles. Não agora. É com isso que eles estão acostumados. Vão gastar o dinheiro e acabar procurando Manteiga de Amendoim ou Bunda Pelada. Vão ficar em pior situação do que quando estavam com Kitty. Deixe-os como estão, ou então cuide deles.

— Eu pareço a mãe de alguém? Nós quatro ficamos bem. Riba virou praticamente a rainha da Rússia. E agora, nós três estamos ricos. Dê o dinheiro a eles e os solte. Aí é por conta deles.

A caminho de casa, Cadbury pensou no que Cale queria. O que ele havia dito sobre Riba era verdade mesmo. Cadbury a vira, linda de morrer, em alguma porcaria social para a qual Kitty o mandara para conversar com um ou outro almofadinha que atrasara os pagamentos e tinha informações importantes que Kitty queria, muito mais importantes do que a mixaria de 3 mil que ele devia. Ele tinha visto Riba à mesa dos bacanas. Ela era de se admirar, em seu longo vermelho, com o cabelo preso para cima como um bolo. Mas quanto a Cale e os outros estarem bem, bastava olhar para o estado deles.

18

De certo modo, Henri Embromador e Cale tinham imposto mais uma condição: Cadbury precisava matar os dois homens que espancaram tanto os garotos. Cadbury faria isso de qualquer forma, porque soube que esses mesmos homens procuravam uma oportunidade de assumir os negócios de Kitty, mas não faria mal nenhum deixar Cale pensar que ele tinha lhe feito uma concessão.

— Vai ter que ser rápido — orientou Cadbury aos três rapazes. — Eu só torturo pessoas quando realmente preciso saber alguma coisa: se quiserem que eles sofram, vocês mesmos terão que fazer.

Podia ser rápido, eles disseram.

Naquela noite, os dois homens foram amarrados e, quando exigiram saber o que iria acontecer com eles, Cadbury disse:

— Vocês devem morrer e não viver.

No dia seguinte seus corpos foram levados para serem enterrados nos lixões de Oxyrinchus, junto com Kitty das Lebres.

Enquanto isso, nos lugares civilizados a algumas centenas de metros dali, Vipond estava em ascensão. Agora que possuía os livros vermelhos de Kitty, e os segredos financeiros guardados neles, as portas que antes estavam fechadas começavam a se abrir para ele.

Conn Materazzi, cujo frio desdém pelo rei o tornava cada vez mais agradável aos olhos apaixonados de seu admirador, agora estava no comando de 10 mil guardas suíços, soldados de considerável habilidade e reputação. Em sua ascensão, ele enfrentava a oposição do chanceler suíço, Bose Ikard, mas não devido à sua juventude e inexperiência. Na verdade, essas eram as suas menores preocupações: a alternativa a Conn só poderia ser convocada da aristocracia suíça, que podia ser mais velha, mas em geral não era muito inteligente e tinha consideravelmente menos preparo militar do que o jovem. O que assustava Ikard era a influência que isso dava a Vipond e seu meio-irmão, que não era menos perigoso. Ele temia que qualquer poder fosse para as mãos dos dois porque eles só se preocupavam com o bem dos egocêntricos e belicosos Materazzi, e não o bem coletivo. Vipond teria entendido esses temores, mas iria ressaltar que, no futuro previsível, o interesse comum era se opor aos Redentores. Mas Ikard temia a guerra mais do que tudo, enquanto Vipond achava que ela era inevitável.

Na verdade, Bose Ikard e Vipond, e até IdrisPukke, não eram tão diferentes, pois tinham experiência suficiente para desconfiar de ações decisivas na guerra ou em qualquer outro âmbito. A vida os havia ensinado a deixar tudo correr até o último minuto, depois fingir concordância com alguma grande concessão, e então, quando tudo parecia decidido, encontrar alguma maneira de deixar a coisa correr de novo.

— O problema de acordos decisivos, como o de batalhas decisivas — ensinava Vipond para Cale —, é que eles decidem as coisas, e a lógica dita que a probabilidade de que elas sejam decididas contra você só pode ser enorme. Quando alguém vem me falar de uma batalha decisiva, sinto vontade de mandar prender essa pessoa. É uma solução fácil, e as soluções fáceis geralmente estão erradas. Assassinatos, por exemplo, nunca mudam a História... não mudam de verdade.

— Os Dois Trevors tentaram me matar no Priorado. Se conseguissem, isso iria mudar as coisas — disse Cale.

— Você precisa observar melhor as nuances. O que isso teria mudado?

— Bem, Kitty das Lebres ainda estaria vivo, e você não teria o dinheiro e os segredos dele.

— Não acho que a morte de Kitty tenha sido um assassinato político... ou seja, a busca de metas políticas impessoais por meio de um ato de violência pessoal. A morte de Kitty foi um homicídio comum. Se você quiser ser alguém na vida, precisa parar de matar as pessoas, ou pelo menos parar de matá-las por motivos puramente pessoais.

Cale sempre relutava em não dizer a última palavra em qualquer discussão, até com Vipond — mas estava com dor de cabeça e cansado.

— Deixe o garoto em paz, ele não está bem — disse IdrisPukke.

— Como assim? O garoto sabe que só estou lhe dando o benefício da minha experiência. — Ele sorriu para Cale. — Pérolas sem preço.

Cale retribuiu o sorriso, mesmo sem querer.

— Eu queria falar com você sobre um assunto difícil: Conn Materazzi não aceita trabalhar com você por nada neste mundo.

Um silêncio intrigado de Cale.

— Nunca imaginei que ele ia aceitar.

— A aversão dele por você é bem compreensível — disse Vipond. — Quase todos estão contra você.

— Ele gosta de mim ainda menos desde que ficou em dívida comigo — disse Cale, referindo-se ao salvamento de Conn das pilhas de vítimas esmagadas e sufocadas em Silbury Hill, de que Cale tanto se arrependia.

— Ele cresceu muito desde então. Se transformou, eu diria. Mas não quer lidar com você por dinheiro nenhum. A gente precisa muito que você o aconselhe. Mas ele é inflexível até contra minha ira considerável quando não consigo o que quero numa questão tão importante. Por quê?

— Não faço ideia. Pergunte pra ele.

— Já perguntei.

Cale ficou em silêncio.

— Continuando — prosseguiu Vipond, depois de um momento. — Avaliando a situação, decidimos não contar a ninguém sobre a probabilidade de os Redentores começarem seu ataque através do deserto de Arnhemland.

— Não acreditam em mim?

— Eu acredito. Mas o problema é que se a gente avisar o Eixo e eles fizerem algo a respeito, reforçando a fronteira perto da Linha Maginot, os Redentores vão ter que repensar tudo. Se eu entendo bem o que você quis dizer — ele entendia, aquilo era apenas bajulação —, toda a estratégia dos Redentores para a guerra depende de uma travessia rápida ali.

— E daí?

— Se aquela entrada estiver bloqueada, eles terão que repensar.

— Sim.

— Você diria que a demora seria grande?

— Provavelmente.

— Mais um ano, talvez, se eles não puderem no verão e no outono. Não vão atacar no inverno.

— Provavelmente não.

— Se você diz. Mas concorda que bloquear Arnhemland nesse momento provavelmente iria atrasar a guerra em um ano?

— Provavelmente.

— Bem, nós não podemos permitir isso. Por nós quero dizer os Materazzi e você.

— Por quê?

— Bose Ikard está derramando esperanças plausíveis, porém falsas, no ouvido do rei. Está dizendo que o Eixo em geral e os suíços em particular estão fechadinhos contra Bosco, que as montanhas ou a Linha Maginot vão impedi-lo de entrar. Ikard está dizendo ao rei que as terras que os Redentores já tomaram podem ser consideráveis, mas que as coisas não são tão alarmantes quanto parecem. Os territórios que eles conquistaram não têm tantos recursos que valham a pena, e por isso o trabalho de ocupá-los com forças Redentoras consumirá mais sangue e riquezas do que eles podem ganhar ocupando-os.

— É um bom argumento — disse Cale.

— É, sim, mas nosso argumento é diferente. Se acreditarmos em você, então Bosco virá porque ele precisa, agora ou depois. Mas se for depois, perderemos toda a credibilidade. Vai parecer que Ikard está certo: os Redentores conquistaram terras que não valem o sacrifício e estão impedidos por defesas da Liga de conquistarem outras. Bosco não pode avançar, só pode recuar. Se a gente avisar sobre o ataque através de Arnhemland, isso deterá Bosco e vai parecer que Ikard está certo e nós estamos errados. Vamos declinar para uma espécie de nada.

— Então vocês vão deixar os Redentores entrar.

— Exatamente. Você discorda?

— Me parece um tanto espertalhão. Mas você pode estar certo. Vou ter que pensar a respeito.

— Se tiver uma ideia melhor, me avise.

— Vou avisar.

Mas meia hora depois de sair, Cale tinha certeza de que Vipond estava com a razão. A questão era: e se os Redentores não fossem contidos no Mississippi? E se o cruzassem e continuassem avançando? As montanhas que os protegiam da entrada de qualquer um seriam as mesmas que impediriam qualquer um de sair. A única saída seria através da Passagem Schallenberg, e Bosco estava preparado para fechá-la hermeticamente, como uma garrafa com uma rolha.

Naquela noite, Vipond e IdrisPukke estavam tentando coagir Arbell Materazzi a embarcar na mesma empreitada.

— Você precisa convencê-lo — disse Vipond.

— Ele não quer ouvir e pronto. Se eu tentar convencê-lo, vou deixá-lo muito mais furioso comigo do que ele está com você... e ele está puto da vida com você, posso dizer.

— Não seja tão vulgar.

— Então não me peça para transformar meu marido num inimigo.

— Ela tem razão — falou IdrisPukke. — Não queremos mandá-lo para um lugar de onde não podemos trazê-lo de volta.

— De qualquer forma, Conn não está à disposição de vocês — explicou ela, agora furiosa também. — Não é uma flauta que vocês podem tocar à vontade.

— Aceito a correção — disse IdrisPukke, também melindroso.

— Além disso, você acha que Thomas Cale é seu salvador e o nosso. Tem tanta certeza assim?

— A senhora se beneficiou bastante dele, madame ingrata.

— Se ele não tivesse vindo para Memphis, eu nem teria precisado ser salva. Não sou ingrata.

— Nunca entendi o "não" na frente de "ingrata" — disse IdrisPukke. — Isso não significa que você é grata, significa?

— Tudo bem — concordou ela —, sou uma vaca mal-agradecida. Mas aonde quer que ele vá... todo mundo diz isso... um funeral acontece. Foi por causa dele que a gente perdeu tudo. Vocês acham que são espertos o bastante para usá-lo a fim de destruir as pessoas que vocês odeiam... e ele vai fazer isso. E vai destruir vocês também. E meu marido e meu filho. — Ela parou por um momento. Os dois homens não disseram nada porque de nada adiantaria. — Vocês deveriam confiar mais em Conn. Ele pode ser um grande homem, se conseguirem ser amigos dele de novo.

— Não parece que temos muita escolha — disse Vipond o dia seguinte, quando eles se reuniram com Cale e Henri Embromador para discutir o que fazer em seguida. — Precisamos deixar o porco passar pela cobra.

Os dois garotos começaram a gargalhar disso, como alunos bagunceiros do fundo da turma.

— Cresçam! — ordenou aos dois, mas isso só piorou as coisas. Quando eles finalmente pararam, Cale disse o que achava.

— Sei que todos pensam que eu não sirvo para nada além de matar... mas o que estamos fazendo aqui é algo bem perverso. Ouvi dizer que chamam o Mississippi de "O Rio Verde", certo?

— Foi o que me disseram — respondeu Vipond.

— Então nós vamos deixar o Rio Verde vermelho. E se estivermos errados? E se alguém descobrir?

— Você acha que é o único que tem reservas? Tenho a reputação de ser o mais sábio, apesar de ter perdido todo um império enquanto deveria estar tomando conta dele. Mas minha experiência e meu futuro valem alguma coisa, eu acho. Grandes potências, e os homens que as governam, são como cegos tateando dentro de uma sala, cada um se achando mortalmente ameaçado pelo outro, que ele supõe ter visão perfeita. Eles deveriam saber que todas as políticas das grandes potências são feitas de incerteza e confusão. Mas cada potência teme que a outra tenha mais sabedoria, clareza e previdência... embora ela nunca tenha. Você, eu e Bosco somos três cegos, e até isso acabar, vamos causar muitos danos uns aos outros e à sala.

Doze dias depois, os Redentores cavalgaram através de Arnhemland em menos de 36 horas e destruíram o primeiro exército do Eixo em cinco dias, o oitavo exército do Eixo em seis dias e o quarto exército do Eixo em dois dias. O problema era que todos os exércitos que defendiam Arnhemland e aqueles que lhes davam apoio estavam cada vez menos equipados em termos de experiência e armamentos, pois todos os melhores soldados e equipamentos foram reservados para a esperada linha de ataque na notavelmente bem defendida Linha Maginot. Esses eram soldados que muito provavelmente teriam conseguido deter ou ao menos retardar o avanço do primeiro ataque dos Redentores com armas leves, mas por terem ficado isolados de qualquer forma de reabastecimento, foram obrigados a se render sem trocar muito mais do que uma palavra. Tudo isso aconteceu com tamanha rapidez que Vipond tinha todos os motivos para temer, de fato, ter sido espertalhão demais, e que sua decisão de não dizer nada tivesse sido não apenas perversa, mas também tola. A salvação temporária veio de uma fonte inesperada.

Artemisia Halicarnassus já é um nome esquecido há muito tempo — mas de todos os grandes homens de gênio militar que nunca receberam o crédito que mereciam, ela foi, talvez, o maior deles. Artemisia não era nenhuma amazona ou valquíria — media pouco mais de um metro e meio e era tão preocupada com sua aparência, com suas unhas pintadas em listras e cabelo cuidadosamente cacheado, que um diplomata mal-humorado a tinha descrito como mais afeminada do que feminina. Além disso, falava com a língua um pouco presa, o que muitos consideravam afetação, mas não era. Some-se a isso sua tendência de parecer facilmente distraída (devido ao tédio com a insipidez ou idiotice do que ela ouvia) e seu hábito de manifestar ideias que pareciam simplesmente ter cruzado sua mente como nuvens suaves que se movem com uma leve brisa, e o resultado era que não havia ninguém que pudesse olhar além de sua aparência e atitude para reconhecer sua inteligência original e penetrante. Deu-se o acaso que o colapso dos exércitos da Bandeira, e a derrota quase igualmente rápida do Regime de 14 de Agosto, que estava de reserva na retaguarda, criaram uma oportunidade extraordinária e definitivamente única na vida de Artemisia de mostrar sua força. Halicarnassus, cuja fronteira setentrional era formada pelo Mississippi, tinha uma geografia incomum porque era um lugar de ravinas de calcário e colinas inóspitas, diferente dos outros países que faziam fronteira com o grande rio. Ao ver o terrível colapso diante de si e perceber que o grande número de soldados batendo em retirada seria massacrado como se estivesse espetado na margem setentrional daquele rio tão difícil de cruzar, ela emergiu de Halicarnassus com o pequeno exército que seu marido tinha lhe deixado e, espalhando suas tropas como um funil, conseguiu guiar um grande número de soldados em fuga para a segurança temporária de Halicarnassus. Ali, ela reorganizou as apavoradas tropas e providenciou a evacuação de nada menos que 150 mil soldados através do Mississippi — que tem mais de um quilômetro e meio de largura naquele ponto.

Durante os dez dias que o resgate durou, ela lutou no próprio território de Halicarnassus para retardar o avanço dos Redentores. Durante três semanas, Halicarnassus inchou sozinho com o exército Redentor, quando este chegou às margens do Mississippi e assassinou os milhares de soldados que ela não conseguira proteger, e que estavam presos à beira do rio na fronteira de Halicarnassus. Finalmente, Artemisia foi obrigada a recuar e também cruzar o rio. Os registros históricos não dizem se ela esperava ser recebida por multidões delirantes, sinos de igrejas a badalar e muitos banquetes em sua honra. Se esperava, se decepcionou.

Depois de ter sido, mais do que qualquer um, responsável por deter os Redentores no Mississippi, e portanto evitar que eles invadissem a Suíça para começar a primeira etapa do fim do mundo, Halicarnassus foi recebida na Leeds Espanhola com aplausos educados, ainda que breves. Também recebeu um lugar no final da mesa, como uma convidada chamada por formalidade a um casamento, mas com a qual ninguém queria conversar.

Artemisia estava sendo ignorada não apenas por ser mulher, embora em parte fosse isso; mesmo se ela fosse homem, teria sido difícil entender seu lugar no quadro geral dos acontecimentos. Ninguém cuja opinião eles particularmente confiassem tinham visto Halicarnassus em ação. Talvez seus sucessos fossem só um golpe de sorte, ou exagerados. A História estava cheia de sucessos marcantes de pessoas que nunca mais repetiram seu triunfo ou que fracassaram espetacularmente ao tentar fazê-lo. Há um motivo pelo qual achamos que a confiança precisa ser conquistada — em larga medida, ela é produto de repetidos sucessos. Mas Artemisia havia surgido do nada, e sua atitude não inspiraria necessariamente confiança mesmo numa pessoa de mente aberta. Ela merecia tal confiança, mas não era impossível entender por que não a tinha.

Artemisia tinha pedido que a colocassem no comando da defesa da margem sul do Mississippi, porém esse pedido não havia sido exatamente recusado, mas simplesmente reencaminhado para vários comitês de guerra, onde iria evaporar como uma pocinha rasa em Arnhemland. Ela poderia voltar a comandar seu pequeno exército particular, mas somente nas margens da fronteira de Halicarnassus, onde ninguém, certamente não Artemisia, achava que os Redentores iriam atravessar, pois havia tantos outros lugares melhores para fazer isso. Por isso ela decidiu ficar na Leeds Espanhola e ver o que podia fazer para encontrar uma posição de onde ela pudesse influenciar adequadamente os acontecimentos.

Cinco dias depois de chegar, ela já estava desesperada. Sempre que falava, nas intermináveis reuniões para discutir a guerra, suas observações eram seguidas por um breve, levemente intrigado silêncio, e então as discussões continuavam como se ela não tivesse aberto a boca. Foi numa recepção ao ar livre no sexto dia que ela conheceu Thomas Cale. Ela tentara se inserir na discussão entre vários consultores militares, sem sucesso — quando oferecia uma opinião, era como jogar sabão no óleo: o grupo se dispersava rapidamente, deixando-a com uma taça de vinho numa mão e um aperitivo de torrada e anchovas na outra, se sentindo uma idiota. Finalmente, no auge da frustração, ela abordou um jovem, pouco mais que um menino, apoiado numa parede e comendo um vol-au-vent da mão direita enquanto segurava mais dois na esquerda.

— Olá — cumprimentou ela. — Eu sou Artemisia Halicarnassus.

O garoto a olhou de alto a baixo enquanto continuava mastigando devagar, como, ela pensou, uma cabra anormalmente inteligente.

— Que nomão pra uma garota tão pequena.

— Bem — respondeu ela —, depois que você me disser seu nome, talvez possa me dar uma lista das suas façanhas.

Em quase qualquer outra circunstância, isso teria bastado para pôr um zé-ninguém tão óbvio em seu lugar.

— Eu sou Thomas Cale — apresentou-se ele e descreveu todos os seus grandes feitos de forma vangloriosamente simples e direta.

— Já ouvi falar de você — disse ela.

— Todos ouviram falar de mim.

— Ouvi que você é um arruaceiro que envenena poços, deixa mulheres e crianças morrerem de fome e leva carnificina e massacre a qualquer lugar aonde vai.

— Já envenenei muitos poços e matei muito. Mas não sou completamente ruim.

Cale estava acostumado a ouvir esse tipo de insultos, ainda que não diretamente. O que era estranho, desta vez, não era apenas tudo ser dito na sua cara, mas também com um ar levemente distraído, os olhos azuis dela vagando, e num tom que, se ela não o estivesse acusando de infâmias hediondas, seria quase doce de um jeito enjoativo. Artemisia olhava as próprias unhas como se elas fossem o objeto de uma fascinação total.

— Também já ouvi falar de você.

Artemisia ergueu o olhar para ele, ainda perdido, parecendo alguma fabulosa dondoca da sociedade prestes a receber mais um cumprimento sobre sua beleza esfuziante. Ela sabia, é claro, que um insulto viria. Cale prolongou o momento.

— Nada mau — disse Cale, finalmente. — Se o que ouvi é verdade.

— É verdade.

Ela não pretendia demonstrar que se importava tanto com a opinião positiva dos outros. E de fato não se importava. Ao menos não tanto. Mas se importava. E estava tão contrariada por não ser tratada como merecia que esse surpreendente elogio a desmascarou.

— Então me fale a respeito — disse Cale.

Talvez nem mesmo garotas ou bolo possam se comparar aos prazeres oferecidos por alguém da mais alta reputação dizendo que você é singularmente brilhante. Cale podia ser um assassino envenenador de poços, mas Artemisia viu essas características infelizes ficarem em segundo plano quando duas coisas ficaram claras: ele sabia do que estava falando e a admirava enormemente. Não era só sua lisonja que a conquistava. Suas perguntas, ceticismo e dúvidas, as quais todas ela era capaz de responder, davam tanto prazer quanto ter os músculos doloridos de seu pescoço e ombros delicados massageados por mãos hábeis.

Na época, ela tinha quase 30 anos, e embora gostasse de seu falecido marido, que a adorava e aceitava seu peculiar interesse, jamais o tinha amado, nem a ele, nem a qualquer outro homem. Homens a desejavam não por ela ser bonita de qualquer forma convencional, mas exatamente por aquela distração tão transcendental, e pela falta de interesse neles que também os deixava perplexos. Resumindo, eles a achavam enigmática de forma excitante, mas o que não percebiam, ao elogiar esse ar misterioso, era que ela não queria ser misteriosa.

Artemisia queria ser admirada por suas habilidades, reconhecida por seu bom juízo, astúcia e inteligência. Cale, sem demonstrar qualquer interesse aparente por ela como mulher, entendia o brilhantismo dela e o descreveu em detalhes adoráveis, e por várias horas. No final da noite, ela já estava — como poderia não estar? — meio apaixonada. Ambos ficaram igualmente assombrados pelo outro não ocupar algum cargo de grande importância, considerando o quanto eram maravilhosos. Nenhum dos dois, talvez por motivos parecidos, fazia ideia de como sua companhia fosse desesperadora e irritante. Eles não compreendiam com facilidade que ninguém, especialmente pessoas sem talento, quisesse ver sua falta de habilidade tornada explícita.

Cale combinou de encontrá-la no dia seguinte no vinhedo de Roundhey Park, o que a deixou encantada, e disse que levaria um amigo, se ele estivesse se sentindo bem, o que não a encantou tanto assim. E então ele se foi. Sua partida repentina o fez parecer misterioso para ela, e também a deixou insegura; ele tinha parecido tão fascinado por ela, mas então partiu de repente, e de forma quase displicente. Ela ficou um tanto contrariada por perceber que isso só o tornava mais atraente. Na verdade, ele havia ido embora daquela forma porque sentiu que poderia vomitar. Ansioso para evitar a má impressão que isso poderia causar, ele se fora abruptamente e, mal chegando à rua, o acesso começara.

— Artemisia Sei-lá-do-quê? — perguntou IdrisPukke na manhã seguinte. — Eu jamais ia imaginar que ela fazia seu tipo.

— Ou seja?

— Um pouco coquete.

— Croquete?

— Afetada.

— Afetada?

— Representando o papel de encantadora e misteriosa... todo aquele bater de cílios e os olhares perdidos na distância.

— Ela não estava representando... só estava entediada. É uma mulher brilhante.

— Você não acha que tudo o que falam sobre ela é exagero?

— Se digo que não é exagero, é porque não é. Tentei de tudo para destruir sua reputação dos pés à cabeça, mas ela aguentou firme. Na verdade, ela é uma maravilha.

— Bem, se o Grande Cabeção a considera tanto, precisamos dar uma olhada nela.

— Por quê?

— Alguém com tanta capacidade, mas menos convencida do que você, poderia ser muito útil.

— IdrisPukke quer conhecer você, e Vipond também.

Artemisia ficou empolgada com isso e, como era incapaz de disfarçar sua empolgação, arregalou os olhos, seus cílios, longos como os de um cocker spaniel, tremeram como se estivessem enviando um sinal desesperado a um porto distante. Havia algo nela; talvez o mais importante fosse que ela não era Thomas Cale. Ele estava realmente farto de si mesmo. Estar na companhia de alguém doente o tempo todo é um sacrifício, mesmo quando a pessoa doente é você mesmo: sentir-se sempre péssimo, nunca querer ir a lugar nenhum, dormir o tempo todo ou, quando acordado, querer dormir. Ela gostava muito de Cale, o que ajudava bastante, pois a maioria das garotas parecia ter medo dele ou às vezes, o que era mais preocupante, imaginava que aquela instigante má reputação fosse uma máscara que poderia ser removida por uma mulher sensível para revelar a alma gêmea por baixo dela. Essas garotas não gostavam de descobrir que existem algumas almas, não necessariamente as cruéis ou más, com as quais é melhor não se unir.

Outra característica em Artemisia que fascinava Cale era que pela primeira vez ele tinha conhecido alguém cuja história era mais estranha do que a dele. Artemisia sempre foi um mistério porque ela não era masculinizada de forma alguma. De fato, era considerada a mais feminina das menininhas — nem um pouco parecida com a irmã mais velha, famosa por seus hábitos grosseiros e ruidosos. Artemisia gostava de rosa e de cores tão femininas que até doíam nos olhos, usava tantas rendas e brocados que às vezes era difícil encontrar a garotinha escondida dentro deles, e tinha uma coleção de bonecas de lábios vermelhos e roupinhas removíveis que numerava na casa das centenas. A criadagem começou a notar que de manhã ela vestia e despia as bonecas, tagarelando feito uma lunática, como tantas outras criancinhas, dando bronca nas bonecas por se sujarem, brigarem entre si ou usarem as luvas erradas para uma terça-feira — mas à tarde ela as organizava em grandes falanges maricas vestidas de rosa e turquesa e imaginava a melhor maneira de trucidá-las. Soldados de anágua grená lutavam até a morte contra tropas irregulares de touca lavanda e cavalarianas montadas em novelos de algodão usando calçolas azul-bebê.

Presumia-se que, com o tempo, seu gosto por essas manobras de guerra petulantemente afeminadas iria perder a força, mas seu interesse por tudo o que era militar só parecia ficar mais intenso à medida que ela ficava mais velha. Artemisia não se interessava por nenhuma forma de violência pessoal. Não queria praticar com espadas ou punhais ou, Deus a livre, lutar com garotos, como a irmã mais velha. Não precisavam proibi-la de lutar boxe — como proibiam a irmã — mais do que precisassem proibi-la de voar. Ela era uma excelente amazona, mas ninguém tentava impedir isso, porque Halicarnassus era famoso por seus cavalos, e a equitação era considerada perfeitamente aceitável para garotas.

— Você não sabe lutar? — perguntou Cale.

— Não. Meus braços são tão fraquinhos que fico sem fôlego só de levantar uma almofada de pó-de-arroz.

— Eu poderia te ensinar — ofereceu ele.

— Só se eu puder te ensinar a usar espartilho.

— Pra que eu ia querer isso?

— Exatamente.

— Exatamente coisa nenhuma. Eu não quero ser uma menina.

— E eu não quero ser um soldado. Quero ser general. E é isso que sou. Você pode continuar decapitando gente e amontoando entranhas no chão até fazer pilhas de tripas do tamanho do Monte Genebra. Mas não precisa fazer isso... já tem gente suficiente boa nisso.

Cale se perguntou se deveria contar à sua nova amiga que, sem inalar uma dose de droga forte o bastante para matar, seus dias de terror do campo de batalha estavam encerrados. Mas ele achou melhor não contar, por enquanto. Como sabia que podia confiar nela? De qualquer forma, era preciso dizer que algo nele ansiava por lhe contar a verdade.

Artemisia terminou sua história. Foi obrigada a casar aos 14 anos, protestando ruidosamente contra a idade do noivo, sua obscuridade, e que onde suas terras eram planas, eram planas demais, e onde eram montanhosas, eram medonhas de tão montanhosas. Além disso, eram quentes demais no verão e muito frias no inverno. Foram quase quatro anos de petulância e antipatia geral até que ela começasse a apreciar a sorte que teve. Daniel, quadragésimo margrave de Halicarnassus, era um homem inteligente, sábio e fora do convencional, embora escondesse cuidadosamente sua falta de convencionalidade, temendo assustar sua família e os vizinhos. Além disso, adorava Artemisia e se divertia com ela em vez de se irritar, quando teria todo o direito a isso, considerando quão desagradável e grosseira ela fora com ele de início. Embora nem sempre fizesse as vontades dela, ele a encorajava em seus interesses peculiares, em parte por afeto e para conquistar seu coração, e em parte por estar curioso para ver no que aquilo iria dar. Ele não estava interessado na guerra, mas reconhecia que sua pequena milícia era quase completamente inútil, portanto não faria mal nenhum deixar que ela fizesse o que quisesse com as tropas.

Artemisia conquistou o apoio da milícia e se livrou dos oficiais que por interesse próprio se opunham a ela dividindo as tropas em dois grupos e se oferecendo para lutar em três jogos de guerra. Então apostou 3 mil dólares com os oficiais que ganharia os três. Se eles perdessem, deveriam pedir exoneração. Ela ainda tinha 3 mil dólares do seu dote (Daniel o devolvera a ela no dia do casamento) e usou mil deles para subornar a milícia agora sob seu comando e que, até receber todo aquele dinheiro, também não estava muito feliz. Ela tinha 2.500 homens, a maioria fazendeiros com seus empregados, e um sortimento de cervejeiros, padeiros e ferreiros. E ela tinha três meses.

De início, os homens trabalharam duro porque eram pagos para isso — mas só em troca de resultados. A cada semana, os homens ganhavam mais, mas apenas se corressem mais rápido ou carregassem um grande peso por mais tempo. Mas ela também os dividia em grupos com nomes ferozes e os fazia usar coletes de várias cores — embora, sabiamente, não o azul-bebê ou o turquesa de suas bonecas. Quem não conseguisse melhorar perdia o colete publicamente e era expulso. Mas se depois passasse no teste em que havia fracassado e melhorasse suas marcas, era readmitido.

Artemisia cometia erros — mas dinheiro e um pedido de desculpas pareciam curar qualquer coisa. Quando o prazo de três meses acabou, os jogos começaram. Eram bastante violentos, ainda que com bastões almofadados em vez de espadas e lanças, e muitos se machucavam. Ela ganhou os três jogos com facilidade por causa de seu talento, mas também porque seus adversários eram oficiais inteligentes, porém complacentes, e oficiais complacentes que ainda por cima eram burros.

Ela conservou alguns dos primeiros e começou mais uma série de jogos violentos para corrigir seus próprios erros — que ela sabia serem muitos. Encomendou livros de grandes autoridades na arte da guerra de todos os lugares possíveis — e descobriu que a maioria deles era irritantemente vaga ao descrever o que ela queria saber: os detalhes de como alguma coisa era feita na prática. Uma autoridade bombástica após a outra contava, digamos, como uma marcha noturna do General A ousadamente cercara e surpreendera o General B — mas os detalhes de como movimentar mil homens por trilhas rochosas e péssimas no escuro, sem que os homens quebrassem as pernas ou despencassem de penhascos — as coisas que você realmente precisava saber —, estavam quase sempre ausentes. O que restava eram apenas histórias para crianças e sonhadores.

— Ainda não entendi — falou Cale, rindo — como você conseguiu ficar tão boa. Não me ensinaram nada além disso a vida inteira.

— Talvez eu seja mais talentosa e esperta que você.

— Duvido — disse ele. — Nunca conheci ninguém mais talentoso do que eu.

Artemisia caiu na gargalhada.

— Não sei o que é tão engraçado — disse Cale, sorrindo.

— Você é. Não admira que ninguém goste de você.

— Algumas pessoas gostam de mim. Mas não muitas, é verdade — admitiu. — Então, como conseguiu?

— Eu brincava.

— Qualquer criança faz isso. Até nós brincávamos.

— Eu brincava de um jeito diferente de todos.

— Quem está contando vantagem agora?

— Não estou contando vantagem. É verdade.

— Continue, então.

— Eu observava as outras crianças brincando já quando era bem pequena... em suas brincadeiras, as coisas sempre aconteciam do jeito que elas queriam. Mas as coisas nunca são assim... eu já sabia disso aos cinco anos de idade. Por isso peguei um velho baralho da minha mãe e escrevi coisas nas cartas: seu melhor general cai do cavalo e quebra o pescoço, um espião rouba o seu plano de ataque, um trovão provoca um tropel dos cavalos do inimigo, você fica cega de repente.

Cale riu de novo.

— Retiro o que eu disse. Você é mais esperta do que eu.

— Não é uma questão de ser esperta. Eu não deixo passar nada, só isso. Como todos, vejo o que quero ver... só que eu sei que sou assim, então às vezes consigo me obrigar a enxergar as coisas como elas são. Mas só às vezes. Isso seria muita esperteza... ver as coisas como elas são o tempo todo.

Mas ela estava enganada quanto a isso, como o tempo revelaria.

E assim, aconteceu tudo o que era de se esperar. Ele contou sobre o Santuário e sua vida ali (nem tudo, é claro, certas coisas é melhor não dizer) e ela quase chegou às lágrimas ouvindo-o falar de como tinha sofrido ali, o que foi, naturalmente, muito satisfatório para Cale. Eles conversavam, passeavam e se beijavam — algo que, para surpresa dela, ele fazia misteriosamente bem. Para grande escândalo de seus serviçais, ela o levou para a casinha que alugara perto do Boundary Park e — com um pouco de culpa, ainda que não muita — passou várias horas fazendo poucas-vergonhas com o corpo de seu jovem amante.

Artemisia reconhecia, até certo ponto, que ele tinha muito mais familiaridade com o modo de tocá-la do que sua idade e seu histórico sugeririam. Suas desconfianças foram relegadas ao lugar de todas as desconfianças desconfortáveis — o fundo de sua mente. Ali, se juntaram a todas as suas outras ansiedades e vergonhas, incluindo aquela da qual ela se sentia mais culpada: que a empolgava profundamente a certeza que Cale tinha de que nenhum acordo manteria os Redentores do outro lado do Mississippi em troca de dinheiro e de mais concessões de território. Eles viriam e nada iria detê-los, a não ser a força.

A constatação de que ela desejava uma guerra a horrorizava, porque ela sabia muito bem que o confronto traria dor terrível e sofrimento em toda parte, especialmente àqueles para quem havia construído seu exército particular para proteger. Embora fossem durões, os fazendeiros e carpinteiros que formavam sua milícia estavam interessados em vacas e cevada, não na guerra. Aquilo em que ela era mais talentosa, que mais a empolgava, que mais a apaixonava, era um exercício sangrento e sofrido, embora não fosse isso que a levasse a lutar, mas o prazer que ela sentia em tentar controlar o incontrolável. Existem alguns homens e ao menos uma mulher para os quais a vida não tem sentido a menos que o maior prêmio de todos, a própria vida, esteja em jogo. Para que servia o xadrez, ela costumava reclamar com o marido quando ele estava vivo? Ele passava horas diante do tabuleiro e dizia que era um jogo tão cheio de armadilhas e sutilezas que espelhava os níveis mais profundos e complexos da mente humana.

— Nem fodendo! — disse ela. Tinha escutado a expressão no domingo no campo de manobras e não tinha consciência completa da força de sua vulgaridade. "Fodendo" não era uma palavra que uma margravina deveria usar com um margrave, e certamente não falando de xadrez. De olhos arregalados, surpreso com sua exclamação, ele fingira apenas uma incerteza comedida.

— Suas deliciosas razões, minha cara?

— Não tenho nenhuma razão deliciosa. É que o xadrez tem regras, e a vida não tem regras. Você não pode queimar o bispo do adversário, não pode apunhalá-lo, nem derramar um balde d'água no tabuleiro ou jogar sem comer por três dias. Por mais esperto que precise ser para jogar, é só um jogo idiota. Combater numa batalha — disse ela — requer uma mente cem vezes melhor do que qualquer porcaria de jogo. — Ela estava sendo tão grosseira porque se sentia culpada por querer ir para a guerra.

Seu marido pensou nisso por um momento.

— Vamos torcer, querida, para que em algum momento do futuro você tenha a oportunidade de massacrar nossos amigos e vizinhos em número suficiente para satisfazer sua ambição.

Ela ficou sem falar com ele por três dias — mas, estranhamente, não foi ele que cedeu.

Secretamente, foi um alívio, quando chegou o momento de jogar de verdade com a morte e a destruição, ela não ter absolutamente nenhuma escolha senão fazer o que ela mais queria fazer no mundo. A natureza radical dos Redentores aliviou-lhe a consciência.

Na conferência de guerra na Leeds Espanhola — Cale desdenhava o evento tanto quanto estava desesperado para participar dele — a exigência repentina de uma ação decisiva partiu do próprio rei. Era intolerável, ele disse, ter perdido tanto para os Redentores, e ele não iria tolerar isso e muito menos seu povo, e sinceramente acreditava que seus aliados iriam assumir a mesma postura.

Sinceramente, ele não acreditava em nada disso. Era verdade, declarou Vipond mais tarde, que a sinceridade de qualquer coisa dita em voz alta era inversamente proporcional ao número de pessoas que a ouviam. Como quase todos os reis, em outro mundo Zog teria sido um criador de gado incompetente, um cultivador de nabos acima da média ou um açougueiro passável. O mesmo se aplicaria a muitos dos grandes e bons que o rodeavam. É por isso que o melhor retrato do mundo é um hospício. "Se você soubesse", IdrisPukke gostava de dizer para Cale, "com quanta estupidez o mundo é governado."

A última coisa que soubemos a respeito da grande tempestade sobre as florestas do Brasil foi que ela havia passado o ápice de sua inimaginável potência apenas por uma fração. Agora, meses depois, ela havia dispersado essa potência num raio de 8 mil quilômetros em todas as direções, para o norte, o sul, o leste e o oeste. Descendo do céu morno sobre a Ponte Aleatoire, que cruza o Rio Imprevu, um grande tributário do Mississippi, ela se aproximava de uma grande buddleja, tão violeta quanto a mitra de um bispo Antagonista, coberta de borboletas que se alimentavam do seu néctar. Ao tocar no arbusto, o último hausto de vento da grande tempestade brasileira finalmente morreu — mas não antes de erguer muito levemente as asas de uma das borboletas, a fazendo voar. O movimento da borboleta azul chamou a atenção de uma andorinha passageira, que mergulhou e num instante a apanhou no bico, assustando a massa do resto das borboletas, que revoou às centenas como uma nuvem tempestuosa e assustou um cavalo que passava puxando uma carroça mal carregada com pedras para o conserto de um muro. O cavalo empinou, virando a carroça de lado e jogando as pedras no Rio Imprevu lá embaixo.

Alguns palavrões agrícolas se seguiram a esse acidente, e um pontapé para o azarado cavalo, mas somente algumas pedras se perderam, e nem valiam o esforço de recuperá-las. Assim, a roda foi recolocada na carroça, o cavalo ganhou outro pontapé, e foi só.

No rio lá embaixo, o monte de pedras, não especialmente grande, fez a correnteza fluir mais rapidamente pelos lados e apontou o fluxo mais rápido diretamente para a raiz de um dos mais velhos e maiores carvalhos às margens do grande tributário.

Naquele mesmo momento, Zog estava propondo que um exército das melhores tropas suíças e de seus aliados deveria ser mandado pela Passagem Schallenberg para lutar com o exército Redentor nas planícies da Mittelland.

— Não podemos fazer nada menos do que isso. Ao apresentar este plano, dedico-me novamente ao serviço deste grande país e desta grande aliança. — O orador agradeceu o rei e declarou lacrimosamente: — Vossa Majestade se tornou para nós todos um rei caleidoscópico de nossa caleidoscópica aliança. — Houve fortes aplausos.

O orador, então, abriu o plano do rei para discussão com os membros ali reunidos do Eixo — o que equivale a dizer que ele abriu o plano do rei para que eles concordassem, um consenso que já tinha sido garantido por persuasão e ameaças de Bose Ikard, apesar de ele se opor profundamente a qualquer coisa do tipo. Como não tinha conseguido convencer o rei a ser contra a luta, ele sabia que precisava compensar por ter discordado dele sendo agora profundamente entusiasmado em seu favor. Porém, ele havia se esquecido de falar com Artemisia, pois não a considerava importante o suficiente. Durante 20 minutos, ela ouviu vários discursos em resposta, todos apoiando o rei e todos praticamente iguais. Artemisia tentou chamar a atenção do orador da reunião, mas ele se recusava a reconhecê-la. Por fim, ela simplesmente se levantou, quando um dos discursos de apoio previamente combinados terminou, e começou a falar.

— Com todo respeito a Vossa Majestade, embora eu entenda sua impaciência em enfrentar os Redentores, o que está sugerindo é muito arriscado. A única força que impediu os Redentores de entrarem nesta sala não foi nenhum exército, e sim a existência do Mississippi. Se não fosse por um quilômetro e meio de água, nem estaríamos reunidos conversando agora.

Essa verdade simples e direta causou um grande e manifesto ressentimento: "Exército"; "Nobres tradições"; "Heroísmo"; "Bravos rapazes"; "Nossos heróis"; "Coragem"; "Inigualáveis".

— Não estou questionando a coragem de ninguém — gritou ela por cima da algazarra de objeções. — Mas os Redentores estão presos onde estão, no Norte, até o início do ano que vem. Eles precisam construir um número incontável de barcos e treinar marinheiros suficientes para cruzar o rio com eles. Posso dizer isso porque sei que leva anos aprender a navegar nas correntezas do Mississippi. Agora é hora de reconstruir o que restou dos exércitos que conseguiram atravessá-lo. — Era um lembrete, um tanto sutil demais, de que tantos ainda estavam vivos por causa dela. — Nós precisamos mandar nossas melhores tropas do Norte para retreinar as que foram resgatadas e usar o maior aliado que temos: o tamanho e as correntezas do Mississippi.

Enormes uivos de protesto se ergueram nesse instante, e o orador precisou gritar até se enfurecer para pôr ordem na reunião.

— Agradecemos à margravina de Halicarnassus por suas opiniões francas, mas ela, compreensivelmente, não deve saber que neste lugar não se fala com desdém dos bravos heróis que fizeram o sacrifício definitivo pela segurança dos outros.

— Sim! Bravo! Muito bem! Apoiado!

E foi isso.

— Perdoe-me a franqueza, margravina — pediu Ikard em seu escritório, meia hora mais tarde —, mas você se comportou como uma completa beócia.

— Infelizmente, não estou familiarizada com o termo. Suponho que não seja um elogio.

— Não, não é. Sejam quais forem os méritos das suas opiniões, e sei que há outras pessoas de reputação que concordam com você, você impossibilitou qualquer chance de influenciar as coisas com sua ridícula atitude desafiadora.

Artemisia fez um breve som estalando a língua contra os dentes da frente.

— Devo interpretar isso como discordância? — perguntou Ikard.

— Você não se deu ao trabalho de pedir minha opinião antes, que motivo eu poderia ter para acreditar que você teria me ouvido se eu ficasse de boca fechada?

— O rei — mentiu o chanceler —, até agora, falou de você com respeito e admiração. Agora sua posição aos olhos dele é precária como a de um pingente de gelo na barba de um holandês.

— Então — prosseguiu ela — eu devo ser como Cassandra, fadada a sempre dizer a verdade sem nunca ter crédito.

— Você se superestima, margravina. Sempre entendi que a história de Cassandra não demonstrava que ela fosse tão esperta, mas que era tola: não adianta contar a verdade às pessoas quando é completamente improvável que elas escutem. Você precisa esperar até que estejam prontas. Essa é a moral da história. Aceite a palavra de alguém que sabe. O caminho que você sugeriu, sejam quais forem seus méritos militares, sob todos os aspectos é social e politicamente impossível. O exército não irá aceitar esse abuso, a aristocracia não o suportará, e as pessoas cujos filhos e maridos morreram aos milhares não vão nem aceitá-lo, nem suportá-lo. Você deve entender alguma coisa de guerra, mas não entende nada de política. Algo precisa ser feito.

Então a dispensaram. Passaram-se dez minutos antes que lhe ocorresse uma boa resposta — mas o jovem para o qual ela contou da descompostura que levou não precisava saber dessa demora.

— E o que você respondeu? — perguntou Cale.

— Eu disse: infelizmente para o senhor, chanceler, os fatos estão pouco se lixando para a política.

Cale riu.

— Ótima resposta. — Ela ficou um pouco envergonhada, mas não muito.

Para Cale e Artemisia, esperar o porco passar pela cobra era, sob certos aspectos, uma experiência frustrante, e sob outros, uma delícia. Grandes acontecimentos que eles queriam influenciar estavam acontecendo sem eles, mas os dois tinham incontáveis horas um para o outro, e embora falassem mais do que dessem prazer, não havia muito mais. Se o Eixo fracassasse (e o que impediria isso?), em breve Cale poderia estar no alto de uma fogueira grande o suficiente para ser vista da lua. Por outro lado, nem Henri Embromador nem Kleist estavam recuperados o suficiente para aguentarem passar pelas montanhas. Além disso, ele estava acostumado a esperar coisas indizivelmente pavorosas, acostumou-se a isso a vida inteira; mas o prazer de estar com a mulher agora adormecida ao seu lado era algo raro, e ele sabia disso. Aquele era o momento para garotas e bolo.

Havia um aspecto sob o qual ele estava envolvido no novo plano de ataque aos Redentores. Ele tinha jurado segredo a Vipond, que se havia arriscado muito lhe mostrando uma cópia dos planos traçados por Conn Materazzi para o avanço através de Schallenberg e o ataque aos Redentores. Era uma confiança que Cale logo traiu, discutindo em detalhes com Artemisia o que vira.

Os sentimentos de Cale sobre o plano eram curiosamente conflitantes. Não era nada ruim. No lugar de Conn, ele não teria feito muito diferente. No fim das contas, ele não era só um prodígio covarde e privilegiado. Aparentemente, Conn tinha manifestado solidariedade às objeções de Artemisia à ideia do rei (demonstrando ainda mais seu irritante bom senso), mas Cale entendeu que ele não tinha escolha senão atacar, se quisesse continuar sendo comandante em chefe, e portanto se esforçara ao máximo para bolar um plano decente. Ainda assim, era arriscado demais.

— O problema das batalhas decisivas — disse IdrisPukke, não pela primeira vez — é que elas decidem as coisas.

— Se você tiver oportunidade — disse Cale —, é bom você sugerir que ele destaque mais alguns milhares de homens adicionais para ficarem em Schallenberg, só para o caso de a coisa ficar feia. Se ele perder, só vai restar isso entre nós e os Redentores, o que vai prevenir muito grito e correria.

Mais tarde, voltando para a casa de Artemisia, ele parou para visitar o irmão de Arbell, Simon. Era uma visita que Cale vinha evitando, não por falta de afeição — ele havia salvado o garoto do isolamento e desprezo de ser incapaz de ouvir ou falar — mas porque ao mesmo tempo temia e — horrivelmente, odiosamente — desejava desesperadamente ver a irmã dele.

Cale passou várias horas falando com Simon por meio de seu relutante e desagradável auxiliar, Koolhaus. Koolhaus era um funcionário público de baixo escalão numa Memphis obcecada com hierarquia, não por falta de capacidade, mas porque seu pai era um merdapis, um intocável cuja função era retirar os excrementos e a urina dos palácios dos Materazzi. Koolhaus era composto por duas medidas de ressentimento e três de inteligência. Foi ele quem, em questão de dias, desenvolveu uma linguagem expressiva a partir da curta lista de sinais fornecida por Cale, que era baseada no simples sistema de sinais que os Redentores usavam para comandar um ataque quando era preciso fazer silêncio. Cale e Henri Embromador haviam desenvolvido um pouco a linguagem para poder trocar comentários ofensivos sobre os monges que os rodeavam durante as missas solenes de três horas no Santuário, tediosas de explodir o cérebro.

— Gostaria de pegar Koolhaus emprestado por uma hora ao dia, mais ou menos.

A tentativa de desconcertar Koolhaus sugerindo que ele era uma espécie de utensílio doméstico útil era deliberada. Chateá-lo era algo que sempre divertia os três garotos ("Se você fosse um ovo, Koolhaus, ia preferir ser frito ou fervido?"). Eles poderiam ter sido amigos e aliados — e deveriam ser — mas não eram. Garotos são assim mesmo.

Simon podia ver que seu intérprete tinha ficado irritado — não precisava muito. O relacionamento de patrão e serviçal dos dois era complicado, o equilíbrio de poder indo e vindo entre a dependência que Simon tinha de Koolhaus para fazer contato com o mundo — da qual muitas vezes o primeiro se ressentia — e o sentimento totalmente justificado de Koolhaus de que deveria aspirar a coisas maiores do que ser um mero boneco de ventríloquo. A oferta de mais dinheiro amolecia Koolhaus, mas só temporariamente.

— Amanhã às 6 horas, então — disse Cale e abriu caminho através dos corredores de pé-direito baixo onde ele tinha se desgraçado tanto em sua última visita sem ser convidado. Que confusão horrorosa de sentimentos se agitava em sua alma; terror e esperança, esperança e terror. E então — e ele poderia ter repetido a mesma visita 50 vezes e os dois jamais teriam se encontrado — ela estava diante dele, indo levar seu filho para ver Simon, que adorava o bebê porque este era incapaz de temer Simon ou sentir pena dele. O coração de Cale deu um tranco no peito como se quisesse se desprender do corpo. Por um momento, os dois se encararam — o mar turbulento do Cabo da Ira não chegava nem perto. Não era amor nem ódio, mas uma emoção que era como uma mula brava, feia e escrachadamente viva. O bebê agitava a mãozinha alegremente, e então tascou de repente a boca na bochecha da mãe e começou a sugá-la com grande ruído.

— Isso é saudável pra ele? — perguntou Cale. — Você pode ser contagiosa.

— Veio nos ameaçar de novo? — Ela também estava chocada com a mudança em Cale, ossudo quando já fora musculoso, com olheiras que boa noite de sono alguma jamais apagaria.

— Você se lembra de todos os meus pecados que foram apenas palavras e se esquece de tudo o que fiz para manter você segura a qualquer custo. Você ainda está viva por minha causa... agora os cachorros latem para mim na rua por sua causa.

Ah, autopiedade e acusação, uma mistura para ganhar o coração de qualquer mulher. Mas ele não conseguia evitar.

— Abl blab abl baddle de dah — disse o bebê, quase furando o olho da mãe.

— Shshshsh. — Ela o ajeitou no colo e começou a balançá-lo de um lado para o outro.

— Se houvesse qualquer coisa boa dentro de você, nos deixaria em paz agora.

— Ele parece bem contente.

— Porque é um bebê, e brincaria até com uma cobra, se eu deixasse.

— Está falando de mim... é isso que eu sou pra você?

— Você está me assustando... me deixe passar.

Mas ele não conseguia. Percebia a inutilidade de falar com ela, mas não conseguia parar. Parte dele queria pedir desculpas e outra parte estava furiosa com ele mesmo por sentir isso. Não havia do que se desculpar — sua alma exigia que ela se jogasse no chão e, chorando, implorasse seu completamente imerecido perdão. Mas nem isso teria sido suficiente, ela precisaria passar o resto da vida de joelhos para impedir o coração dele de torturá-lo com o que ela fizera. Mas nem isso.

— O homem para o qual você me vendeu me contou que ele já tinha me comprado antes... por seis centavos.

— Então seu preço aumentou, certo?

Com raiva e sentindo-se culpada, e portanto com mais raiva, era imprudente dizer algo assim para ele. Mas, como Cale, ela tinha predileção por dizer a última palavra. Por mais que a presença dela fosse como um veneno, ele não suportaria vê-la ir embora. Mas não conseguia pensar em mais nada para dizer. Ela abriu caminho, com o bebê do outro lado do corpo, longe dele. Algo escorria dentro do peito de Cale: óleo de vitríolo. Ácido era suave perto daquilo.

— Yaaar! Blah baa! Pluh! — gritava o bebê.

19

A História nos ensina que o número de saídas militares triunfantes de grandes cidades é aproximadamente o dobro do número de voltas triunfantes. O êxodo da Leeds Espanhola foi superior à maioria em número de trombetas, fileiras de tropas bem treinadas, multidões em polvorosa e moças emocionadas gritando adeuses para seus homens indescritivelmente altivos. E então havia os cavalos — o poder e a glória, os elmos e as cores azul, amarelo e vermelho — e os homens lindos que os cavalgavam. Havia crianças presentes que lembrariam o esplendor, o barulho do metal nas pedras e os gritos de "viva" até morrerem.

A vinte minutos da cidade, todos tiraram as armaduras e a maioria dos cavalos foi enviada de volta aos estábulos. Não só os bichos consumiam forragem com um apetite de urso, mas Conn Materazzi não iria permitir que os arqueiros Redentores destruíssem uma carga de cavalaria a 300 metros de distância, como fizeram em Silbury Hill. A cavalaria era útil sobretudo para coletar informações antes de uma batalha e fugir depois, se tudo desse errado.

Embora a vaidade e o orgulho de Conn tivessem cedido lugar, em grande parte, a um juízo notavelmente maduro, ele ainda tinha um ponto cego, compreensivelmente, com relação a Thomas Cale. Embora Cale não tivesse nenhuma intenção de lutar numa batalha na qual não estivesse no comando, ele ficou furioso quando lhe disseram que não poderia nem chegar perto do exército com seus Purgadores. Até a Artemisia, culpada por associação, foi negado um papel na batalha, com a alegação de que suas tropas eram irregulares e inadequadas para o combate corpo a corpo. Seria permitido a ela, de qualquer forma, comandar os aproximadamente sessenta batedores a cavalo que a haviam ajudado a retardar o avanço dos Redentores através de Halicarnassus. Artemisia deixou Cale sofrer por vários dias e então sugeriu que ele a acompanhasse, salientando que, embora não pudesse lutar, ele poderia observar.

— Não sei se consigo — admitiu Cale. — Não sei se tenho forças nem para observar. — Ele não tinha lhe contado todos os detalhes de sua doença, mas era bastante óbvio que havia algo de muito errado, se ele não queria dar explicações. Ele dizia que estava sofrendo de malária contraída nas Terras Crestadas. Sabia-se bem que os sintomas eram vagos e recorrentes. Por que ela não iria acreditar?

— Tente ir por alguns dias. Você sempre pode voltar.

* * *

Depois de seis dias de marcha para a fronteira, Conn foi alcançado pela notícia de que um exército Redentor de cerca de 35 mil homens estava rumando para a Mittelland em duas divisões de 25 e 10 mil, respectivamente, esta última vindo através do Vaud, provavelmente numa tentativa de atacar o exército de Conn pela retaguarda. Por um acaso infeliz, mas nem um pouco incomum, parte dessa informação estava errada.

O exército Redentor comandado por Santos Hall havia, ponderando, decidido avançar somente para tomar as terras altas perto da aldeia de Bex, e, também ponderando, dividir o exército para que pudesse se mover mais rapidamente no caminho. Transferir 35 mil homens com todas as suas carroças e bagagens iria gerar facilmente uma fila de 3 quilômetros de largura por 30 de comprimento. A prioridade, no caso, era a velocidade necessária para alcançar a melhor posição perto de Bex. Mas quando os Redentores chegaram, um Conn satisfeito já estava solidamente postado diante de Bex, protegido à esquerda pelo Rio Gar e à direita por uma densa floresta, cheia de dilacerantes roseiras-bravas da grossura de um dedo e espinheiros afiados conhecidos como dentes-de-cão. Isso dava a Conn um espaço de 1,5 quilômetro de largura no qual encaixar 32 mil homens.

Pouco antes do anoitecer, os Redentores começaram a se instalar numa posição que eles perceberam ser, na verdade, a segunda melhor, o que era decepcionante. Entre os dois exércitos havia um vale, com uma descida muito suave abaixo da linha de frente dos Redentores e uma subida muito íngreme até o exército suíço. Conn tinha ganhado a primeira batalha: ele controlava a encosta mais íngreme e tinha arqueiros quase tão bons quanto os Redentores, e em maior número.

No dia seguinte, a batalha iria começar com um combate de 40 minutos entre os dois. Nesse tempo, mais de meio milhão de flechas seriam trocadas, chegando a 240 quilômetros por hora, 50 toneladas de setas disparadas contra fileiras cerradas. Um dos dois lados não seria capaz de suportar essa chuva assassina e se veria obrigado a atacar. O lado que fizesse isso provavelmente iria perder a batalha, pois a defesa é muito mais fácil do que o ataque. As perspectivas dos Redentores eram muito piores porque eles precisariam avançar subindo uma encosta íngreme, tomando flechadas e com menos homens quando chegassem ao topo, por causa do número de mortos e feridos. Mais alarmante do que isso era que os 10 mil homens que Santos Hall tinha separado do exército principal para dar a volta nas tropas do Eixo se perderam, e agora vagavam pela zona rural suíça.

Durante a noite, houve uma mudança que poderia deixar a situação melhor para os Redentores ou muito pior, embora fosse algo que nenhum dos dois lados pudesse evitar. Era uma característica do clima local, graças ao efeito das montanhas próximas, que o tempo podia mudar de forma dramática. O sol anormalmente tórrido, naquele dia, surgiu num céu sem nuvens, o que à noite permitiu que o calor escapasse para o alto em minutos. Por sua vez, o ar frio das montanhas começou a fluir para o vale, de modo que a temperatura caiu rapidamente para o ponto de congelamento em poucas horas e uma espessa geada cobriu tudo. Às duas da manhã, o chão parecia de ferro. Mas então o vento aumentou. Soprava sobre o campo de batalha primeiro num sentido, depois no outro, depois virava de novo. Conn e o Pequeno Fauconberg, que não media mais do que 1,60 metro, estavam de pé no frio massacrante, no alto da colina perto de Bex, e olhavam por cima de suas fogueiras ineficazes para as fogueiras igualmente ineficazes dos Redentores, que não tinham nem o abrigo da floresta para protegê-los do vento gelado.

— Vai ser estranho se o vento decidir a batalha — disse Conn.

— Não há nada que você possa fazer. Mas ele pode parar de vez agora ou soprar na cara deles, e aí vai ser melhor ainda pra nós.

Um espião a cavalo chegou e correu até os dois homens, escorregando no chão gelado e caindo pesadamente sobre sua pobre bunda. Constrangido e com dor, ele ficou de pé.

— Nós avistamos o resto dos Redentores do outro lado do Vaud, indo na direção errada. Agora viraram para cá, mas não vão chegar antes do meio da tarde.

— Deveríamos nos dividir e ir ao encontro deles? — disse Fauconberg. — Não precisamos detê-los, só retardá-los. Três mil homens poderiam mantê-los longe até que não tivessem mais nenhuma utilidade aqui.

Conn pensou a respeito.

— Aquele tonto do Cale está no acampamento? — Fauconberg continuou. — Poderíamos mandá-lo pra espremê-los em Bagpuize... eles precisam passar por lá. A morte gloriosa dele seria útil pra muita gente.

— Ele não está aqui. É uma ótima ideia, Fauconberg, mas vamos ficar. Triplique o número de espiões... quero ficar sabendo de cada quilômetro que eles avançarem na nossa direção. Podemos mandar Vennegor ou Waller, se tudo correr bem aqui.

— Se o vento soprar daqui pra lá, vamos vencer.

— E se não soprar? — perguntou Conn.

Conn estava certo em perguntar. Às cinco da manhã, o vento fustigava constantemente seus rostos como o sopro de uma fornalha para forjar gelo. Todas as vantagens conquistadas pela rapidez e esperteza de Conn foram dissipadas por um vento frio da pior geada em trinta anos.

— Eles não vão esperar — disse o Pequeno Fauconberg. — Se o vento mudou uma vez, pode mudar duas. Vão aproveitar a vantagem enquanto é tempo. Puta que pariu, que falta de sorte!

Não havia nada que Conn pudesse dizer para melhorar a análise de Fauconberg, por isso ele simplesmente ordenou que as tropas se alinhassem. Com um vento tão cortante, Cale costumava mandar os homens da linha de frente trocar de posição com os do fundo, sete fileiras atrás, a cada 10 minutos. O que pode parecer uma manobra complicada era bastante simples: apesar de todos os heróis românticos das histórias épicas de guerra nos folhetins de Genebra, Joannesburgo e Leeds Espanhola, nunca existiu um homem capaz de lutar dez, cinco ou mesmo duas horas sem parar. Os soldados formam várias fileiras para poder substituir os homens da frente não só quando estes morrem ou se ferem, mas sobretudo para que eles possam recuperar o fôlego e depois render seus camaradas novamente. Dependendo das circunstâncias, na batalha corpo a corpo, um homem não pode lutar por mais do que 10 minutos a cada hora. Agora, como os pinguins imperadores do Polo Norte, eles patinavam lado a lado na chuva gelada.

O Pequeno Fauconberg estava certo. Santos Hall mandou seus arqueiros se adiantarem. O chão estava tão duro que eles não conseguiam nem pegar uma pitada de terra e comer para deixar claro a Deus que estavam dispostos a ser enterrados em Seu nome. Isso deixou vários Redentores histéricos, de tanto que temiam morrer em pecado, ainda que a morte em si os assustasse pouco ou nada. Um Santos Hall exasperado precisou mandar padres não militantes percorrer as fileiras expedindo indulgências, o que levou 10 minutos. Uma preocupação mais prática era que a terra estava tão dura que eles não conseguiam espetar as flechas no chão para que ficassem mais à mão.

Depois que o perdão do pecado de omissão os acalmou, os arqueiros Redentores puseram-se em posição para atacar. Ao fazer isso, começaram a gritar com seus inimigos.

— Baaaa! Baaaa! Baaaa! Baaaa!

O vento gelado soprava o som pelos 400 metros que os separavam.

— Isso não são ovelhas? — perguntou o Pequeno Fauconberg. — Por que estão imitando ovelhas?

— Baaaa! Baaaa! Baaaa! — O som dos gritos aumentava e diminuía ao ritmo do vento.

— Estão dizendo que somos ovelhas no matadouro — disse Conn.

— Estão? — perguntou Fauconberg. — Distribua talos de menta para os homens; quando os encontrarmos, vamos enfiar no cu deles.

— Não deveria ser "cus", Fauconberg? — disse um dos cavaleiros armados logo atrás.

— Feche essa matraca, Rutland, senão vou usar você pra demonstrar como se faz.

Todos riram muito.

— Se vai enfiar alguma coisa no meu rabo — disse Rutland —, prefiro que seja uma pimenta bem ardida. Talvez ela me esquente um pouco nesta porra de vento.

Começou, então, e em poucos segundos a primeira etapa da batalha estava perdida. O vento contra eles soprava com tanta força que as flechas suíças perdiam 50 metros no alcance e as do inimigo ganhavam os 50 metros perdidos. Era a mesma coisa que combater usando palavras duras. Pouco importava que a chuva espessa e gelada os cegasse e que a toda hora perdessem seus oponentes de vista, ora enxergando pouco, ora ficando completamente cegos com a torrencial mistura de neve e chuva, porque todos os seus tiros eram curtos demais. Já a primeira saraivada dos Redentores não caía do céu, mas era empurrada perversamente pelo vento contra joelhos e peitos, bocas e narizes com tamanha velocidade que nem o aço da melhor qualidade podia defendê-los do impacto. Rutland, varado pelo ouvido, não se preocupava mais com o frio.

Havia 10 mil arqueiros Redentores atirando, num ritmo pouco abaixo do normal de umas sete flechas por minuto, por causa do chão duro. Os 32 mil suíços na encosta mais íngreme eram atingidos por quase 70 mil flechas a cada 60 segundos. Cada uma das flechas pesava cem gramas e, com o vento ajudando, a quase cem metros por segundo. Nada voltava para os Redentores para assustá-los ou feri-los.

Depois de 20 minutos, mais de um milhão de flechas caíram num espaço de 800 metros por dez. Ao todo, 158 toneladas de chuva maligna se precipitaram sobre os homens, todos sem escudos e mais da metade sem nada melhor como armadura do que um casaco pesado com discos de metal costurados nele. Bater em retirada para sair do alcance seria a derrota instantânea — um exército não pode virar de costas e continuar vivo — e ficar era impossível, mas avançar significava muito provavelmente perder a batalha.

— Precisamos atacar! — gritou Fauconberg por cima do tamborilar hediondo do ferro sobre o aço.

PINGAPINGAPINGAPINGAPINGAPINGAPINGAPING!

O barulho se misturava com gritos de dor e urros dos sargentos tentando impedir que seus homens saíssem correndo. Poucos morrem bem ou rapidamente num campo de batalha.

Chocado e mais assombrado pelo colapso de seus planos inteligentes e maravilhosamente executados, Conn olhou para Fauconberg.

— Sim, concordo.

Mesmo a contragosto, Fauconberg, de 55 anos de idade e mal-humorado, tão displicente quanto qualquer mercenário na ativa há trinta anos, ficou impressionado com Conn: Nada mau, filho, num merdeiro destes.

Quantos entre nós têm uma hora de brilho? O momento em que tudo aquilo para que você foi feito, tudo o que você se tornou, chega; o grande acontecimento que escancara você e grita: "Isto é pra você." Com seus planos tão elaborados literalmente jogados ao vento, Conn Materazzi concentrou suas forças e explodiu. Ele gritou a ordem para avançar e seu tom de poder e convicção foi sentido por cada um dos sargentos ao ecoar pela fileira. O grande exército fustigado pela tempestade de setas avançou para retomar o controle. Um exército se movimentando com cuidado para manter a formação leva mais de três minutos para percorrer 400 metros — uma eternidade debaixo de flechas perfurando pés, joelhos, bocas e gargantas. Mas agora a avalanche de flechas precisaria acabar, porque os suíços estavam se aproximando. Os arqueiros Redentores precisavam voltar e recuar para trás da infantaria imóvel atrás deles, que agora teria que barrar no combate corpo a corpo o caminho dos suíços em marcha.

As flechas pararam de cair como um aguaceiro repentino que acaba de uma hora para a outra. Mas o vento de verdade ficava mais forte à medida que eles avançavam, a chuva mais cegante. Com os dois lados se movendo na tempestade, a fraca visibilidade e a confusão dos movimentos de tantos homens com tamanha rapidez fizeram com que o lado esquerdo da linha de ataque de Conn e o lado direito dos Redentores se misturassem ao se encontrar. Percebendo o problema, os centuriões e sargentos dos dois lados mandaram reservas para selar os flancos e evitar que os oponentes dessem a volta para atacá-los por trás. Mas esses empurrões desiguais começaram a inclinar a linha de batalha, de modo que ela começou a rodar lentamente no sentido anti-horário.

Medindo quase dois metros, usando uma armadura que custou o preço de uma mansão das boas, Conn era o homem observado por todos, tanto os do Eixo como os Redentores. Ele também era o alvo destes últimos. Arqueiros Redentores de elite, alguns escondidos nas árvores de um dos lados do campo de batalha, atiravam nele sem parar — mas mesmo quando atingiam o alvo, a fortuna gasta em seu fardamento mostrava que, em matéria de armaduras, você recebe pelo que paga. As flechas ricocheteavam, inofensivas, enquanto ele andava por trás da linha de frente, gritando e adiantando-se. Como um enorme inseto elegante, dourado e prateado, ele perfurava, esmagava e socava seus oponentes, cujas armaduras ele parecia abrir como se fossem feitas de lata. Havia poucas espadas ali — Conn preferia a terrível machadinha para lutar naquele aperto, homens tentando atingir uns aos outros com menos de um metro de cada lado.

A machadinha era uma arma de bandido usada por cavalheiros. Com pouco mais de um metro de comprimento, era martelo, machado, taco e lança. De todas as armas assassinas, era a mais honesta, porque qualquer um conseguia ver para que servia só de olhar para ela. Poetas podem tagarelar sobre espadas mágicas ou lanças sagradas, mas nenhum deles jamais tinha usado a machadinha para simbolizar algo: ela era feita para esmagar e rachar e não fingia ser outra coisa.

Em períodos de 10 minutos, Conn tirava a vida de todos que se aproximavam dele: a brutalidade nunca foi tão graciosa, o lascar de ossos, tão habilidoso, o estripar e esmagar da carne, tão gentil; seu alcance, o maior, seu coração, o mais forte, músculos e tendões unidos em sua feia perícia e linda violência.

A algumas centenas de metros dali, em silêncio nas árvores, Cale observava Conn lutando como um anjo e invejava a sua força. Mas o admirava também. Ele era um espetáculo ali, em meio ao sangue e ao caos.

— Precisamos ir embora — sussurrou Artemisia, tão alto quanto se pode sussurrar. Ela estava ao pé da árvore com dois dos seus robustos soldados. Recusara-se a subir com Cale.

— O que foi? — perguntou ele. — Ficou preocupada com suas unhas?

— Os Batedores Suíços estão vindo para derrubar os arqueiros. Eles não vão saber quem somos... é perigoso demais. Precisamos ir embora.

Cale já havia descido quase antes que ela terminasse de falar, ofegante e suando de forma nada saudável. Eles se afastaram, mas não rapidamente; roseiras-bravas demais com espinhos afiados. Tomando cuidado com os espinhos dos dentes-de-cão, abriram caminho até uma clareira. A 10 metros dali, alguém fez o mesmo. Quatro Redentores, os arqueiros que os Batedores estavam procurando. Ninguém fez nada. Ninguém se mexeu. Durante anos, Bosco tinha feito testes com Cale nos quais ele se deparava com algo completamente inesperado e só tinha alguns segundos para resolver o problema antes do soco na nuca que se seguiria se ele fracassasse.

Para piorar as coisas, o castigo nem sempre era imediato; às vezes o golpe o atingia algumas horas ou um dia ou uma semana depois. Isso era para ensiná-lo a levar as coisas em consideração antes de agir, independente de quão imediato fosse o perigo. Quatro Redentores contra quatro. Artemisia seria inútil — os dois guardas que a acompanhavam ajudariam, mas não eram páreo. Muito menos Cale. Dar as costas e fugir? Não através dos espinheiros. Enfrentar os Redentores? Sem chance. Nunca espere ajuda, Bosco costumava dizer, porque a ajuda nunca vem. Mas veio para Cale nessa ocasião, e na forma da maior maldição de sua vida. Os quatro Redentores se ajoelharam; um deles — o líder, aparentemente — debulhou-se em lágrimas.

— Nos disseram — falou ele, batendo no peito três vezes, com remorso terrível — que a Mão Esquerda de Deus estaria olhando por nós. Mas eu não acreditei. Me perdoe.

Por sorte, Artemisia e seus guarda-costas não precisavam que ninguém os avisasse para ficarem parados. Os quatro Redentores olhavam para Cale com medo e devoção. Ele ergueu a mão e fez um círculo no ar. Era o sinal da forca, um gesto permitido apenas ao papa. E agora, ao que parecia, também à encarnação da Ira de Deus. Era como se ele tivesse aberto uma porta para o outro mundo, e através dela passasse a graça eterna, derramando-se sobre os corações dos quatro homens. Cale não disse nada, mas os mandou embora com um gesto e um sorriso gentil. De boca aberta, fulminados pelo amor de Deus, os quatro Redentores se foram.

Depois que eles sumiram, ele se virou para Artemisia.

— Talvez, no futuro — falou —, você não irá retrucar tanto.

— Eles acham que você é um deus? — perguntou Artemisia, assombrada.

— Isso seria blasfêmia. Acham que sou um dos sentimentos de Deus feito carne.

— Sério?

— Decepção. E raiva, caso você esteja curiosa.

— Isso são dois sentimentos.

— Pensei que você não fosse mais retrucar.

— Eu não acho que você seja um nada feito carne. Acho que é só um garotinho detestável.

— Um garotinho detestável que acaba de salvar a sua vida.

— Ele está com raiva de que, o seu Deus?

— Ele não é meu Deus. Está com raiva e decepcionado porque enviou Seu filho unigênito para a humanidade e eles o enforcaram.

— Dá pra entender o motivo, eu acho.

No campo de batalha, a crise seguinte estava se aproximando, mas desta vez para os Redentores. A linha dos Redentores começou a ceder e também a girar cada vez mais rápido no sentido anti-horário, de modo que agora a sua frente andava diagonalmente no campo. Entre a violência abrasadora de Conn impelindo os suíços e seus aliados para a frente enquanto percorria a linha de um lado para o outro e Fauconberg, uns 50 metros mais atrás, dispondo e destacando, atribuindo e consertando as coisas. Mas embora chegassem perto disso, eles não capitularam. Ainda não, pelo menos, mas sem os 10 mil Redentores que não apareceram, era só uma questão de tempo.

O que tinha acontecido com os Redentores desaparecidos? Continuavam perdidos. Não estavam longe, a uns 3 quilômetros, mas o campo de batalha era, talvez, do tamanho de quatro das maiores plantações que os locais usavam para cultivar trigo. E o vento terrível que mais cedo tinha favorecido os Redentores de forma tão maravilhosa agora agia contra eles. Os gritos de comando e de agonia, de raiva e de esforço compunham uma barulheira das boas. A apenas 3 quilômetros dali, os Redentores que estavam chegando normalmente seguiriam o som, e foi o que eles fizeram. Mas o vento jogava o barulho para o leste, e seguir o som os levava para longe, não na direção da luta. Agora a linha de frente havia virado, de modo que os Redentores estavam sendo empurrados de volta para a floresta, onde as árvores cerradas e os espinheiros afiados formavam uma barreira através da qual só as primeiras centenas de homens conseguiriam escapar. Para o resto, era como se fosse uma muralha de tijolos.

Mas as batalhas têm ciclos como o da respiração. Na sexta hora, algo nos suíços começou a desaparecer, e algo nos Redentores a surgir. Na circulação contínua de combatentes, ninguém deveria lutar por mais de meia hora. Mas a mudança destrói o ritmo do lado que está lutando bem, trazendo, talvez, um novo ímpeto para o lado que está indo mal. Conn tinha lutado por muito tempo; Fauconberg insistia que ele precisava descansar mais, beber e comer algo. Conn tirou o elmo e, para poder beber, também o colar de metal que protegia sua garganta. Três dos seus amigos ao redor dele, Cosmo Materazzi, Otis Manfredi e Valentine Sforza, fizeram o mesmo. Diria a lenda, depois, que os arqueiros Redentores nas árvores estavam esperando essa chance havia horas. Mas lendas costumam estar erradas, ou certas só em parte. Não havia nada apontado para Conn por assassinos habilidosos, foi só falta de sorte, uma ráfica de poucas flechas perdidas, menos de dez. Porém, três delas atingiram Cosmo no rosto, uma acertou Otis no pescoço e outra penetrou na nuca de Valentine. Amigos de uma vida se foram num minuto.

Se Conn antes brilhava, agora ele ardia. A ira atiçou seu talento e o concentrou em quebrar, golpear, amassar e aleijar, de modo que a todo lugar que ele ia, a linha Redentora recuava e mandava a mensagem da pressão como uma magia que se esvaía por toda a fileira, que agora perdia seu ritmo pela segunda vez e começava a falhar novamente, recuando para a floresta e para uma derrota sangrenta.

Então, desesperados e em pânico, os 10 mil Redentores desaparecidos, encabeçados pelo Sagrado Comandante Jude Stylites, toparam com a luta que estava quase perdida e se viram, como que por obra da inteligência mais afiada, não só no campo de batalha, mas exatamente no lugar certo e exatamente no momento certo para salvar o dia. O que Stylites, sensatamente, estava tentando fazer era alcançar os Redentores que lutaram o dia todo pela retaguarda, num ponto onde seus homens pudessem ser usados como substitutos para os homens exaustos na linha de frente. Em vez disso, a série de acidentes e o movimento anti-horário da linha de combate os levou para o lado da linha suíça, forçando-a a se dobrar em L para não ser pega pela retaguarda. Agora a pressão estava sobre os suíços, e aos poucos os Redentores começaram a se afastar do limite das árvores e da certeza da derrota.

Então, no fim da tarde, depois do que quer que seja que controla um campo de batalha ajudar primeiro um lado e depois o outro, a linha suíça se partiu — um homem escorregou, talvez, derrubou seu vizinho ao cair, e este, por sua vez, atrapalhou outro. Talvez um Redentor, com uma explosão tardia de força, tenha se embrenhado naquele vão, e outros, vendo o espaço se abrindo, o seguiram — e assim por um escorregão foi perdida uma batalha, uma guerra, um país, as vidas de milhões. Ou talvez a chegada confusa dos reforços Redentores tenha sido demais para os exaustos suíços, e desde o momento em que eles foram parar exatamente no ponto fraco do Eixo, o desfecho foi decidido.

Fosse qual fosse a causa, em minutos a linha do Eixo se desfez, e os poucos que fugiam se tornaram muitos — e vendo-os fugir, os muitos se tornaram a massa. Como um grande edifício cujos alicerces tivessem sido demolidos lentamente no subsolo, o colapso foi grande e repentino. Cara a cara, armadura com armadura, lado a lado, não é fácil matar um inimigo. Talvez apenas 3 ou 4 mil tenham morrido nas sete horas de batalha que precederam o colapso. Foi só então que a carnificina começou.

20

Os suíços e seus aliados só tinham duas rotas de fuga: encosta acima pelo lado de onde o ataque havia partido, ou por uma descida lamacenta até um gramado contido na curva de um rio com pouco mais de três metros de largura, mas caudaloso por ter recebido a chuva da montanha. Não seria pior se aquele regato com mania de grandeza fosse o Mississippi. Homens de armadura pulavam em suas águas e eram arrastados para o fundo pelo peso. Os soldados rasos que usavam casacos grossos lutavam, exaustos, na correnteza, atrapalhando-se uns aos outros. Escorregando e caindo, descobriam que a água encharcava a mistura de algodão pintado à mão e discos de metal, que também os puxava para o fundo.

Enquanto isso, os Redentores estavam em seus calcanhares, rasgando, cortando e matando. Homens com quem haviam combatido o dia inteiro, sem conseguir machucá-los, agora eram mais fáceis de matar do que um bando de cabras assustadas. Do alto da encosta de 12 metros, os arqueiros Redentores formaram uma fileira, e agora, invulneráveis, lançavam dez flechas por minuto contra os milhares espremidos no espaço de um cercado de fazenda. Eles estavam encurralados não só contra o riacho quase impossível de atravessar, mas também uns contra os outros, à medida que mais fugitivos em pânico e aterrorizados se juntavam ao aperto.

Aqueles que perceberam o que estava acontecendo e tentaram fugir por outros caminhos não se saíam melhor. A maioria fugia seguindo o rio, rumo à ponte em Glane, mas era facilmente apanhada pela infantaria montada dos Redentores. Vendo que não conseguiriam chegar à ponte, muitos tentavam atravessar nadando. Mas ali o riacho encorpado era ainda mais fundo, e mais uma vez eles se afogavam aos milhares.

Percebendo que não havia como fugir cruzando o rio, aqueles que voltavam eram dizimados nas margens. Uns mil, se tantos, chegaram à ponte e atravessaram com segurança. Teriam morrido quando os Redentores a atravessassem, mas estes foram detidos. Alguém friamente precavido ateou fogo na ponte assim que viu os Redentores chegando. A decisão exigiu frieza, porque mil homens ainda estavam tentando cruzar a ponte quando ela começou a queimar. Com o fogo pela frente e os Redentores por trás, os homens, aterrorizados, não tiveram outra escolha senão tentar e não conseguir nadar na parte mais funda do rio. Diz-se que alguns sobreviveram porque o número de afogados amontoados no rio era tão grande que eles conseguiram andar sobre os corpos e escapar.

Outros milhares fugiram encosta acima, para a retaguarda da posição de onde estavam quando o dia começou. Se livrando das armaduras pelo caminho, foram seguidos pelos Redentores montados — estavam tão vulneráveis quanto criancinhas. O céu ficara limpo e a lua mais brilhante começou a surgir e cancelar o auxílio que a escuridão traria.

Às seis da manhã, quando o sol nasceu, os mortos estavam espalhados por toda parte, a até 15 quilômetros do local da batalha e por 10 de largura. Mais de cem dos maiores e melhores foram capturados, mas não para pedir resgate ou como reféns úteis. Santos Hall primeiro descobriu quem eram e que nível de poder tinham e em seguida os executou. Pela segunda vez em pouco mais de um ano, os Redentores haviam destruído uma classe dominante num só dia — e também concluído a maior parte do que haviam começado com a destruição dos Materazzi em Silbury Hill. Mas Conn havia sobrevivido, ainda que Fauconberg precisasse praticamente arrastá-lo até um cavalo para que fugisse.

— Não há nada que você possa fazer, a não ser sobreviver — gritou o velho para ele. — Viver é a melhor vingança.

A maioria dos heróis morre, a maioria dos heróis fracassa. Nem sempre há uma luz no fim do túnel e o sol não surge por trás de toda nuvem. A vida não é uma loteria: numa loteria, no fim das contas, há um vencedor. Mas também é verdade que nenhuma notícia é tão boa ou tão ruim quanto parecia de início. Neste caso, depois da terrível derrota em Bex havia uma luz no fim do túnel, e mais do que isso. Que espécie de desastre tinha sido aquele — e para os envolvidos certamente foi isso — dependia muito de quem você fosse. Para Artemisia Halicarnassus e Thomas Cale, tudo acabou muito bem. Em 16 horas, ficou claro que havia somente 2 mil sobreviventes dos suíços e seus aliados, metade dos quais conseguiu passar pela ponte de Glane antes que ela fosse incendiada. Mas os sobreviventes estavam muito longe da salvação — a maioria desarmada e sem armadura, e ainda bem distantes da proteção da Passagem Schallenberg, que ficava a uns 160 quilômetros dali. A ponte queimada retardara seus perseguidores, mas não os detivera. Em questão de horas, os Redentores haviam atravessado o rio e estavam empenhados em terminar o que começaram.

Mas era exatamente nesse tipo de ação de retaguarda que Artemisia se especializara. Juntando sua milícia guerrilheira particular de trezentos homens com um pequeno número de fugitivos ainda em condições de lutar — menos de duzentos — ela dividiu suas forças com Cale, que deixou claro que esperava não receber ordens e fazer o que bem quisesse; ela deixou igualmente claro que ele não faria.

— Faça o que eu mando ou você pode voltar pra Leeds com o rabo entre as pernas. Sei o que estou fazendo e estes são meus homens.

Cale pensou a respeito.

— Não há necessidade — respondeu finalmente — de usar esse linguajar.

O terreno entre Bex e a Passagem Schallenberg era todo em subida, e as estradas atravessavam inúmeras florestas e subiam pequenas colinas. Dessas posições, sempre recuando devagar e evitando o confronto direto, Artemisia atormentava os Redentores — que começavam a capturar os exaustos, e muitas vezes feridos, suíços — com saraivadas de flechas e arqueiros individuais em emboscadas, eternamente atacando e fugindo.

Embora o sacrifício e o martírio fossem, em geral, desejados pelos Redentores com entusiasmo, até eles tinham limites em seu gosto, por serem alvos de alguém que sequer eram capazes de ver enquanto perseguiam os restos maltrapilhos de um exército derrotado. Eles se afastaram e se contentaram em assassinar algum retardatário ocasional. Em pouco tempo, perderam o entusiasmo até por isso quando Artemisia começou a preparar armadilhas para eles, usando homens cuidadosamente colocados fingindo ser feridos em lugares onde os Redentores poderiam facilmente cair numa emboscada. Nos dois dias seguintes, quase 1.500 homens conseguiram voltar para a Passagem Schallenberg e a segurança. Entre eles estavam Conn Materazzi e o Pequeno Fauconberg.

21

O rescaldo de qualquer desastre geralmente exige duas coisas: primeiro, a pessoa responsável pelo desastre precisa ser citada, humilhada e punida da maneira mais elaborada possível; segundo, embora menos importante, é muito desejável encontrar alguém que demonstre, por sua coragem pessoal, inteligência e habilidade, que o pavoroso desastre poderia e deveria ter sido evitado. No caso do desastre em Bex, o fato de não haver nenhum culpado e tampouco ninguém em especial para se elogiar não fazia diferença. Em virtude de sua grande experiência com triunfos e desastres, o Pequeno Fauconberg já estava alerta para um provável acerto de contas. Cerca de três dias depois que os miseráveis remanescentes do exército suíço haviam voltado para a Leeds Espanhola, Fauconberg percebeu o rumo que as coisas estavam tomando e enviou uma mensagem para Conn Materazzi, dizendo que ele faria bem em tomar um chá de sumiço. Fauconberg seguiu seu próprio conselho, e ao anoitecer estava bem encaminhado para uma passagem pouco conhecida nas montanhas que ele reservara para essa finalidade assim que fora nomeado segundo em comando.

Àquela altura, Conn já havia sido preso e acusado de ineficiência diante do inimigo e falta de combatividade. Resumindo, foi acusado de não ganhar uma batalha, um crime do qual ele sem sombra de dúvida era culpado. A ira do rei e do povo não permitia que muito tempo passasse, e o julgamento de Conn foi marcado para a quarta-feira seguinte, na Câmara dos Comuns. Assim como Conn era injustificadamente acusado, Cale se viu injustificadamente elogiado, para grande fúria de Artemisia Halicarnassus. Todo o crédito por salvar heroicamente o que restou do exército e levá-lo em segurança para a Passagem Shallenberg fora dado a Cale: a ideia de que o único soldado que demonstrara a bravura e habilidade necessárias fosse uma mulher era não só inaceitável, nua e cruamente, mas também impossível de compreender.

— Não adianta me culpar — disse Cale.

— Por que não?

Era difícil responder a essa pergunta. Ele entendia perfeitamente a raiva dela, mas, como salientou com imprudência, era assim que as coisas funcionavam.

— Não adianta choramingar.

— Retire o que disse!

— Tudo bem. Choramingar vai fazer uma enorme diferença.

— Não estou choramingando. Eu mereço o crédito.

— Concordo. Você merece o crédito por salvar 1.500 homens. Com certeza.

— O que quer dizer?

— Não quero dizer nada.

— Quer, sim. O que você está insinuando?

— Certo. Você merece o crédito por salvar 1.500 homens. Eles o estão dando a mim e eu não mereço... mas o que estão dizendo, na verdade, é que quem foi responsável por isso... ou seja, você... teria derrotado os Redentores.

— E você está dizendo que eu não teria.

— Sim.

— Como sabe?

— Conn fez tudo certo. Eu não teria feito melhor.

— Então, claro, isso é prova suficiente. Ninguém poderia fazer melhor do que você.

— Não falei isso.

— Nem precisou falar.

— Eu admiro você.

— Não tanto quanto admira a si mesmo.

— Isso seria pedir muito — disse ele, sorrindo.

— Sei interpretar você direitinho, não se preocupe. Não está brincando, eu sei.

— Você poderia repetir aquela batalha cem vezes e Conn iria ganhar 50 delas. O que as pessoas estão gritando é que quem salvou os 1.500 soldados... você... teria ganhado a batalha. Isso é um crédito que você não merece, mesmo sendo dado a alguém que merece menos ainda.

— Você, quer dizer?

— Sim.

— Diga isso.

— Eu não mereço o crédito. Você merece.

Artemisia não disse nada por um momento.

Enquanto isso, mais uma acusação tinha sido acrescentada àquelas apontadas para Conn: que ele, de maneira covarde e pusilânime, havia colocado fogo na ponte em Glane e, para salvar seu próprio couro de traidor, condenara milhares a morrer pelas mãos dos Redentores. De todas as acusações, aquela era a mais prejudicial. Também era a mais injusta. Conn estava a mais de 8 quilômetros da ponte e não poderia, portanto, ter ateado fogo a ela. Mas mesmo se tivesse, aquele fora um ato necessário. Os homens isolados na margem esquerda e mortos teriam atravessado a ponte e sobrevivido somente para serem perseguidos e mortos assim que os Redentores a atravessassem em seu encalço. Aqueles que já estavam na margem direita sobreviveram somente porque alguém tomou a decisão difícil de queimar a ponte. A pessoa que ateara fogo à ponte, disfarçada com um elmo abandonado, era Thomas Cale.

Talvez nenhum assunto histórico tenha sido analisado tão exaustivamente em ensaios quanto a ascensão do Quinto Reich sob o comando de Alois Huttler. O fracasso em explicar como um homem com pouca educação, menos inteligência e nenhum talento evidente, exceto o de pronunciar prolixos discursos motivacionais sobre o destino manifesto de seu país para dominar o mundo, possa ter chegado mais perto dessa meta do que qualquer outro homem na História, é óbvio. Ninguém sabe como ele conseguiu se erguer da prisão por mendicância agressiva ao domínio de milhões de vidas por vastos territórios e a causar no mundo um nível de destruição jamais visto na História humana. Nenhum historiador iria concluir um livro dizendo que não há explicação para o que ele descreve. No caso de Alois, não há mesmo. Que aquilo aconteceu é a única razão que jamais se irá descobrir. É bem mais fácil explicar de maneira satisfatória como, no final da semana que se seguiu ao desastre de Bex, Thomas Cale, garoto lunático, se tornou o segundo comandante militar mais importante da Aliança Suíça.

Por causa do seu novo status de herói, ele fora convidado a participar da conferência para discutir o que fazer agora que os Redentores haviam cercado a Suíça pela retaguarda e só precisavam cruzar o Mississippi para esmagar a Leeds Espanhola numa morsa. Não tinha sobrado nenhum exército para os deter e ninguém vivo para comandá-lo, se houvesse um exército. Um bom número de discursos indignados foram proferidos, deixando claro que os oradores jamais foram a favor de atacar os Redentores de maneira tão desastrosa, embora por algum motivo faltassem provas concretas disso. A única pessoa que claramente se declarara contra a ação, Artemisia, não era mencionada, embora tivesse sido, sem alarde, readmitida para assistir à conferência.

Antes da conferência, Vipond tentara desarmar tanto ela quanto Cale.

— Seja o que for que você fale na conferência, não vai falar "eu avisei", vai?

— Por que não deveria? — perguntou Artemisia.

— Ela não vai falar isso — disse Cale.

— Vou, sim.

Cale olhou para ela.

— Ela não vai falar.

Não era uma ordem, nem mesmo um pedido. Aliás, era difícil dizer o que era aquilo — a declaração de um fato inevitável, talvez. Com um suspiro, ela aceitou o conselho, sem muita gratidão.

Na conferência, Cale fez questão de não dizer nada, de início, para deixar que as acusações e a preocupação continuassem por tempo suficiente para desanimar todos os presentes. Então começaram as lamentações.

— Quanto tempo nós temos antes de eles chegarem? — perguntou o Rei. Quem respondeu foi um moroso líder supremo das Forças Aliadas.

— Vão levar o verão todo para construir os barcos necessários para cruzar o Mississippi. As enchentes do outono vão deixar o rio traiçoeiro, e o gelo do inverno, mais traiçoeiro ainda. Vai ser no final da primavera do ano que vem.

— Nós podemos reconstruir um exército em sete meses e os deter no rio? — perguntou o rei.

Essa era a pergunta, ou algo do tipo, que Cale estava esperando.

— Não, não podem, Majestade — falou ele, e ficou de pé.

Magro e pálido em sua elegante batina preta — ele se sentia bem usando batina depois de tantos anos as usando, embora seu alfaiate tivesse criado um corte mais elegante e feito aquela usando lã Sertsey supermacia —, Cale parecia saído de um conto de fadas para apavorar crianças inteligentes. O rei, indignado, fez um gesto para o lado e recebeu uma explicação cochichada de quem era aquele sujeito e da sua (imensamente imerecida) condição de herói.

— Você era um Redentor, pelo que sei.

— Fui criado como um deles — disse Cale. — Mas nunca fui. — Mais cochichos no ouvido do rei.

— É verdade que você comandou um exército Redentor?

— Sim.

— Parece improvável... você é muito jovem.

— Sou uma pessoa notável, Majestade.

— Você é?

— Sim. Eu destruí a Tribo, e depois de destruí-la voltei para Chartres e destruí o exército lacônico em Golan. Vocês não tinham ninguém que rivalizasse comigo, mesmo antes de Bex. Agora sou tudo o que restou.

— Você conta muita vantagem.

— Não estou contando vantagem, Majestade, estou simplesmente dizendo a verdade.

— Está dizendo que você pode deter os Redentores no Mississippi?

— Não. Isso é impossível. Vocês não poderiam detê-los nem com um exército, e agora nem têm um exército.

Houve uma gritaria geral com essa frase: que os suíços e seus aliados iriam mobilizar milhares para a causa, que podiam tirar a terra deles, mas jamais a liberdade, que o povo os enfrentaria nas florestas, nas planícies e nas ruas, que eles jamais se entregariam, e por aí vai. Zog, uma pessoa muito mais realista do que era apenas uma semana atrás, mandou todos se calarem com um gesto.

— Está dizendo que devemos perder?

— Estou dizendo que podem vencer.

— Sem exército?

— Eu vou dar a vocês um novo exército.

— É muita bondade sua.

— Bondade não tem nada a ver com isso.

— Como vai conseguir?

— Se me receber amanhã em particular, mostrarei a Vossa Majestade.

Dizem que um estelionatário ganha renome não conquistando a confiança daqueles a quem engana, mas dando-lhes um pouco da sua. A verdade era muito simples: eles estavam completamente perdidos, e agora uma pessoa dizia que podia lhes mostrar o caminho. Em tais circunstâncias, a característica implausível era um sinal a seu favor: só algo inacreditavelmente estranho poderia salvá-los.

Em Bex, os Redentores agora tinham a pavorosa tarefa de enterrar os 30 mil que haviam matado ali. Uma semana depois da batalha, os dois dias de frio intenso que se seguiram ao combate haviam dado lugar, como muitas vezes acontecia naquela parte do mundo, a um período de calor. Os cadáveres que mais fediam eram aqueles que morreram de ferimentos internos causados pelo peso das machadinhas. O sangue ficou dentro deles e apodreceu, e quando os Redentores transportavam os corpos, ele escorria pelo nariz e pela boca. Então ficou ainda mais quente e os cadáveres começaram a inchar, tanto que nas armaduras mais baratas os rebites rebentavam com um sonoro SNAP! Então os corpos ficavam azuis, depois pretos, a pele descascava, e aqueles que precisavam queimá-los achavam que nunca mais tirariam o cheiro do fundo da garganta.

A maior parte das notícias nunca é tão ruim ou tão boa quanto parece a princípio. Isso certamente era verdade com relação à grande vitória dos Redentores em Bex. O general Redentor Gil ficou impressionado com a habilidade com a qual o Gabinete de Propagação da Fé conseguira viabilizar a contradição envolvida em elogiar a coragem, força e o sacrifício do exército Redentor, ao mesmo tempo em que sugeria que Deus garantira que a vitória fosse inevitável. Como Gil sabia por meio de seus muitos protegidos que estiveram na luta em Bex, aquela porra foi por um triz. A má notícia era que Cale fora visto por um punhado de Redentores, mas Gil não ficara sabendo disso a tempo de colocá-los em quarentena e impedir que a notícia se espalhasse.

— Diga exatamente o que você viu... nada a mais nem a menos. Entendeu?

— Sim, general Redentor.

Ele tinha decidido interrogar os arqueiros que haviam encontrado Cale na floresta um de cada vez, começando pelo sargento.

— Prossiga.

— Ele tinha mais de 2 metros de altura e uma grande luz brilhava do seu rosto. Em volta de sua cabeça havia um halo de fogo vermelho e a mãe do Redentor Enforcado estava ao lado dele, toda vestida de azul e com sete estrelas na testa, e chorava lágrimas de sofrimento por nossos gloriosos mortos. E havia dois anjos segurando flechas de fogo.

— Eles também tinham halos?

— Acho que não, general Redentor.

Durante meia hora, ele tentou fazer o sargento dizer algo que fizesse sentido, mas alguém que acreditava que Cale tinha mais de 2 metros de altura e que seu rosto brilhava com alguma coisa além de desconfiança e ódio claramente não seria de grande ajuda. Depois de interrogar mais dois do grupo, cujos relatos eram ainda mais ridículos, ele desistiu.

Agora ele tinha duas dúvidas. Aquilo era só excesso de fervor religioso ou eles realmente tinham visto Cale? Nesse caso, o que significava? Por que ele estava se esgueirando no mato e não comandando tropas na batalha? Isso nem resolvia o problema do que tinha acontecido com Cale depois que os Dois Trevors foram mortos. Gil esperava que ele tivesse morrido dos ferimentos — certamente os Trevors haviam acertado ao menos um golpe antes que ele os matasse? Eles eram, supostamente, os melhores assassinos dos Quatro Cantos do Mundo, e Cale, supostamente, estava doente. Talvez Cale estivesse morto, e nesse caso os relatos de suas aparições na batalha eram ainda mais preocupantes. Ou não eram? Ele era melhor vivo e sem poder ou morto e aparecendo com mais de 2 metros de altura e um halo, criando sabe Deus que alvoroço entre os fiéis incautos? Se isso parece estranhamente cético para um homem de profundas crenças espirituais na Única e Verdadeira Fé, a verdade dos fatos era que Gil estava mudando na velhice.

Enquanto os milagres e as visões envolvessem pessoas ou coisas que ele não tinha experimentado diretamente, Gil estava disposto a aceitá-los sem questionar. Mas a realidade de sua experiência pessoal com Cale e as histórias progressivamente mais absurdas sobre ele ficavam cada vez mais entaladas na sua garganta. Ele conhecia Cale desde que o rapaz era apenas um menininho fedido. Havia o treinado dia após dia sob as instruções de Bosco, o tinha visto se mijar de medo depois de uma luta, antes que a batida na cabeça lhe desse aquele talento estranho que ninguém era capaz de igualar. Era obra de Deus, dizia Bosco. Mas para Gil era difícil demais pensar em Cale como alguém escolhido pelo Senhor para causar o fim de tudo. No fundo do coração, Gil pensava nele como um garoto do qual não gostava. O que Gil não percebia, ou não queria perceber, era que esse realismo estava envenenando sua fé. Não acreditar em Cale era não acreditar em Bosco: não acreditar em Bosco era não acreditar na necessidade do fim do mundo. Reconhecer isso era questionar seu papel central em causá-lo. Melhor deixar quieto. Mas era mais fácil não fazer do que não pensar a respeito.

O problema mais imediato era, no mínimo, avisar Bosco. Se ele contasse aquelas bobagens milagrosas, Bosco com certeza ia ficar inspirado. Se não contasse e Bosco descobrisse, haveria encrenca. Ele decidiu não arriscar, e algumas horas depois estava com o papa Bosco e concluindo seu relatório sobre a peculiar aparição de Thomas Cale.

— Você acredita neles? — perguntou Bosco, quando Gil terminou. A pergunta era capciosa. Se Gil protegesse sua resposta com uma dúvida ponderada, talvez conseguisse moldar a reação de Bosco. Mas ele decidiu que era um teste, e estava certo. Porém, até contar o que Bosco queria ouvir apresentava problemas. Entusiasmo demais o deixaria desconfiado, e Gil temia o que poderia acontecer se Bosco esfriasse ainda mais com ele.

— Estou razoavelmente convencido, Santidade, de que Cale não cresceu mais de 30 centímetros e que seu rosto não brilha com uma luz sagrada, mas acredito que eles o viram. A questão é: o que ele estava fazendo lá?

Bosco olhou para ele, mas também queria que a velha confiança entre eles voltasse. Causar, sozinho, o fim prometido era solitário e estranho.

— Seja qual for que Cale ache que seja o seu propósito, ele fará a obra de Deus, sabendo disso ou não. Mas embora Deus não tenha aumentado sua altura ou abençoado seu rosto para iluminar os fiéis, Ele nos deu um sinal. Nós precisamos atacar Arnhemland agora, e não esperar mais um ano, como você tinha aconselhado. E precisamos aumentar a velocidade com a qual mandamos gente para o Oeste.

* * *

O encontro particular com o rei que Cale teve no dia seguinte não foi realmente particular do modo como ele esperava ou torcia para que fosse. De fato, o rei não estava mais acostumado com privacidade do que Cale, que crescera num dormitório com centenas de outros garotos. Estar sozinho era um pecado para os Redentores, e podia-se dizer que era a mesma coisa para o rei, para todos os fins e propósitos. Diferente de Cale, ele não parecia se importar com isso ou mesmo notar, algo que não era de se admirar, talvez, num monarca que tinha um lacaio especial de considerável poder, o Guardião do Cocô Real, para examinar seus excrementos diariamente.

— Você espera que a gente entregue nosso exército a um garoto? — perguntou Bose Ikard.

— Não — negou Cale. — Fiquem com seu exército. Façam o que quiserem com ele. Eu vou criar um Novo Exército Modelo.

— Com quê? Não há homens.

— Há, sim.

— Onde?

— Os Campasinos.

Todos ficaram surpresos; nem todos riram.

— É claro que os nossos camponeses são o sal da terra. Mas não são soldados.

— Como sabe, Majestade?

— Olhe os modos — disse Bose Ikard. — Mas a verdade é que você não é o primeiro a ter essa ideia. Vinte anos atrás, o conde Bechstein criou uma companhia feita de simplórios e caipirões e os levou para as guerras contra a Falange. Acredito que um ou dois deles, que tiveram o bom senso de desertar na primeira semana, possam ter sobrevivido.

— Não quero saber.

— Mas nós queremos. Não vai funcionar.

— Vai, sim. Vou mostrar como.

Com isso, ele começou a trabalhar em seus desenhos e planos.

Uma hora depois, ele terminou:

— A simples verdade é a seguinte: não há outro jeito. Se eu fracassar, vocês terão a satisfação de ver os Redentores me assando na praça principal. Isso, chanceler, se eles não começarem por vocês. — Ele se virou para o rei. — Eu só preciso de dinheiro.

Eles podiam não ter quase nenhum soldado, mas dinheiro era algo que tinham em grande quantidade. Depois da carnificina em Bex, ninguém acreditava, nem mesmo Bose Ikard, que a rendição fosse uma alternativa. Estava claro que os Redentores não reconheciam a ideia de permitir que seus inimigos se entregassem. Cale tinha razão. Não havia outro jeito.

— Você consegue fazer isso em sete meses? Parece ter muita certeza.

— Eu falei, Majestade. Sou uma pessoa notável.

Se Cale não estava tão confiante quanto dizia ser, tampouco estava tão desesperado quanto parecia para Ikard. Ele trabalhava nesse seu Novo Exército Modelo desde os 10 anos de idade (ou nove — ele não sabia ao certo sua data de nascimento). Desde então, sempre que tinha alguns minutos, às vezes somente uma vez por semana ou por mês, desenhava um diagrama ou fazia uma anotação sobre os hábitos de trabalho e os vários tipos de ferramentas que os camponeses ao seu redor estavam acostumados a manusear, os martelos e debulhadoras, a pequena pá afiada usada pela Tribo na batalha do Monte Duffer. Até nos piores dias do Priorado, quando Kevin Meatyard o estava atormentando, ele observava os debulhadores e catadores trabalhando nos campos com suas foices e enxadas e se perguntava o que poderia ser feito deles e de seu modo de vida. Ele se preocuparia em como agir caso não desse certo quando as coisas ficassem claras. Mas aquela era uma chance de trabalhar também num plano de retirada — que provavelmente envolveria ir para uma passagem entre as montanhas com tanto dinheiro vivo quanto possível.

Zog era curioso a respeito de Cale da mesma maneira que ficaria curioso sobre um macaco capaz de escrever melhor do que um ser humano ou um cachorro dançarino singularmente elegante. Ele reconhecia que o garoto era alguém excepcional, mas jamais iria lhe passar pela cabeça que ele fosse algo mais do que uma maravilhosa aberração da natureza.

— Me diga, caro rapaz, pelo que sei, você derrotou um exército de lacônicos.

— Sim, Majestade.

— Oh, muito bem! Fale a respeito... tudo... a história toda.

O que Cale pensou foi que aquilo era como pedir para contar a história de uma tempestade. Naturalmente, ele ia começar quando Bose Ikard interrompeu.

— Infelizmente, Vossa Majestade tem um encontro importante com o embaixador da Hansa.

— Oh. Talvez outra hora — disse para Cale. — Muito interessante. — E se dirigiu para a saída. O próprio Cale também tinha um compromisso. Ele fora intimado a depor no dia seguinte no julgamento de Conn Materazzi, ao qual os suíços haviam devotado quase uma tarde inteira. O compromisso era para deixar claro para Cale o que ele diria no depoimento.

* * *

— Você é o traidor mais famigerado que já viveu!

A Casa das Praças iria abrigar quatrocentas pessoas com conforto, espalhadas em bancos em três lados. Hoje havia oitocentas, com milhares aguardando notícias lá fora. Na quarta parede havia uma tribuna ocupada naquele dia pelo juiz Popham, um homem no qual se podia confiar para dar o veredicto correto. Ao lado da tribuna, levemente para o lado, havia um banco dos réus, no qual estava um Conn Materazzi aparentemente pouco impressionado, que olhava com desdém para o advogado de acusação, Sir Edward Coke, o homem que acabava de gritar com ele.

— Pode dizer isso, Sir Edward — respondeu Conn —, mas não pode provar.

— Em nome de Deus, eu vou provar! — falou Coke, que parecia um touro sem pescoço, todo mau humor e beligerância.

— Como se declara o réu? — perguntou o juiz Popham.

— Inocente.

— Ha! — gritou Coke. — Você é o traidor mais absoluto que já existiu.

Conn moveu a mão de leve, como que para espantar uma mutuca.

— Não condiz com um cavalheiro me insultar dessa forma. Mas me consolo com sua falta de educação... é tudo o que o senhor pode fazer.

— Então enfureci você.

— De modo algum — negou Conn. — Por que eu deveria estar furioso? Ainda não ouvi uma só palavra contra mim que possa ser provada.

— Fauconberg não fugiu para as montanhas porque nos traiu em Bex? E aquele homem traiçoeiro que só inventa desculpas também não planejava matar o rei e seus filhos? — Ele fungou alto, como se aquilo tudo fosse demais. — Aqueles pobres bebês que nunca fizeram mal a ninguém.

— Se o lorde Fauconberg é um traidor, o que isso tem a ver comigo?

— Tudo o que ele fez, sua víbora, foi instigado por você!

Depois disso, houve grande polvorosa na assistência. TRAIDOR! ASSASSINO! ISSO! MUITO BEM! CONFESSE! OS BEBÊS! COITADINHOS DOS BEBÊS! Popham deixou que vociferassem. Ele queria que Conn entendesse que sua recusa em interpretar o papel de abjeto penitente, conforme fora instruído, não o favorecia em nada.

— Silêncio na corte — ordenou ele. O problema de tentar subornar Conn para que este aceitasse seu papel era que Popham sabia muito bem que sacrificar um bode requeria que o bode entendesse que seria ele, não importava o que dissesse ou deixasse de dizer.

Coke, agora com o rosto vermelho de fúria, agitou um pedaço de papel no ar.

— Esta é uma carta encontrada escondida numa gaveta secreta na casa daquele renegado do Fauconberg. Ela diz claramente que o vil papa Bosco pretendia pagar 600 mil dólares para Conn Materazzi, e que este daria 200 mil a Fauconberg para ajudá-lo a perder a batalha. — Ele agitou o papel mais uma vez e em seguida o aproximou dos olhos para ler, com uma expressão no rosto como se alguém o tivesse usado para limpar o cu. — Aqui diz: "Conn Materazzi jamais me deixaria sozinho." — Ele se virou para o meirinho. — Leia essa frase de novo. — Pego de surpresa, o meirinho encarregado dos autos corou de um vermelho vivo. — Ande logo com isso, homem! — gritou Coke.

— "Conn Materazzi jamais me deixaria sozinho."

Coke correu os olhos pela sala, balançando a cabeça em sombrio triunfo. VERGONHA! Gritava a multidão. VERGONHA! TRAIDOR!

— Essa... — gritou Conn por cima da gritaria — ...essa... essa é a única prova que podem apresentar contra mim? Alguém mais desconfiado do que eu poderia sugerir que sir Edward sabe recitar essa bobagem tão bem porque foi ele que a escreveu.

— Você é um sujeito odioso. Faltam-me palavras para expressar sua peçonhenta traição.

— Faltam-lhe mesmo palavras, sir Edward... já repetiu a mesma coisa meia dúzia de vezes.

Coke o encarou, seu olhar esbugalhado num espasmo de fúria.

— Você é o homem mais odiado da Suíça!

— Quanto a essa honra, sir Edward, menos que a asa de um inseto me separa do senhor.

De um lado da corte, onde estavam aqueles que conheciam bem Coke, e portanto o detestavam, partiram risadas.

— Se Fauconberg era um traidor — disse Conn (embora soubesse que ele não era) —, eu não sabia de nada. Confiei nele da mesma forma que o rei e seus conselheiros confiaram quando eles, e não eu, o nomearam meu segundo em comando.

— Você é o traidor mais vil que já viveu.

— O senhor fica repetindo isso, sir Edward, mas onde está sua prova? A lei diz que deve haver um mínimo de duas testemunhas da traição. Vocês não têm nem uma.

Um sorriso bilioso e enorme de Coke, que o fazia parecer um sapo risonho.

— Você leu a lei, Conn Materazzi, mas não a entende.

Popham pigarreou.

— A lei de que você fala, que requeria duas testemunhas nos casos de traição, foi considerada inconveniente. Na segunda-feira, outra lei foi aprovada para repeli-la.

Talvez na empolgação de responder aos seus acusadores, Conn tenha se esquecido que o veredito já estava definido. Se havia esquecido, ele lembrou agora. Mas ficou abalado mesmo assim.

— Não sei como vocês concebem a lei — disse baixinho.

— Nós não concebemos a lei, Conn Materazzi — vangloriou-se um triunfante Coke —, nós conhecemos a lei.

Nas duas horas seguintes, mais provas foram apresentadas à medida que um sortimento de mentirosos, falsários, inventores, atores e faladores de merda foram trazidos para depor sobre os traiçoeiros comentários antes da luta e traiçoeiras táticas em combate que provavam sem sombra de dúvida que Conn deliberadamente perdera a batalha.

— Nunca vi caso igual — declamou Coke —, e espero nunca mais ver.

Na última hora, passaram à segunda acusação: que Conn havia ateado fogo à ponte em Glane para salvar sua vida, ao preço de milhares de vidas dos seus homens. Seis testemunhas foram chamadas para jurar que o viram, sem elmo, acender o fogo pessoalmente. A sétima testemunha era Thomas Cale. Deixaram claro para ele que as excelentes opiniões que ele tinha atraído tornaram seu testemunho particularmente valioso, e que contar à corte o que ele viu das ações de Conn durante a batalha, e de como este subsequentemente ateara fogo à ponte sobre o rio era essencial para que aqueles que ainda relutavam em dar dinheiro para seu Novo Exército Modelo se convencessem da verdadeira profundidade da devoção de Cale aos interesses do Estado.

— Seu nome.

— Thomas Cale.

— Coloque a mão direita sobre o bom livro e repita comigo: juro que o que vou dizer é a verdade, toda a verdade e nada além da verdade.

— É.

— Você precisa dizer.

— O quê?

— Precisa repetir as palavras.

Uma pausa.

— Juro que o que vou dizer é a verdade, somente a verdade e nada além da verdade.

— Com a ajuda de Deus.

— Com a ajuda de Deus.

A essa altura, ele era quase inaudível.

Como haviam ensaiado no dia anterior, Coke fazia as perguntas a Cale e Cale dava as respostas, como se eles fossem um adestrador e seu incrível urso dançarino passando a bola um para o outro. As perguntas e respostas eram projetadas para demonstrar uma coisa: que, mesmo jovem como era, Thomas Cale era um soldado experiente, grande conhecedor das táticas de batalha dos Redentores. Também pediu-se que ele descrevesse em detalhes suas ações heroicas e habilidosas para salvar a vida de 1.500 soldados suíços e seus nobres aliados, tão miseravelmente traídos por Conn Materazzi.

— Num dado momento, sr. Cale, pôde observar a batalha de uma árvore na floresta próxima?

— Sim.

— Isso lhe dava uma visão completa da batalha?

— Não sei se completa, mas a melhor que se podia ter.

Coke encarou Cale. Essa não era a resposta direta que eles haviam combinado.

— Por que alguém experiente como o senhor não estava diretamente envolvido?

— Fui impedido.

— Pelo réu?

— Não sei.

Coke o encarou. Mais uma vez, o urso não estava devolvendo a bola como fora ensinado.

— Não se dá o caso — disse Coke, oferecendo-lhe uma oportunidade de melhorar —, que sir Harry Beauchamp, instruído por Conn Materazzi, mandou que o senhor não se envolvesse na batalha diretamente, sob pena de morte?

— Ele me disse para ficar fora dela ou sofrer as consequências, sim. Mas não mencionou o nome de ninguém.

— Mas foi o que o senhor entendeu?

Aquilo era demais, até para Popham. A forma da lei podia ser torcida, mas não quebrada de um jeito tão grosseiro.

— Sir Edward, entendo que o senhor fala motivado pelo zelo do dever e pelo horror aos crimes do réu, mas não deve induzir a testemunha a repetir boatos, particularmente quando não há boato nenhum a se repetir.

O hábito de Coke de virar o corpo todo para olhar quem lhe dirigisse a palavra parecia confirmar que ele não tinha pescoço, e lhe dava a aparência de uma estátua de aspecto detestável. O observador teria notado um pequeno músculo tremendo em sua têmpora direita. Se ele fosse uma bomba, pensou Hooke, assistindo a tudo do fundo da sala, estaria prestes a explodir.

— Minhas desculpas à corte. — Ele se virou novamente para Cale, com o músculo ainda tremendo.

— É verdade que na batalha de Silbury Hill o senhor salvou a vida do réu?

— Sim.

— Uma prova clara, senhoras e senhores do júri, de que a testemunha não sente rancor algum por ele. É verdade?

— Não entendo.

— Mesmo?

— Não.

— O senhor — disse Coke, o músculo agora tremendo em sua têmpora esquerda —, sente algum rancor pelo réu?

— Não.

— Arriscou a vida ao salvá-lo?

— Sim.

— Alguma vez ele lhe agradeceu por esse ato tão corajoso?

— Não lembro, para ser sincero.

— Isso não lhe dá raiva?

— Não.

— Por que não, sr. Cale? Acho que a maioria de nós sentiria raiva de tão miserável ingratidão.

— A ingratidão dos príncipes é proverbial, não é?

— Eu nunca soube de príncipes de qualquer tipo neste país que fossem ingratos, mas acredito que isso se aplica a Conn Materazzi.

— Bem, por isso não senti raiva. Eu não esperava.

Pela primeira vez desde que havia entrado na corte, Cale olhou diretamente para Conn. O que passou entre eles foi estranho.

— Pode nos dizer qual sua estimativa da condução da batalha, de seu singular ponto de vista? — perguntou Coke

— Quer dizer da árvore ou baseado na minha experiência?

— As duas coisas, sr. Cale, as duas coisas.

— A batalha já durava três horas, eu diria, talvez mais. Parecia que qualquer lado podia ganhar ou perder.

— O senhor viu o réu no campo de batalha?

— Por um momento. Mas foi a distância.

— O senhor formou uma opinião, baseado — ele se virou para o júri —, baseado em sua considerável experiência, sôbre o modo como ele conduziu aquele trágico enfrentamento.

Houve uma pausa como se Cale estivesse decidindo alguma coisa.

— Sim.

Os músculos na testa de Coke pararam de tremer.

— E que opinião ponderada foi essa?

Se fosse manter seu juramento, algo que não tinha nenhuma intenção de fazer, Cale deveria dizer que Conn demonstrou notável coragem pessoal e tática. Ele próprio não teria feito melhor — nem mesmo igual. Aliás, ele poderia acrescentar que jamais teria combatido naquela batalha, para começar. Mas ninguém queria ouvir isso. A simples verdade — a verdade do tipo a situação é esta, não a verdade do tipo toda a verdade, nada além da verdade — era que Conn era um homem morto. Defendê-lo porque essa era a coisa mais honesta a se fazer seria fútil e inconsequente.

Cale acreditava genuinamente ser a única pessoa que poderia deter Bosco, e que, sem seu Novo Exército Modelo, todos na cidade, possivelmente até Cale, estariam mortos dentro de 12 meses. Não era apenas fútil e inconsequente defender Conn; era errado. Portanto, era difícil para Cale explicar por que ele não conseguia mentir de uma vez para garantir uma coisa boa, em vez de ficar enrolando e pôr essa coisa boa em risco. Ele percebia a estupidez do que estava fazendo e, se tivesse alguns minutos para pensar a respeito, teria demonstrado a si mesmo que arriscar as vidas de milhões para salvar a de um monte de merda como Conn Materazzi, por mais admiravelmente que ele tivesse se comportado em Bex, era algo perverso, mau, errado e, pior do que tudo isso, ruim para Thomas Cale.

— Ele fez todas as coisas que qualquer comandante numa batalha assim poderia ter considerado, à luz das circunstâncias. Embora ele pudesse ter considerado outras ações.

— Ações que poderiam ter sido mais eficazes... é isso que o senhor quer dizer?

— Mais eficazes?

— Sim... o senhor está dizendo que ele provavelmente poderia ter decidido agir de outra forma e assim vencer a batalha.

Uma pausa.

— Hã. Sim.

— Sr. Cale — interrompeu o juiz Popham. — Chegamos ao centro da questão aqui. Está dizendo que se o acusado tivesse agido de forma diferente, a derrota teria sido evitada e a vitória alcançada?

— Posso definitivamente dizer isso — disse Cale, aliviado. — Sim. Se ele tivesse agido diferente, a batalha poderia ter sido ganha.

— Eu quero... — O que Coke queria era obter uma declaração firme, como havia sido combinado, em que Cale dissesse inequivocadamente que Conn perdera a batalha de propósito. Popham percebeu que, fosse por que motivo, a criatura no banco das testemunhas mudara de ideia, e que, tentando extorquir de Cale uma declaração da culpa de Conn, Coke estava piorando as coisas. Havia muito mais gente para dizer que Conn tinha perdido de propósito e havia ateado fogo pessoalmente à ponte. Daquele mato não ia sair coelho.

— Acho que incomodamos a testemunha o suficiente.

— Mais uma pergunta — exigiu Coke, os músculos nas têmporas tremendo de novo, e fez a pergunta antes que a permissão fosse recusada. — O senhor testemunhou Conn Materazzi ateando fogo à ponte sobre o Rio Gar?

— Não. Eu não estava perto dela.

22

Ao longo das margens do Rio Imprevu, um dos maiores carvalhos tinha caído no rio, suas raízes solapadas pela turbulência criada pelas pedras que caíram no rio alguns meses antes, do alto da ponte. Devido ao perigo para a navegação, o prefeito local mandara que os galhos fossem removidos o máximo possível, para que o tronco pudesse ser puxado e colocado de comprido, paralelo à margem. Eles tiveram sorte porque, assim que os galhos acima do nível da água foram cortados, uma onda causada pela chuva nas montanhas o girou, de modo que os galhos do outro lado também poderiam ser removidos. Infelizmente, quando estavam quase terminando, uma segunda onda o livrou de suas amarras temporárias e carregou o grande tronco rio abaixo, na direção do Mississippi, onde se tornaria o problema de outra pessoa.

Naquela noite, depois do julgamento, IdrisPukke preparou o jantar, uma atividade morosa. Os convidados eram Cale, Artemisia, Henri Embromador, Kleist e Cadbury.

— Vipond está bravo comigo? — perguntou Cale.

— Você o culparia? — questionou Cadbury. — Conn não é sobrinho-neto dele ou algo assim? — Ele olhou provocativamente para IdrisPukke. — Ele é aparentado até com você, não? Como funciona isso?

IdrisPukke o ignorou.

— Vipond não é hipócrita. Ele entende por que você se sentiu obrigado a depor. Mas está intrigado.

— Inclua a todos nós nisso — disse Henri Embromador. — Nunca vi nada mais idiota em toda a minha vida.

Kleist não disse nada. Ele mal parecia estar presente.

— Deus — disse Artemisia, claramente chocada pelo comportamento do seu amante — tem um castigo especial para quem jura em falso.

Um sinal da diminuição da sua afeição por Cale era que aquela era uma maneira mais grosseira de interpretar os fatos do dia, sobre o que seria estritamente justo. Por que seu afeto estava em declínio, e tão de repente? Por que isso acontece? Talvez ela tivesse ficado impressionada com a coragem solitária de Conn e o tivesse comparado, quando ficaram um diante do outro, com Cale, tão não louro, tão estranho e tão sem nobreza ou graça.

— Ele manda essas pessoas pra cama sem que comam a sobremesa? — arriscou Cale.

— Não.

— Imaginei. Nunca é. Deus sempre tem algo terrível à espera dos maus meninos.

— Ele tem um diabo reservado para atormentar você por toda a eternidade enfiando um atiçador em brasa no seu rabo — disse Henri Embromador.

— Desculpe — falou Cale. — Esse vai ter que pegar o fim da fila. Além disso, o diabo que reservaram pra mim por envenenar poços vai enfiar um tubo na minha garganta e encher meu estômago com água de privada. Uma coisa vai neutralizar a outra.

— Depor sob juramento não é piada. Ele vai morrer por tua causa.

— Ele só está vivo pra ser condenado à morte por minha causa... portanto, estamos quites.

— Acho melhor todos nos acalmarmos — disse IdrisPukke. — Alguém quer vinho?

Ninguém parecia interessado em vinho, por isso ele começou a distribuir o que pareciam pequenos biscoitos enrolados no formato de um pacotinho do tamanho de um dedo. Havia um para cada um, e todos olharam sem entusiasmo para os doces duros e pouco apetitosos.

— Não são para comer, apenas quebrem. Decidi publicar uma breve coleção das minhas ideias, cuidadosamente reduzidas à sua essência em uma frase. Vai se chamar As Máximas de IdrisPukke. Achei que essas iriam divertir vocês. — Ele pediu com um gesto que todos quebrassem os biscoitos. — Agora leiam em voz alta: Cadbury.

Cadbury, que estava ficando hipermétrope, teve que segurar o rolinho de papel um pouco longe.

— Não depõe contra a maturidade da alma de um homem o fato de ela ter alguns vermes.

Cadbury desconfiou, nesse caso, erroneamente, de que essa máxima em particular deveria ser sobre ele.

IdrisPukke percebeu que sua tentativa de aliviar o clima da noite começara mal. Ele acenou para Artemisia. Ela abriu o docinho.

— Eu só ia acreditar num deus que soubesse dançar.

Artemisia sorriu fracamente, mas quando entendeu o que ele queria dizer, seu sorriso se abriu mais um pouco.

O coração de IdrisPukke afundou — mas persistiu, como se seu plano não estivesse murchando como um balão de festa. Era a vez de Henri Embromador.

— Agir no mundo é a única maneira de entendê-lo. Nesta vida, só a Deus e Seus anjos é dado o direito de serem espectadores.

Como Cadbury, Henri Embromador se perguntou se IdrisPukke tinha escolhido essa frase especialmente para ele. Estava acusando-o de alguma coisa?

O próximo era Kleist, que esmagou o doce com força desnecessária na palma da mão.

— Viver é sofrer, sobreviver é encontrar algum significado no sofrimento.

Então foi a vez de Cale. O que ele leu pareceu apenas confirmar que IdrisPukke estava arrogantemente rindo às custas deles.

— Quem combate monstros precisa tomar cuidado para que isso não o torne um monstro. Se você olha muito tempo para dentro do abismo, o abismo também começa a olhar dentro de você.

Um silêncio se seguiu.

— E você? — perguntou Cale. O coração de IdrisPukke afundou só um pouco... depois de ouvir os outros, ele sabia qual o ditado que restara. Ele esmagou o doce e o leu.

— Se existe algum homem cujo lado ridículo nunca foi visto, é porque não procuraram direito.

— Na mosca — disse Cadbury, mas ele ainda queria se vingar pelo que imaginava ser a crítica do docinho.

— E então, IdrisPukke, o infeliz Conn Materazzi é seu parente ou não é? — Daquele dia em diante, Cadbury sempre se referiria ironicamente a ele como "o infeliz Conn Materazzi".

— De certo modo... meio-sobrinho-neto, suponho. Eu mesmo não o suportava. Embora, justiça seja feita, ele estivesse mudando para melhor.

— Então explique por que Vipond não está sedento de vingança — disse Cadbury. — Pensei que os Materazzi fossem loucos por seus parentes.

— Meu irmão simplesmente entende a posição impossível na qual Cale se viu. Obviamente, ele gosta de Conn e se esforçou para apoiá-lo... preciso dizer que não com muita gratidão, embora houvesse outros motivos para isso. Mas ele não é nem tolo, nem hipócrita, nem lhe falta afeto. Por motivos óbvios, ele é obrigado a não dar a entender que tem qualquer coisa a ver com Cale, mas sabe muito bem que Conn já era um homem morto quando a linha de frente se partiu em Bex. O que o intriga é que Thomas — e aqui ele olhou fixamente para Cale — tenha se dado ao trabalho de testemunhar sem nem condená-lo nem ajudar a salvá-lo, assim se indispondo com todos os lados sem nenhum benefício óbvio.

Todos olharam para Cale.

— Foi um erro. Tudo bem. Eu sabia que não ajudaria Conn em nada dizer a verdade, e que se eu concordasse com o julgamento, eles me dariam o que preciso... o que todos precisam. Mas é que quando chegou a hora, perdi a cabeça... por um momento. Tive um ataque inútil de honestidade... admito.

— Por que inútil? — perguntou Artemisia.

— Porque contar a verdade não vai fazer bem nenhum. Só existe uma coisa entre nós todos e um monte de sangue e gritaria: o Novo Exército Modelo. Não há nada de complicado nisso.

— Então por que você não apresentou provas contra ele?

— Porque vi que era mais fácil falar do que fazer, tá?

— Que a justiça reine... ainda que os céus desabem.

IdrisPukke estava caçoando de leve do idealismo de Artemisia, mas agora Cale tinha ficado cauteloso, e interpretou aquilo como uma espécie de crítica.

— Pode enfiar essa de volta no seu doce, vovô.

O jantar se despedaçou como um dos aforismas de IdrisPukke e todos foram para casa de mau humor. Lá fora, o ar da noite estava pesado e não exatamente morno, mas tépido, vagamente desagradável, como se tivesse sido pulverizado com as almas mortas dos filhos e maridos da Leeds Espanhola, reunidos para assistir à execução de Conn Materazzi dali a dois dias. Cale, Henri Embromador e Kleist, cujo sofrimento crescente fazia os outros dois se sentirem pior, voltaram para sua casa elegante na cidade.

Ainda se sentiam um pouco intimidados por morar lá, como se esperassem que alguém importante viesse e os expulsasse por viverem melhor do que sua casta. Àquela altura, já estavam acostumados à criadagem dos outros, mas não à própria. Não que se incomodassem de alguém cozinhar e lavar para eles, mas a capacidade dos serviçais de se aproximarem despercebidos em momentos inesperados lhes lembrava a falta de privacidade do Santuário, com seu horror a portas e suas punições para quem era apanhado sozinho. A criadagem parecia pensar que simplesmente podia aparecer sem aviso, como os Redentores. Levavam a mal quando Cale insistia para que batessem antes de entrar, algo que consideravam a prova de que ele era um simplório. Cale também fazia questão de agradecer quando faziam algo para ele, um hábito que também o revelava como simplório. O adequado, para qualquer empregador, era tratá-los como se eles não existissem.

Antes que os três tocassem a campainha, a porta foi estranhamente aberta por Bechete, o sobrevalete.

— O senhor tem visitas — avisou ele, indicando a chambre des visiteurs.

— Quem é?

— Não quiseram dizer seus nomes, senhor, e eu não iria deixá-las entrar, em circunstâncias normais. Mas as reconheci e pensei... — ele deixou a frase incompleta carregada de significado.

— Quem são, então?

— A duquesa de Memphis, senhor, e, acredito, a esposa do embaixador da Hansa.

— Vou dormir — disse Kleist, como se não tivesse ouvido nada.

— Adivinha por que ela trouxe Riba? — perguntou Henri Embromador. — Quer que eu vá com você?

— Sim. Arbell acha que vou vê-la sozinho. Entre você primeiro e seja frio com elas. Eu vou daqui a pouco. Deixe a porta aberta.

Henri Embromador quase bateu na porta — mas se conteve e a abriu com um pouco de força demais, para compensar. Tanto Arbell quanto Riba ficaram de pé, um pouco assustadas, e ele notou a decepção no rosto de Arbell. Ponto para Cale.

— É tarde pra visitas, madames. O que desejam?

— Modos, talvez — disse Riba. Mas Henri Embromador não se intimidava facilmente.

— Então é uma visita social? Fico surpreso, porque vocês tiveram muito tempo pra nos visitar antes. Obviamente, eu estava enganado em achar que queriam alguma coisa. Peço desculpas.

— Não faz assim, Henri. Não é digno de você.

— É, sim.

— Não. Você é a pessoa mais gentil do mundo. — Dessa vez foi Arbell que falou, mas delicadamente, nem um pouco como a orgulhosa Materazzienne.

— Não sou mais tanto. Tive tempo de pensar enquanto estava esperando para ser espancado até a morte... pensar na gentileza, quero dizer. Você é uma pessoa gentil, Riba, mas teria me deixado morrer no porão de Kitty das Lebres. Já Cale não é gentil, mas não deixaria, não me deixou morrer, quero dizer. Portanto, parei com a gentileza. O que vocês querem?

Henri Embromador sentiu que havia algo estranho na sua própria indignação, algo que ele só saberia definir muito depois. Ele estava gostando.

Cale, cuidadosamente esperando o momento certo para uma entrada dramática, achou que o momento chegara.

— Por que não contam pra ele? Eu também gostaria de ouvir.

Vê-la o abalou. Estava linda, claro, com aquele desabrochar que tanto o impressionara quando haviam se encontrado no corredor. Mas existe um incontável número de mulheres lindas no mundo, muitas delas com o mesmo lustro de juventude e poder — mas algo nela o tocava, sempre tocara e sempre tocaria, como um gêmeo perverso do acorde perdido, cuja descoberta o extinto povo da montanha acreditava que geraria uma calma grande e infinita. Ele queria ser amado por ela e torcer seu pescoço em igual medida.

— Já fomos todos amigos — disse Riba, e então se virou para Henri Embromador. — Podemos conversar em algum lugar? — perguntou, tão triste e docemente que, coração mole e sentimental como era, ele se envergonhou de seu rompante. Cale fez um movimento de cabeça para ele e Henri levou Riba para fora, mas não antes que ela tomasse a mão de Cale. — Por favor, seja gentil — pediu ela, e se foi.

Os dois se entreolharam por algum tempo.

— Imagino que você...

— O ajude — interrompeu Arbell. — Por favor.

Agitado e tentando esconder isso, ele foi até a elegante e desconfortável poltrona e se sentou.

— Como? — perguntou ele. — E por quê?

— Eles acham... os suíços... que você é o salvador deles.

— Não seriam os primeiros a terem essa ideia errada.

— Eles ouvirão você.

— Não sobre isso, não vão. Foi um desastre e alguém precisa pagar.

— Você teria feito melhor?

— Eu nem teria ido lá, pra começar.

— Ele não merece morrer.

— Nem consigo explicar o pouco que isso tem a ver com o que está acontecendo.

— Você me odeia tanto que vai deixar um bom homem morrer só pra se vingar?

— Já salvei a vida dele uma vez, provavelmente a maior idiotice que já fiz, e se eu quisesse me vingar, sua vaca traidora, você já estaria morta.

— Ele não merece morrer.

— Não.

— Então o ajude.

— Não.

— Por favor.

— Não.

Era um prazer raro e intenso vê-la sofrer. Cale sentia que jamais iria se cansar disso. No entanto, também sentia o pavor de perdê-la, um horror que aumentava quanto mais ele se deliciava em ver sua dor. Era como coçar uma comichão, só aumentando a dor, ao mesmo tempo que isso estaticamente aliviava essa mesma dor.

Agora ela estava tremendo e pálida de medo.

— Eu sei que foi você que colocou fogo na ponte.

Isso foi um certo choque.

— Fui?

— Sim.

— E as provas?

— Eu te conheço.

— Eles vão querer mais do que isso.

— E eu conheço duas testemunhas que também te conhecem.

Isso era totalmente possível; havia muita gente perto da ponte, e talvez alguns dos homens de Artemisia tivessem aberto o bico.

— Você mudou sua tática — disse Cale. — Primeiro foram lágrimas, e agora, ameaças.

— Foi você.

— Ninguém se importa. Quem pôs fogo na ponte, seja quem for, é um herói. Só que não fui eu. Mesmo se alguém confessasse, não faria diferença. Alguém precisa levar a culpa. Conn é o cara. Só isso. Agora pegue suas lágrimas e suas ameaças e ponha-se daqui pra fora.

Ele se levantou e saiu, metade satisfeito, metade arrasado. Lá fora, no corredor, Riba e Henri Embromador interromperam a conversa franca que estavam tendo. Ela chegou perto de Cale e começou a falar.

— Cala a boca! — ordenou, e como uma criança mimada e furiosa, subiu as escadas correndo para ir se deitar.

23

— O que Arbell Materazzi queria? — perguntou Bose Ikard.

A reunião com Cale tinha começado mal, com outra pergunta mal-humorada.

— Que diabos o senhor achou que estava fazendo? — Isso era com respeito ao peculiar desempenho de Cale no julgamento de Conn Materazzi. — Explicamos muito bem o que você tinha que dizer.

Aquilo era verdade.

— Isso foi antes que eu percebesse que vocês tinham uma fila de testemunhas pra contar a mesma história. Não sei por que não jogaram aberto de uma vez e pagaram a cada uma assim que ela descia do banco de testemunhas. Pelo menos eu fiz a coisa toda parecer plausível.

Isso era totalmente verdade. A meia-traição de Cale de fato tivera o efeito de tirar a força, ainda que só parcialmente, da alegação dos Materazzi de que o julgamento tinha sido um mero espetáculo. O comportamento impressionante de Conn no julgamento o havia feito conquistar alguma simpatia, e quando, pressionado por Riba, seu marido levantara objeções em nome da Hansa à imparcialidade do julgamento, Ikard pudera apontar o testemunho de Cale como prova de que os depoimentos não haviam sido manipulados antecipadamente. Isso também beneficiou Cale, dando a impressão de que ele era honesto e se recusava a difamar um camarada soldado, mesmo quando seria do seu interesse fazê-lo. Além disso, uma espécie de mania elevara Cale acima do plano dos homens comuns. Em questão de dias, ele se tornara famoso. Não era muito surpreendente, considerando as circunstâncias pavorosas em que o Eixo se encontrava. Se um salvador já fora necessário, era agora.

— Está me espionando? — perguntou Cale, sabendo muito bem a resposta.

— O senhor é observado por todos os observadores, sr. Cale. Não pode nem fazer xixi sem que o significado disso seja discutido em todas as mesas de jantar da cidade. O que ela queria?

— O que você acha?

— E?

— E nada.

— Não vai interceder por ele?

— Iria ajudar se eu intercedesse?

— Poderia fazer um pedido formal de leniência, se quisesse. Por escrito. Eu entregaria pessoalmente ao rei.

Era isso, então.

— Não, eu não tenho nada a ver com essa história.

Uma pena, pensou Bose. Ele com certeza não teria entregado nada ao rei, se Cale tivesse sido tolo o suficiente para escrever o tal pedido. O rei havia esquecido sua obsessão por Conn — ou melhor, agora achava que fora excessivamente influenciado pelo entusiasmo de Bose Ikard pelo jovem (como se seu chanceler tivesse alguma escolha além de aceitar o favoritismo histérico de seu superior). Por enquanto, Cale era o favorito de todos, inclusive do rei, por isso não seria bom ser visto tramando contra ele. Mas Bose era cético sobre a capacidade do garoto de manter todos felizes por muito tempo. Fossem quais fossem suas habilidades, a política não era uma delas. E, no fim das contas, a habilidade e o talento não eram nada em face da política. Poderia ter sido útil ter uma carta dele no bolso.

— Tem certeza?

— Sim — disse Cale, encostando as costas da mão sob o queixo. — Estou até aqui de certeza.

— Isso é algum tipo de brincadeira às minhas custas?

— Não.

— E também tem certeza de que tem os homens para criar seu Novo Exército Modelo?

— Sim.

— Porque eu tenho conselheiros experientes e conhecedores que dizem não ser possível criar um exército de camponeses, de maneira geral, muito menos um exército capaz de derrotar os Redentores. E não vamos nem falar da falta de tempo.

— Eles têm razão.

— Entendo. Mas é possível para o senhor?

— Sim.

— Por quê?

— Em Golan, os lacônicos infligiram nos Redentores a maior derrota de sua História. Dez dias depois, os Redentores infligiram nos lacônicos a pior da deles. A diferença fui eu. — Cale estava refestelado de forma insolente em sua poltrona, mas agora se endireitou. — Esse espião atrás da cortina vai aparecer, ou vou ter que ir lá e puxá-lo à força?

Bose suspirou.

— Apareça. — Um jovem sorrindo amavelmente, de 20 e poucos anos, apareceu. Era Robert Fanshawe, batedor dos lacônicos. Cale tinha visto o homem pela última vez quando fizeram um acordo sobre os prisioneiros, depois da batalha sobre a qual acabava de se vangloriar.

— Você não parece bem, Cale, se não se importa que eu diga.

— Eu me importo sim.

— Não parece bem assim mesmo.

— Então — disse Bose Ikard. — Pelo menos isso prova que você realmente o conhece.

— Conhecê-lo? — perguntou Fanshawe. — Nós somos amiguinhos.

— Não, não somos! — exclamou Cale, deliciando Fanshawe com seu desconforto e o medo de como aquilo poderia ser interpretado.

— As alegações do sr. Cale sobre sua importância para a vitória dos Redentores têm mérito?

— Eu não estou alegando nada — disse Cale. Fanshawe olhou para ele, calmo, já sem rir.

— Sim, esse jovem fez a diferença.

— Então por que o senhor tem tanta certeza de que o Novo Exército Modelo dele vai fracassar?

— As rebeliões de camponeses existem há tanto tempo quanto os próprios camponeses — disse Fanshawe. — Cite uma que teve êxito? — Ele olhou para os dois, a cabeça virada de um jeito zombeteiro, esperando uma resposta. — Os lacônicos lutaram em seis guerras contra nossos hilotas nos últimos 100 anos... se se pode chamar de guerra a matança de caipiras sem treinamento. Acaba da mesma forma. Sempre.

— Desta vez não — disse Cale.

— Por quê?

— Prefiro mostrar, não contar.

— Excelente. Estou ansioso para ver sua apresentação dos detalhes.

— Não.

— Como assim? — perguntou Bose Ikard.

— Não vou dar um espetáculo para que seus paspalhos possam me oferecer o benefício de sua experiência. Haverá uma luta, e quem estiver de pé no final venceu a discussão. Cem homens pra cada lado.

— As regras?

— Não existem regras.

— Um combate de verdade?

— Existe algum outro tipo? Traga quem quiser, como quiser.

— E o senhor terá só seus camponeses?

— Vou trazer quem eu bem quiser. — Mas era difícil demais resistir. — Vão ser 80 plebeus e 20 dos meus veteranos.

— E o senhor?

— Vou ficar assistindo Fanshawe apanhar feito um cachorro.

— Eu? Eu sou só um conselheiro lacônico. Não poderia tomar parte nisso.

Bose Ikard estava desconfiado, como sempre, mas considerou que talvez fosse melhor assim: ele queria saber o que Cale estava tramando, e era difícil pensar numa maneira melhor do que aquela. Havia soldados suíços que achavam que mereciam mais reconhecimento do que um garoto de aspecto lamentável. Agora teriam a chance de provar isso.

— Vou te dar um retorno sobre isso — disse ele. — Feche a porta ao sair, sr. Cale. Uma palavrinha, sr. Fanshawe.

24

Na manhã da execução de Conn, o sol nasceu com tanto calor e luz cor de mel quanto se aquela fosse a celebração do jubileu de um monarca muito amado. Às dez da manhã, ele foi retirado de sua cela em Swarthmore e levado para o Portão Oeste e através do Parc Beaulieu para o lugar da execução na Quai des Moulins. Cinco de seus homens, mas não Vipond, nem sua esposa, acompanharam Conn, de cabeça descoberta e desarmados. Ali ele comeu um pedaço de pão e tomou uma taça de vinho na Galeria Vetch. Desde antes de amanhecer, uma imensa multidão vinha se reunindo para pegar os melhores lugares de onde acompanhar toda a ação.

Junto com a empolgação costumeira de uma plateia que se deliciava com o sofrimento hediondo de outro ser humano, havia o ódio adicional de cidadãos que responsabilizavam Conn Materazzi não só pela derrota em Bex, mas pelo justificado temor de que na primavera do ano seguinte os Redentores estariam fazendo com eles a mesma coisa que eles estavam prestes a fazer com Conn.

Uma espécie de banda de metais, patrocinada pelo maior fabricante de tortas da cidade, desferia versões grosseiras de canções populares e rendições esganiçadas de hinos marciais vangloriosos sobre os suíços jamais serem escravos. A multidão era uma mistura peculiar de desiguais: malfeitores, ladrões, vadias e desocupados, carpinteiros e balconistas, comerciantes com suas esposas e filhas e, é claro, um terraço especialmente construído para aqueles que realmente importavam. No geral, era um tal aperto de gente rancorosa que aqueles que não estavam acostumados sofriam demais, mais especificamente, as esposas e filhas da burguesia, que desmaiavam com o calor e precisavam ser carregadas com seus grandes decotes em desalinho, o que instigava os aprendizes bêbados ("MOSTRA OS PEITOS PRA GALERA!"). Como sempre, era um péssimo dia para os gatos: ao menos uma dúzia deles foram lançados ao ar, uivando no grande espaço diante do lugar da execução.

Em geral, nos quatro cantos do mundo, a morte judicial acontecia por enforcamento, decapitação com um machado ou na fogueira — às vezes, as três coisas ao mesmo tempo, se você fosse particularmente azarado. Mas na Leeds Espanhola, gente comum e aristocratas eram todos decapitados de uma forma peculiar, e por um carrasco muito incomum. Formalmente, se chamava Patíbulo de Leeds, mas o populacho o chamava de Bob Cortador. Consistia numa estrutura de madeira de uns 5 metros de altura por um de largura, presa a um grande bloco. Era parecida com a guilhotina francesa, só que muito maior e mais tosca. Mas, diferentemente da guilhotina, não havia um só carrasco no Patíbulo de Leeds: havia muitos. Depois que o bloco e o machado eram puxados para o alto da estrutura e presos com um pino, a corda que segurava o pino no lugar era entregue a qualquer pessoa da plateia que pudesse segurá-la. Quem não conseguia segurar estendia as mãos para mostrar que consentia e concordava com a execução. Essa, portanto, era a visão que aguardava Conn quando ele surgiu na plataforma para a sua morte.

Sua camisa de seda preta havia sido cortada ao redor do colarinho, sem muita habilidade, para expor seu pescoço. Camisas pretas de seda, então no auge da moda, ficariam impopulares por muitos anos depois disso. Naturalmente, o patíbulo dominava o local, e se a beleza é a forma que melhor traduz a finalidade de um objeto, então sua feiura era linda. Ele parecia o que era.

Era uma pena que nenhum de seus amigos pudesse subir na plataforma com ele: Conn merecia que alguém testemunhasse sua coragem diante daquele dispositivo pavoroso. Talvez houvesse alguns na multidão, não muitos, que sentiam a coragem do jovem. Era verdade que ele tinha demonstrado grande bravura na batalha, mas aquela era uma coragem num lugar onde todos em volta compartilhariam o mesmo destino; onde havia medo, mas também camaradagem e a perspectiva de honra e propósito. Ali, tudo era isolamento, em meio às provocações e à crueldade; dar às pessoas o prazer de assistir a um terrível sofrimento sem correr nenhum risco.

Mas havia ao menos uma pessoa em meio à multidão que o admirava, que sabia da injustiça e da ilegalidade, do erro de sua morte. Cale estava na torre do campanário da catedral de Santa Ana, que dominava a praça — a uma distância de uns 50 metros do patíbulo e 9 metros de altura. Estava sozinho e fumando um de seus excelentes charutos suíços, um Diplomata nº 4, nos quais tinha se viciado agora que podia dispor deles todo dia. Ele não saberia dizer como se sentia — não enojado, como se sentiu na morte da donzela de Blackbird Leys, mas com uma espécie de tranquilidade mortal na qual ele parecia, paradoxalmente, vivo para tudo: as obscenidades zombeteiras, os assobios, o homem sorrindo para Conn e tocando dois dedos em sua testa, deliciado pelo horror que se aproximava. Mas Cale também se sentia distante, como se a torre o colocasse acima da névoa de perversidade e prazer lá embaixo. Uma pequena tribo de cachorros se perseguia, latindo alegremente, por entre as pernas dos soldados virados para a multidão na plataforma, desarmados, mas carregando tambores.

Conn esperou que lhe dissessem o que fazer. Uma cura se aproximou.

— Você foi autorizado a falar, mas eu devo avisar você para não dizer nada contra a coroa ou contra o povo.

Conn se adiantou para falar. O barulho da multidão diminuiu um pouco — um bom discurso era motivo para se jantar fora.

A 30 metros dali, os apontadores de apostas em seus poleiros anotavam os palpites de quantos esguichos de sangue haveria.

— Não vim aqui para falar — disse Conn, surpreso com a firmeza de sua voz, sentindo seu estômago se revirar. — Vim aqui para morrer.

— Fala mais alto — gritou alguém na multidão.

— Eu quase não seria ouvido, mesmo que gritasse até morrer. Serei breve... preferiria não dizer nada, não fosse pelo fato de que ir ao encontro da morte em silêncio faria alguns pensarem que me submeti à culpa como me submeto à punição. Morro inocente...

Do alto da torre, Cale ouviu a palavra "inocente", mas nada mais, quando o cura fez sinal para que os soldados com os tambores cobrissem as acusações de injustiça de Conn. Se calando por causa dos tambores ou por não ter muito a dizer, Conn terminou e andou para a frente, na direção não exatamente do carrasco, mas ao menos do homem responsável pelo funcionamento do patíbulo.

— Espero que você tenha afiado a lâmina como manda o seu dever. E quero que minha cabeça seja cortada no pescoço, não partida como um ovo, como eu soube que você fez com o lorde cavaleiro de Zurique. Se fizer alguma besteira, não receberá gorjeta. Faça tudo correr bem e ficará feliz por ter matado Conn Materazzi.

— Obrigado, senhor — agradeceu o quase-carrasco, que dependia dessas gorjetas como pagamento —, temos um novo mecanismo para evitar que aconteça de novo um infortúnio daqueles.

Conn andou até o patíbulo, respirou fundo, como que para engolir de volta seu terror, e se ajoelhou, encaixando o pescoço num semicírculo novinho em folha, claramente escavado na madeira. A nova travessa de cima foi rapidamente colocada no lugar, formando a outra metade do orifício, e travada. Acima dela, a lâmina plana em seu pesado bloco de madeira era sustentada por dois pinos, cada um preso a uma corda. Um dos pinos era travado por um grampo, e foi a corda desse que o executor jogou na multidão. Ele esperou até que a luta para segurá-la terminasse, então subiu numa escada apoiada na estrutura e pôs a mão direita no grampo que segurava o pino para que ninguém da multidão pudesse puxá-lo antes da hora. Ele se dirigiu ao povo.

— Vou contar até três... quem estiver segurando a corda e não soltar no três vai levar umas chicotadas. — Satisfeito de que os que seguravam a corda estavam sob controle, ele gritou: — Um!

— DOIS! — gritou a multidão. — TRÊS!

Ele puxou o grampo com um grande floreio.

A corda e o pino ficaram soltas, o bloco e a lâmina sacolejaram trilho abaixo e bateram na base com um barulho medonho. A cabeça de Conn disparou do patíbulo como se tivesse sido lançada de uma funda, voou por cima da plataforma e do povo, desaparecendo em meio aos homens e mulheres mais bem vestidos em seus trajes dominicais.

Cale olhou para baixo por um momento. *Por que isso?* Ele pensou. *Por que assim?* Então ele se virou de costas, deixou cair o que restava do charuto no chão e foi embora.

Mas assim como podia ver o que havia acontecido, Cale também podia ser visto. Depois se espalhou que ele não só tinha fumado durante a morte de Conn, assim como riu do horrível desfecho. Com o tempo, isso causaria grandes danos à sua reputação.

Arbell estava de pé do outro lado da sala, olhando pela janela e apertando forte seu bebê, balançando lentamente o corpo para a frente e para trás.

Para Riba e seu marido, aquela caminhada pareceu infinitamente longa. Eles pararam a alguns metros dela; ambos comentaram, depois de ir embora, que era como se o próprio ar entre eles e Arbell tremesse de terror e os detivesse.

— Acabou?

— Sim.

— Ele sofreu?

— Foi muito rápido, e ele estava calmo e demonstrou grande coragem.

— Mas não sofreu?

— Não, não sofreu.

Ela se virou para Riba.

— Você não estava lá? — Era uma acusação.

— Não, não estava — disse Riba.

— Eu não deixei que ela fosse. — Arthur Wittenberg achou que estava ajudando. Não estava.

— Claro que eu não poderia ir, não poderia — negou Riba, reconfortante.

— Eu deveria ter ido — falou Arbell. — Deveria estar com ele.

— Ele teria detestado isso — afirmou Riba. — Detestado.

— Ele me deixou bem claro — disse Wittenberg —, ontem à noite, quando conversamos, que não suportaria sua presença lá... sob qualquer circunstância.

Poucas vezes uma mentira foi contada de uma maneira tão desajeitada. Mas Arbell não estava em condições de perceber muita coisa. O bebê, que estava até então muito calmo porque gostava de ser abraçado forte, começou a se contorcer.

—Yaaaaaaaaach! — gritou o bebê. — Bleeuch! — Finalmente, conseguiu soltar o braço direito e começou a puxar um cacho do cabelo de Arbell. Arranca. Arranca. Puxa. Puxa. Ela não pareceu notar.

— Quer que eu fique com ele?

Arbell se afastou de Riba como se ela tivesse se oferecido para tirar a criança dela permanentemente. Com delicadeza, ela soltou as mãozinhas do bebê do seu cabelo.

Na porta, uma criada gritou:

— Lady Satchell veio...

Mas o final da frase foi afogado pela dramática comoção e barulheira da mulher anunciada.

— Minha querida — choramingou do outro lado da sala. — Minha querida... que cauchemor, que nagmerrie, que kosmorro! — Um idioma só era insuficiente para o desempenho de lady Satchell. Ela era conhecida, até entre as Materazzienne, como a Grande Surtadora. Não havia situação que, com sua aparição instantânea, ela não pudesse piorar com histeria. Nem mesmo aquela. — Eu lamento tanto, querida — disse ela, apertando Arbell contra o peito. Nenhum escudo trêmulo de dor desencorajava lady Satchell. Para ela, a dor de Arbell era tão invisível quanto uma teia de aranha para um touro. — Foi pavoroso, strasny! Terribile! O pobre rapaz... ver aquela cabeça linda fazer um weerkats pela Quai des Moulins.

Por sorte, a força bruta da capacidade histérica de Satchell de dramatizar a fez descambar para o africâner, de modo que Arbell mal entendia o que ela estava dizendo.

— E aquele mostruoso Thomas Cale... ouvi uma pessoa que estava com ele dizer que o infeliz riu do Misero Conn quando ele morreu, e fumou um charuto e soprou anéis de fumaça no cadáver do disgraziafo.

Arbell ficou olhando para ela. Era difícil imaginar que alguém pudesse ficar tão branca e continuar viva. Riba a pegou pelo cotovelo e a puxou para longe à força, cochichando:

— Cale essa boca, sua vaca sem coração! — E fez um sinal para os dois criados na porta.

— O que está fazendo? Sou a prima querida dela. Quem você pensa que é, sua vadia limpadora de privadas, para...

— Tirem ela daqui — ordenou Riba aos criados. — E se eu a vir aqui de novo, vocês dois vão se arrepender de ter nascido.

Lady Satchell ficou tão surpresa por ser agarrada pelos criados, agora alegremente autorizados a maltratar alguém de estirpe superior, que já estava fora antes de conseguir abrir a bocarra novamente.

Riba voltou para sua ex-patroa, traduzindo a história.

— É verdade? — Sua voz era tão baixa que Riba mal conseguia ouvi-la.

— Eu não acredito.

— Mas você também ouviu isso?

— Sim. Mas não acredito numa palavra. Não é do feitio dele.

— É exatamente do feitio dele.

— Ele salvou a minha vida. Também salvou a de Conn, por amor a você.

— E cometeu perjúrio contra Conn porque acha que eu o traí. Eu não poderia ter feito outra coisa. Mas você não sabe como ele é quando está contra você... o que ele é capaz de fazer.

Dividida entre os dois como Riba estava, seus primeiros pensamentos não foram generosos com sua ex-patroa. Se você não tivesse traído Cale, Conn ainda estaria vivo. Tudo teria sido diferente. Naturalmente, parte dela sabia que isso era injusto, mas mesmo assim não deixava de ser verdade.

— Eu falei. Não acredito numa palavra.

Mas isso não era completamente verdade. Quem entre nós, ao ouvir que nosso melhor amigo foi preso por um crime hediondo, não pensaria, lá nos cantos mais recônditos da alma, nas sombras ocultas do alçapão mais crepuscular do coração, que aquilo poderia ser verdade? Quão mais fácil, então, para Arbell, acreditar que Cale rira de seu amado marido quando ele morreu. Ela não deveria ser acusada por essa falta de fé em Cale — é da natureza humana odiar a pessoa que magoamos.

— É verdade?

— Parece ruim, portanto, provavelmente é — disse Cale. Não havia como confundir o tom desconfiado e furioso de Artemisia.

— Responda. Você riu de Conn Materazzi quando ele morreu?

Ele tivera muitos anos de prática ocultando seus sentimentos — o controle das emoções espontâneas era uma questão de sobrevivência no Santuário

— mas uma pessoa menos furiosa do que Artemisia poderia ter notado que ele arregalou os olhos ao ser acusado. Não muito e não por muito tempo.

— O que você acha? — perguntou ele, displicente.

— Não sei o que pensar, por isso estou perguntando.

— A questão é: eu estava na torre, sozinho. Poderia ter sacrificado um bode ali e ninguém ia saber.

— Você ainda não respondeu a pergunta.

— Não.

— Não o quê?

— Não, eu não ri de Conn Materazzi quando ele morreu.

E com isso, ele se levantou e foi embora.

— Estou impressionado — falou IdrisPukke.

— Por quê?

— Pouco tempo atrás, você teria dito a ela que riu de Conn, só para puni-la por perguntar.

— Pensei em fazer isso.

— Claro que pensou.

— Por que ela ia acreditar em algo assim?

— Todos se referem a você como o Anjo Exterminador. Não é tão surpreendente que as pessoas não lhe deem o benefício da dúvida. Além disso, os tempos que correm pedem um homem com reputação de crueldade incontida... as pessoas querem sentir que, com uma criatura assim do seu lado, terão uma chance de sobreviver até o ano que vem.

— Mas elas não me conhecem.

— Justiça seja feita, não é algo fácil... conhecer você, quero dizer.

— Ela já deveria.

— Mesmo? O que ela sabe é que você mentiu sob juramento com tanta facilidade quanto se estivesse dizendo a uma senhora que gostou do chapéu dela.

— Isso de novo não. O que eu podia fazer? Se confessasse, seriam duas cabeças quicando na praça.

— Concordo. Mas mesmo com todas as suas habilidades excêntricas, Artemisia não entende as coisas como realmente são. Ela é um deles. Quanto mais dinheiro você tem, mais legal é o mundo; se você tem dinheiro e poder, o mundo é legal a ponto de ser quase celestial. Para essas pessoas, a crueldade do mundo é uma aberração, não o estado normal das coisas. Você teve a sorte de nunca acreditar que qualquer coisa fosse justa. Precisa dar tempo para que ela aprenda que está morando em outro mundo, agora. Ela não teve as tuas desvantagens. O espírito da época costumava passar por ela, Conn e o rei... agora passa por você. Este é o seu momento, pelo tempo que durar.

— Significando?

— Chegará um momento em que não será.

— Quando?

— Difícil dizer. A questão é que, sempre que chega ao fim, a pessoa que era a dona daquele momento geralmente é a última a perceber.

25

Não há muitas vantagens em se ficar doente, exceto que ficar doente por muito tempo proporciona infinitas oportunidades para pensar. Para os permanentemente doentes, não existem distrações suficientes para preencher os dias intermináveis e, além disso, a doença pode facilmente drenar a energia necessária para ler ou jogar. Então você é obrigado a pensar, mesmo que seja o tipo de pensamento vagabundo, que flutua sem rumo do passado ao presente, sobre refeições consumidas, amantes beijados, noites de humilhação, arrependimentos amargos. Cale tinha um talento para esse tipo de coisa. No manicômio dirigido por Kevin Meatyard, ele conseguira usar as habilidades aperfeiçoadas no Santuário durante todos aqueles anos para se esconder em algum lugar de sua cabeça. Mas naquela época, ele era tão ignorante do mundo quanto uma pedra: havia sua horrorosa vida real e seu mundo imaginário, onde tudo era maravilhoso. Agora, os devaneios flutuantes estavam todos misturados com as inúmeras coisas que haviam acontecido com ele desde então. Sonhar acordado não era mais tão prazeroso. Por isso, ele tentava pensar em coisas úteis — ruminando ideias, martelando planos e elaborando conceitos que, se ele estivesse saudável, teria relegado ao fundo de sua mente para juntar pó.

A religião das classes superiores dos suíços e de seus aliados era um negócio esquisito. Foi com considerável surpresa que Cale descobriu que eles também veneravam o Redentor Enforcado — mas enquanto os Redentores propriamente ditos haviam criado uma religião cheia de pecados, castigos e inferno, de coisas que preenchiam cada momento do dia, a religião dos aristocratas e comerciantes suíços se desenvolvera mais ou menos exatamente na outra direção: à parte a missa aos domingos, os casamentos e os funerais, parecia não haver nenhuma exigência específica nem referência às terríveis consequências resultantes de não se cumprirem essas sugestões fracamente insinuadas. Mas não era assim para os trabalhadores e camponeses. Estes últimos, em particular, eram extremamente religiosos, tanto que tinham um grande número de credos a seu dispor, mas na base de todos eles estava o Redentor Enforcado. Embora cada seita acreditasse a única verdadeira herdeira de suas crenças, todas reconheciam, com maior ou menor ênfase, que pertenciam a uma mesma família. Mas uma coisa que as unia era seu ódio universal pelos próprios Redentores, considerados corruptos, idólatras, usurpadores hereges homicidas. Fossem quais fossem as diferenças entre o povo das planícies e os milleritas, os Dois por Dois e as Jennifers Gnósticas, Cale conversara com um número suficiente dessas seitas para saber que o empenho delas em destruir os Redentores era de um tipo para o qual a morte seria um privilégio mais do que um preço. Independente de seus sentimentos pessoais acerca de mártires, ele estava acostumado a fazê-los trabalhar a seu favor. Aquela era uma moeda de troca que ele entendia. Já haviam se passado quase três semanas desde a morte de Conn Materazzi, e ele usara esse tempo para convencer os vários líderes das importantes facções religiosas (moderadores, pastores, arquimandritas, apóstolos) de que ele estava profundamente empenhado em destruir os Redentores e suas perversões hediondas dos verdadeiros ensinamentos do Redentor Enforcado, como somente alguém que sofrera pessoalmente sob o jugo deles poderia estar. Por sorte, isso não requeria habilidades diplomáticas hanseáticas: todos estavam mais do que dispostos a acreditar nele. Por isso todos estavam presentes no Campo de Prata às dez da manhã para testemunhar a batalha muito pouco de mentira entre o Novo Exército Modelo em botão de Cale e os suíços. Também presentes estavam Henri Embromador, IdrisPukke, Kleist e uma ainda gélida Artemisia Halicarnassus. Isolados e de lado, com ar desconfiado, estavam Bose Ikard e um sortimento de generais suíços recém-nomeados, elevados às suas novas posições graças ao sumiço de seus antigos oficiais superiores, agora apodrecendo suavemente nas valas comuns em Bex.

No dia seguinte ao da reunião com Bose Ikard e Fanshawe, Cale escrevera para exigir, já que o destino de várias nações dependia do êxito de sua tentativa de criar esse Novo Exército Modelo, que o combate de seus cem homens contra os dos Cavaleiros Suíços fosse realizado com armas afiadas e sem regras, exceto uma que permitia a rendição. Como era a intenção, isso alarmou os suíços, os quais, acertadamente desconfiados, exigiram que somente armas de manobra, sem ponta, fossem usadas. Cale recusou. No fim, um meio-termo foi alcançado: armas sem fio, nada de farpas ou pontas, e bestas e flechas com pontas arredondadas e barras para evitar que penetrassem fundo.

O dia começou com um estranho incidente envolvendo Cale que, de tanto ser contado e recontado, fez surgir uma lenda peculiar. A pessoa envolvida era apenas um membro de pouca monta da aristocracia rural, que chegara à Leeds Espanhola na noite anterior, tentara seguir o rastro de um ou outro príncipe e estava desfrutando da atenção dos vários lacaios que atendiam às necessidades da nobreza reunida. Sem perceber que o garoto pálido ao seu lado, em sua simples batina preta, era a personificação da Ira de Deus e anjo exterminador superpoderoso, ele o confundiu com um serviçal e educadamente, é bom que se diga, pediu um copo d'água com uma rodela de limão. O serviçal o ignorou.

— Olhe aqui — ele disse com mais energia para Cale. — Me traga um copo d'água com uma rodela de limão, e já. Não vou pedir de novo. — O serviçal fitou-o com os olhos inflamados por uma incredulidade e um desdém que o homem confundiu com o pior tipo de insolência atoleimada.

— Quê? — disse Cale.

O recém-chegado grã-fino rural estava ansioso para não ser percebido como um mocorongo do tipo que se deixa intimidar por um lacaio, e interpretou o silêncio estarrecido de todos ao redor como um sinal de que eles estavam esperando para ver se ele estava à altura de lidar com a insolência de um serviçal. Ele tascou um enorme tabefe no rosto de Cale. Seguiu-se um silêncio paralisado que fez o silêncio anterior parecer uma algazarra. Foi o príncipe que convidara o sujeito quem deu a notícia.

— Meu Deus, homem, esse aí é Thomas Cale.

Não existe em nenhum idioma um adjetivo adequado para descrever a palidez do rosto do cavalheiro caipira quando todo o seu sangue foi para as botas. Sua boca se abriu. Os outros esperaram que algo horrível acontecesse.

Cale olhou para o homem. Houve uma longa pausa, um silêncio aterrador, repentinamente interrompido quando Cale deu uma risada curta de diversão. Então ele se afastou.

Cada lado podia trazer trinta cavalos, e quando os suíços entraram no campo, certamente pareciam impressionantes, com os cavalos mordendo os freios, ansiosos para avançar, e ao lado deles, os setenta cavaleiros a pé, com as carapaças das armaduras brilhando ao sol da manhã. Lindo. Formidável. Eles formaram uma fileira e esperaram. Não por muito tempo. Do outro lado do parque, o que parecia uma carroça de camponeses apareceu, e outra atrás dela, e mais outra — quinze ao todo. Cada uma era puxada por dois imensos cavalos Shire, uma vez e meia o tamanho das montarias de caça usadas pelos cavaleiros. Quando se aproximaram, ficou claro que aquelas não eram as costumeiras carroças para carregar feno ou porcos — eram menores, com os lados inclinados, e tinham tetos. Contrastando, as quinze carroças eram ladeadas por dez dos batedores a cavalo de Artemisia, homens leves montando velozes pôneis Manipur, famosos por sua agilidade. Eles empunhavam bestas, uma arma pouco usada em Halicarnassus. As bestas haviam sido projetadas por Henri Embromador para serem usadas a cavalo — leves, nada tão potente quanto a super-retesada que ele também projetara, mas muito mais fáceis de armar e carregar. As carroças chegaram ao lugar definido e formaram um círculo. Os condutores saltaram para o chão e desatrelaram os cavalos, levando-os para o meio do círculo. Os vãos entre as carroças não eram muito grandes, pois os cavalos haviam sido meticulosamente treinados para posicioná-las antes de serem soltos. Os condutores removeram depressa escudos destacáveis de madeira presos à traseira das carroças, encaixando-os entre elas, de modo que agora carroças e escudos formavam um círculo contínuo, sem nenhum vão.

Os suíços olhavam, alguns divertidos, os mais inteligentes ressabiados. O único jeito de passar pelas carroças era pelos espaços por baixo delas, mas estes logo foram fechados, quando mais quatro pranchas de madeira foram baixadas por fendas no fundo de cada carroça. Por um momento, nada aconteceu. Então ouviu-se um grito de dentro do círculo e os batedores começaram a disparar suas bestas contra as fileiras suíças. O projeto de Henri Embromador podia ser menos potente, mas a uma distância de 100 metros as flechas sem ponta atingiam a fileira cerrada de homens de armadura fazendo uma barulheira feroz. Os suíços só haviam trazido dez arqueiros, e eles eram treinados para alvejar fileiras compactas, não dez homens sobre montarias ágeis. Num embate de cinco minutos, só dois cavaleiros do Novo Exército Modelo foram atingidos, dolorosamente e sangrando, mas eles, por sua vez, atingiram mais de vinte suíços. As armaduras e as flechas sem ponta evitavam ferimentos profundos, mas ficou claro que uma flecha de verdade teria matado ou ferido gravemente quase todos eles. Depois de cinco minutos, uma trombeta soou das carroças e os batedores voltaram para o círculo. Um escudo de madeira foi removido para que entrassem, e eles desapareceram.

Então três outros escudos foram retirados, e cerca de vinte homens com marretas e estacas saíram correndo e começaram a plantá-las no chão. Isso estava mais ao gosto dos arqueiros suíços, mas antes que estes pudessem começar a atirar, rajadas e mais rajadas de flechas partiram do meio das carroças, causando muita confusão e ferimentos ainda mais consideráveis nos arqueiros suíços, que usavam armaduras leves.

Sob aquela temível cobertura de proteção, os camponeses que batiam as estacas terminaram o serviço e correram de volta para a segurança das carroças, deixando para trás as estacas de madeira, unidas por cordas finas com farpas afiadas de metal de 15 em 15 centímetros. O estranho nisso era que as estacas e cordas com farpas só protegiam mais ou menos um oitavo do círculo, deixando o resto livre para que se contornasse o desagradável obstáculo. Era difícil entender a utilidade daquilo.

Com as flechas ainda chovendo-lhes em cima, os suíços não tinham outra escolha senão avançar e tomar as carroças no combate corpo a corpo. As flechas sem ponta não seriam mais do que um incômodo para homens usando armaduras de tão alta qualidade, e a luta corporal era a especialidade deles. Evitando as cordas com farpas — vários cavaleiros desferiram golpes de espada ao passar perto delas, mas as cordas haviam sido trançadas com fios de aço para evitar uma solução tão simples —, eles se aproximaram das carroças, determinados a forçar a passagem e dar uma surra daquelas nos ocupantes. Embora as carroças não fossem particularmente grandes ou altas, quando eles se aproximaram, não viram nenhuma maneira óbvia ou fácil de passar. De perto, notaram pequenos orifícios quadrados nas laterais das carroças — seis em cada uma. Desses orifícios, flechas de besta eram atiradas, com efeito devastador tão de perto, apesar de serem sem ponta. E rápidas também — uma flecha a cada três ou quatro segundos. Eles eram obrigados a encostarem nas laterais das carroças, tentando erguê-las pelas rodas e virá-las. Mas as rodas haviam sido presas no chão com ganchos de aço. Então os tetos das carroças foram levantados, viraram e bateram nas laterais, com uma articulação e farpas sem ponta na borda de fora, projetadas não para perfurar a armadura de quem atingiam, mas para um impacto esmagador. Dezenas de braços e cabeças foram quebrados nessa manobra. E o motivo da pouca altura das carroças ficou mais claro. Dentro de cada uma havia seis camponeses, armados com as debulhadoras de madeira que se acostumaram a usar toda a vida, tanto quanto os soldados profissionais suíços haviam usado espadas e machadinhas. Mesmo sem pregos nas pontas, que estariam presentes numa batalha de verdade, as debulhadoras se moviam com uma velocidade tão feroz que esmagavam mãos, peitos e cabeças, com ou sem armadura. E as flechas continuavam vindo. Podiam não ser capazes de matar, mas causavam dor terrível e hematomas profundos. Os suíços, por sua vez, mal conseguiam acertar um golpe. O alcance mortal de pouco mais de um metro a que estavam acostumados, determinado pelo comprimento de uma espada ou machadinha, havia sido estendido por Cale em pouco mais de um metro adicional — mas isso fazia toda a diferença. Homens que os suíços teriam esquartejado em poucos segundos em campo aberto tornavam-se intocáveis graças a madeira forte e alguns palmos a mais de altura. E agora os suíços estavam vulneráveis a uma insultuosa coleção de implementos agrícolas modificados, empunhados com confiança e familiaridade por meros camponeses. Depois de quinze minutos de dor e danos, os suíços recuaram — furiosos e frustrados, venenosamente impotentes. Sua retirada foi acompanhada por uma zombeteira, mas mesmo assim dolorosa, ráfica de flechas sem ponta lançadas por uma dúzia dos Purgadores de Cale, até que, com um sinal, ele mandou que parassem. Ele observou com grande prazer quando os generais suíços foram inspecionar os danos para o pasmado alto comando. Cale, misericordiosamente, não os acompanhou; até de 40 metros de distância, os efeitos das debulhadoras de metal, porretes, martelos, machados sem fio e pedras estavam claros.

Depois de dez minutos de inspeção, foi Fanshawe quem voltou para onde estava Cale, aparentemente displicente e frívolo como sempre; mas a verdade era que ele estava abalado pelos desdobramentos do que vira.

— Eu estava enganado — ele disse a Bose Ikard. — Poderia funcionar. Mas tenho perguntas.

— E eu tenho respostas — disse Cale.

Eles combinaram se reunir mais tarde no mesmo dia. Quando deixavam o campo, Bose Ikard alcançou Fanshawe e falou baixinho.

— Isso pode mesmo funcionar?

— O senhor viu.

— E podemos ganhar?

— Possivelmente. Mas e se ganharem? O que vai acontecer?

— Não estou entendendo.

— Vocês mostraram aos seus pobretões que eles são tão bons quanto seus senhores. Eles vão lutar e morrer aos milhares... pois vão morrer... e depois simplesmente devolver esse poder? *O senhor* faria isso?

Na reunião, naquela tarde, houve muitas perguntas mal-humoradas, todas respondidas com facilidade por Cale. No lugar deles, ele teria dificultado mais as coisas — sabia que existiam falhas, embora eles não tivessem percebido. As perguntas de Fanshawe não se concretizaram: ele também podia ver as falhas, mas sabia que poderiam ser resolvidas. Cale respondia calma e amigavelmente, até o último comentário — que insinuou que quando fosse uma questão de vida ou morte, os camponeses desmoronariam diante do sangue e das mutilações.

— Então tragam seus homens amanhã de novo e vamos lutar com armas afiadas e sem compaixão — disse Cale, ainda calmo. — Vocês não vão voltar pela terceira vez.

Bose Ikard, no entanto, embora ruminasse as consequências a longo prazo apontadas por Fanshawe, viu que eles não tinham escolha senão apoiar Cale: de nada adiantava pensar a longo prazo se não haveria um longo prazo. Ele dispensou seu novo alto comando e cuidou dos detalhes do dinheiro e dos poderes de requisição que Cale exigia.

Isso não foi fácil para o chanceler: conceder dinheiro e poder era fisicamente doloroso para ele. Mas ele se preocuparia com a forma de tomá-los de volta, bem como com o perigo dos camponeses armados e treinados, quando tudo aquilo terminasse. No final da reunião, Thomas Cale era o garotinho mais poderoso da História dos quatro cantos do mundo. Ele sentia, quando a carta foi assinada, como se nas profundezas de sua alma peculiar uma pequena nascente de água fresca tivesse começado a fluir.

Lá fora, Fanshawe o chamou para um lado.

— Você ficou muito quieto — disse Cale.

— Cortesia profissional — disse Fanshawe. — Não queria estragar a sua festa.

— E você acha que conseguiria?

— Como vai abastecê-los?

— Oh, não! Você percebeu o ponto mais fraco... não há como enganar você.

Fanshawe sorriu.

— Então não terá problemas em me responder, certo?

Dez minutos depois, eles estavam numa velha oficina em meio aos cortiços da Leeds Espanhola, e Michael Nevin, puxador e inventor, exibia orgulhosamente uma de suas novas carroças de suprimentos. Agora que tinha dinheiro para financiar sua engenhosidade, o resultado, embora ainda tivesse um parentesco distante com seu carrinho de puxador, era um objeto de elegância e estilo.

— Tente puxar — disse Cale.

Fanshawe pegou um carrinho de duas rodas pelas barras da frente. Era muito maior do que o original no qual se baseava, e ele ficou assombrado com sua leveza. Nevin parecia um pavão, estufado de orgulho.

— Anda quatro vezes mais rápido que as carroças de suprimentos das porcarias dos Redentores, faz bem as curvas e pesa menos da metade. Se não encher demais, só precisa de um cavalo, em vez de seis bois. No aperto, não precisa de bicho nenhum; dá pra usar com quatro homens puxando e metade da carga, e mesmo assim reabastecer quase tão rápido quanto os Redentores. Eu estou babando. Não é que fiz um negócio que é bom pra tudo e pra todos. — Era uma afirmação, não uma pergunta.

Cale estava quase tão encantado com Nevin quanto Nevin estava encantado consigo mesmo.

— O sr. Nevin também trabalhou comigo no desenvolvimento da carroça de guerra. Foi ideia dele reduzir o tamanho para que elas pudessem ter o dobro da velocidade, talvez, das carroças de suprimentos dos Redentores. A única maneira de eles se moverem com velocidade suficiente para nos seguir e nos atacar seria mandando a infantaria montada atrás de nós, mas sem carroças de suprimentos. Mesmo se nos alcançarem, os batedores de Artemisia terão nos avisado horas antes da chegada. Formamos o círculo, cavamos uma trincheira de dois metros em volta, e o que eles vão fazer? Se nos atacarem, faremos picadinho deles, pior do que foi hoje. Se esperarem, os batedores chamarão mais tropas para substituí-los. Lembre-se, haverá duzentos desses fortes em movimento a cada dia de cada semana. Mesmo se eles conseguirem isolar um e destruí-lo, vamos matar dez homens deles para cada um nosso.

— Fácil assim?

— Não — respondeu Cale. — Mas eles vão perder dois homens para cada um que perdermos.

— Mesmo se você estiver certo, e admito que pode estar, os Redentores estão preparados para morrer aos milhares... seus caipiras também estão?

Cale sorriu de novo.

— Acho que vamos descobrir.

— Acha mesmo que pode vencer uma batalha com suas carroças?

— Isso eu também não sei, mas não pretendo tentar. É como IdrisPukke diz: o problema das batalhas decisivas é que elas decidem as coisas. Eu não vou esmagar os Redentores, vou fazê-los sangrar.

26

De acordo com o grande Ludwig, o corpo humano é o melhor retrato da alma, e portanto, como o corpo, o espírito humano tem os seus cânceres, tumores e órgãos infectados. Assim como a função do fígado é a de esgoto para os venenos do corpo, a alma tem os seus órgãos para conter e isolar as emissões tóxicas do sofrimento humano.

É um axioma dos esperançosos que aquilo que não mata fortalece. Mas a verdade é que um sofrimento tão mortal só pode ser contido no isolamento desse reservatório de veneno por algum tempo: como o fígado, ele só consegue lidar com uma certa quantidade de veneno antes de começar a apodrecer.

Sobreviventes do Santuário já haviam passado por mais do que seu quinhão de agonia. Some-se a isso a perda da esposa e do filho e o horror dos acontecimentos no porão de Kitty, e Kleist estava a um passo de se afogar no seu passado. No dia seguinte à batalha de mentira no Campo de Prata, ele ia entregar um par de botas que estava desenvolvendo para a campanha iminente (artigos de couro eram uma das habilidades que Kleist aprendera no Santuário), por isso estava a caminho dos fabricantes de botas da New York Road. Bosco incutira em Cale a ideia de que botas boas só vinham depois da comida e das armas em matéria de importância para um exército. Kleist ia passando pelo mercado, lotado porque estava acontecendo a feira semanal de cavalos, quando roçou em Daisy carregando seu filho.

Ele andou por mais alguns metros e então parou. Mal observara o rosto da jovem — não a estava olhando diretamente, e passou por ela numa fração de segundo —, mas algo estremeceu dentro dele, embora ela fosse mais velha e mais magra que sua falecida esposa, muito mais acabada. Ele sabia que não podia ser ela — o pó de Daisy era soprado pelo vento numa campina a quinhentos quilometros dali — e não queria olhar de novo e resgatar seu sofrimento das profundezas, mas não conseguiu evitar. Virou-se para vê-la se afastando em meio à multidão, com o bebê no colo. Mas ela rapidamente foi escondida pelo vaivém de compradores e vendedores. Ele ficou parado como um tronco de árvore e disse a si mesmo para ir atrás dela, mas depois disse a si mesmo que não adiantaria nada. Um calafrio de desolação percorreu seu corpo, sua dor agora impossível de conter, espalhando-se lentamente, um vazamento lento e maligno. Ficou ali por mais um momento, mas tinha coisas a fazer e voltou a rumar para os fabricantes de botas. Mas daquele momento no mercado em diante, Kleist já estava na sobrevida.

— Então, o que você acha?

Por dez minutos, Cale observara Robert Hooke examinando um tubo de um metro de ferro-gusa.

— Já tentou usá-lo? — perguntou Hooke.

— Eu? Não. Vi um como esse em Bex. Na primeira vez que disparou, varou três Redentores de uma só vez; na segunda, explodiu e matou meia dúzia de suíços. Mas se você conseguisse fazê-lo funcionar, seria sensacional.

Hooke olhou a feia geringonça.

— Estou surpreso que tenha funcionado uma vez.

— Claro que está.

— Vou precisar de muito dinheiro.

— Claro que vai. Mas eu não sou idiota. Sei que você estava desenvolvendo um tubo para o seu acelerador de partículas. Não vou pagar pra você pesquisar a natureza das coisas.

— O senhor acha que todo conhecimento precisa ser prático.

— Não acho nem uma coisa nem outra do conhecimento... só me preocupo em não ir parar no alto de uma fogueira, e você estará lá comigo se não encontrarmos uma maneira de deter Bosco. Entende?

— Claro que entendo, sr. Cale.

— E então, é possível?

— Não é *im*possível.

— Então me passe a conta e ponha mãos à obra. — Cale se encaminhou para a porta.

— A propósito — exclamou Hooke.

— Sim?

— É verdade que cortou a cabeça de um homem porque ele mandou o senhor trazer um copo d'água?

Até para alguém com a saúde de uma barata, a carga de trabalho de Cale teria sido mortal, e ele estava bem longe de ser saudável. A necessidade o obrigava a delegar. Candidatos não faltavam: IdrisPukke e um relutante Cadbury ("preciso cuidar dos negócios criminosos") eram de confiança, e até Kleist, silencioso e soturno como estava, parecia querer trabalhar para ocupar a mente. Henri Embromador estava em toda parte, fazendo tudo. Mesmo assim, não bastava. Ele foi com IdrisPukke pedir ajuda a Vipond.

— Sinto muito por Conn.

— Estou perfeitamente convencido de que você não precisa se desculpar. Não havia escolha — respondeu Vipond.

— Eu não ri dele.

— Eu sei. Mas, infelizmente, isso não importa. Você precisa trazer Bose Ikard.

— Como?

— Sim... não é fácil. É um homem capaz, à sua maneira, mas tem a fraqueza recorrente dos poderosos: o poder se tornou um fim em si mesmo. E Ikard é viciado em conspirações. Se ficar sozinho por cinco minutos, vai começar a conspirar contra si mesmo.

— Preciso controlar o exército regular — disse Cale. — Achei que conseguiria criar minha própria força separadamente. Mas ela não vai funcionar sozinha. Preciso de tropas capazes de lutar fora dos fortes.

— Pelo que sei, você prometeu outra coisa a ele.

— Bem, eu estava errado. Os caipiras são ótimos, desde que estejam protegidos atrás das paredes e fora do alcance. Mas fora das carroças, eles são tão perigosos quanto um porco-espinho careca.

Vipond não disse nada por um momento.

— Situações desesperadoras exigem medidas desesperadas — ele disse finalmente. — Experimente contar a verdade.

— Ou seja?

— O que isso sugere. Seja franco com ele. Ikard sabe o quanto a situação é desesperadora, senão você não estaria onde está agora. Explique-lhe que vocês dois terão sucesso juntos ou morrerão juntos. Ou pode tentar chantageá-lo, se o tal de Cadbury souber de algum segredo dele.

— Não basta — disse IdrisPukke.

— Então só resta a sinceridade.

— E se a sinceridade não funcionar?

— Assassinato.

— Pensei que você tivesse dito que isso nunca funcionava.

— Eu disse isso?

— Sim.

— Extraordinário.

Para surpresa de Cale, sua reunião seguinte com Bose Ikard não só foi bem-sucedida, mas também agradável. Mentiras precisavam ser elaboradas, e sempre havia algo que você negligenciava e que revelava tudo. Era tenso, mentir. Contar a verdade, por outro lado, era fácil. Era tão *verdadeiro*. Ele gostou tanto de contar a verdade que decidiu que um dia gostaria de fazê-lo de novo. E assim, tudo saiu como Vipond esperava: a falta de alternativas impeliria Bose Ikard para a simplicidade.

— Posso dizer que o alto comando não vai se convencer. Eles não querem nada com você.

— Terão que ser substituídos.

— Mas acabaram de ser nomeados.

— Isso se aplica a todos eles ou só a alguns? — perguntou IdrisPukke.

— Se fosse possível remover a tríade, isso bastaria. Se.

— Tem algo contra meios especiais?

— Especiais?

— Você sabe: momentos desesperadores exigem medidas desesperadas.

Nos dez dias seguintes, duas renúncias e um suicídio cuidaram da tríade, por meio dos livros vermelhos de Kitty das Lebres. Por questão de cortesia e como um sinal de boa fé, um dos livros foi entregue a Bose Ikard, aquele que continha algumas transações financeiras pouco ortodoxas envolvendo o próprio Ikard. IdrisPukke, é claro, fizera uma cópia.

Por motivos diferentes, lacônicos e Redentores eram sociedades construídas com base na ideia de que a guerra era uma constante inevitável da existência humana. Já os exércitos do Eixo eram apenas exércitos. Cale foi auxiliado em suas reformas, no entanto, pela consciência crescente de que não era a derrota que estava em jogo na guerra, mas a aniquilação. Essa consciência era muito alimentada por reimpressões de sermões ministrados na Grande Catedral de Chartres pelo próprio papa Bosco. Neles, Bosco, citando em detalhes exatos o Bom Livro, convocava seus seguidores a cumprir o mandamento explícito de Deus: "Não deixarás vivo nada que respire. Destrói completamente Maquedá e todas as almas nela. Destrói Libna e todas as almas nela; e em Laquis, Eglom, Hebrom e Debir, destruíram tudo o que respirava e não pouparam ninguém, matando homens, mulheres, crianças e recém-nascidos, gado, ovelhas, camelos e burros."

Houve insinuações, totalmente acertadas, aliás, de que esses sermões de gelar o sangue fossem falsos. Mas embora fosse verdade que eles haviam sido escritos por Cale e Henri Embromador e impressos em segredo, a maioria se convenceu, com relutância, de que eles eram reais, e por dois motivos. Os poucos refugiados que recentemente conseguiram atravessar o Mississippi vindo do território agora ocupado pelos Redentores traziam numerosos relatos da evacuação em massa de cidades inteiras, rumo ao Norte e depois ao Oeste. Mas também havia a verdade perturbadora de que todas as religiões dos Quatro Cantos do Mundo compartilhavam uma crença no mesmo Bom Livro, e embora a maioria preferisse ignorar as muitas ocasiões em que Deus ordenara o massacre divino de países inteiros, até o último cachorro, não era mais possível fazer isso exatamente da mesma forma. A verdade inconveniente era que a promessa de um apocalipse, fosse ele local (Man Hattan, Sodoma) ou universal (o fim dos tempos de Gedom), estava impregnada na própria trama de suas crenças estranhamente compartilhadas.

Pelas seis semanas seguintes, foi sopa no mel para todo lado quando o novo departamento do governo comandado por Cale, a Agência de Combate aos Redentores (ACR), encontrou portas abertas em todo lugar. Em parte isso se devia ao medo dos Redentores, e também medo de Thomas Cale: a história de como ele cortara a cabeça de um homem que mandara que ele trouxesse um copo d'água agora se tornara uma verdade aceita.

— Você tem talento para ser lendário — disse IdrisPukke. — Eu me pergunto se isso é tão bom assim. — Seu acesso aos livros-caixa de Kitty das Lebres também encorajava a cooperação. Depois da substituição da tríade, todos, no momento, dependiam de Thomas para continuarem em suas posições, com o resultado de que um novo entusiasmo por seus planos sobre qualquer coisa começou a permear os salões do poder. Muito se fez, e muito mais rapidamente do que a ACR poderia esperar. Mas todas essas boas notícias não poderiam durar, nem duraram. Porém o golpe, quando veio, foi imprevisto em sua previsibilidade.

Depois de dois meses de preparativos, eles haviam se planejado para a primeira entrega de suprimentos de comida, uniformes, armas e as carroças tão vitais para a campanha. As botas, projetadas sobretudo por Cale e Kleist, haviam sido encomendadas nos mínimos detalhes de acordo com um modelo rígido — à moda dos Redentores. O mesmo com a comida. O mesmo com as armas — desde as debulhadoras simples, mas de alta qualidade, até os novos modelos de besta projetados para carregamento rápido e combate aproximado em vez de potência. De pé no depósito de comida, onde o primeiro lote de rações fora entregue, Cale viu caixa após caixa ser aberta e revelar biscoitos contaminados por larvas e besouros. Os que não estavam contaminados, estavam estragados por banha podre ou adulterados com sabe Deus o que para ficarem não apenas intragáveis (soldados aguentariam se alimentar do meramente intragável, caso precisassem), mas inúteis para fornecer energia aos homens em combate. Nas quatro horas anteriores, ele passara pela mesma situação com todos os outros suprimentos: as botas já chegavam caindo aos pedaços, as bestas não disparariam uma flecha com força suficiente para ferir uma criança raquítica. As carroças pareciam ter sido construídas de acordo com as especificações, mas uma viagem de trinta minutos com meia dúzia delas provou que não durariam uma semana, se usadas intensamente.

— Quero os responsáveis — disse Cale, frio como jamais ninguém o viu.

Mas isso resultou bem mais complicado do que parecia. A corrupção na área de suprimentos militares estava arraigada não só nos fornecedores, mas nas pessoas que os fornecedores corrompiam para obter os contratos. Estava tão incorporada no ofício dos compradores que os envolvidos não a consideravam uma fraude. Pior ainda era o fato de ser um hábito aceito o controle das compras estar exclusivamente nas mãos de membros da família real. Ninguém deveria pensar que eles faziam alguma coisa, em troca do que ganhavam, além de suportar o esforço de enfiar a mão no bolso, mas a quantia que esperavam para fazer esse nada era tão alta que simplesmente não sobrava dinheiro suficiente para fornecer armas e comida decentes e ter algum lucro.

A guerra parecia quase fácil, comparada com aquilo. Se a ACR não conseguisse se reabastecer logo, e com os equipamentos certos, para a probabilidade de uma travessia dos Redentores no início da primavera, estaria tudo acabado. No entanto, as pessoas responsáveis por esse desastre estavam fora do alcance de Cale.

— Não posso fazer nada — disse Bose Ikard, o qual, justiça seja feita, entendia o problema muito claramente.

— Isso precisa parar. Temos que tirar esse negócio das mãos deles. É loucura. Eles não entendem que os Redentores vão destruí-los também?

— Eles são a realeza. A própria vida deles é uma forma de insanidade. São príncipes da linhagem... um poder real, ungido, criado por Deus corre em suas veias. Eles não são como você e eu.

— E eu pensei que os Redentores fossem doidos.

— Bem-vindo ao resto do mundo — disse Ikard. — Se eu intervier, serei trancado numa cela em menos de uma hora. Que bem isso faria a você? Deve haver outra solução.

— Ou seja?

— Depende de você. Está no comando agora.

— Eu tenho o seu apoio?

— Não. Mas, faça o que fizer, capriche.

Gil já sabia havia algum tempo que Cale conseguira se cobrir sobretudo com a glória roubada da grande vitória dos Redentores em Bex, mas tudo o que ele descobria era vago e generalizado, nada muito melhor do que os mexericos que as pessoas repetiam na rua. Ele também tinha um relato de terceira mão do julgamento de Conn e um de primeira mão de sua execução, junto com o amplamente aceito boato de que Cale rira e fumara enquanto a cabeça de Conn quicava pela Quai des Moulins. Se apenas, ele pensou, o que se falava na Leeds Espanhola sobre os espiões Redentores fosse verdade — as únicas pessoas a seu soldo eram criminosos, os únicos simpatizantes, párias e desajustados. Mas Gil começava a perceber que com Cale o negócio não era mais separar os fatos da ficção — tornara-se importante não ignorar, por mais ridículas que fossem, as histórias dele com mais de dois metros de altura ou cegando um assassino apenas levantando a mão (embora a história de ele ter cortado a cabeça de alguém porque a pessoa pedira um copo d'água lhe parecesse totalmente plausível). Algo em Cale fazia com que as pessoas o vestissem com suas esperanças e medos — o fato de que tinham medo dele e mesmo assim alimentavam expectativas ridículas em sua capacidade de salvá-los era um todo interligado. E não faziam isso só os tolos e desesperados — veja Bosco. Ele era o homem mais inteligente que Gil conhecia; no entanto, nada abalava sua crença em Cale. Mas isso não impedia Gil de tentar.

— Ele está ficando poderoso, Santidade.

— Então — disse Bosco — isso prova que Ikard e Zog são mais inteligentes do que eu imaginava.

— Ele sabe ou consegue adivinhar o que pretendemos fazer. Isso é uma grande ameaça para nós.

— Eu acho que não. Sua ciência do nosso plano de atacar através de Arnhemland poderia ter sido grave, mas na época ele não conseguiu convencer ninguém a lhe dar ouvidos. Agora que estamos à beira do Mississippi no Norte e trancamos a Passagem Brunner para Leeds no Sul, é perfeitamente óbvio o que vamos fazer. O que ele sabe ou consegue adivinhar não importa.

— Só que desta vez não enfrentaremos nenhum prodígio covarde de Zog. Cale sabe o que faz.

— Claro. O que mais você esperaria da Mão Esquerda de Deus? — Ele sorria, mas Gil não sabia ao certo que tipo de sorriso era aquele.

— O que o fato de ele estar diretamente contra nós diz sobre o plano de Vossa Santidade de causar o prometido fim do mundo?

— Pensei que fosse *nosso* plano... e o plano de Deus. — Ainda o mesmo sorriso.

— Mereço coisa melhor, Santidade, do que ser ridicularizado por uma palavra mal colocada.

— É claro, Gil. Aceito a correção. O papa implora o seu perdão. Você sempre foi o melhor dos servos para a mais dura de todas as causas.

O sorriso desaparecera, mas o tom de seu pedido de desculpas era errado mesmo assim.

— O que significa, Santidade, isso de Cale estar contra nós?

— Significa que o Senhor está nos enviando uma mensagem.

— Que é?

— Não sei. É culpa minha não entender o que Ele está me dizendo... mas, afinal, eu sou um dos Seus erros.

— Por que Ele não conta e pronto? — Isso era perigoso, e assim que falou, Gil desejou ter ficado de boca fechada.

— Porque meu Deus é um Deus sutil. Ele nos fez porque não queria ficar sozinho... se Ele precisa ficar nos dizendo o que fazer e intervindo por nós, então não somos mais do que bichos de estimação, como os cãezinhos de colo das putas ricas da Leeds Espanhola. Deus insinua porque nos ama.

— Então por que vai nos destruir?

Por que não, pensou Gil assim que disse isso, emendar uma blasfêmia com outra ainda maior? Mas ele não levara em conta quão inteligente seu estranho comandante era.

— Eu mesmo pensei muito nisso. Por que, Senhor, me pedir para fazer algo tão terrível?

— E?

— Os caminhos de Deus são misteriosos. Acho que talvez Ele seja mais misericordioso e amoroso do que eu pensava. Fui arrogante — ele acrescentou com amargura — por estar tão furioso com o que a humanidade fizera com Seu filho unigênito. Agora acredito que, assim que todas as nossas almas estiverem reunidas, Ele irá nos refazer, mas desta vez à Sua imagem. Acho que é isso. Acho que é por isso que precisamos fazer essa coisa revoltante.

— Mas não tem certeza?

Bosco sorriu, mas esse sorriso foi mais fácil de interpretar — era de simples humildade.

— Peço que lembre minha resposta anterior.

Ficou claro que a audiência estava encerrada, e seria melhor ir embora antes de dizer algo ainda mais idiota. Gil fez uma reverência.

— Santidade.

Ele já estava com a mão na maçaneta quando Bosco falou novamente.

— Vou lhe mandar alguns planos hoje à tarde.

— Sim, Santidade.

— Vai dar um pouco de trabalho, mas tenho certeza de que é necessário... seguro morreu de velho e tudo mais. Quero que você recue os canteiros navais do Mississippi uns 150 quilômetros.

— Posso perguntar por que, Santidade? — Sua voz demonstrava claramente que ele achara a ideia absurda, mas Bosco não pareceu notar. Ou decidira não notar.

— Se eu fosse Cale, tentaria destruí-los. É sábio se acautelar, eu acho.

Lá fora, andando pelo corredor, uma ideia se repetia na mente de Gil: *Preciso pensar num jeito de abandoná-lo.*

27

— O que você *vai* fazer? — perguntou IdrisPukke.

— Você não iria querer saber.

— Não pensou em nada ainda, certo?

— Não, mas vou pensar.

— Tome cuidado.

— Eu queria perguntar — disse Cale — se você concluiu o plano de como passar pelas montanhas?

— Quase.

— Podemos precisar dele antes do que você imagina. — Obviamente, ele estava pensando em outra coisa. — Esse plano inclui os Purgadores?

— Não.

— Deveria.

— Você ficou muito sentimental.

— Sentimento não tem nada a ver com isso, a não ser no sentido que meu ódio por eles atrapalhou meu julgamento anterior. É hora de ficar grato pelo que tenho. Duzentos homens que fazem tudo o que você quer sem perguntar nada valem a pena, não acha?

— Você não vai gostar disto — disse Cale para Henri Embromador.

— Não me diga que não tem sanduíches de pepino. — Henri Embromador estava brincando só em parte. Ele tinha uma predileção incomum por sanduíches de pepino, inventados apenas dez anos antes pelo dândi Materazzi lorde "Pepino" Harris quando essa hortaliça foi importada pela primeira vez para Memphis e ninguém sabia o que fazer com ela. Sempre que não estava por aí cuidando dos negócios da ACR, Henri Embromador tomava seu chá às quatro da tarde (sanduíches de pepino, bolos de creme, brioches) e fingia fazê-lo em arremedo aos seus antigos superiores. Na verdade, ele não via a hora de tomar o chá da tarde, que era o maior prazer de sua vida, depois de suas muito frequentes visitas ao Império Do Sabonete, na Rue De Confort Sensuelle.

— Os príncipes da linhagem... eles vão ficar impunes.

Os três haviam discutido a vingança contra os príncipes (Cale e Henri Embromador sempre incluíam Kleist, embora ele parecesse indiferente a qualquer coisa que não fosse especificamente tarefa sua), bem como os fabricantes que os subornaram, falando do que deveria acontecer e quão extremos e públicos os atos de violência contra eles precisariam ser.

— Por quê? — Henri Embromador não estava mais de bom humor. Sua fúria pelo péssimo material que havia sido entregue era tão intensa quanto a de Cale.

— Porque eles são bons exatamente em ficar impunes fazendo coisas que outras pessoas não conseguiriam fazer impunemente.

— Então não vai cortar as cabeças deles e espetar em lanças? — Essa fora a solução preferida por Henri Embromador.

— Pior do que isso.

— Prossiga.

— Vamos ter que recompensá-los — disse Cale.

— Quer dar uma propina pra eles?

— Sim.

— Por quê?

— Não somos fortes o suficiente pra agir contra eles. Falei com Idris-Pukke e Vipond e eles me abriram os olhos. Não temos tempo de começar uma revolução. Bosco levou vinte anos para derrubar seus inimigos em Chartres, e mesmo assim precisou agir mais rapidamente do que queria. Não podemos matar uma dúzia de membros da família real, não podemos nem nos dar ao luxo de irritá-los demais. Precisamos suborná-los para tirá-los do caminho. Precisamos deixá-los ansiosos e aí oferecer uma saída. Não muito ansiosos, e uma saída generosa. Complicado, mas possível.

— E os donos de fábricas?

— Podemos fazer o que quisermos com eles.

Houve um breve silêncio.

— Caralho! — gritou Henri Embromador, verdadeiramente frustrado e furioso. — Prometa que se ainda estivermos vivos quando isto acabar, vamos voltar e foder esses caras. Diga que vamos fazer isso.

— Ponha o nome deles na lista — disse Cale, rindo. — Junto com todos os outros.

Vamos considerar as ações de Thomas Cale e como elas aconteceram: o salvamento de Riba de uma morte terrível, embora apenas depois que ele fugiu; sua volta um tanto relutante para salvar seus não exatamente amigos; o vandalismo de quebrar a linda Espada de Danzig; a matança de homens que dormiam; o resgate de Arbell Materazzi; a execução impiedosa de Solomon Solomon na Ópera Vermelha; a recuperação do bobo da corte, Simon Materazzi; Arbell salva de novo; a libertação de Conn em Silbury Hill, causa de muito arrependimento; a assinatura do mandato da execução da donzela de Blackbird Leys; o envenenamento das águas nas montanhas Golan; a destruição e invenção dos campos, nos quais 5 mil mulheres e crianças morreram de fome e doenças; o estrangulamento de Kitty das Lebres; a queima da ponte depois de Bex e o perjúrio no julgamento de Conn Materazzi. A essas ele agora acrescentava o rapto e assassinato dos vinte comerciantes que considerava responsáveis pelo lixo entregue aos seus depósitos na semana anterior. Nus como vermes, os homens foram pendurados em frente aos palácios dos príncipes reais da linhagem que aceitaram suas propinas. Seus corpos foram horrivelmente mutilados, narizes e orelhas decepados, lábios e dedos costurados segurando moedas em suas bocas sem língua e mãos fechadas. Seus olhos esquerdos foram arrancados, suas vesículas — consideradas a sede da ganância — removidas. Em volta dos pescoços, folhas de papel, mais tarde distribuídas às centenas pela cidade, revelavam a terrível natureza de seus crimes contra cada homem, mulher e criança cujas vidas eles estavam dispostos a vender para ganhar dinheiro. O panfleto estava assinado: os Cavaleiros da Mão Esquerda.

Para ser estritamente justo com Cale e Henri Embromador, os homens haviam sido assassinados de forma tão rápida e indolor quanto o tempo e as circunstâncias permitiam. A terrível tortura infligida neles como lição para o resto fora executada depois que já estavam mortos. A História não pode julgar: ela é escrita pelos historiadores. Somente o leitor, de posse dos fatos, pode decidir se teria agido de forma diferente naquelas circunstâncias, ou previsto adequadamente as consequências de seus atos.

Nas paredes dos palácios onde os corpos foram pendurados, uma sentença fora escrita em espanhol arcaico, por ser uma afetação da aristocracia usar entre eles um idioma que já não era falado na Espanha havia várias centenas de anos.

Pesado has sido en balanza, y fuiste hallado falto.

Uma tradução ampla disso poderia ser "Foste pesado na balança e descoberto em falta" — uma observação que não faria sentido para o populacho, mas era bastante ameaçadora para os doze príncipes da linhagem envolvidos em aceitar dinheiro dos mortos pendurados de ponta-cabeça diante de suas mansões. Cale deixou que se preocupassem por 24 horas, e então IdrisPukke, em nome da ACR, entregou um grande saco de dinheiro para compensá-los pela perda dos rendimentos dos seus contratos totalmente legítimos com os falecidos donos das fábricas, que agora a ACR se via obrigada, em face da grave emergência nacional, a controlar, no interesse de todos. Os doze príncipes da linhagem consentiram porque não sabiam ao certo o que mais fazer: já haviam sido ameaçados, embora não soubessem exatamente como, e recompensados, embora não soubessem exatamente por quê.

Não apenas houve muito pouco alarde com relação ao rapto, tortura e assassinato dos homens, que não haviam pisado em nenhum tribunal, muito menos seus acusadores; ao contrário, houve um clamor para extirpar qualquer outra pessoa envolvida, e muito apoio, dos cortiços para cima, aos Cavaleiros da Mão Esquerda e seus métodos.

Uma semana depois que a Leeds Espanhola fora abrasada pelos assassinatos, Robert Hooke recebeu uma visita de Cale, que vinha ouvir seu relatório inicial sobre a possibilidade de fabricar armas.

— Não há nada de errado com a *ideia* das armas — disse Hooke, enquanto eles examinavam o ferro de atirar que custara tão caro. — É a prática que é o problema. O salitre perverso comprimido nesta ponta é demais para o ferro. Por isso ele explode. É simples assim, na verdade.

— Então arranje ferro melhor.

— Não existe. Ainda não.

— Quanto tempo?

— Não faço ideia... meses, anos. O tempo é insuficiente, de qualquer forma.

— Então é só isso?

— Hãã... não... talvez não. Eu estava conversando com Henri Embromador. Ele me disse que tornou suas bestas muito mais fáceis de carregar, mas isso significa que elas são muito menos potentes.

— Não precisamos que sejam potentes, elas são para o combate aproximado, a um metro e pouco.

— O senhor nunca me disse isso.

— E daí?

— E daí? Faz toda a diferença. Qual a distância máxima a que vocês combaterão?

— Alguns metros, na maior parte dos casos; nossos homens estarão atrás de paredes de madeira... o mínimo possível de combate corpo a corpo.

— Os Redentores usarão armaduras?

— Sim, mas nada muito pesado. Mas imagino que começarão a se proteger mais.

Hooke baixou o olhar para o ferro de atirar.

— Então não precisa disto. — Ele mostrou um grande projétil de chumbo, do tamanho de um ovo de galinha. — Também não precisa disto. — Ele indicou para Cale uma mesa coberta com um pano, e o puxou como um prestidigitador revelando um bolo mágico numa festa infantil.

— É só uma maquete de madeira, mas o senhor entende o princípio.

Era parecido com o ferro de atirar — um tubo fechado numa ponta e aberto na outra — mas cortado na metade para mostrar o mecanismo interno.

— O segredo — disse Hooke — é não sobrecarregá-lo. É preciso usar a quantidade certa de salitre perverso — o mínimo possível — e algo leve para ser disparado pela outra ponta.

— Quão leve?

Hooke abriu um saquinho de lona e espalhou o conteúdo sobre a mesa. Era só uma coleção de pregos, pequenos estilhaços e pelotas de metal — até algumas pedras. Era difícil ficar impressionado.

— O principal é acertar o tamanho da carga de salitre. Toda vez. Sem querer ofender, mas seus homens exageram. Então pensei: por que não pôr uma carga padronizada num saquinho de lona, fácil de usar, sempre a mesma carga? Então pensei: por que não fazer o mesmo com os projéteis de metal e pedra? *Então* — ele disse, empolgando-se com a própria genialidade — eu pensei: por que não pôr os dois dentro de outro saquinho? Fácil de carregar e rápido pra cacete. Brilhante.

— Vai funcionar?

— Venha ver.

Hooke levou Cale para fora, onde dois de seus assistentes estavam perto de um cano de ferro muito parecido com o ferro de atirar, preso numa morsa de madeira. A uns 10 metros dali havia um cachorro morto amarrado numa tábua. Hooke, Cale e os assistentes se abrigaram atrás de um pavês. Um dos assistentes acendeu um pavio na ponta de uma longa vareta e o estendeu cuidadosamente até o ferro de atirar. Como ele estava tentando se expor o mínimo possível, foram necessárias algumas tentativas para acender o tambor. Olhando através de orifícios no escudo, Cale viu o salitre perverso no tambor se acender num clarão, seguido alguns segundos depois por um BANG! — alto, mas não tão alto quanto ele esperava. Eles aguardaram alguns segundos e então Hooke andou em meio à fumaça densa, seguido por Cale, até o cachorro morto. Ele esperava ver algo terrível, mas de início pensou que o tiro devesse ter errado o alvo. Não errara — ao menos não completamente. Quando Hooke apontou os ferimentos, viam-se claramente meia dúzia de fragmentos de prego e pedra incrustados bem fundo na carne do animal.

— Pode não matar. Mas leve um tiro desses e não fará nada além de gemer de agonia por algum tempo. E o melhor é: se só for usado contra fileiras cerradas e de perto, cada tiro ferirá mais dois ou três de uma vez.

— Quantas vezes por minuto dá pra carregar e atirar?

— Conseguimos três. Mas não estamos em condições de batalha. Eu diria, com pessimismo, duas.

Eles passaram mais uma hora discutindo os homens e materiais de que Hooke precisava e onde os novos ferros de atirar poderiam ser forjados, e quão confiável seria a produção.

— Acho que não haverá problemas. A pressão destes vai ser muito mais baixa, então não deve ser muito difícil conseguir a qualidade de que precisamos. Além disso, imagino que já ficou bastante claro o que vai acontecer se eles entregarem algum artigo de segunda.

Ele olhou para Cale, pensativo.

— Todos sabem que foi o senhor.

Cale devolveu o olhar.

— Todos sabem que fui eu que ri de Conn quando ele morreu. Todos sabem que fui eu que cortei a cabeça de um homem que me mandou trazer água.

Hooke sorriu.

— Todos sabem que foi o senhor.

— Todos — disse Bose Ikard — sabem que foi ele.

— Era uma vez uma velha — disse Fanshawe em resposta — que engoliu um pássaro.

— Não entendi.

— Veja bem, ela engoliu o pássaro para pegar a aranha que engoliu para pegar a mosca que engoliu.

— Você quer dizer alguma coisa, mas estou irritado demais para as suas bravatas.

— Eu só estava sugerindo que mesmo que a cura não seja tão ruim quanto a doença, Thomas Cale pode fazer muito mal ao senhor.

— Mas não a você?

— Pode, sim. Nós temos quatro servos para cada lacônico.

— Nossos camponeses são o sal da terra, não escravos. Não os matamos sem compaixão. Por isso não temos medo de que venham nos cortar a garganta enquanto dormimos. Nós somos uma nação.

— Realmente duvido disso. Mas é claro que vocês estão no meio de um maravilhoso experimento para testar sua confiança. Vai ser tão interessante, se

Cale tiver êxito, verificar se sua plebe voltará alegremente à vida de trepar com ovelhas e mascar capim.

— Aonde quer chegar, se é que quer chegar a algum lugar?

— Quero dizer que é preciso saber a hora de parar de engolir. Quer saber como a canção termina?

— Não particularmente — disse Bose Ikard.

— Mas é encantadora. "Era uma vez uma velha que engoliu um cavalo. Ela está morta, é claro."

28

— Fanshawe ofereceu cem lacônicos para treinar o Novo Exército Modelo.

Os três garotos, Kleist cada vez mais silencioso, estavam com IdrisPukke, comendo ostras com suco de limão acompanhadas por um Sancerre duro e seco para cortar o sal.

— Obviamente, não pode confiar nele — disse IdrisPukke, apreciando tanto o mistério do que Fanshawe estaria tramando quanto as ostras e o vinho. — Mas de que *forma* não pode confiar nele?

— Ele não espera que eu acredite que ele vai fazer isso por ter um coração bom. Ele não acha que sou tão idiota.

— Então quão idiota ele acha que você é?

Ao ouvir isso, Henri Embromador deu uma gargalhada deliciosa. Kleist, nada. Nem parecia estar ouvindo.

— Acho que Fanshawe percebeu que podemos derrotar Bosco, e eles querem estar... do lado que não vai perder.

Nesse momento, Artemisia se juntou a eles.

— Ostras, querida? — perguntou IdrisPukke.

— Não, obrigada — ela disse docemente. — Na minha terra isso é comida de porco.

Ele se divertiu muito com isso, o que a surpreendeu bastante, pois sua intenção era colocá-lo no seu lugar: por alguma razão, ela desconfiava erroneamente de que ele a considerasse inferior. Ele se voltou para Cale.

— Como Fanshawe pretende explicar aos Redentores a presença de tantos lacônicos?

— São só cem. Ele vai dizer que são renegados.

— Tudo bem. Você não acredita nele. Mais uma vez, *como* você não acredita nele?

— Não sei. Ainda. Mas preciso dos instrutores dele, sejam quais forem seus motivos. As baixas serão numerosas. Precisaremos repor 5 mil soldados por mês. E isso é o mínimo. Vai ser por um triz essa porra.

— É uma ideia — disse Kleist — que vale a pena discutir, eu acho. — Quando ele falava, naqueles dias, o que acontecia raramente, era sobre detalhes. Ele parecia encontrar alguma paz nas particularidades do salto de uma bota ou no modo como o couro era costurado para torná-la impermeável. — Estamos presumindo que eles não irão tentar cruzar o Mississippi no inverno.

Artemisia gemeu de irritação.

— Já falei, o Mississippi não congela como outros rios, não completamente. Ele vira uma massa de blocos de gelo se partindo e batendo uns nos outros. Traiçoeiro não é nem de longe o termo adequado. Eles não chegarão em grande número até que a primavera esteja bem adiantada.

— Acredito em você — disse Kleist baixinho. — Mas você disse que eles não podem chegar em grande número.

— E daí?

— Então seria possível atravessar...

— Não com um exército ou qualquer coisa do tipo.

Kleist não reagiu à interrupção irritada, apenas continuou em seu tom monótono.

— Mas seria possível atravessar com uma pequena tropa.

— De que isso adiantaria?

— Não estou falando dos Redentores atravessarem com uma pequena tropa, estou falando de nós atravessarmos para o lado deles.

Houve um breve silêncio.

— Pra fazer o quê? — perguntou Cale.

— Você disse que vai ser por um triz.

— Vai.

— E se você tivesse mais tempo... meses, talvez um ano inteiro?

— Continue.

— Os Redentores estão construindo barcos no inverno para uma invasão na primavera. Sabe onde os estão construindo?

— Não vejo... — disse Artemisia.

— Sabe onde os estão construindo? — Agora era Kleist que a interrompia.

— Sim — ela disse. — A parte da margem norte entre Atenas e Austerlitz está lotada de estaleiros, mas os Redentores recuaram os canteiros, junto com os construtores, até Lucknow, para poderem controlar a construção da frota.

— Quer dizer que todos os barcos deles estão num só lugar?

— A maioria, até onde sei.

— Então, se pudéssemos passar com uma tropa de, digamos, mil homens para o outro lado do rio, no início da primavera, talvez, poderíamos atacar Lucknow e incendiar a frota deles?

— Eu não conseguiria atravessar com mil — disse Artemisia. — Ou nada perto disso.

— Quantos, então? — perguntou Cale, claramente empolgado.

— Não sei. Eu precisaria falar com os barqueiros. Não sei.

— Duzentos?

— Não sei. Talvez.

— Valeria o risco — disse Cale.

— Meu povo é que iria se arriscar — disse Artemisia.

— Desculpe — disse Cale. — É verdade. Mas se pudesse ser feito.

— Eu teria que comandá-los — ela disse.

Cale não ficou feliz com aquilo.

— Preciso de você aqui e viva. Seus batedores são os olhos e ouvidos das carroças-fortes. — Era verdade, mas não era o único, nem mesmo o principal motivo. — Além disso — ele mentiu —, dita a regra que o homem... a pessoa que inventa o plano tem o direito de colocá-lo em prática.

Artemisia olhou para Kleist.

— Você tem grande experiência fluvial e conhece a margem norte do Mississippi em Halicarnassus?

— Não.

— Eu *tenho* grande experiência fluvial e, por acaso, a margem norte do Mississippi em Halicarnassus é *minha*.

Isso fez até Kleist sorrir.

— Eu abro mão — ele disse. Cale olhou para ele de forma pouco agradável.

— Há outro problema — disse IdrisPukke.

— Você é especialista em assuntos fluviais e em Halicarnassus, além de todas as suas outras realizações?

— Não, querida, não sei nada sobre isso. É mais política.

— O que a política tem a ver com isso?

— Tudo acaba desaguando na política, de uma forma ou de outra. Você diria que essa é uma empreitada arriscada?

— Claro.

— Você poderia facilmente fracassar, então?

— Cale tem razão — disse Artemisia. — Se há uma chance, mesmo que limitada, de causar tantos danos, precisamos aproveitar. É a minha vida e a da minha gente.

— Eu não estava, infelizmente, me preocupando tanto com a vida de duzentas pessoas... muitas vezes duzentos vão morrer antes que isto acabe. Me preocupo mais com os desdobramentos para todo o resto se você falhar.

— Admito que não estou entendendo, mas a finalidade é essa mesmo, não? Você quer que eu pareça uma garota burra.

— De modo algum — respondeu IdrisPukke. — Mas pense nisso. Se você atacar no fim da primavera, essa vai ser a primeira ação do Novo Exército Modelo contra os Redentores. Certo?

— Ele tem razão — disse Cale, vendo uma esperança de impedi-la.

— O resto do exército não precisa saber de nada, a não ser que nós vençamos — disse Artemisia.

— Eu estava falando de política — disse IdrisPukke. — Você pode esconder isso do exército e do povo, se tomar cuidado, mas consegue esconder de Bose Ikard e do alto comando?

— Vou convencê-los de que vale a pena correr o risco.

— Mas políticos não gostam de riscos, eles gostam de acordos. Lembre-se, eles têm tanto medo dos Redentores que estão dispostos a pôr um garoto maluco no comando.

— Ele está falando de você — disse Henri Embromador para Cale —, caso não tenha entendido.

— Estão no fio da navalha, todos eles. Aí, a primeira coisa que você lhes oferece é uma derrota vergonhosa; eles vão implorar para que Bosco negocie enquanto as cinzas da fogueira desta jovem ainda estiverem quentes. Vocês podem viver sem essa vitória, mas talvez não consigam conviver com uma derrota.

— Vale a pena correr o risco — disse Artemisia.

— Não sei ao certo se vale — retrucou IdrisPukke.

Cale teve a sua chance e tratou de não desperdiçá-la.

— É uma ideia nova. Precisamos pensar a respeito.

— Pensar a respeito e dizer não, é isso que você quer dizer — retrucou Artemisia.

— Não é verdade. Fale com seus barqueiros. Veja o que eles acham. Trace um plano. Quando estiver pronto, falaremos de novo a respeito.

Depois que Artemisia saiu, Cale se virou para Kleist.

— Você não dá um pio há meses, e de repente não quer mais calar a boca!

— Você deveria ter avisado que ela estava aqui só como enfeite; até agora, só ouvimos você falar do gênio militar que ela é.

Isso era verdade e ele não conseguiu pensar numa última palavra. Disse-a assim mesmo.

— Caralho!

Algumas horas depois, Cale sofreu outro ataque — mais longo e violento na ânsia de vômito do que de costume. O demônio, ou demônios, que habitavam seu peito pareciam viver em seu próprio mundo, acordavam e dormiam em horários próprios, não importava o que Cale estivesse ou não estivesse fazendo. Eles não tinham consciência do dia a dia do garoto que habitavam, eram indiferentes às coisas estarem boas ou ruins, se ele era amado ou odiado, se era compassivo ou impiedoso. As ervas funcionavam até certo ponto, como ele descobriu quando tentou parar de tomá-las e os demônios do peito passaram a se manifestar pela ânsia duas ou três vezes ao dia, em vez de três ou quatro por semana, o que já era ruim. Quanto à Fedra e Morfina, ele não tivera nenhum motivo para tomá-la de novo e não estava procurando um. A horrível depressão depois do uso durara duas semanas e lhe fizera sentir que ele havia tomado um gole de morte engarrafada. Ele tentou oferecer as ervas a Kleist, mas este recusou, irritado, dizendo que não tinha nenhum problema e não precisava do ajudante da Velha A Fiar para ficar bem.

Até nos melhores dias, Cale só conseguia trabalhar em períodos curtos e frenéticos, parando sempre para descansar e dormindo doze horas ou mais ao dia. Por mais que isso fosse uma desvantagem sob alguns aspectos — ele se sentia péssimo quase o tempo todo —, também produziu alguns efeitos úteis. Ele não podia ficar em nenhuma reunião por mais do que alguns minutos, e havia uma abundância delas para drenar a vitalidade de qualquer ação que precisasse ser empreendida. Nunca uma presença amigável para a maioria das pessoas, o comparecimento de Cale a qualquer reunião era tenso a ponto de ele parecer quase à beira da violência furiosa. Como ele não tinha escolha, seu caráter, que já era determinado, desabalava por decisões complexas e perigosas, tomando-as como se estivesse encomendando carne para os guardas da casa de Arbell em Memphis. Estranhamente, em algum lugar de sua mente danificada, às vezes, era onde ele ficava mais alerta e afiado: havia um lugar ali, isolado do mundo exterior, que ele vinha construindo desde o primeiro momento em que chegara ao Santuário. Depois de tantos anos de uso prolongado, esse lugar de recolhimento era mais forte que a pele de uma pata de elefante — e necessário para afastar a loucura que estava destruindo o resto do seu ser.

Faça isto. Dê-lhe aquilo. Tome isto. Ponha ali. Faça de novo. Solte estes. Enforque-os. Nada disso minimizava o quanto ele dependia dos seus amigos. Ele sorria ao dizer:

— Me tragam soluções, não problemas. Resolvam vocês. Cada vez que preciso responder a uma pergunta idiota, pensem que estão batendo mais um prego no meu caixão.

E naquele momento, funcionava. Cada um deles podia se valer do medo, do terror e da esperança que a reputação de Cale inspirava. Até Vipond, homem poderoso como poucos, e que agora conhecia até melhor a natureza do poder, tendo perdido tanto dele, ficava assombrado com o que só podia descrever como a magia que os outros investiam em Cale.

— Eu já falei — disse IdrisPukke, que se deliciava a cada oportunidade de se mostrar superior ao meio-irmão. — O espírito da época o permeia. Ele tem grandes habilidades, mas não é por isso, ou não é principalmente por isso que está em ascensão. Olhe para Alois Huttler. Você poderia encontrar mil tontos como ele despejando opiniões medíocres em qualquer cervejaria do país. Mas Alois tinha em si o espírito da época. Até que não o teve mais.

— Quando as pessoas estão ameaçadas de aniquilação — observou IdrisPukke —, não é difícil entender por que queriam acreditar que a Mão Esquerda de Deus está do seu lado.

Nessa ocasião, ele estava tagarelando sobre Cale em sua presença. Henri Embromador projetou o queixo para o seu amigo.

— Que pena que elas só têm você, então.

— Sua doença — disse IdrisPukke — está se tornando uma espécie de bênção.

— Que bom que você acha isso.

— Não para você pessoalmente, é claro. Mas Bosco não disse que Thomas Cale não é uma pessoa?

— Sim, mas ele também é doido.

— Mas não burro. Estou certo?

— Você pode não estar sempre certo, mas concordo que nunca está errado.

Todos riram com isso. IdrisPukke deu de ombros.

— Talvez, em sua loucura, ele reconhecesse algo que nós só estamos começando a ver. As pessoas acham fácil projetar suas esperanças pavorosas sobre você, a mão esquerda da morte, de fato, mas que está do lado *deles*. Pode ser que quanto menos você seja visto agindo, quanto menos for uma pessoa como eles, mais poderoso você fique. — Ele suspirou com enorme satisfação. — Eu fico impressionado comigo mesmo. — Mais risadas. — Nós podemos usar isso.

Contra o cansaço da doença, havia o prazer de trabalhar nas táticas do Novo Exército Modelo. O treinamento ia melhor do que Cale imaginara. Protegidos pelas carroças, e usando armas baseadas em ferramentas que estavam acostumados a usar no trabalho, horas a fio, todos os dias de suas vidas, a confiança dos soldados camponeses aumentava. A mais eficaz dessas armas caipiras era a debulhadora — um bastão de um metro a um metro e meio de comprimento ligado por uma corrente a outro bastão de uns 50 centímetros. Esses homens estavam acostumados a usá-los dez horas ao dia depois da colheita, e os bastões curtos, girando, geravam uma força tão poderosa que poderiam ferir gravemente até um cavaleiro com armadura completa, quanto mais os combatentes Redentores, menos protegidos. Mas, acima de tudo, eles trabalhavam para descobrir todos os pontos fracos das carroças de guerra. Henri Embromador mandava os arqueiros Purgadores atirarem, em fileiras concentradas, contra os fortes de carroças para descobrir como proteger os ocupantes, e inventou passarelas cobertas com bambus e pequenos abrigos para os quais qualquer um apanhado do lado de fora durante um ataque podia correr para se proteger. Os Redentores não demorariam muito para tentar usar algo como flechas em chamas para incendiar as carroças, por isso ele mandava os soldados suíços — que seriam usados sobretudo para o combate fora do forte, e portanto não estavam sendo muito utilizados durante os ataques — treinar em equipes para apagar as chamas antes que elas se espalhassem, usando principalmente baldes cheios de terra, e água apenas quando fosse indispensável. Eles se opunham a isso com uma veemência intrigante. Eram soldados e cavalheiros — era degradante cavar terra, por isso os camponeses deveriam fazê-lo. Todos os seus ressentimentos pelas mudanças assombrosas que haviam sido obrigados a suportar se manifestaram nessa única questão da extinção das chamas. Do nada, Henri Embromador descobriu que estava com um motim nas mãos. Cale sempre zombava dele, dizendo que ele era tão bom menino. Até certo ponto isso era verdade, mas como todos estavam acostumados com Cale, o contraste produzia um mal-entendido geral a respeito de Henri Embromador e do que ele era capaz. Ele parecia muito normal, de um jeito que Cale claramente não era, mas experimentara a mesma brutalidade e mortalidade corrosivas da vida Redentora. Aquilo fazia parte dele também. Percebendo que estava à beira de um desastre, seu primeiro instinto foi lidar com o problema à maneira dos Redentores: matando alguns dos revoltosos mais barulhentos e deixando--os apodrecer onde todos pudessem ver o quanto eles estavam errados. Se ele estaria disposto a fazer isso e conseguiria dormir bem depois, por sorte, foi algo não verificado. Um pouco de boa índole, mas também um pouco de cálculo o motivaram a buscar outra solução primeiro.

Henri Embromador, Cale e Kleist tiveram longas conversas sobre quão realístico o treinamento de combate deveria ser. Os Redentores levavam o lema "Treine duro, lute fácil" a extremos. As batalhas Redentoras de mentira nem sempre eram facilmente diferenciadas das verdadeiras, a não ser pelo fato de que nas primeiras eles não matavam os sobreviventes. Os três temiam que o resultado de tornar violentas demais as batalhas de treinamento fosse criar mais problemas do que resolvê-los, e pelo mesmo motivo da execução sumária: as almas dos suíços, camponeses ou nobres, não estavam acostumadas, por longo convívio, à brutalidade. Mas os soldados suíços precisavam aprender respeito de um jeito ou de outro.

— Tudo bem — disse Henri Embromador para seus soldados nobres. — Vocês acham que são tão melhores do que eles. Provem.

Em seguida, ele foi até os camponeses do Novo Exército Modelo e lhes contou que havia quem duvidasse, na Leeds Espanhola, de que eles estivessem à altura de uma batalha de verdade — eram, afinal de contas, camponeses, e certamente fugiriam quando a coisa ficasse feia. Ele evitava dizer que essa era a opinião dos soldados suíços porque logo os dois grupos teriam que lutar lado a lado. Foi o suficiente: eles ficaram exaltados. Mas havia mais em jogo do que simplesmente repetir a batalha e a lição do Campo de Prata: os dois lados precisavam perder, desta vez.

Três dias depois, com Cale — um espectador fascinado — eles assistiram ao ataque sem luvas de pelica dos combatentes e cavaleiros suíços contra os caipirões. Foi um horror, mas os suíços, mesmo com toda a sua habilidade e determinação, estavam em grande desvantagem, porque levavam dez vezes mais golpes do que conseguiam acertar. Depois de uma hora sanguinolenta, eles recuaram e Henri Embromador mostrou seu último e mui convincente argumento. Ele chamou quatrocentos arqueiros com flechas de fogo e fez cada um lançar três ou quatro por minuto durante dez minutos. No final, os camponeses foram obrigados a fugir, enquanto as trinta carroças ardiam como o sétimo círculo do inferno.

Foi uma demonstração brutal e cara, mas bem-feita — os dois lados entenderam que viveriam ou morreriam juntos.

— Procurei IdrisPukke pra falar disso duas vezes, mas ele continua me enrolando — disse Fanshawe. — Quero que eles sejam reunidos e enviados de volta.

— Por quê? — perguntou um exausto Cale, sem muita disposição para nada além de dormir.

— Como se você se importasse com motivos.

— Agora me importo... então qual é o motivo?

— Aqueles 250 hilotas pertencem ao Estado.

— Esse seria o Estado que assinou um tratado com os Redentores.

— Estamos ajudando no treinamento, não estamos?

— Acho melhor não começarmos a falar das suas boas intenções. Mas podemos, se você quiser.

— Os hilotas ameaçam nossa existência tanto quanto os Redentores ameaçam a de vocês. Há quatro deles para cada um de nós na Lacônia. Eles estão aqui para aprender com você como destruir o Estado que os possui. Se você não quiser ser visto trabalhando contra nós, me deixe cuidar deles.

— Vamos deixar clara uma coisa. Quem *cuida* de tudo aqui sou eu. Se você chegar perto deles, mando pendurá-lo no mastro mais próximo de cabeça pra baixo, e seu nariz estará no meu bolso.

Houve um silêncio — não muito agradável.

— Então nós vamos embora.

Outro silêncio.

— Não vou mandar 250 homens de volta para serem executados — disse Cale.

— Por que se importa?

— Deixe pra lá o que me importa. Não vou fazer isso. — Fanshawe, no entanto, sentia que uma concessão estava a caminho. — Vou mandá-los embora.

— Ou seja?

— Vou pedir que um pessoal desagradável que conheço os acompanhe até o outro lado das montanhas e mande que caiam fora.

— E se eles se recusarem?

— Não seja ridículo.

— Posso confiar em você quanto a isso?

— Pra mim sua confiança ou a falta dela não valem um saco de tripas podres de texugo. Quero que vocês fiquem e prometo que vou me livrar deles. É pegar ou largar. E é só.

Fazia sentido para Fanshawe pensar que seus instrutores eram muito mais valiosos do que umas centenas de camponeses sem treinamento, por isso ele decidiu ceder — mas da forma menos grata possível, para deixar Cale com a impressão de que ele estava profundamente infeliz com o acordo. Na verdade, não estava tanto assim.

No dia seguinte, Cale acordou depois de 16 horas de sono, ainda cansado, e soube que IdrisPukke havia chegado para uma breve reunião.

— Você deveria ter me contado que Fanshawe esperneava por causa dos hilotas — disse Cale.

— Na minha opinião, não deveria — disse IdrisPukke. — Você deixou claro que nós, pelo que quero dizer *eu*, devemos trazer soluções, e não problemas. Você deveria ter recusado a visita dele. De fato, deveria recusar qualquer visita... cultive o seu mistério. Quanto mais você fala com as pessoas, mais humano parece, portanto mais compreensível e por isso mais fraco. Você não é a encarnação da Ira de Deus, é um garoto doente.

— Não precisa me elogiar tanto.

— Já que insiste: você é um garoto muito *notável* e muito doente.

— Eu acho que deveríamos ajudar os hilotas.

— Por quê?

— Se derrotarmos os Redentores, isso vai ter um preço. Ficaremos mais fracos. É muito provável que os lacônicos queiram se aproveitar disso. Portanto, se tiverem que enfrentar os escravos, escravos recém-treinados, a probabilidade de que os lacônicos nos incomodem será menor.

— E é só?

— Como assim?

— Você não cedeu a um daqueles impulsos generosos que o afetam de vez em quando?

— Por exemplo?

— Você simpatiza com eles, se identifica porque são um povo lutando para se livrar de um opressor detestável.

— Isso seria tão ruim?

— Com essa, são três perguntas em resposta às minhas três perguntas: grosseiro, mas revelador.

— Detesto ser grosseiro.

— Você está andando no fio de uma navalha, garoto, todos estamos... não pode se dar ao luxo de assumir uma causa que não tem poder para apoiar.

— Não vou fazer isso. Mas não vejo por que não podemos mandar os hilotas para o Leste, para treinarem com os Purgadores ali.

— Concordo.

Uma pausa.

— Então vai mandá-los?

— Já mandei.

— Grandes mentes pensam parecido.

— Se você gosta de acreditar nisso.

Cale tocou um sininho de prata para indicar que queria seu chá. Ele se sentia absurdamente presunçoso fazendo algo tão elaborado, mas economizava o esforço de ir até a porta e dar um berro. O chá chegou imediatamente, pois o mordomo estava apenas esperando o toque do sino. IdrisPukke olhou com apetite para o sortimento de sanduíches na sua frente, sem casca e cortados em delicados triângulos: queijo, ovo e carne de cavalo com pepino. Havia doces da Patisserie Valerie, na Mott Street: mil-folhas de creme selva com morangos silvestres e frangipana de amêndoas, com seu intoxicante aroma doce de cianureto.

— Procurando jeitos de gastar o seu dinheiro? — perguntou IdrisPukke.

Cale sorriu.

— Come e bebe; amanhã morrerás — ele disse —, uma frase que ouvia três vezes ao dia antes das refeições no Santuário.

— Isso não se discute — disse IdrisPukke, dando uma grande mordida numa torta de vitela com um ovo cozido no meio. — Koolhaus veio me ver, procurando emprego.

— Ele já tem um emprego — disse Cale.

— Ele é um jovem capaz, muito capaz. Sabemos disso e ele sabe também. É um desperdício. Ele poderia se tornar útil.

— Não vou deixar Simon surdo e mudo de novo. Ofereça-lhe mais dinheiro.

— Ele é ambicioso. Podemos perdê-lo, e seria melhor manter entre nós alguém que conhece tantos dos nossos segredos. Ele também poderia ser um grande incômodo.

Cale mordiscava distraidamente um *cupcake* de creme vermelho aveludado.

— Tudo bem. Faça-o trabalhar com Kleist ou Henri Embromador por um mês. Vamos ver como ele se sai. Se for bom mesmo, mande-o ficar de olho nas coisas no Treze Oeste. Mas ele precisa levar Simon junto.

— Arbell vai tentar impedi-lo.

— Se Simon der ouvidos a ela, ficará de fora. Mande Koolhaus sozinho.

Eles mantiveram um silêncio agradável por alguns minutos, apreciando o chá.

— Você deveria ir ver Riba — disse IdrisPukke finalmente.

— Por quê?

— Precisamos fazer mais uso dela.

— Já tentei isso. Ela aprendeu gratidão com sua ex-patroa.

Para sua grande irritação, IdrisPukke riu.

— Você tem uma expectativa muito elevada da capacidade alheia de sentir gratidão.

— Não, já não tenho mais.

— Discordo; você pediu que ela traísse o marido, marido dela há pouco tempo, aliás. Não lhe deu nem tempo de se desiludir com ele.

— Bem, fico feliz que você ache engraçado. Eu evitei que aquela vaca ingrata fosse estripada ainda viva por aquele louco filho da puta do Picarbo.

IdrisPukke continuou comendo um bolo durante essa diatribe e, quando terminou, pôs o prato na bandeja e disse:

— Sabe, eu tinha esquecido como você pode ser um pé no saco. — Cale ficou surpreso, mas não pela recusa em reconhecer que seu ressentimento era totalmente justificado. — Você se acha tão superior a todos... não negue.

— Eu não ia negar.

— Então por que fica tão espantado quando os outros não satisfazem suas expectativas? Não dá pra ter as duas coisas, filho. Você precisa se decidir. Ou então, futuramente, limite-se a realizar seus atos magnânimos de sacrifício somente para pessoas heroicas e excepcionalmente virtuosas.

IdrisPukke encheu uma xícara de chá para Cale e tocou a sineta. Ela fora um presente zombeteiro de Cadbury para Henri Embromador, comprado quando ele descobrira que Henri pedia chá toda tarde.

— O senhor tocou — disse o mordomo.

— Mais chá, Lascelles — disse IdrisPukke.

— Muito bem, senhor — disse Lascelles e saiu.

— Você diz não esperar nada dos outros, no entanto claramente espera que alguns abram mão de tudo. Por quê?

— Só as pessoas que arrisquei a vida para salvar.

— Há uma diferença entre o que as pessoas deveriam fazer e o que elas são capazes de fazer. Você nunca teve uma esposa ou um pai que dividisse a sua lealdade. Tenho certeza de que foi muito difícil, para ela, recusar um pedido seu, e é por isso que você deveria demonstrar um pouco de hombridade e fazer uso do remorso dela. Riba vai querer ajudar para provar que não é tão ingrata.

— Elas deveriam ter confiado em mim.

— Sem dúvida. Mas estavam com medo.

— Eu sei o que significa estar com medo.

— Sabe mesmo? Olhe, não tenho certeza de que isso seja verdade... ou totalmente verdade.

Lascelles voltou com o chá, e depois disso IdrisPukke mudou de assunto.

29

— Você ainda está bravo comigo — disse Riba, mais uma afirmação do que uma pergunta.

— Não. Tive muito tempo pra esfriar a cabeça. Me dei conta de que pedi demais de você.

Ela não acreditou em sua alegação de perdão, mas era igualmente necessário, para ela, agir como se acreditasse. O remorso e a política assim exigiam — seu marido queria estabelecer boas relações com o agora poderoso Cale.

— Como você está?

— Como você está vendo — disse Cale sorrindo.

Mais tarde, ela diria ao marido: "Ele estava tão pálido que parecia amarelo-esverdeado."

— E você?

— Muito bem. — Houve uma pausa, e ela lutou para decidir se lhe contaria. Mas ela queria contar... desesperadamente.

— Eu vou ter um bebê.

— Oh.

— Você deve dizer: "Que maravilha, querida, fico tão feliz por você."

— Eu estou... estou feliz por você. — Ele riu. — O negócio é que não consigo acreditar, na verdade, que uma pessoinha possa crescer dentro de outra pessoa. Não parece possível que isso realmente aconteça.

— É verdade — disse Riba, rindo também. — Quando uma das criadas me mostrou sua barriga de sete meses, gritei quando vi o bebê virando e a barriga se mexendo; era como ver um gato dentro de um saco. — Os dois sorriram um para o outro — afeto, cálculo e ressentimento dispostos em camadas. — Agora deve me perguntar pra quando é.

— Não sei o que isso significa.

— Quando eu vou ter o bebê.

— Quando vai ter o bebê?

— Daqui a seis meses. — Mais uma pausa. — Agora pergunte se quero um menino ou uma menina.

— Eu não estou nem aí.

Ela riu de novo — mas nada, é claro, poderia ser como antes.

— Quero a ajuda do seu marido.

— Então vou providenciar que ele vá ver você.

— Não estou dizendo isso como um insulto, mas quero ajuda de verdade, não o que a Hansa ofereceu até agora.

— Ou seja?

— Diga você. Algo melhor do que aquilo... me mostrem.

— Sou só a esposa dele. Não posso falar por ele, muito menos pela Hansa.

— Não, mas pode falar *com* ele. Pode convencê-lo a não ficar malhando o ferro frio comigo. Não temos tempo. Estou falando sério. Se ele ficar de fora e eu vencer, não vou esquecer. Quero dizer que vou fechar a Hansa pra nunca mais reabrir.

— E se você não vencer?

— Nesse caso, ele não terá com que se preocupar, certo?

Ela não sabia o que dizer.

— A questão não é só no que *ele* acredita ou o que ele quer. A Liga Hanseática não tem muita experiência com os Redentores. Eles acham que a reputação dos Redentores é só para assustar. É nisso que querem acreditar. Não diga que eu contei, mas eles não enviarão tropas, de jeito nenhum. Não há nada que ele possa fazer a respeito disso, e se você solicitá-los, a Hansa fará você aguardar a resposta por meses.

— O que eu posso pedir?

— Dinheiro, talvez.

— Não preciso de dinheiro, preciso de administradores, pessoas que saibam fazer pedidos e abastecer, estocar, entregar, todas essas coisas que a Hansa sabe fazer. Não preciso de dinheiro, quinhentas pessoas boas bastarão. — Foi um número pensado na hora. — Já que é tão pouca gente, não precisa ser nada oficial. A Hansa não precisa ser vista fazendo isso. Mas quero essas pessoas, e quero agora. — Ele olhou para ela e sorriu. — Menti sobre o dinheiro. Quero dinheiro também.

Quando Riba entrou em sua carruagem para partir, foi observada do segundo andar por Henri Embromador. Ele estava lembrando o dia em que se escondeu atrás de um morrinho no mato e a viu tomando banho nua num laguinho, toda curvas lindamente balofas, mas musculosamente volumosas, macias e molhadas, e lembrava também o formigamento no peito quando ela distraidamente abriu as dobras no meio de suas pernas. Mas isso acontecera em outro mundo.

Dois minutos depois, Henri Embromador se juntou a Cale para tomar o que restara do chá da tarde.

— Como foi? — ele perguntou.

— Ninguém ama a gente — disse Cale.

— Nós nem ligamos — respondeu Henri Embromador.

Naquela noite, Cale teve Artemisia em seus braços pela última vez. Se a nudez e o abraço dos dois sugeria calor, havia uma grande e fria distância entre eles, por mais que as peles se tocassem. Cale, sem experiência nos motivos pelos quais ela não fechava mais os olhos quando ele beijava seu rosto, não sabia como se sentia ou o que fazer a respeito: ele jamais gostara de alguém e parara de gostar antes. Como algo tão próximo como estar dentro de alguém — que estranho era isso, que estranho — podia se transformar numa distância tão grande, tão de repente?

— Quero atravessar o rio — ela disse.

— É complicado.

— Isso é o que as pessoas dizem quando estão para negar algo... a uma criança, quero dizer.

Ele se afastou dela e se sentou na cama, procurando seus charutos. Só restava metade de um. Ele o acendeu.

— Precisa fumar agora?

— Preocupada com minha saúde?

— Eu não gosto.

Ele não respondeu, mas continuou fumando.

— Eu quero ir. — Ele continuou sem dizer nada. — Eu vou. — Ele se virou para olhá-la. — Eu vou, não importa o que você diga.

— Talvez você tenha notado — ele disse finalmente, soprando um longo penacho de fumaça no quarto — que sou eu quem diz às pessoas o que elas vão fazer.

— Ah, então é isso que vai fazer, Vossa Enormidade, mandar me prender? Vai me enforcar na porta do Prada pra servir de exemplo?

— Você está delirando. Precisa tomar alguma coisa.

— Eu vou.

Ele olhou para ela.

— Então vá.

Isso tirou um pouco do ímpeto dela.

— É alguma das suas pequenas trapaças? — ela disse finalmente.

— Não.

Ela se levantou, totalmente nua, quase uma miniatura de mulher, comparada com Riba.

— Entendo. Consigo enxergar através de você até o outro lado. É um bom jeito de se livrar de mim.

Certamente dava-se o caso que, imediatamente antes de ele dizer que ela podia ir, a ideia de que essa decisão resolveria dois problemas estava em sua mente.

— Então sou um vilão se deixo você ir e sou um vilão se impeço você de ir.

— Você está disposto a me deixar arriscar a minha vida e as vidas de centenas de pessoas porque não tem coragem de terminar comigo. Me deixe poupar o seu trabalho: não quero mais nada com você. Você é um mentiroso e um assassino.

Os insultos livraram a cara dele. Ela tomara a decisão por ele, e uma sensação maravilhosa de alívio o inundou.

— E então? — ele disse, enquanto ela se vestia.

— Eu vou.

— Quer dizer que está indo embora ou que vai cruzar o Mississippi?

— As duas coisas. — Ela se levantou, calçou os sapatos, saiu pela porta e tomou cuidado para não batê-la.

— O que você quer que eu faça? — Cale perguntou a IdrisPukke, depois de contar que dera permissão a Artemisia para cruzar o Mississippi. — Devo mandar matá-la?

— Você teve uma péssima educação. Por que sua mente sempre se volta tão rapidamente para o assassinato?

Cale riu.

— Tive, sim. Mas agora tenho você pra me dizer o que é certo e o que é errado.

— Você me entende mal, se acha mesmo isso. É verdade que às vezes, não muito frequentemente, as regras morais colidem e você ofende alguém, independente da decisão que toma. Mas o mundo não é um lugar perverso porque as pessoas não conhecem a diferença entre certo e errado. Nove em cada dez vezes, o caminho certo está bastante claro, a não ser por uma coisa.

— Que seria?

— Que não é do interesse ou desejo das pessoas fazer o que é certo. Claro, elas têm maneiras impressionantes de lidar com a ansiedade resultante, enterrando-a no fundo de suas mentes, ou melhor ainda, dizendo a si mesmas que o mau caminho que estão para escolher na verdade é o melhor caminho. Nunca houve um moralista que pudesse dizer qualquer coisa mais clara do que a Regra de Ouro.

— Existe uma Regra de Ouro? — zombou Cale.

— Existe, sim, garoto sarcástico: trate os outros como você gostaria de ser tratado. Tudo mais na moralidade são só firulas ou mentiras.

Cale não disse nada por algum tempo.

— Como — ele disse finalmente — devo aplicar isso ao ato de mandar dezenas de milhares de pessoas morrerem ou matarem outras dezenas de milhares de pessoas? Para sobreviver, precisei mentir, trapacear, matar e destruir. Agora preciso fazer a mesma coisa para que milhões de outras pessoas possam sobreviver comigo. Como sua Regra de Ouro me ajuda nisso? Me diga, porque eu gostaria de saber.

— Mas eu admito que há outros momentos em que a moralidade é muito complicada. Por isso temos tantos moralistas para nos dizer o que fazer.

— De qualquer forma — disse Cale —, eu tenho minha própria Regra de Ouro.

— Que seria? — perguntou IdrisPukke, sorrindo e também curioso.

— Trate os outros como você espera ser tratado por eles. Funciona sempre pra mim. — Ele se serviu de mais uma xícara de chá. — Então, por que você se opõe ao ataque pelo Mississippi?

— Não diria que me oponho. Para ser sincero, não tenho certeza. O negócio é que se ela fracassar...

— E ela pode não fracassar.

— Pode. Mas se isso acontecer, seu fracasso enfraquecerá você exatamente quando a última coisa de que você precisa é um fracasso.

— Mas e se ela conseguir?

— Isso pode não ser uma notícia tão boa quanto parece inicialmente.

— Um golpe terrível nos Redentores e mais um ano para nos prepararmos é uma boa notícia?

— Ninguém gosta de você. Concorda?

— Vão gostar de mim se eu for um sucesso.

— Vão? Colocaram você numa posição tão poderosa porque estão com medo...

— Apavorados.

— Sim. Apavorados é melhor. Enquanto estiverem mortos de medo, vão aturar você. Mas agora Artemisia está com eles, não está mais do seu lado.

— Será? Eles não pensaram assim quando ela foi a única a deter os Redentores, seis meses atrás.

— Isso foi quando a alternativa eram eles mesmos... agora a alternativa é você. — Ele riu.

— Você acha que vão colocá-la no comando?

— Não. Mas vão começar a achar que superestimaram você. Eles adorariam isso. Não esqueça, já estão pensando no que fazer com você, não só se você fracassar, mas também se tiver êxito. Quando um homem ameaça o Estado, mate o homem.

— Isso também funciona ao contrário: quando o Estado ameaça o homem, mate o Estado.

— Exatamente... é exatamente isso que eles temem.... que você mate o Estado, caso fique poderoso demais. Assim, um grande sucesso de Artemisia, que lhes dá mais um ano para a preparação... eles terão tempo para ficarem muito menos apavorados com os Redentores, que agora podem ser derrotados por alguém que não é Thomas Cale, podem ser derrotados por uma simples mulher, de fato. Para você, a vitória dela seria tão boa quanto um buraco na cabeça.

Cale suspirou.

— Tem certeza de que não está tornando isso mais complicado do que é?

IdrisPukke riu.

— Não, não tenho certeza nenhuma. Quando eu soube que Richelieu morreu — aquela era uma mente sutil — não pensei: *Oh, Richelieu morreu.* O que pensei foi: *O que será que ele pretendia com isso?* Ser político é ver uma desvantagem no fato de o sol nascer de manhã. Você se importa se eu comer o último bolo Eccles?

Cale pretendia comê-lo. IdrisPukke já havia comido um.

— Não — ele disse. IdrisPukke, como todos os grandes diplomatas, entendeu que isso significava *Não, pode comer o último bolo,* e não algo diferente. Ele deu uma grande mordida. Os dois ficaram em silêncio por um momento.

— Kant — disse IdrisPukke.

— Quê?

— Imamuel Kant. Filósofo. Já morreu. Ele dizia que se você quiser saber se suas ações são morais, deve universalizá-las.

— Não sei o que isso significa.

— Se quiser saber se uma ação que você está para empreender é errada, deve se perguntar: e se todos se comportassem assim?

Isso pareceu intrigar Cale. IdrisPukke podia vê-lo pensando no seu passado: nos homens que matou enquanto dormiam, nos poços envenenados, nas execuções de prisioneiros, na assinatura da sentença de morte da donzela de Blackbird Leys, matar Kitty das Lebres, a morte dos donos de fábricas pendurados diante das casas dos aristocratas. Levou algum tempo.

— E então? — IdrisPukke finalmente perguntou.

— A donzela de Blackbird Leys era uma boa pessoa... corajosa, mas tonta como Imamuel Kant. E se você fizer a mesma pergunta sobre as suas boas ações? E se todos se comportassem assim? E se todos enfrentassem os Redentores como ela, colando cartazes e discursando? Acabariam exatamente como ela: num monte de cinzas. Se você combater a crueldade com gentileza, o que desaparece é a gentileza, não a crueldade. Lamento muito pelos campos e pelo que aconteceu com as mulheres e as crianças da Tribo. Tenho pesadelos. Mas eu não fiz aquilo por querer.

— Tradicionalmente, o inferno está cheio de boas intenções.

— Bem, não era exatamente uma boa intenção. Se eu precisasse fazer de novo, faria diferente, mas não tenho essa oportunidade. Em vez disso, tenho pesadelos. Mas não toda noite. Quando você faz algo terrível, ou se joga do alto de um penhasco ou segue em frente.

Eles ficaram em silêncio por um tempo.

— A não ser no caso daquele monte de merda do Solomon Solomon, nunca agi por malícia. Bem, tirando ele e algumas outras pessoas.

— Você riu quando mataram Conn Materazzi; e cortou a cabeça de um homem porque ele mandou você trazer um copo d'água.

Cale sorriu, sem precisar salientar que nenhuma das duas coisas era verdade.

— É justo lhe avisar — acrescentou IdrisPukke depois de um curto silêncio — que Imamuel Kant também dizia que é errado contar mentiras. Ele dizia que se você decidisse esconder um amigo que apareceu na sua casa dizendo que um assassino estava atrás dele, e depois o assassino batesse na porta e perguntasse se o seu amigo estava lá, pois precisava matá-lo... bem, que seria errado contar uma mentira. Você teria que fazer a coisa certa e entregar seu amigo.

— Você está brincando.

— Não estou, juro. Ele disse isso mesmo.

— Me diga, IdrisPukke, se você se visse diante da sua morte e da morte de sua família pela mão dos Redentores, ou de alguém como eles, quem você iria querer que ficasse entre vocês e eles: eu ou Imamuel Kant?

A maioria de nós experimenta dias assim: do momento em que a primeira nesga de sol nasce até que ele se põe, envolto em rosa, tudo vai maravilhosamente bem, exceto as coisas que vão ainda melhor — o dinheiro chega inesperadamente em grandes quantidades, lindas mulheres afagam seu braço como se não achassem nada mais maravilhoso do que o toque da sua pele, um comentário casual demonstra que todos os que não amam você mesmo assim o têm em alta conta. Quem é tão desventurado que já não teve dias assim? Cale era tão bem-aventurado que teve dias assim por três meses, praticamente, a fio — e isso para alguém que diziam ter bandos de aves de mau agouro sempre pairando sobre sua cabeça. Não só funerais, mas o desastre parecia normalmente segui-lo por toda parte. Mas não durante os gloriosos noventa dias nos quais tudo o que ele tentava quase sempre funcionava. Os administradores da Hansa chegaram em três semanas, junto com os gênios do bloco de pedidos, das entregas por frete, dos esquemas de incentivo ao trabalho de qualidade (reforçados por ameaças de violência de Thomas Cale). Eles centralizaram o planejamento de transporte para que o toucinho chegasse sem larvas, os biscoitos livres de besouros, e criaram trâmites burocráticos para garantir que quando carroças, armas ou cobertores precisassem ser substituídos, sempre houvesse algo disponível nos armazéns para abastecer essas necessidades. O treinamento dos camponeses nos seus fortes de madeira superava as esperanças de todos, à medida que eles absorviam com sofreguidão a sua dura preparação pela mão dos lacônicos e Purgadores. Nada de reclamações amotinadas, somente firmeza e vontade de trabalhar. Henri Embromador e o arrasado Kleist cuidavam de cada ponto fraco que os Redentores poderiam encontrar no projeto e nas táticas de Cale e pareciam especialmente inspirados ao criar soluções para as limitações que encontravam. O clima de ruptura com o passado, de revolução e metamorfose, parecia estar no próprio ar. Ainda sem saber que Cale mentira sobre a ajuda aos hilotas, Fanshawe, um renegado pelo sistema do tipo que toda sociedade rígida de bom senso tenta enquadrar, descobriu que gostava muito de destruir rebeliões entrincheiradas, contanto que não fossem as suas.

Toda decisão parecia trazer resultados melhores do que o esperado: o talento do mal-humorado Koolhaus era proporcional à sua enorme ambição; ele parecia ter a campanha toda, até a última porção de queijo, esquematizada no cérebro. Dentro de um mês, ele estava de volta com Cale e IdrisPukke. Ou Koolhaus sabia de tudo, ou sabia como descobrir. Mal parecia humano, como se possuísse um dispositivo mágico, capaz de pesquisar uma memória imensa e fornecer uma resposta instantânea. Koolhaus era irritante, condenável e tinha tanta imaginação quanto um tijolo, mas como burocrata era uma espécie de gênio. Quanto a Simon Materazzi, ele descobriu que a guerra era uma mãe generosa para aqueles que eram desprezados em tempos mais pacíficos. Ansioso para se livrar do seu aristocrático fardo, Koolhaus passara muitas horas desmamando Simon da linguagem de sinais e criando um sistema para que ele aprendesse leitura labial. Novamente motivado pelo interesse próprio, Koolhaus dedicou seu cérebro formidável à invenção de uma habilidade inédita.

Tão ansioso para se ver livre de Koolhaus quanto Koolhaus queria se ver livre dele, Simon trabalhava por horas ao dia aperfeiçoando essa habilidade. Os dois já estavam planejando o seu divórcio quando a proposta de Cale chegara e revelara que aquelas eram suas últimas semanas juntos. Mas enquanto Koolhaus finalmente podia esfregar na cara dos outros a sua superioridade em quase tudo (exceto lidar com pessoas ou fazer qualquer coisa original), Simon descobriu o imenso prazer e a utilidade ainda maior de ser ignorado enquanto ouvia tudo o que as pessoas diziam. Os lacônicos tinham o costume de jogar os bebês que nasciam aleijados ou cegos numa vala perto da capital, por isso alguém como Simon era uma novidade, e eles o tratavam como se fosse um macaco divertido. Simon se vingava fazendo uso da completa descontração com a qual eles conversavam na sua frente para manter Cale informado com detalhes surpreendentes sobre tudo o que eles estivessem tramando. O interessante era que mesmo se Simon tivesse nascido entre os lacônicos, teria sobrevivido. Havia uma exceção em sua regra, tão férrea para todos os outros casos: um filho da família real lacônica, por pouco saudável que fosse, jamais enfrentaria a longa queda até os rochedos daquele lugar terrível. Assim era e assim sempre seria. Os lacônicos se divertiam vendo Simon e Koolhaus tagarelando silenciosamente, de mãos dadas, na forma lindamente fluente que eles tinham de conversar. Eles chamavam Simon com gestos à noite e escreviam palavras, pedindo que este lhes ensinasse os sinais correspondentes. Gostavam de tratá-lo com condescendente espalhafato e não faziam ideia de que quase tudo o que falassem com os lábios à mostra podia ser lido por ele — inclusive as bem-humoradas ofensas a ele dirigidas. Quando Koolhaus foi chamado de volta à Leeds Espanhola, Simon fez um acordo com ele para ocupar seu cargo, enquanto um antigo colega de escola de Koolhaus ficaria e se fingiria de intérprete, para que os lacônicos não suspeitassem de nada.

— Tem certeza que ele consegue fazer o trabalho? — disse Cale, quando Koolhaus voltou.

— Pensei que você fosse amigo dele? — respondeu Koolhaus.

— Ele consegue fazer o trabalho?

— Sim, ele consegue fazer o trabalho.

Koolhaus decidiu que a nova habilidade de leitura labial — conquistada com tanto esforço seu quanto de Simon — teria mais serventia se mantida em segredo. As coisas úteis que ele poderia descobrir, e de fato já estava descobrindo, aumentariam a reputação de Koolhaus como um homem com todo tipo de coisa na ponta dos dedos. Os preparativos para a travessia do Mississippi também estavam indo bem, e esperavam apenas pelo clima e pela autorização final de Cale.

Havia alguns espinhos nas roseiras de Cale, mas aquele que mais diretamente o afetava era a introdução do racionamento, uma manobra exigida pelos burocratas da Hansa para evitar o pânico das compras, a acumulação e a escassez dos bens vitais para o Novo Exército Modelo. Os argumentos deles haviam sido analisados, a mando de Cale, por Koolhaus, e este concluíra que o pedido era irrefutável — o racionamento era tão vital para a derrota dos Redentores quanto o fornecimento de armas.

— Será, é claro — disse Koolhaus, fazendo seu relatório à ACR —, necessário para o bem do moral público que essas restrições se apliquem a todos. Não pode haver exceções — ele declarou piamente —, a não ser, naturalmente, no caso da família real.

Por coincidência, Koolhaus fizera essa declaração enquanto Henri Embromador estava presente, tendo ele voltado brevemente à Leeds Espanhola para discutir com Cale os preparativos no Oeste. Nem bem as palavras "família real" saíram de seus lábios, Koolhaus, ainda inexperiente, mas rápido no aprendizado, se deu conta de que cometera um erro grave. Talvez pior do que grave.

— A temperatura caiu tão rapidamente — contou mais tarde IdrisPukke, deliciado, ao seu irmão — que pensei que o Polo Norte havia aparecido para tomar um chá. Meu Deus, aquele Koolhaus é um babaquinha corajoso.

Cale encarou Koolhaus, enquanto Henri Embromador puxou uma adaga que mandara fazer especialmente para seu uso pessoal, baseada na Espada de Danzig e entalhada, por motivos que ele se recusava a explicar, com a palavra "se" de cada lado do cabo. Ele ergueu a adaga como se fosse cortar a cabeça de Koolhaus, mas apenas a fincou no meio da mesa de nogueira lindamente entalhada à qual estavam sentados. O ódio de Henri Embromador pelos aristocratas da Leeds Espanhola havia supurado de um desdém generalizado, resultante do ressentimento natural do zé-ninguém com os privilegiados, para uma particular ojeriza baseada na forma como ele havia sido tratado enquanto Cale estava no manicômio do Priorado. A ideia de que ele teria que passar sem seus adorados sanduíches de pepino enquanto a família real não seria afetada era mais do que ele podia suportar. Por isso, ele fez pé firme. Houve uma breve pausa.

— Então — disse IdrisPukke — estamos de acordo: racionamento para todos, exceto para a família real e os aqui presentes.

Depois que Koolhaus e IdrisPukke saíram, o que aconteceu quase em seguida, Cale se virou para Henri Embromador e acenou para o punhal cravado fundo no meio da mesa.

— Eu não vou pagar isso — disse Cale.

— Ninguém te pediu pra pagar — respondeu Henri Embromador.

Houve um silêncio despeitado.

— Por que — perguntou Cale — você não pode simplesmente dar um soco na mesa? Olha só, está arruinada.

— Já falei que vou pagar.

Mais um silêncio.

— Arruaceiro do cacete.

30

Nas encostas mais altas do gélido Mississippi, algo se movia. Mais rio abaixo, algo se movia também. Artemisia Halicarnassus estava amaldiçoando o bom tempo, que era uma bênção tão grande para Cale durante o treinamento do Novo Exército Modelo. Num inverno normal, quando a temperatura ia e vinha entre o ponto de congelamento e pouco acima dele, o rio era difícil de interpretar até para os mais experientes: os blocos de gelo derretidos, mas ainda enormes, que se destacavam rio acima se amontoavam formando grandes represas que podiam resistir por semanas, e então, com um dia de temperaturas mais amenas, abruptamente ceder e fluir como uma avalanche lenta, às vezes por quilômetros, até atingirem mais gelo represado, onde podiam travar de novo ou causar um grande colapso e começar um fluxo ainda maior. Porém, o calor fora de época daquele ano tornara esse processo ainda mais traiçoeiro e instável do que o normal.

Mas Artemisia tinha homens ao seu redor que viveram no rio por sessenta anos ou mais. Havia um grande campo de gelo instável travado uns 8 quilômetros rio acima, mas a temperatura caíra para perto do ponto de congelamento, diminuindo a probabilidade de uma quebra. O perigo era que grandes icebergs fluviais descendo o rio batessem na instável represa de gelo, que gemia e estalava. Mas por 15 quilômetros rio acima da represa, homens habilidosos e experientes estavam espalhados pela margem, cada homem amarrado a uma corda e sinalizando com diferentes tipos de puxões para o próximo o tamanho dos icebergs, assim que eles passavam. Sobre a própria represa de gelo, homens estavam posicionados para vigiar a correnteza e sondar a estabilidade do gelo que os sustentava. Depois que escurecera, os soldados que fariam a travessia, embrulhados contra o frio como caros presentes, suportavam um êxtase de tensa espera. Então a ordem para arriscar chegou. Vinte barcos, carregando setecentos homens armados feito porcos-do-mato, foram lançados no ponto de travessia mais estreito por muitos quilômetros em ambas as direções.

Mas nem o barqueiro fluvial mais esperto, com a barba mais grisalha, poderia enxergar sob o gelo, onde os grandes icebergs afundavam no leito arenoso e criavam perigosos refluxos na correnteza, que abriam grandes fendas no fundo do rio. Essas turbulentas e incansáveis ressacas iam e vinham com o movimento do gelo lá em cima. O carvalho, inchado pela água, passou sem ser detectado pelos observadores de icebergs da margem, aflorando à superfície, em seu enorme volume, menos que um crocodilo em caça. Então ele bateu na represa de gelo com um barulho como o baixo profundo da nota mais grave de um órgão de catedral. Foi sentido pelos sentinelas postados em cima do gelo tanto nas entranhas quanto nos ouvidos. Os homens esperaram pela grande rachadura que poderia partir o campo e liberar a represa de icebergs, matando a maioria deles. Ela não veio. Empurrado para baixo do gelo pela correnteza, o carvalho começou a rolar — lá se ia ele, como Moby Dick, para o fundo da represa, onde algumas horas antes duas grandes garras de gelo haviam se formado. Ao redor delas, a correnteza, potente porém lenta, tornou-se num momento frenética, irresistível e louca, impelindo o grande tronco, encharcado e com três vezes seu peso original, cada vez mais rápido à medida que o fluxo era comprimido mais e mais entre o gelo irregular e o leito do rio. De lado, o tronco arremeteu entre as duas grandes pontas de gelo voltadas para o fundo, mandando tremores estranhos, mas incompreensíveis, para os cegos observadores lá em cima, enquanto ribombava e quebrava tudo bem abaixo deles. E então se soltou, a correnteza, agora em disparada, carregando o peso supersaturado da árvore numa rápida porém breve subida para a superfície, conservando o impulso das correntes que saíam em altíssima velocidade de baixo do gelo. A 13 quilômetros por hora, até um corredor comum poderia acompanhá-lo enquanto ele rumava para a frota de barcos — mas não era a velocidade que importava, e sim seu tamanho e seu terrível peso ensopado. Mesmo assim, teria causado danos limitados se não tivesse batido de ponta numa rocha no meio do rio; o grande leviatã de madeira começou a virar de lado na direção da frota em lenta travessia.

Apesar de todos os esforços para evitar isto, os vinte barcos haviam sido acumulados pelas estranhas correntes do dia, e não eram barcos pequenos — 35 homens em cada um. O carvalho nem bateu neles, na verdade, mas rolou por cima deles como se nem estivessem lá — mal se ouviu um grito antes que cada barco afundasse na água e virasse de lado. Por causa da lotação, onze barcos afundaram em menos de 15 segundos. A árvore sumiu na escuridão fria e úmida, deixando para trás, afogados, 384 homens e uma mulher.

Quando IdrisPukke terminou de dar a Cale a terrível notícia, o sol nasceu e um feixe quente de luz atravessou as janelas de vidro parcialmente translúcido, projetando delicados azuis e vermelhos sobre a mesa e iluminando a poeira brilhante no ar.

— Tem certeza? — perguntou Henri Embromador.

— Como sempre, nesses casos. Meu homem é confiável e disse que viu o corpo dela antes de voltar.

— Qual foi a causa?

— Imagina-se que tenha sido uma parede de gelo que se partiu de um campo maior rio acima. Azar, só isso.

— Mas você previu — disse Cale baixinho.

— Para ser injusto com meus prodigiosos poderes proféticos, devo dizer que faço questão de prever mais ou menos todos os resultados possíveis. Poderia ter dado certo tão facilmente quanto deu errado.

— Podemos guardar segredo? — perguntou Henri Embromador.

— Se todos tivessem sobrevivido ou todos se afogado, talvez. Agora não... eu diria que...

— Ela vai fazer muita falta — interrompeu Cale, num tom de voz constrangido e estranho.

— Sim — disse IdrisPukke. — Era uma jovem notável.

Ninguém disse nada. Alguém bateu na porta e Lascelles, o mordomo, se esgueirou para dentro da sala.

— Uma carta para o senhor — ele disse a IdrisPukke, que a pegou e dispensou Lascelles com um gesto, esperando que ele saísse da sala antes de falar.

— Tem alguma coisa estranha nesse homem. Ele tem os olhos próximos demais. — Ele abriu a carta. — Aparentemente, Bose Ikard sabe sobre a travessia e Artemisia.

— Como? — disse Henri Embromador.

— Da mesma forma que eu fiquei sabendo, imagino.

— Não... como você sabe que Bose Ikard sabe?

— Os livros vermelhos de Kitty das Lebres são como janelas para as almas dos grandes e bons da Leeds Espanhola. Passarinhos cantam em toda parte.

— O que ele vai fazer? — perguntou Cale.

— Ele tem duas opções, eu diria: aceitar o que dissermos até ter uma oportunidade de usar isso quando as coisas ficarem feias de verdade ou usá-lo para nos prender agora e negociar a paz com os Redentores.

Isso assustou Henri Embromador, que planejava ser o galo do terreiro pelo menos por mais seis meses.

— Você acha que ele faria mesmo isso?

— Depois de refletir? Não. Não é o suficiente para assegurar a vitória. Ele sabe das consequências, se errar. Vai guardar isso no porão até poder usar. Mas precisamos sair rapidamente da mira dele, apresentar isso como um esforço heroico perversamente traído... uma mulher nobre, um ataque ousado e heroico. Últimas palavras. — Cale olhou para ele. — Desculpe — disse IdrisPukke. — Vivi tempo demais e tenho maus hábitos demais. Mas não honraremos a memória dela deixando que isso seja visto como um desastre total. Precisa parecer um fracasso heroico.

— *Foi* um fracasso heroico.

— Somente se o apresentarmos como tal. As pessoas precisam de histórias de ousadia individual, de coragem e sacrifício altruísta, de quase vitória e punhaladas traiçoeiras pelas costas.

— Vamos esperar que haja dessas histórias, então — disse Henri Embromador.

— A esperança não tem nada a ver com isso — disse IdrisPukke. — Meu pessoal as está escrevendo agora mesmo. Estarão afixadas por toda a cidade amanhã de manhã. — Ele se virou para Cale, sentindo-se malvado e cínico. — Lamento pela sua perda. É uma pena que a morte a tenha levado tão cedo.

IdrisPukke deixou os dois garotos, o sol suave raiando através das janelas como se a casa fosse uma catedral doméstica abençoada por anjos.

— Quando você vai partir? — Cale disse finalmente.

— Amanhã. Cedo.

Mais um longo silêncio.

— Também lamento por sua perda — disse Henri Embromador. — Não sei o que mais poderia dizer. Eu gostava dela.

— Ela não gostava de mim. Não no fim.

Mais um silêncio.

— Bem — disse Henri Embromador —, é fácil interpretar você mal. — Uma risadinha sardônica de Cale. Henri Embromador continuou tentando reconfortá-lo. — Não foi culpa sua. As coisas são assim e pronto.

— Não sei — disse Cale, depois de um momento. — Não sei o que sinto por ela, agora que está morta. Não estou sentindo o que deveria, isso é certeza.

Parte Quatro

Vai, pois, agora e fere a Amaleque; e destrói totalmente tudo o que tiver, e não lhe perdoes; porém matarás desde o homem até à mulher, desde os meninos até aos de peito, desde os bois até às ovelhas, e desde os camelos até aos jumentos.

1 Samuel 15:3

31

Os Redentores cruzaram o Mississippi em abril e chegaram à outra margem praticamente sem enfrentar resistência. Os batedores que eles mandaram pelas planícies suaves, que se estendiam por 500 quilômetros desde a margem sul do rio, voltaram com a notícia de que quase toda aldeia, vila e cidade estavam desertas, e não só de pessoas. Todos os animais, de porcos a vacas e coelhos, sumiram junto com a população. Os campos não haviam sido semeados com trigo ou cevada e estavam entregues às papoulas, que brotaram cedo devido ao calor fora de época.

— É lindo — disse um dos batedores ao voltar. — Duvido que até os jardins do céu possam se igualar a isso: quilômetros e quilômetros de papoulas e eufrásias, heléboros e diantos, não-me-toques e ervilhaca de folhas finas. Mas porra nenhuma pra comer por quinze dias de viagem em qualquer direção. A não ser que você seja uma vaca ou um cavalo.

O batedor esperava demais da generosidade de Cale. Este não tinha nenhuma intenção de permitir que os Redentores alimentassem seus animais. Assim que o solo ficara mole o suficiente, ele mandara mulheres e crianças para os campos, e em vez de semear trigo e cevada, ele os fez plantar Charlie Doido, chapéu-de-corda e erva-de-santiago — todas venenosas para os ruminantes. Isso causou considerável furor:

— O que vai acontecer — eles gritavam — com os nossos animais quando voltarmos?

— Eu me preocuparia com isso — disse Cale — *se* vocês voltarem.

No entanto, ele mapeara cuidadosamente as áreas envenenadas, o que os tranquilizou, embora a intenção não fosse essa — ele só queria saber onde era seguro alimentar os cavalos que puxavam as carroças de guerra.

Foram o general Redentor Princeps e seu Quarto Exército que cruzaram o Mississippi primeiro, veteranos da destruição dos Materazzi em Silbury Hill. Princeps sabia muito bem do que Cale era capaz, tendo acompanhado cuidadosamente boa parte do plano do garoto para a invasão do território Materazzi quando Cale ainda estava no Santuário. Ele sabia que assim que eles atravessassem o Mississippi haveria coisas medonhas esperando por ele e seus homens. Não esperava uma chegada sem resistência, mas já previa a decisão de não semear. Porém, ele não antecipou o plantio de ervas tóxicas para envenenar seus cavalos e ovelhas. Levou várias semanas trazer ração de fora, e mais tempo ainda encontrar alguém capaz de identificar as plantas que estavam causando o problema. Ele esperava ter que defender uma cabeça de ponte na margem sul enquanto o Eixo tentava repeli-los de volta para o Mississippi. Em vez disso, ele tinha 500 quilômetros para usar, ao que parecia, como bem entendesse. Cale havia transformado a pradaria numa desolação florida. Abastecer um grande exército naquele deserto vermelho, amarelo e cor-de-rosa iria exigir uma mudança de estratégia significativa, e também mais tempo. Por enquanto, Princeps ficou perto do rio e organizou os meios de apoiar um novo plano para avançar sobre a Suíça. Foi depois de uma semana nesse hiato que uma força de quinhentos Redentores da infantaria montada — seus cavalos agora com focinheiras para não comer os venenos que os esperavam na grama — encontrou uma visão muito peculiar: uma espécie de forte redondo de madeira, não grande, fechando uma área de aproximadamente um hectare e com um fosso cavado ao redor.

Quando o Redentor Partiger acompanhou seus batedores para dar uma olhada, fez uma prece silenciosa para Santa Marta de Lesbos, a santa protetora daqueles que precisam de ajuda contra o inesperado. Ela conquistara seu lugar em meio à lista dos santos por causa da estranha natureza do seu martírio — fora obrigada a engolir um gancho de seis lados preso a um fio, com articulações em cada gancho para que o dispositivo pudesse percorrer seu sistema digestivo sem enroscar. Umas doze horas depois, quando seus carrascos sentiram que o gancho viajara o suficiente, puxaram o fio e viraram a mulher do avesso. No dogma Redentor, a engenhosidade era sempre retratada como uma ameaça, por isso a necessidade de uma santa com a responsabilidade específica de interceder para proteger os fiéis de seus perigos.

— Mande alguém se adiantar com uma bandeira branca — disse Partiger.

Alguns minutos depois, um cavaleiro com a bandeira da paz chegou a 50 metros das carroças de guerra.

— Em...

O que quer que ele fosse dizer foi interrompido por um tiro de besta no meio do peito.

— Por que ele parou? — perguntou Partiger.

Então, muito lentamente, o mensageiro tombou para um lado do cavalo e caiu.

Os Redentores que estavam vendo aquilo ficaram ultrajados com essa transgressão das regras da guerra, apesar de eles mesmos jamais terem seguido tais leis. Levando isso em conta, certamente não havia nenhuma grande desvantagem em matar o mensageiro, mas aquilo fora, na verdade, um acidente.

O arqueiro que acertou o mensageiro estava apenas mirando no homem por precaução — mas na carroça lotada, um ex-colhedor de lúpulo, nervoso, se mexeu e esbarrou no braço dele.

— Acho que ele só queria perguntar o caminho de casa — alguém exclamou, e todos caíram numa gargalhada nervosa.

Partiger pensou no que fazer a seguir. Os Redentores eram bastante experientes na guerra de assédio, mas as catapultas que eles usavam eram extremamente pesadas, e as poucas que trouxeram ficaram todas do outro lado do Mississippi, porque não havia nenhuma cidade fortificada importante a menos de 560 quilômetros do rio. Levaria várias semanas carregar uma até lá. Além disso, o forte não era muito grande, e era de madeira, não de pedra. Apesar de seu compreensível desconforto com a novidade do que tinha diante de si, Partiger sabia que todos esperavam que ele descobrisse que tipo de novidade era aquela, por isso não podia simplesmente dar a volta nela. Por mais estranho que fosse, o forte não parecia particularmente formidável. Ele ordenou um ataque com trezentos homens. Cinquenta deles eram cavalarianos em armaduras — uma inovação dos próprios Redentores — e o resto era infantaria montada, com proteções mais leves.

Partiger viu seus homens se espalharem em volta das carroças, com a intenção de atacar de quatro lados. Enquanto eles esperavam, Partiger puxou conversa com seu recém-nomeado segundo em comando, o Redentor George Blair. Ele não confiava nem gostava de Blair, que fazia parte de uma nova ordem de Santuarinos, estabelecida pelo próprio papa Bosco para "auxiliar a fé em todas as unidades Redentoras e assegurar ações livres de erros doutrinários ou morais". Em outras palavras, ele era um espião cuja tarefa era garantir que as novas atitudes religiosas de Bosco e as técnicas marciais que as acompanhavam fossem obedecidas sem questionamento.

Partiger surpreendeu um pouco Blair começando uma conversa que não tinha nada a ver com o ataque ao forte de madeira.

— Eu estava pensando — disse Partiger — em começar os Setenta e Quatro Atos de Vilificação.

— Quê?

— Os setenta e quatro atos de homenagem à autoridade do papa.

— Eu sei o que são — disse Blair, irritado. — Não entendo a relevância... uma batalha está para começar.

Estou sendo testado para ver se digo a coisa errada?, pensou Partiger. Ele decidiu que estava.

— Precisamos manter os olhos na vida eterna, mesmo em meio à morte.

— Existe o tempo certo para tudo. Agora não é hora.

— Mas certamente — continuou Partiger —, se eu pusesse ervilhas secas nos meus sapatos, me abstivesse de beber água em dias quentes e me chicoteasse com urtigas, num ato de mortificação do tipo que os santos suportavam, e que nos deixam assombrados de admiração — ele aprendera de cor a frase sobre estar assombrado de admiração numa bula papal —, então eu não estaria mais aberto à sabedoria de Deus e seria um líder melhor para meus homens?

Finalmente Blair se virou para olhá-lo, ele mesmo assombrado, mas não de admiração.

— Sim, você está correto, naturalmente. Eu diria que quanto mais dor você causar em si mesmo, melhor.

— Sério?

— Sim. Pelo que sei, a autoflagelação com um açoite feito de caudas de escorpião é especialmente eficaz, nesse contexto. — Ele se virou novamente para a batalha, deixando Partiger a pensar em caudas de escorpião. Parecia doloroso. No entanto, ele se lembrou das palavras do padre Pio: *Quando for mortificar a carne, certifique-se de que vai doer.*

A 800 metros dali, a batalha havia começado. De início, houve apenas fintas de três grupos de dez cavalarianos, cuja intenção era desencadear uma reação para que eles pudessem avaliar a força dos ocupantes. Nada aconteceu. De perto, podiam ver que o fosso ao redor das carroças não era particularmente fundo, mas estava cheio de varas afiadas. Um deles arremessou sua lança mais pesada contra uma das carroças para ver o quanto ela era estável e bem construída. Nada do outro mundo, ele disse ao voltar. Por isso, decidiram atacar pelos quatro lados, sendo o sinal uma rajada de umas quarenta flechas apontadas para o meio do forte. As flechas foram lançadas, os homens atacaram as carroças, e o Novo Exército Modelo de Cale e seu jeito de fazer guerra tiveram o seu primeiro grande teste.

O problema, para os Redentores, era que faltavam todas as ferramentas básicas — nada de escadas, nada de aríetes e somente algumas cordas. Quando entraram no fosso, ficaram apenas um metro e pouco mais baixos, mas com as laterais das carroças, de dois metros de altura, estavam a três metros de seus oponentes protegidos pelas paredes. Assim que os Redentores atacaram, as janelinhas foram parcialmente abertas e as bestas leves de Henri Embromador entraram em ação. As flechas eram lançadas a distância de pouco mais de um metro — estavam tão perto de seus oponentes que não importava que fossem muito menos poderosas. Num espaço tão pequeno, arcos eram inúteis, mas as bestas eram devastadoras, especialmente agora, que podiam ser recarregadas tão rápido. O teto da carroça tinha articulações duplas, por isso podia ser empurrado para cima e virado para qualquer lado, dependendo das circunstâncias. Desta vez, os tetos foram jogados com estrondo para dentro do forte. Imediatamente, meia dúzia de camponeses e um Purgador ficaram de pé e, com a maior parte do corpo protegido pela parede da carroça, começaram a apunhalar e golpear a massa de Redentores de pé no fosso. As debulhadoras com bolas de chumbo e farpas causavam grandes danos, esmagando a carne por baixo da armadura leve dos Redentores, embora também pudessem penetrá-la. Empolgados com o sucesso e inexperientes, alguns dos camponeses se debruçavam e expunham demais o tronco, e um ou dois foram abatidos pelos arqueiros.

— Protejam-se! Pra dentro! Pra dentro!

Os Purgadores em cada carroça precisavam ficar puxando de volta os afoitos camponeses, que se deliciavam com a emoção de machucar oponentes sem que estes pudessem revidar. Os Redentores, dez vezes mais preparados do que os homens que os feriam a cada golpe, estavam impotentes. O inimigo estava pouco mais de um metro fora do alcance deles. Tampouco podiam entrar embaixo das carroças, e as rodas estavam cobertas com terra para impedir que se amarrassem cordas nos raios. A posição deles era desesperadora. Depois de cinco minutos, eles recuaram — mas não sem serem alvejados pelos arqueiros, agora em condições de ficar de pé e mirar melhor nos padres batendo em retirada, muitos deles andando devagar por causa dos golpes que levaram nas coxas e nos joelhos.

Os camponeses ficaram de pé e comemoraram. Os Purgadores mandaram que calassem a boca.

— Eles vão ficar melhores em nos enfrentar a cada dia. Vocês podem dizer o mesmo?

Isso os aquietou, mas eles estavam encantados com seu primeiro bocado de matança.

Os Redentores voltaram para Partiger, que estava intrigado, além de furioso. Ele descompunha os homens, enquanto Blair andava entre eles e examinava os feridos.

— Vocês não causaram dano nenhum?

— Acho que pegamos alguns — disse um dos centuriões.

— Alguns? Tivemos trinta mortos. E para quê? De qualquer forma, quem pegou alguns foram os arqueiros, não vocês. Quantos vocês mataram?

— Não dá pra matar alguém sem alcançar.

— Não responda! — gritou Partiger.

— E o gancho de escalada? — perguntou Blair. Só havia um em toda a unidade. Ninguém achou que precisariam de mais.

— Só ficou preso na lateral por trinta segundos, aí eles cortaram — disse o sargento que o usara. — Mas com o cavalo, consegui puxar bem. Mais ganchos poderiam funcionar, só que a carroça estava bem presa no chão. Vamos ter que desmanchá-las, elas não viram. Cavalos mais fortes, ganchos maiores e correntes em vez de cordas podem funcionar. Mas eles conseguem flechar os cavalos bem fácil.

— E fogo? É tudo feito de madeira, certo?

— Pode funcionar, senhor, mas a madeira só queima com muito fogo.

— Flechas?

— Muito fáceis de apagar. Em Salerno vi umas que tinham óleo e estopa pra espalhar. Mas eu nunca usei.

— Uma palavrinha — disse Blair para Partiger. Eles se afastaram. — Alguma ideia?

— Um cerco, talvez?

— Eles devem ter mais comida do que nós. Além disso, por que estão aqui? Não tem nada que valha a pena proteger.

— Olhe, Redentor — disse Partiger. — Não estamos bem equipados, como você diz. Deveríamos recuar e fazer um relatório. Isso é trabalho pra tropas de assédio, não pra infantaria montada.

Era um bom argumento.

— Você notou uma coisa nos feridos? — disse Blair, sabendo que ele não notara.

— Nos feridos?

— Sim. Os ferimentos deles... a maioria foi por esmagamento: cabeça, mãos, cotovelos.

— Sim?

— Não vão sarar rapidamente, ou nem vão sarar, a maioria deles.

— Aonde quer chegar, Redentor?

— E se isso for de propósito?

Eles não tiveram tempo de continuar a discussão. Cinquenta cavalarianos suíços saíram do forte e varreram o acampamento despreparado dos Redentores, matando cem deles e dispersando o resto. Dentro de quinze minutos, estavam de volta ao círculo protetor das carroças, enquanto o sol se punha.

Os traumatizados Redentores recuaram de sua posição durante a noite, mas menos de uma hora depois do amanhecer, os suíços estavam de volta, enquanto eles tentavam bater em retirada. Foram bastante atrapalhados em seus esforços para recuar pelos numerosos feridos no ataque ao bastião, que produziu muito mais braços quebrados e joelhos esmagados do que as fatalidades do ataque suíço inesperado pouco antes de escurecer. Os mortos podiam simplesmente ser deixados para trás. Os suíços mantinham um ataque contínuo de longa distância com a dúzia de bestas mais potentes que Henri Embromador fornecera para cada forte. A cada poucos minutos, havia enfrentamentos com a cavalaria suíça, mais experiente, que saía a galope, atacava retardatários e fugia antes que os vigias Redentores mais saudáveis pudessem reagir. Quando os suíços foram embora e voltaram para o bastião, o número de Redentores era metade do que era quando estes viram o forte pela primeira vez, três dias antes. O Novo Exército Modelo contabilizara dez mortos e onze feridos.

Blair, mas não Partiger, sobreviveu para fazer um relatório e sugerir uma reação rápida. Mas era uma história esquisita e totalmente isolada, por isso ninguém nos níveis mais baixos de autoridade, os únicos aos quais Blair tinha acesso, o levou a sério. Mas nas semanas seguintes, o quartel-general do Quarto Exército Redentor foi obrigado a mudar de opinião. Os Bastiões começaram a aparecer em número cada vez maior, causando baixas terríveis. Agora alertas para o perigo, os Redentores mandaram tropas fortemente armadas, equipadas com escadas, ganchos de escalada e tochas para o cerco, mas quando elas chegaram, os Bastiões já tinham ido embora faz tempo. Quando ficou sabendo do problema, Princeps, furioso com a demora, duplicou o número de suas patrulhas para identificar as localizações dos Bastiões rapidamente e mandar tropas maiores para enfrentá-los. Mas era aí que os batedores de Artemisia entravam em ação: operando especialmente sozinhos, eles eram capazes de fornecer informações constantes sobre a movimentação dos Redentores. De fato, cada forte-carroça operava no centro de uma rede de informações que se estendia por até 80 quilômetros em todas as direções. Qualquer força Redentora pequena podia ser ignorada, qualquer uma maior, enfrentada, e se houvesse alguma maior ainda, eles podiam se mudar no máximo meia hora depois do aviso, e já teriam desaparecido quando uma grande força Redentora conseguisse chegar. Tampouco era possível alcançá-los — as carroças de Michael Nevin eram muito mais rápidas do que qualquer exército Redentor. Os Redentores haviam caído numa armadilha: unidades pequenas e leves podiam alcançar os Bastiões, mas não eram fortes o suficiente para penetrá-los; unidades pesadas que poderiam conseguir eram lerdas demais.

Passou-se um mês de combates assim antes que os Redentores conseguissem retardar um Bastião por tempo suficiente para alcançá-lo com 3 mil homens da infantaria pesada, providos de armas de assédio. Levou quatro dias invadir o acampamento e aniquilar os ocupantes. Foi um golpe para o Novo Exército Modelo, empolgado por um mês de vitórias fáceis, apesar dos avisos dos treinadores Purgadores e lacônicos de que uma derrota seria inevitável. Houve uma grande alegria correspondente pela vitória quando Princeps recebeu a notícia — mas que não durou muito quando ele ficou sabendo dos detalhes: as vidas de 32 camponeses suíços haviam custado quase setecentas vidas Redentoras, e mais trezentos feridos com os esmagamentos que levavam tanto tempo para sarar e consumiam tantos recursos. Igualmente preocupante era o relato de um dos centuriões pessoais de Princeps, que ele mandara tomar parte no cerco para ter um entendimento adequado da batalha e dos soldados que nela combateram.

— Foi um massacre entrar lá, Redentor, a luta mais dura que já enfrentei. Eles arranjaram tudo para que fosse fácil nos atingir, e revidar, quase impossível. Mas quando conseguimos entrar, aí foi o choque; eles tinham uns poucos soldados, uns cinquenta, talvez, que sabiam o que estavam fazendo e davam trabalho, mas aqueles que estavam matando a gente há três dias, depois que invadimos e partimos pro corpo a corpo, eram fáceis de derrubar feito crianças grandes.

Desde então, o problema que Princeps enfrentava era como quebrar a casca para chegar ao recheio macio. O problema de Cale era que a criação das carroças de guerra dera certo demais para o seu próprio bem. Os êxitos haviam sido tão fáceis e tão abrangentes que o Novo Exército Modelo estava caindo de bêbado com os seus triunfos. As derrotas, quando começaram a acontecer, o desgastaram muito — afinal, não havia sobreviventes. A distância da arrogância eufórica para o fracasso desmoralizado era um passo tão curto, e representaria uma queda tão grande que uma reunião de emergência (poderia quase se dizer de pânico) foi marcada a meio caminho entre as planícies do Mississippi e a Leeds Espanhola. Cale estava pior do que de costume, as últimas semanas haviam sido péssimas, mas ele foi obrigado a entrar numa carroça de guerra cheia de almofadas e, junto com IdrisPukke e Vipond, tentar dormir no caminho para Potsdam, onde a reunião fora combinada com Fanshawe, Henri Embromador e o Comitê das Dez Igrejas Antagonistas. A caminho de lá, ele decidiu descer e cavalgar. Mesmo com todo o acolchoamento, a carroça de guerra modificada era desconfortável quando ele não conseguia dormir, e naquele dia todos os seus antigos ferimentos — dedo, cabeça e ombro — estavam latejando e berrando seus pedidos de atenção (*Eu também!*, eles gritavam, *E a gente?!*). Para aumentar seu sofrimento, seu ouvido direito estava doendo. Ele vestiu um casaco e puxou o capuz para cima para se proteger do frio e manter o vento longe do seu ouvido doente. Não era algo que ele fazia normalmente, porque só os Lordes Redentores Disciplinadores usavam capuzes, e aquela não era um lembrança que ele queria revisitar. Cale agora estava, é claro, mais experiente na estranheza do mundo do que muita gente prática com o triplo da idade dele, mas ficava assombrado com o efeito eletrizante que o mínimo boato da sua presença causava nos soldados acampados ao longo do seu trajeto até a cidade. A força misteriosa que move os rumores com velocidade estarrecedora mesmo através da maior e mais dispersa força militar fazia o Novo Exército Modelo comparecer em massa por onde quer que ele passasse. À primeira vista, ele era recebido com um silêncio de adoração que rapidamente explodia em vivas extáticos, como se ele fosse o Redentor Enforcado entrando em Salém. Intrigava Cale que tanta gente pudesse receber tanta energia de um fracote doentinho com o dedo podre, o ouvido latejando, o ombro estalando como ele. Sem saber ao certo como reagir, achava que talvez devesse falar com eles; mas quando tentou, a ânsia de vômito, uma hora adiantada, o silenciou, e o máximo que ele conseguiu fazer foi controlá-la um pouco. Assim ele ficou, mareado feito um cão, sobre seu cavalo, olhando os homens, às centenas e depois aos milhares, inspirados por sua simples presença. Para eles, seu silêncio pálido e cadavérico era bem mais poderoso do que qualquer coisa que ele pudesse dizer, embora ele tivesse estudado uma dúzia de discursos motivacionais do escritor cujas peças ele encontrara na biblioteca do Santuário, que pareciam abordar todas as possíveis maneiras de manipular uma multidão: *Amigos, camaradas, compatriotas, emprestem-me os seus ouvidos*; ou: *Mais uma vez para a brecha, caros chapas*; e o infalível: *Nós, os poucos, os poucos felizes, o bando de irmãos.*

Mas nem uma língua tocada pela brasa do próprio Criador poderia ter-se saído melhor do que seu silêncio forçado. Ninguém queria nada tão falível quanto um ser humano capaz de falar com eles pessoalmente — queriam ser comandados por um anjo exterminador, não por um sujeito aí. Ele podia estar se sentindo à beira da morte, mas agora tinha o *physique du rôle*. E era isso que importava: ele era algo fatal vindo de outro mundo, algo, e não alguém, que os tornara poderosos e conquistadores absolutos no passado e agora estava ali para fazer a mesma coisa de novo. Eles precisavam que ele fosse inumano, a essência da morte e da peste, acabado, pálido e esquelético, porque ele *era* aquelas coisas, e estava do lado deles. O grito se ergueu — uma ou duas vozes de início, depois dezenas, depois centenas e então um rugido.

— ANJO! ANJO! ANJO! ANJO! ANJO!

Vipond e IdrisPukke, vindo logo atrás, de forma alguma principiantes no jogo do já-vi-de-tudo e do nada-me-surpreende, ficaram maravilhados e até abalados com o que viam e ouviam e, acima de tudo, o que sentiam: até eles eram arrebatados, querendo ou não, pelo poder da multidão. Mas os pregadores e padres e moderadores do Comitê das Dez Igrejas também ouviram, e reconheceram a idolatria ao demônio que aquilo era.

— Eu esperava perdas mais pesadas, e desde o início, piorando à medida que os Redentores entendessem como nos enfrentar. Esses mortos. Eles podem ser substituídos. Fiz planos pra isso.

Um Cale exausto e irritado estava numa reunião furtiva marcada antes que a oficial, com o Comitê das Dez Igrejas, começasse — eles achavam necessário combinar o que iriam falar para minimizar quaisquer sugestões religiosas.

— Mas Thomas, querido — disse Fanshawe —, o que você esperava? Matar e ser morto é uma profissão. Essas pessoas são camponeses, o sal da terra, é claro, sem dúvida, mas moldadas por uma vida amontoando bosta e colhendo nabos, seja lá o que for *isso*... não é a preparação adequada para lidar com o derramamento daquele precioso líquido vermelho. Você não pode esperar que seja.

— Precisamos — disse Cale — planejar pensando na perda de um forte a cada três. Eu sempre esperei perdas assim.

— Você pode esperar o que quiser. É impossível — disse Fanshawe. — Não é da alma deles morrer em tal número, assim como não é da sua alma colher repolhos e ter relações carnais com suas ovelhas mais atraentes.

Quando Fanshawe se foi, deixou para trás uma cúpula arrasada.

— Você acha que ele está certo? — perguntou IdrisPukke a Henri Embromador.

— Filtrando todos os desaforos? Com certeza. Na batalha de Finnsburgh, os Redentores quase conseguiram invadir nosso forte. Eu estava me cagando todo, se quer saber. Agora todos sabem o que acontece quando os Redentores ganham a parada. Ninguém se acostuma com isso.

— Alguma ideia?

— Não.

Houve um silêncio deprimente.

— Eu tenho uma sugestão. — Era Vipond.

— Graças a Deus alguém tem — disse Henri Embromador.

— Eu esperaria — disse IdrisPukke — até ouvir o que é, antes de ficar todo esperançoso.

— Apesar da zombaria do meu irmão — continuou Vipond —, acho que presenciamos algo notável hoje. A visão convencional de pessoas como eu é que um líder precisa ser amado ou temido para ser eficaz em tempos de crise; e como o amor é complicado e o temor, nem tanto, então que seja o temor.

— Quer que eu os deixe com mais pavor de mim do que eles sentem pelos Redentores?

— Em outras circunstâncias, eu não veria escolha para você.

— Eu consigo fazer isso.

— Tenho certeza de que consegue. Mas talvez haja outra maneira, menos prejudicial para a sua alma.

— Meus ouvidos — disse Cale — estão escancarados como a porta de uma igreja.

— Ótimo. Viu o efeito que você produziu hoje exatamente no tipo de homens que Fanshawe diz estarem à beira do colapso?

— Sim, vi.

— Seja o que for que os acometeu, não era amor nem medo.

— O que era, então?

— Não sei. Não importa o que é, mas dava até para sentir com os dedos. Não sei... fé, talvez. Não importa de que tipo; aos olhos dessa gente, onde quer que você esteja, os portões do inferno estão do lado deles.

— Obrigado.

— Por isso esses santarrões torcem tanto o nariz. Eles sabem o tipo de poder que se move em meio ao seu rebanho. Mas é preciso ver para crer. Cale, você precisa estar presente, no meio deles, todo dia e em toda parte. Eles precisam do anjo exterminador onde possam vê-lo. Olhando por eles, trabalhando com eles.

Cale o encarou.

— Isso é como me pedir pra voar. Quanto ao que aconteceu hoje, eu senti, sim, mas pode procurar o motivo daquilo nas estrelas. Eles viram um anjo mau olhando por eles, concordo, mas precisei de todas as minhas forças pra não cair do cavalo ou vomitar em cima deles. — Ele sorriu, um dos seus sorrisos não muito agradáveis. — Eu não conseguiria nem mesmo se minha vida e a de todos ao meu redor dependessem disso.

Nesse momento — e de uma maneira que em outras circunstâncias poderia ser considerada teatral — Cale vomitou no chão.

Na verdade, ele se sentiu um pouco melhor depois de parar de vomitar, mas a reunião estava acabando, e assim, cansado feito um trapo, Cale deixou o

Cecilienhoft, onde a reunião acontecera, e se encaminhou para uma noite de sono no Palácio Sans Souci. Como todos sabiam onde ele estava, uma imensa multidão se reunira do lado de fora, e quando ele foi visto houve muita gritaria.

Apesar do raro entusiasmo de Bosco por informação e de seu desejo de melhorar a qualidade dela entre aqueles que serviam à sua causa, não era fácil para um Redentor fingir ser algo que ele não era. Eles pagaram somente informantes pouco confiáveis e também simpatizantes — convertidos extraoficiais à Única e Verdadeira Fé cujo desejo de se tornarem Redentores era tão intenso quanto seus motivos eram vagos. Eles tendiam a ser os desprezados, os fracassados, os feridos, os ligeiramente loucos, os profundamente rancorosos — e muitas vezes por razões válidas. Mas suas limitações eram bastante evidentes: não eram disciplinados nem muito competentes, por mais zelosos que pudessem ser. Se fossem capazes e estáveis, era pouco provável que tivessem sido um terreno tão fértil para a insurreição. Mas foi um dos mais equilibrados e capazes desses convertidos que conseguiu entrar no Cecilienhoft, onde todos sabiam que Cale estava planejando a destruição do papa. Certamente havia guardas ali, mas ninguém esperava ou se preparara para o tumulto dos soldados do Novo Exército Modelo, desesperados para vê-lo, junto com o povo da cidade apertado com a massa de refugiados evacuados da planície do Mississippi. De fato, a confusão quase salvou Cale do seu ataque — não havia nenhuma rota planejada, e portanto nenhuma maneira de estar em algum lugar por onde se esperava que Cale passasse. Tão esmagado pela multidão estava o assassino que ele também se via à deriva, compelido a seguir o fluxo e refluxo do rio de gente, quando ele se movia para a frente e para trás. Às vezes Cale se afastava dele, às vezes voltava a se aproximar. Num momento, enquanto a multidão tentava tocar em suas roupas ou pedia uma bênção, uma velha que devia ser mais forte do que parecia o obrigou a pegar um pequeno pote:

— As cinzas de Santa Deidre dos Sofrimentos, abençoe-as, por favor! — Na algazarra generalizada, ele não conseguiu ouvir direito o que ela estava dizendo; achou que as cinzas fossem um presente e não quis ser indelicado. Pelo estado em que ele se encontrava, a força dela provavelmente bastaria para tomá-las de volta, mas a multidão decidiu arrastá-la para longe enquanto ela gritava pela terrivel perda.

Com Henri Embromador e IdrisPukke uns dez metros atrás, o exausto Cale foi jogado numa clareira na multidão formada pelos poucos guardas que conseguiram acompanhá-lo, mas onde seu assassino finalmente também poderia alcançá-lo. O pretenso assassino não era um matador habilidoso, e é difícil disfarçar a expressão de alguém que está pensando em matar. Foi faltando um segundo ou menos que Cale o viu chegando, e foram os olhos do homem que o denunciaram. Fraco como um gatinho e esgotado como estava, milhões de nervos vieram em auxílio de Cale como anjos e, quando o homem ia empurrar o punhal na direção do seu peito, Cale tirou a tampa do pote das cinzas de Deidre e jogou-as na cara dele. Como sabe quem já olhou de perto as cinzas de um morto, elas não são exatamente cinzas, parecem mais brita, e não algo fino suficiente para cegar facilmente alguém. Mas a sorte de Cale é que essas relíquias eram falsas e consistiam nos resíduos da lareira do falsário. O efeito foi instantâneo: em terrível agonia, o assassino gritou e soltou o punhal para tentar limpar as cinzas abrasivas dos olhos. Os poucos guardas ao redor agarraram rapidamente o assassino e já o haviam apunhalado três vezes, no calor do pânico, antes de perceberem que Cale estava gritando para que parassem. Qualquer possibilidade de obter alguma informação útil do homem se fora. Cale ficou olhando enquanto Henri Embromador e Kleist se aproximavam. Talvez fosse a mistura do susto repentino com a exaustão, mas ele pensou nunca ter visto sangue tão vermelho ou cinzas tão brancas. O assassino balbuciou alguma coisa antes de revirar os olhos para trás.

— O que ele disse? — perguntou Cale.

O guarda que estava mais próximo do morto olhou para Cale, chocado e confuso pelo que acontecera.

— Não sei... não tenho certeza, senhor. Parecia: "Você tem?"

O Anjo da Morte? — questionou Henri Embromador. — Você parece mais a morte requentada.

Cale voltara para o quarto depois de vomitar as tripas no banheiro de seu apartamento no Palácio Sans Souci, um refúgio recém-construído com todas as mais recentes inovações em encanamento. Felizmente, ele contivera o vômito diante da multidão; sua partida lenta e frágil foi interpretada por todos que a testemunharam — e com mais convicção ainda por quem não estava lá — como um sinal de seu distanciamento etéreo até dos acontecimentos mais apavorantes. Ele se deitou na cama e estava com um aspecto tão terrível que Henri Embromador se arrependeu de sua falta de compaixão. Na verdade, estava furioso com Cale por ele ter quase morrido.

— Quer que eu traga alguma coisa?

— Uma xícara de chá — disse Cale. — Com torrões de açúcar.

Quando Henri Embromador saiu, Cale ficou a sós com IdrisPukke.

— Pensei que você estivesse se sentindo melhor.

— Eu também... mas cometi o erro de tentar *fazer* alguma coisa.

IdrisPukke foi até a janela e ficou olhando para o recém-instalado labirinto de alfazema no jardim.

— Acontece — ele disse — que Vipond tem razão. Sem você para motivá-los, só consigo prever um resultado, para ser franco. — Cale não respondeu. — Suponho que tomar aquele negócio que sua curandeira deu não ajudaria?

— Me ajudaria a ir pra sete palmos abaixo da terra.

— Que pena.

Cale teve uma ideia, mesmo cansado como estava.

— Aquela mulher que me deu as cinzas da Santa sei lá o quê. Pensei que os Antagonistas não acreditassem em relíquias nem em santos.

— O antagonismo é uma religião muito ampla, o que equivale a dizer que eles têm inúmeras formas de detestar uns aos outros. Ela devia ser uma Episcopal; eles são bem parecidos com os Redentores nas crenças, só não aceitam a autoridade do papa. Os outros não os suportam por causa de todos os rituais e culto aos santos, mas sobretudo porque eles acreditam no Apocalipse Glacial: acham que o mundo já foi quase destruído por gelo uma vez como um castigo de Deus, e que acabará em gelo.

— E daí?

— Os outros insistem que Deus usa água para disciplinar a humanidade... o gelo é uma invenção blasfema dos hereges.

— Preciso dormir.

Alguns segundos depois, ele ouviu a porta se fechando, e em mais alguns segundos, estava dormindo.

Ele estava num vale rodeado por montanhas altas e irregulares, fustigadas pelo vento e por relâmpagos. Estava amarrado a uma estaca, preso pelos braços e pernas, e um gatinho comia seus dedos do pé. Ele só podia cuspir para espantá-lo. De início o gato se afastava, mas quando seu cuspe acabou, o felino lentamente voltou para seus pés e começou a comê-los de novo. Ele olhou para cima, e a distância pôde ver uma enorme Poll rindo e levantando um pé descalço, mexendo os dedos para mostrar que ela ainda os tinha, e gritando: "Come, gatinho, gatinho!" Ao lado dela, no alto de cada uma das outras montanhas ao redor do vale, ele via três versões de si mesmo fazendo poses teatrais. Numa ele segurava sua espada com a ponta para o chão, em outra ele estava ajoelhado num rochedo alto, com uma espada muito decorada erguida diante do peito. A versão final de Cale estava na mais alta de todas as montanhas, com as pernas flexionadas e as costas arqueadas, como se estivesse prestes a alçar voo, com sua capa agitada atrás de si, como uma asa esfarrapada. Mas o que mais o impressionava era que ele estava encapuzado em todas elas, seu rosto completamente escondido nas sombras. *Eu nunca uso o capuz*, ele pensou consigo mesmo, e então o gato começou a comer seus dedos de novo e ele acordou.

— Tive um sonho — ele disse para IdrisPukke e Henri Embromador algumas horas depois.

— O que você quer — disse IdrisPukke — para não me contar?

— Tinha três réplicas suas? — disse Henri Embromador quando Cale terminou. — Eu chamo isso de pesadelo.

— Pode ficar com esse sorrisinho aí o tempo que quiser — disse Cale, e ele mesmo sorriu. — Nunca vi a mão de Deus mais claramente em alguma coisa.

— Não posso dizer que acho o mesmo — disse IdrisPukke. — Talvez você queira explicar, para aqueles entre nós que não têm uma linha direta com o Altíssimo.

— Imaginem que houvesse trinta réplicas minhas. Sem piadinhas, por favor.

— Tá.

— Vocês viram o que aconteceu hoje. Eu não *fiz* nada... só estava *lá*. Eles fizeram tudo; eu não fiz nada. Eles precisavam de alguém que os salvasse.

— Não há nada de tão especial nisso — disse Henri Embromador. — Você *já* os salvou. Eles querem que você faça de novo, só isso. Não tem magia nenhuma.

— Você está enganado — disse IdrisPukke. — Já vi generais idolatrados pela multidão depois de uma grande vitória. Mas eles não querem um homem agora, querem um deus, porque só o que não é deste mundo pode salvá-los.

Henri Embromador olhou para Cale.

— Não era isso que Bosco queria que você fosse?

— Bem, se você tem alguma ideia melhor, seu merdinha, fique à vontade.

— Crianças! — exclamou IdrisPukke. — Brinquem bonitinho juntas. — Ele se virou para Cale. — Continue.

— Eles não precisam de mim, precisam da Mão Esquerda de Deus. Então vamos dar isso a eles. Era o que o sonho estava me dizendo, isso de ficar no alto de uma montanha, de capa, agitando uma espada. *Seja visto!*, o sonho dizia, mas onde você não possa ser tocado; mostre que está olhando por eles. Onde quer que eles lutem, lá estarei; onde quer que eles morram, lá estarei. Percam... lá estarei. Ganhem... lá estarei. Na noite mais escura... ou no dia mais ensolarado.

— Mas você não estará, certo? — disse Henri Embromador.

— Tá, é mentira. E daí? É pro bem deles mesmo.

IdrisPukke riu.

— Henri Embromador está completamente errado — ele disse. — Não pense nisso como uma mentira, mas como a verdade sob circunstâncias imaginárias.

— E o gatinho comendo seu pé? — perguntou Henri Embromador. — O que significa?

— É só um sonho, porra.

Cale deveria ter descansado por uma semana, mas não havia tempo, e em três dias ele estava de volta à Leeds Espanhola, depois de combinar os detalhes de suas réplicas.

— Número.

— Vinte.

— Demais.

— Não precisam fazer nada... não vão me imitar. Só precisam ser bons em fazer poses. Uma pantomima é tudo de que precisamos. Os teatros estão fechados, por isso teremos uma ampla escolha.

— E se eles abrirem o bico?

— Incutiremos o medo de Deus neles. E pagaremos salários decentes. E os manteremos isolados e vigiados. Quatro guardas, 24 horas por dia.

Quando eles voltaram, encontraram notícias perturbadores para Cale.

— Ouvimos que você tinha morrido.

O estranho era que, apesar de não ser verdade, a confirmação formal de que Cale estava, de fato, vivo não adiantou muito para evitar que o boato de sua morte se espalhasse. Desmentidos oficiais mais veementes foram expedidos.

— Nunca acredite em nada — disse IdrisPukke — enquanto não houver um desmentido oficial. Você foi convidado para uma recepção no palácio, com o rei. Ele acha que pode ser verdade.

— Ele *quer* que seja verdade — disse Cale.

— Estou indeciso sobre o que está por trás de tudo isso... a tentativa de matar você em Potsdam, obviamente. Mas não acho que queiram você morto; ainda não. Sem dúvida, no momento certo, se você despencasse de um penhasco, isso seria muito aceitável. Mas não agora. No momento, estão mais preocupados com os Redentores do que com você.

— Devo ir?

— Acho que sim. Essa é uma mentira que não fará bem a você... melhor acabar com ela já. Se pudermos.

— Mas eu não estou morto — disse um Cale exasperado. — É ridículo.

— Só que provar isso não é tão fácil.

— Mas eu estarei lá. Todos poderão me ver.

— E se você for um impostor?

Alguém que não tinha nenhum sentimento conflitante sobre a possibilidade de Cale estar morto era Bose Ikard. Ele pediu prioridade nos convites para aqueles que já haviam encontrado Cale pessoalmente. Mas Cale mantinha seu pequeno círculo de amigos bem próximo — e eles não eram vulneráveis às promessas ou ameaças de Ikard.

Ele decidiu adotar outra tática: o sexo. Não era sutil, mas Bose era velho e experiente demais para acreditar que houvesse qualquer virtude particular na sutileza. As paredes de seus aposentos estavam, por assim dizer, abarrotadas com troféus das cabeças de oponentes sofisticados que menosprezavam os poderes de discriminação dele como um tanto grosseiros, e pensaram assim até o exato momento em que Ikard mandou matá-los. Uma vez, ele sentenciara IdrisPukke à morte — um engano, ele agora admitia; trocou-o por alguém cuja morte, na época, parecia mais urgente. A verdade era que Bose tinha medo de IdrisPukke porque ele era um homem ardiloso, com um entendimento penetrante de assuntos complexos, capaz de sujar as mãos quando isso fosse necessário. Era esse ódio respeitoso que alimentava sua crença nos boatos sobre Cale estar morto. Era o tipo de coisa que ele temia que IdrisPukke fosse capaz de fazer. Por isso ele estava falando com Dorothy Rothschild. Ela certamente não era uma prostituta, mas era algo parecido: tranquilizadoramente cara, embora nenhum preço jamais fosse negociado, na verdade. Sua recompensa vinha na forma de acesso ao poder, contatos relacionados a vultosos contratos para isto e aquilo — ela se deitava numa cama forrada pelos caros lençóis de seda de uma enorme influência.

Na verdade, Dorothy era uma mulher profundamente interessante, mas não parecia: ela parecia sexo. Se dois jovens frustrados com alguns dotes artísticos tivessem imaginado a mulher dos seus sonhos e a tivessem desenhado, ela poderia se parecer com Dorothy: cabelo longo e louro a ponto de ser branco, estatura mediana, uma cintura mais fina que a de um rapazinho, seios maiores do que pareceria plausível numa compleição tão diminuta, pernas improvavelmente compridas para alguém com menos de 1,85 m. Ela não deveria ser possível, mas ali estava.

Tinha uma presença de espírito corrosiva, mantida a maior parte do tempo sob controle, resultante de sua sensibilidade, que era considerável. Sua inteligência e intuição emocional haviam sido postas no mau caminho por um acontecimento terrível, quando ela tinha 9 anos. Sua irmã mais velha, adorada por todos, fora fazer um piquenique num lago próximo com amigos da família e se afogara quando um dos barcos virou. Ao receber a notícia, a mãe da criança morta, sem perceber que a filha mais nova estava atrás dela, exclamou: "Por que não podia ter sido Dorothy?"

Até um paspalhão emocional ficaria marcado pelo resto da vida pelo fato, e Dorothy estava muito longe disso. Mas a argúcia que ela desenvolvera para se defender do mundo muitas vezes o ultrajava, e ela estava sempre precisando se desculpar por este ou aquele comentário ofensivo. Casara-se jovem, mas dois anos depois seu marido morrera numa guerra vital para a sobrevivência da nação por motivos que agora ninguém mais conseguiria lembrar. Como membro de uma família de menor importância, naturalmente, ela fora visitada pela baixa realeza; uma matriarca reservada para condolências de Estado. A nobre visitante perguntara se haveria algo que pudesse fazer por ela — e a resposta adequada seria não.

— Me arranje outro marido. — Saiu antes que ela se desse conta. Isso resultou numa furiosa descompostura da matriarca por ela fazer pouco caso do trágico sacrifício do seu falecido marido.

— Nesse caso — disse Dorothy, sem arrependimento —, que tal me trazer uma torta de toucinho da quitanda da esquina?

Foi esse ultraje que levou Dorothy a ser relegada às margens da sociedade e se tornar, depois de muitas aventuras nas plagas mais selvagens do amor, a maior e menos perpendicular de todas as grandes damas horizontais dos quatro cantos do mundo. Foi essa reputação que a trouxe para a poltrona diante de Bose Ikard.

— Então quero que você seduza o monstrinho.

— Não vai ser óbvio demais?

— Isso, na verdade, é problema seu. Posso fazer com que você seja apresentada de maneira bastante inocente, depois vai depender de você. — Ele lhe entregou uma pasta. — Leia isso.

Ele começou a dar suas opiniões, mas ela estava mais preocupada em como guardar a pasta em sua bolsa de maquiagem, esvaziando devagar seu conteúdo sobre a escrivaninha para abrir espaço. Por fim, a pasta foi espremida dentro da bolsa e ela começou a devolver os objetos que deixara sobre a mesa. O último era uma maçã muito velha e seca que se escondera, invisível, no fundo da bolsa por mais de uma semana. Bose Ikard olhava para a maçã com desaprovação: não dizia muito sobre a reputação da moça na área da sedução sofisticada.

— Não ligue pra isso — ela disse, agarrando a maçã velha com falsa alegria. — Minha babá me deu quando eu era menina e não consigo me desfazer dela.

* * *

A visita de Cale a Potsdam produzira uma elevação do moral entre as tropas e uma renovada determinação para lutar que diminuía de potência de forma diretamente proporcional à distância de Potsdam. Isso deu tempo a IdrisPukke para criar sua trupe de impostores, mas era só isso. Conseguir atores não era difícil, mas conseguir alguns nos quais se pudesse confiar para ficarem de boca fechada era mais problemático, e havia também os figurinos. Depois do primeiro dia de testes, ficou claro que eles tinham uma grande dificuldade: os atores eram baixinhos demais, o que significava que sua altura era normal, mas o sonho de Cale de uma figura poderosa de capa, de pé num rochedo solitário para encorajar os mais fracos, esbarrava num obstáculo prático: assim que os atores fantasiados se punham a qualquer distância — uma precaução necessária para não revelar a fraude —, nenhum detalhe neles podia ser reconhecido: nem os gestos grandiosos, nem o capuz ameaçador, não dava para ver nem se estavam ajoelhados ou de pé. Eram só pontinhos pretos e, pior, pontinhos pretos num fundo preto.

— Precisamos fazer tudo grande — disse IdrisPukke. — Roupa grande, gestos grandes, tudo grande. Uma pantomima ampliada.

Uma semana depois, ele havia contratado todos os carpinteiros teatrais da Leeds Espanhola e num raio de 300 quilômetros ao redor, e eles construíram várias fantasias gigantes com pernas de pau, extensões para os braços, ombros imensos e cabeças enormes.

— A cabeça está do tamanho certo — disse Henri Embromador para Kleist, quando eles viram o resultado. — O resto, já não tenho certeza.

— Pega na minha orelha — respondeu Cale.

— Precisa ser assim, senão vamos ter que planejar tudo de novo.

De fato, IdrisPukke fez as duas coisas. O boneco de Cale podia ser usado no lugar certo, com fogueiras por trás para iluminar o suficiente para vê-lo, e com titereiros para agitar sua batina de 3 metros de altura, para parecer que ele estava enfrentando ventos fortes. Mas eles também tiveram que voltar para uma versão do seu primeiro modelo, com enchimento nos ombros e braços falsos, feita por um homem que normalmente construía os manequins para o truque mágico de serrar a mulher ao meio usando pernas falsas.

— Na pantomima — ele dizia — tudo precisa ser grande, é verdade, mas tem que ser o tipo certo de grande.

Essa segunda versão precisava ser exibida numa proximidade muito maior, mas no crepúsculo, quando não podia ser vista tão bem. O melhor momento para exibi-la era a hora mágica, quando, antes que a noite caia, a luz dá até às formas mais grosseiras o brilho e o poder de outro mundo.

— Por que — disse Cale — tudo é sempre mais difícil do que a gente imagina? Por que as coisas nunca são menos difíceis?

Sentindo-se mal e irritado, ele chegou à Recepion de Roayal daquela noite de péssimo humor. O fato de o evento todo ter sido armado para tentar descobrir se ele estava morto ou não o deixava ainda mais peçonhento.

— Se estão procurando um pretexto pra me pegar, que tentem. — Recentemente, ele começara a resmungar para si mesmo. Dessa vez, foi alto o suficiente para chamar a atenção de Henri Embromador, que estava na sala ao lado, escrevendo uma carta sobre botas.

Henri Embromador pôs a cabeça para fora da porta.

— Você disse alguma coisa?

— Não.

— Eu ouvi você falar.

— Vai ver que eu estava cantando. O que é que tem?

— Não estava cantando, estava falando. Estava falando sozinho de novo. É o primeiro sintoma de loucura, meu chapa.

Naquela noite, Bose Ikard fez questão de reapresentar Cale para as relativamente poucas pessoas que já haviam falado pessoalmente com ele, as quais haviam sido todas instruídas para lhe fazer o maior número possível de perguntas complicadas. Seu sucesso em fazer Cale falar atingiu o ápice quando ele foi apresentado ao rei — sua resposta mais longa para o chefe supremo do Estado foi "Majestade". De resto, era sempre uma só palavra ou um dar de ombros. Desesperado, Bose Ikard apresentou Dorothy. Ela entrou na sala e não é exagero dizer que houve algo como um gemido de assombro com sua aparência. Ela usava um vestido de veludo vermelho desavergonhadamente decotado e luvas vermelhas que cobriam seus braços bem mais do que o vestido cobria os seios. Sua cintura, de tão apertada, parecia a de um garoto magrinho, e a saia do vestido era até decorosa quando ela estava parada, mas quando andava, revelava sua perna esquerda quase até o quadril. Com seus lábios escarlates e cabelo platinado, ela poderia parecer uma rameira de luxo — mas conseguia se portar de uma maneira que simplesmente causava um aperto no peito e um estertor de desejo. E esse efeito de modo algum se limitava aos homens. Ela parou e conversou com algumas das pessoas presentes mais importantes, seu sorriso adorável revelando dentes que pareciam pequenas pérolas, todos, exceto um que era um pouco quebrado, fora de proporção, o que só a fazia parecer mais linda. Ela parou um pouco para conversar com Bose Ikard e se posicionou para que Cale pudesse ver e apreciar sua beleza estonteante. Então, depois de notar que ele a observara duas ou três vezes enquanto fingia correr os olhos com indiferença pela sala, ela andou diretamente até ele. Decidira que a ousadia funcionaria melhor com ele, ousadia e beleza.

— Você é Thomas Cale. O chanceler Bose Ikard apostou cinquenta dólares comigo como não consigo arrancar mais de duas palavras de você.

Claro que a aposta não existia, tampouco ela esperava que ele acreditasse. Cale olhou para Dorothy por um momento, pensativo.

— Você perdeu.

32

Talvez um dia um grande pensador descubra o ponto exato, em qualquer situação, em que a pessoa que precisa tomar uma decisão deve parar de ouvir os outros. Até esse dia, não é de se admirar que orações, adivinhações ou a leitura das vísceras de gatos sejam consideradas estratégias úteis. Conselhos idiotas às vezes funcionam; conselhos inteligentes às vezes falham. A aparição dos bonecos de Cale foi um sucesso surpreendente. Todos concordaram que a vontade de lutar do Novo Exército Modelo melhorara desmedidamente — uma vontade tão importante, talvez, quanto as armas, a comida ou o número de tropas. O sucesso foi tão grande que se decidiu que as tropas precisavam de uma dose ainda maior. O problema era que os Redentores também tinham uma vontade de lutar que se baseava em mais do que ilusões engenhosas: a morte, para eles, era apenas uma porta para uma vida melhor. Assim, argumentou-se — não irrefletidamente — que se Cales falsos podiam fazer tão bem, quanto mais as tropas se beneficiariam da presença do verdadeiro. Misteriosamente, o moral do Novo Exército Modelo melhorara tanto em áreas onde os bonecos não haviam sido vistos quanto onde eles foram vistos. Estava claro, então, que apenas algumas breves aparições do próprio Cale alterariam esse equilíbrio.

Henri Embromador foi implorado, bajulado e atormentado até que chegou a notícia de outra vitória terrível dos Redentores em Maldon. Todos ficaram abalados com essa derrota, até Henri Embromador, por isso ele concordou em abordar Cale. Se ele soubesse todos os detalhes da derrota em Maldon, não teria feito isso. Algumas semanas depois, ficou claro que o fracasso não resultara da superioridade Redentora, mas devia-se inteiramente à burrice do comandante do Novo Exército Modelo, que permitira que os Redentores alcançassem terras altas e assegurassem a derrota de uma posição na qual sua vitória seria inevitável.

De fato, no mínimo, o ritmo das vitórias aos poucos começava a favorecer o Novo Exército Modelo, só que ninguém sabia disso. Foi assim que, baseado numa proposta falsa, obtida de modo racional a partir de evidências instigantes que estavam completamente erradas, Henri Embromador convenceu Cale a visitar pessoalmente o campo de batalha. Cale estava profundamente relutante, mas Henri Embromador disse que não seria por muito tempo, e que eles viajariam em carroças muito maiores do que o padrão. Cale estava se sentindo um pouco melhor, e sua carruagem pessoal recebera molas, o que tornava muito mais fácil, para ele, descansar durante a viagem. A situação era crítica, aparentemente. Era uma crise. Que escolha ele tinha?

Os primeiros cinco dias da turnê de sete correram bem. A presença de Cale — longe de qualquer coisa perigosa — era um tônico para as tropas muito além das expectativas. Continuou a ser um grande sucesso até o exato momento em que se transformou num desastre assombroso — capaz de entregar a vitória absoluta nas mãos dos Redentores por meio da morte de Cale e Henri Embromador no mesmo dia.

Para evitar uma forte tempestade fora de época que descia do Norte, Henri Embromador havia parado a caravana. Infelizmente, a mesma tempestade também ameaçara uma grande coluna expedicionária de Redentores, que decidiram evitá-la voltando para a segurança de suas próprias linhas. Foi essa coincidência de circunstâncias que levou uma força de uns 1.500 Redentores, escolhidos para ir tão longe por sua habilidade e experiência, a topar com a despreparada caravana de Henri Embromador, que, por maior que fosse, só tinha uns seiscentos soldados. Pior, muitos deles não eram tão hábeis e experientes: Henri Embromador cometera o erro, por estar com seu tempo sempre a prêmio, de delegar a escolha dos soldados a alguém fácil demais de subornar, permitindo que pessoas poderosas e influentes (o Novo Exército Modelo já estava adquirindo os velhos vícios) comprassem o grande status de poderem se vangloriar de ter servido ao lado do Anjo Exterminador em pessoa.

Henri Embromador imediatamente ordenou que as carroças formassem um círculo. Assim que Cale apareceu para investigar o barulho, passou cinco minutos olhando para os Redentores, que estavam se organizando a cerca de 800 metros, e mandou Henri parar.

— Por quê?

— Aquele laguinho ali. — Era um lago de montanha a cerca de 300 metros. — Forme um semicírculo na margem, do mesmo tamanho deste; com as carroças restantes, forme outro semicírculo dentro dele.

Henri Embromador conseguiu pegar as carroças ainda em movimento, por isso não houve a demora de atrelar novamente os cavalos ou arrancar os ganchos usados para prender firmemente as rodas no chão. O Redentor no comando percebeu que aquele seria um bom momento para atacar, mas ele era cauteloso e demorou demais, temendo ser atraído para alguma armadilha misteriosamente engenhosa. Quando decidiu se mexer, a formação do Novo Exército Modelo já estava pronta, os cavalos estavam sendo desatrelados, e as rodas, marteladas.

A pergunta central para os dois lados era a mesma, e nenhum dos dois sabia a resposta. A ajuda estava vindo? Henri Embromador enviara quatro cavaleiros pedindo ajuda assim que vira os Redentores. Para os Redentores, a questão era se haviam capturado todos eles. Sem ajuda ou sorte extraordinária, era só uma questão de tempo até penetrarem na barreira — a menos que não tivessem conseguido pegar todos os cavaleiros do Novo Exército Modelo. Nesse caso, a ajuda poderia estar vindo, no fim das contas. Mesmo assim, eles estavam numa boa posição, com probabilidades melhores do que duas para uma a seu favor. Também estavam numa posição melhor do que imaginavam, considerando que metade dos soldados da caravana era formada por administradores inexperientes de um ou outro tipo. Cale, mais do que ninguém, acreditava na importância de bons administradores, mas não ali e não naquele momento. Cale e Henri Embromador levaram uns vinte minutos para se dar conta de que não estavam protegidos pela máquina de violência que haviam se esforçado tanto para criar.

— Isto é culpa sua — disse Cale.

— Me processe quando tudo acabar.

— Você só está dizendo isso porque sabe que vai morrer aqui.

— E você não vai?

— *Agora* está preocupado comigo? É meio tarde.

— Pare de choramingar.

Houve um silêncio mal-humorado — e então eles puseram mãos à obra.

— Precisamos de altura — disse Cale.

— Quê?

— Precisamos de uma plataforma ali no meio — ele disse, apontando para o pequeno semicírculo de carroças. — Não precisa estar a mais do que 2 metros de altura, mas deve ter espaço pra vinte arqueiros e tantos carregadores quanto possível. Os Redentores vão passar pela primeira parede, por isso precisamos transformar o espaço entre as duas paredes num matadouro — é a única ideia que consegui ter para segurá-los.

Henri Embromador olhou ao seu redor, pensando no que poderia usar para construir a torre e protegê-la. Funcionaria até certo ponto. Se todos os seus cavaleiros tivessem sido apanhados, não faria muita diferença.

— Você está péssimo — ele disse para Cale.

De fato, Cale mal se aguentava em pé.

— Preciso dormir.

— E aquele negócio que a Irmã Wray te deu?

— Ela disse que pode me matar.

— O quê? E eles não vão te matar?

Cale riu.

— Não se souberem que sou eu. Acho que estou a salvo.

— Mas eles não sabem que é você.

— Se soubessem, poderíamos ganhar tempo.

— Engenhoso demais.

— Provavelmente. Vou dormir pra ver se decido. Separe os homens experientes e divida-os entre bons e melhores. Dos melhores, vou precisar de dez grupos de sete. Ponha os mais fracos no primeiro grupo de carroças e me acorde quando achar que falta uma hora pros Redentores invadirem. Agora me leve devagar até a minha carruagem, para que eles não vejam seu Anjo Exterminador caindo de cara no chão.

No caminho, um intendente de aspecto aterrorizado os alcançou e relatou que houvera um equívoco nas caixas de salitre perverso usado para carregar as armas de mão. Descobriu-se que três quartos do estoque eram de toucinho, que estava embalado em caixas idênticas. O intendente ficou surpreso ao ser calmamente dispensado. Havia um motivo.

— Isso é culpa sua — disse Henri Embromador para Cale.

Era verdade, *era* culpa de Cale — meses antes, ele percebera que estavam gastando uma fortuna e um tempo enorme fabricando caixas de tamanhos e formatos diferentes para os suprimentos, por isso as padronizara. Uma ideia simples, porém engenhosa, prometia destruí-los a todos.

Cale esperava poder conseguir, com sorte, duas ou três horas de sono. Henri Embromador o acordou depois de sete. Ele sempre levava uns minutos para ficar um pouco alerta, mas percebeu imediatamente que havia algo diferente em Henri Embromador. Mais do que Kleist, e muito mais do que Cale, ele sempre conservara algo do menino. Mas não agora. Era inútil fazer rodeios, por isso ele pegou o pacotinho de Fedra e Morfina da gaveta e derramou a dose direto na boca. Os avisos ameaçadores da Irmã Wray ciciavam em seu ouvido. Mas ela lhe dera aquilo porque sabia que haveria dias assim.

Cale seguiu Henri Embromador para fora. Durante as horas em que ele dormira, o inferno havia chegado. Todas as carroças da primeira barreira estavam em terrível estado — paredes quebradas, rodas esmagadas; metade delas puxada para o chão pelas cordas dos Redentores e seis delas em chamas. No semicírculo interno, os mortos e feridos jaziam em fileiras irregulares de aproximadamente duzentos — e embora se ouvissem gritos, a maioria guardava o silêncio horrível de quem sentia o tipo de dor que matava. No entanto, Cale podia ver que Henri Embromador havia preservado a fileira sem usar duzentos dos mais hábeis e experientes. Cale olhou diretamente para ele e Henri Embromador o encarou de volta: algo, algo havia mudado.

— O que você conseguiu aqui — Cale disse —, nem *eu* teria conseguido. — Se alguma vez eles trocavam elogios, o que era raro, era sempre com um leve tom de troça. Mas não desta vez. Henri Embromador sentiu o efeito desse elogio tão profundamente quanto era possível ser afetado pela profunda admiração de alguém amado. Um breve silêncio. — Mas é uma pena — disse Cale — que você tenha deixado isso acontecer.

— Bem, é uma pena — respondeu Henri Embromador — que por causa das suas caixas ridículas vamos todos morrer.

A primeira barreira de carroças ainda estava aguentando, ainda que não por muito mais tempo — os Redentores já estavam puxando os destroços em chamas. Cale calculou que tinha uns dez minutos. Ele mandou que as tropas descansadas avançassem e as dividiu nos grupos combinados de sete homens.

Ele fez, é claro, o discurso que roubara da biblioteca do Santuário.

— Qual o nome deste lugar? — ele perguntou.

— Lago de São Crispim — disse um dos soldados.

— Bem, quem sobreviver a este dia e voltar são e salvo para casa vai arregaçar as mangas, mostrar as cicatrizes e dizer: "Estes ferimentos eu ganhei no Lago Crispim." E então vai contar as façanhas deste dia. Então nossos nomes serão tão familiares nas bocas de todos quanto palavras do cotidiano, a partir de hoje e até o fim do mundo. Nós, os poucos, os poucos felizes, o bando de irmãos; pois aquele que derramar seu sangue comigo será meu irmão.

Cale não fez sua costumeira oferta de dispensar qualquer um que não quisesse lutar — hoje ninguém iria a lugar nenhum. Um dia seu truque do discurso deixaria de funcionar, mas não hoje.

— Cada um de vocês — ele gritou, e a droga estava começando a fazer efeito, sua voz era forte e cobria o barulho que vinha de trás — pertence a um grupo de sete com o nome de um dia da semana, porque não tive o tempo e o privilégio de conhecê-los melhor. Se o líder morrer, o seguinte, por ordem de idade, assume seu lugar. Mas cada um de vocês é agora responsável pela sobrevivência ou morte do futuro. Mantenham os escudos encostados. Quero que estejam próximos o suficiente para cheirarem o hálito uns dos outros. Não fiquem para trás, não se adiantem: esse é o estilo que eu quero, e o espírito. Vocês conhecem os sinais; ouçam tão bem quanto sei que lutam e vocês se triunfarão.

Ele se adiantou e apontou para os dois lados do semicírculo.

— Segunda-feira ali. Domingo na outra ponta. Todos os outros no meio, pela ordem. — Ele indicou que se mexessem com um gesto.

Henri Embromador, enquanto isso, reunira os soldados mais fracos restantes e agora os fazia avançar para reforçar as carroças que não estavam em chamas.

Alguns minutos mais de cabo de guerra com as carroças em chamas, e elas desabaram; os Redentores puxaram os pedaços enganchados em suas correntes para trás, deixando o que pareciam falhas numa arcada de dentes quebrados. Henri Embromador só teve tempo de voltar, entrar no pequeno semicírculo diante do lago e organizar seus arqueiros sobre a atarracada torre irregular feita de terra, pedras e madeira.

Cinco minutos, e então os primeiros Redentores entraram pelo maior vão, à esquerda de Cale. Agora ele podia sentir o veneno correndo em suas veias — não força ou coragem de verdade, mas sobressalto, tensão e sangue nos olhos. Mas teria que bastar. Ele se deu conta de que seu juízo também estava distorcido; parte dele queria correr para cima dos Redentores no vão e lutar. Henri Embromador havia sido instruído para poupar o que restava de seu deficiente estoque de flechas e tentar acertar somente os centuriões. Os centuriões se vestiam exatamente como os outros Redentores precisamente por esse motivo, mas Henri Embromador conseguia distingui-los mesmo em meio à fumaça. Um tombou, atingido no estômago, e depois outro.

— Quarta! — gritou Cale. — Avançar! — Eles avançaram em fila; os Redentores esperavam; estava claro para eles, agora, qual a atitude a ser tomada.

— Aí está bom! — gritou Cale, e os Quartas-feiras pararam, deixando os Redentores confusos. Eles esperavam ter que defender o vão, mas estavam sendo encorajados a entrar. Aquilo não estava certo. Cale ergueu a mão esquerda para Henri Embromador e cinco setas de suas hiper-retesadas encorajaram os Redentores a fazer a coisa certa, ou errada, e avançarem.

Por mais feia que a situação parecesse para a caravana, os Redentores também estavam preocupados. Eles demoraram demais para chegar até ali. Com aquelas probabilidades, imaginavam que arrasariam as carroças e estariam a caminho antes que os reforços chegassem. Eles sabiam que, se haviam capturado todos os cavaleiros do Novo Exército Modelo, tinham todo o tempo do mundo. Mas não tinham certeza. Assim, temendo ter pouco tempo, passaram pelas carroças e entraram no semicírculo.

— Terças! — gritou Cale. — Venham! Venham! Rápido. Rápido. — Os Terças-feiras se adiantaram, mas com o lado esquerdo um pouco mais veloz, fazendo o grupo girar no sentido anti-horário para fechar o espaço à direita dos Redentores. — Quintas! Aqui comigo! Rápido! — Os Quintas-feiras se moveram, mas no sentido anti-horário, impedindo que os Redentores em movimento se espalhassem à sua direita. Com isso, os centuriões substitutos teriam recuado para o vão, mas haviam sido instruídos a seguir avançando.

— Aleluia! Aleluia! — eles gritavam, e atingiam as fileiras de escudos do Novo Exército Modelo com os seus; ali eram sobretudo estocadas, empurrões e o estrondo de espadas e marretas contra os escudos, todos tentando acertar um golpe sem levar nenhum. Mas o problema era que os Redentores eram de longe os melhores na luta em campo aberto, e isso estava ficando claro muito antes do que Cale esperava. Mas ele planejara prevendo isso — esperando retardá-los ali para dar tempo de os reforços chegarem, se é que estavam a caminho. Só que seus homens começaram a recuar cedo demais. Cale, em sua pompa adolescente, teria usado o resto dos dias da semana para apoiar a retirada de volta ao semicírculo à margem do lago. Ele teria notado seu erro e recuado da forma mais organizada possível. O único motivo de ele ser capaz de participar da luta era a droga da Irmã Wray — mas ela teria notado quase imediatamente que ele estava reagindo mal: seu rosto estava vermelho, seu pulso acelerado e suas pupilas pareciam pontos. Vendo que os três dias da semana estavam sendo empurrados para trás e prestes a ceder, ele correu para a frente, pegou uma machadinha de aspecto horripilante de um soldado ferido e agarrou uma marreta curta abandonada no chão, então irrompeu através da linha dos Quartas-Feiras e se atirou contra os estarrecidos Redentores.

O tubarão adora nadar de boca aberta
Todo peixe tem medo e já fica alerta

Cheio de raiva e enlouquecido pela droga, Cale atacou os Redentores ao seu redor com a machadinha de pontas cegas — uma arma de bandido empunhada por um bandido com destreza selvagem e loucura total: brutais as injúrias esmagadoras em dentes e rostos, contundente a quebra de escalpos e dedos, o estraçalhar de joelhos e cotovelos. Seu martelo nos peitos deles fazia corações pararem nos homens ainda de pé, destroçava espinhas e maçãs do rosto, ele martelava costelas, fraturava ossos, pernas se rasgavam, narizes estouravam. Até os Redentores estavam atordoados com a violência — e então, os desencorajados do Novo Exército Modelo, vendo o louco que chegara para salvá-los, correram em seu auxílio e surpreenderam seus algozes como se estivessem contaminados pelo veneno delirante de Cale, tresloucados pelo cheiro de sangue e de merda e pelo horror.

Agora mais Redentores se derramavam vindo da retaguarda, mas pioravam a situação quando seus camaradas em pânico tentavam escapar do contra-

-ataque infectado de loucura. Cale pisava nos feridos vivos para acertar seus golpes no inimigo que recuava. Estava tão maníaco que teria causado terror mesmo empunhando um chocalho de bebê em cada mão. A droga liberou numa enchente a raiva acumulada contra os homens que recuavam à sua frente — os gemidos e as súplicas de homens que estavam morrendo e os urros e o gozo de seus soldados em volta — esses são os sinais e sons de uma batalha, o terror, a dor e o singular arrebatamento.

O avanço Redentor desmoronou, e se não fosse por um centurião, que se manteve lúcido e puxava os homens que ficavam parados como troncos para serem abatidos, eles poderiam ter sofrido um golpe duro o suficiente para fazer com que fossem embora. Enquanto se retiravam, Cale teve que ser segurado para não segui-los — para sua sorte, pois em campo aberto, fora do círculo exterior de carroças, ele teria morrido. Nenhuma droga iria ajudá-lo ali. O líder dos Sextas-feiras conseguiu segurar Cale com a força que só um ex-ferreiro de dois metros de altura possuía. Ele o conteve tempo suficiente para que Henri Embromador chegasse e o convencesse a voltar para o semicírculo à margem do lago. Agora estava escuro, e depois de entregar Cale a um médico, sussurrando avisos sobre um remédio que fizera mal, Henri Embromador tentou pensar em como fechar o vão.

Se os Redentores tivessem atacado o mesmo ponto novamente, teriam passado em alguns minutos, mas estavam, compreensivelmente, intrigados com o que acontecera, e acreditando que o Novo Exército Modelo encontrara alguns mercenários lunáticos, decidiram que deveriam partir para uma abordagem diferente. Nas duas horas seguintes, tentaram um ataque ao perímetro exterior com a intenção de atear fogo a todas as carroças e então tirar os restos queimados do caminho para terem uma linha clara de ataque até o semicírculo encostado no lago. Henri Embromador os conteve até as duas da manhã, e então mandou os sobreviventes recuarem para o lago e observar os engenheiros Redentores destruindo o perímetro exterior. Às quatro da manhã, o último ataque começou.

Os Redentores se reuniram no interior do perímetro e cantaram:

Aleeeeluuuuiiiiaaaa!
Aleeeeluuuuiiiiaaaa!

Iluminados por trás pelas brasas vermelhas das carroças queimadas, pareciam uma espécie de coro monstruosamente armado do inferno. À esquerda, outros soldados Redentores começaram a cantar.

Morte e julgamento, céu e inferno.
As últimas quatro coisas a que me apego.

À direita:

Fé dos nossos pais, ainda viva, até a morte seremos leais a ti.

De uma maneira torturante, era lindo — embora esse pensamento não ocorresse às mentes apavoradas daqueles que viam e ouviam.

Trazido de volta para as carroças diante do lago, Cale fora levado para a barraca dos feridos atrás da torre atarracada construída por Henri Embromador. Sua mente parecia um pouco mais clara, mas seu corpo, abaixo da cintura, tremia incontrolavelmente, de uma forma que era levemente ridícula. Henri Embromador contou ao médico o que ele havia tomado.

— Dê alguma coisa para ele se acalmar.

— Não é tão fácil assim — disse o médico. — Não se devem misturar essas drogas... não é seguro. Como pode ver, é impossível prever o que vai acontecer.

— Bem — disse Henri Embromador —, eu posso prever o que vai acontecer se você não o deixar em condições de lutar.

Era difícil discordar disso, então o médico lhe deu Valeriana e Piper numa dose forte o suficiente para derrubar o ex-ferreiro, parado atrás de Cale para o caso de ele tentar fugir.

— Quanto tempo vai levar pra sabermos se funciona?

— Se eu dissesse, estaria mentindo — disse o médico.

Henri Embromador se agachou na frente de Cale, que estava tremendo todo e com a respiração curta e ofegante.

— Só lute quando estiver pronto. Entendeu?

Cale balançou a cabeça em meio aos tremores e Henri Embromador saiu da barraca sabendo que provavelmente aquela seria sua última noite na Terra e se sentindo com dois anos de idade. Ele subiu no calombo improvisado no meio do semicírculo — torre era um nome grandioso demais para aquilo — e trocou algumas palavras com os quinze arqueiros e seus carregadores. Então ele se virou para o resto dos homens — seus homens — nas barricadas. Ele achava que naquele momento, mais do que nunca, eles mereciam a verdade.

— Primeiro — ele mentiu —, ouvi dizer que reforços estão a caminho. Só precisamos resistir até o meio da manhã, e aí vamos fazê-los cantar uma música diferente. — Houve uma algazarra de vivas que colidiu de forma estranha com a música dos Redentores. Será que eles acreditaram? Que escolha havia? IdrisPukke contara uma vez a Henri Embromador que, embora as pessoas falem tanto que a verdade liberta, há uma hora e um lugar para tudo, inclusive para a sinceridade. Nunca subestime o valor moral de uma boa mentira no lugar certo... ou até uma mentira ruim, se a situação estiver muito desesperadora.

Tudo, para Henri Embromador, agora, dependia da arte do retardamento. Ele decidiu oferecer aos Redentores uma rendição negociada, sem muita convicção de que valeria o risco. Quando o mensageiro não voltou, ele ficou furioso consigo mesmo por ter desperdiçado a vida de um homem, quando sabia, no fundo, qual seria a resposta. *Você é fraco e inútil,* disse a si mesmo. Ele se concentrou no problema mais imediato: a escassez de flechas. Ele destacara os carregadores o dia todo para fazer novas, por isso havia um bom estoque, mas manter os Redentores longe por tempo suficiente iria provavelmente requerer mais do que havia acumulado. Se os reforços chegassem, seria bom que fosse até as nove da manhã. Depois disso, nem precisariam se preocupar mais.

O plano que ele preparara era bem simples: a plataforma elevada lhes dava uma linha de visão de toda a frente, menos uma zona de sombra para as flechas de uns 2 metros à frente das carroças. Quaisquer Redentores que conseguissem chegar à zona de sombra poderiam lutar com os defensores sem serem atingidos pelas bestas da torre. A missão de Henri Embromador era manter os Redentores afastados das carroças, de modo que só um número comparativamente pequeno na sombra protetora pudesse lutar corpo a corpo com os defensores. Mas esse plano, ele tinha certeza, dependia mais de Cale do que dele: os defensores nas carroças precisavam de um anjo exterminador do seu lado para resistirem durante a noite.

Ainda cantando, chegou a primeira linha de Redentores, batendo nos escudos com as espadas em lento acompanhamento às ladainhas que Henri Embromador fora obrigado a ouvir, quando menino, de manhã, ao meio-dia e à noite. Por um golpe de sorte, ele descobrira uma segunda caixa de super-retesadas, quando deveriam ser só três para todo o acampamento: o combate aproximado não exigia tanto poder de longo alcance, por isso elas eram usadas somente em emboscadas, quase nunca. Em outra ocasião, esse erro poderia ter sido um desastre, mas hoje a incompetência foi um presente glorioso. Com dez daquelas bestas contra eles, os Redentores levariam um susto feio no caminho para a barreira de carroças.

E foi assim. Os Redentores estavam esperando flechadas das bestas muito mais fracas que Henri Embromador projetara para o combate aproximado, contra as quais seus escudos eram uma ótima defesa. Eles mal haviam começado a avançar quando oito setas das super-retesadas derrubaram quatro centuriões, quatro soldados e feriram mais dois. O pior estava por vir. Quase imediatamente, outra saraivada de cinco flechas das outras super-retesadas, entregues aos arqueiros pelos seus carregadores, mais uma vez atingiram as fileiras cerradas dos Redentores, com o mesmo resultado. Com a surpresa, houve enorme confusão sobre o que fazer, e por um momento Henri Embromador achou que eles fossem recuar para fora do alcance. Ele estava quase certo, mas então um dos centuriões, correndo de um lado para o outro e berrando feito um doido, barrou a passagem e os empurrou para a frente.

— Corram! Corram! Corram! Protejam-se perto das carroças!

Quando os oitocentos e tantos Redentores começaram uma corrida caótica até a zona de sombra das carroças, onde as flechas não podiam alcançá-los, sofreram pesadas perdas para as bestas na plataforma, e quando chegaram mais perto, as bestas menos potentes nas carroças fizeram mais efeito. Pior ainda para os Redentores foi que gente demais atacara as carroças — não havia espaço na zona de sombra para todos os padres que conseguiram chegar. Mais de duzentos sobraram diretamente na linha de tiro da plataforma. Depois de um curto período de carnificina no qual mais de cinquenta Redentores foram mortos, os centuriões conseguiram entender o erro e mandaram recuar só três quartos dos homens que haviam mandado avançar minutos antes.

Os Redentores perto das carroças continuavam lutando, protegidos de Henri Embromador, mas não dos defensores dentro das carroças, agora sob uma pressão intensa e mortal. Mesmo assim, os defensores estavam bem protegidos e morriam numa razão de um para cada seis Redentores. Era Henri Embromador quem fazia a contabilidade. À medida que Redentores morriam aos poucos diante das carroças, precisavam ser substituídos por Redentores agora se escondendo na escuridão, para lá do antigo perímetro. Depois que Redentores suficientes morreram nas carroças, os centuriões correram para a frente, vindos da escuridão, em grupos de uns trinta, para substituí-los. A vida e a morte, para os defensores, dependiam do ritmo das flechas da plataforma atarracada, e de quantos Redentores os arqueiros conseguiam matar quando eles corriam da escuridão, em campo aberto, para a relativa segurança das carroças.

Um ritmo assassino estava sendo controlado por Henri Embromador e pelos defensores, e eles sobreviveriam somente enquanto o ritmo se mantivesse uniforme. Se as flechas acabassem ou as carroças fossem superadas, a luta estaria acabada. Henri Embromador agora acreditava que já estava acabada mesmo. *Se apenas Cale estivesse aqui*, ficava pensando. *Ele saberia o que fazer.*

Àquela altura, o anjo exterminador estava roncando em sua carruagem, vigiado pelo ex-ferreiro, o subsargento Demsky. Visitado rapidamente pelo médico algumas horas depois do início desse segundo combate, Demsky ouviu que Cale ficaria desacordado por horas, e que ele, Demsky, seria muito mais útil lá fora.

— Preciso vigiá-lo — disse Demsky.

— Se aqueles vermes papistas passarem pelas carroças — disse o médico —, você só vai vigiar a morte dele, e depois a sua. — Cale continuava roncando. O argumento do médico era irrefutável, e depois de uma breve verificação, eles deixaram Cale sozinho no escuro.

Meia hora depois, Cale acordou, passado o efeito da mistura de Valeriana e Piper. O mesmo não se podia dizer da Fedra e Morfina que a Irmã Wray tão temerosamente lhe dera. Até mais demente do que antes de pegar no sono induzido pelas ervas, ele agarrou uma machadinha e correu para fora. Sua carruagem havia sido levada para o lugar mais seguro, do outro lado da pequena plataforma, e a uns dez metros da água do lago. Em circunstâncias normais, ele teria sido visto a poucos passos até no escuro, mas a batalha já durava duas horas e todos estavam envolvidos na luta pela sobrevivência que acontecia diante deles. Foi por isso que somente Cale viu a fileira de Redentores no lago, chafurdando na direção da retaguarda completamente exposta do acampamento, andando sobre alguma espécie de banco de areia elevado, da largura de dois homens, que eles haviam descoberto. A água ainda lhes ia pela cintura e seu progresso era lento, mas eles eram em número suficiente para virar a batalha em questão de minutos. Rugindo por ajuda, o que ninguém ouviu por causa do grande ruído da batalha, um Cale nu — o médico havia arrancado suas roupas encharcadas de sangue — correu para dentro do lago e avançou na direção dos surpresos Redentores; um garoto solitário, completamente despido e gritando com eles.

Nem mesmo a mais delicada e amorosa pomba da paz deixaria de se empolgar com a majestade de sua violência angelical — nenhum herói jamais lutou com tal força e graciosa habilidade, tal divina ira e cruel magnificência. Contra cada Redentor que se aproximava, ele desferia tamanha selvageria nos braços, pernas e cabeças que logo a água rasa do lago estava cheia de cabeças, dedos, calcanhares e pés — todo o lago gelado avermelhado pelo sangue Redentor enquanto eles o atacavam incansavelmente para serem martirizados na água fria e negra.

Se alguém, na batalha atrás dele, tivesse tempo de olhar para o lago, certamente teria visto algo que não esqueceria tão cedo. Por uma hora, agitando-

-se na água, o alucinado Cale lutou loucamente contra uma fila interminável de Redentores que não existiam, inimigos mortais magnificamente vencidos que eram total produto da sua intoxicada imaginação. Depois de uma hora de heroísmo ilusório, todos os seus inimigos mentais estavam mortos. E assim, exausto mas triunfante, ele seguiu de volta para a sua carruagem enquanto a batalha de verdade continuava indefinida, e pegou num sono tranquilo.

Na plataforma, Henri Embromador podia sentir o suor escorrendo pelas suas costas como se, quando ele percebeu que iria morrer, besouros de medo tivessem eclodido de sua espinha e estivessem em fuga. A batalha continuava e continuava, e a pilha de flechas que os separava de uma morte horrível diminuía como areia numa ampulheta que jamais seria virada. Então, de início sem ninguém notar, o céu começou a clarear e o vermelho pálido da aurora começou a banhar as carroças lá embaixo num delicado rosa, e o sol surgiu no horizonte e uma brisa soprou, dispersando um pouco a fumaça que pairava sobre a luta. Então o combate parou e um silêncio peculiar se fez entre os homens, tanto entre os Redentores como no Novo Exército Modelo. Cercando-os na baixa encosta que se elevava além do lago, a uma distância de mais ou menos um quilômetro e meio, estavam uns 5 mil soldados que marcharam a noite inteira para salvarem seu anjo exterminador.

O próprio anjo da morte dormia profundamente, e ainda estava dormindo meia hora depois, quando Henri Embromador foi ver como ele estava, junto com o médico e o subsargento Demsky. Eles o olharam por um ou dois minutos.

— Por que ele está tão molhado? — perguntou Henri Embromador.

— Todas aquelas ervas, provavelmente — disse o médico. — É o jeito de o corpo tentar se livrar de todos os venenos. Ele é nosso salvador; o que pode ser dito para louvá-lo que seja suficiente?

Seria difícil dizer se a reputação sobrenatural de Cale inchou mais pela maneira (como agora todos acreditavam) em que ele destruíra sozinho os Redentores quando estes estavam prestes a cantar vitória ou pelo fato de que, depois de completar essa façanha extraordinária, ele tivesse se recolhido para dormir pelo resto da batalha, como se soubesse, aliás, tivesse de alguma forma garantido com sua única intervenção, que a vitória seria certa, independente do que os Redentores fizessem ou deixassem de fazer.

Era um tributo à maturidade e fibra moral de Henri Embromador ele ter conseguido encontrar um compartimento suficientemente reforçado em seu coração para trancar para sempre sua fúria incandescente por todo o crédito pelo sucesso daquela noite tão crucial ter ficado com Cale. A maior parte da fúria, pelo menos.

— *Eu* venci a batalha do Lago Crispim.

— Se você está dizendo — respondia Cale sempre que Henri Embromador abordava o assunto em particular, o que acontecia muito. — Eu não me lembro de muita coisa.

— Você disse que nem você poderia ter detido os Redentores.

— É mesmo? Não parece algo que eu diria.

Do verdadeiro ataque que Cale lançara contra os Redentores, ele só conseguia lembrar uma ou outra imagem fugaz. Por algum tempo depois, tudo o que restou de seu ataque heroico aos Redentores inexistentes no lago foi um estranho sonho ocasional. Mas logo, até isso sumiu. Henri Embromador se vingou por terem roubado seu crédito de uma maneira que teria sido aplaudida por todos os garotos de 15 anos, de todas as épocas e lugares. O povo da Leeds Espanhola estava tão impressionado e grato que uma lista pública arrecadou dez vezes o valor necessário para providenciar um memorial adequado da heroica vitória no Lago Crispim. No local da batalha, uma estátua de pedra foi erguida, na qual um Cale de 2,5m de altura pisava nos corpos de Redentores mortos, enquanto aqueles que estavam para ser horrivelmente massacrados se encolhiam diante de sua imponência sobrenatural. Henri Embromador subornou o escultor para que ele alterasse uma letra na inscrição ao pé da estátua, que agora dizia:

Em eterna memória das façanhas heroicas de Thomas Cake.

33

Nas duas semanas que se seguiram à batalha do lago, Cale se sentiu péssimo e dormia e acordava quase continuamente. Quando estava acordado, ou tinha uma dor de cabeça terrível ou sentia vontade de vomitar, e muitas vezes vomitava. Uma das maneiras que ele encontrou para deixar de pensar em seu sofrimento foi deitar num quarto escuro e lembrar todas as refeições maravilhosas que comera com IdrisPukke: leitão agridoce, aletria com sete carnes, torta de amora de massa podre feita de amoras recém-colhidas e servida com uma camada dupla de creme. Então, um prazer em dose dupla, ele pensava nas duas garotas nuas e em como era tocá-las e estar dentro delas (um conceito que ainda o assombrava sempre que pensava a respeito — que ideia!). Contanto que ele conseguisse evitar o ódio que sentia por Arbell e o remorso — e que remorso complicado — por Artemisia, isso parecia ajudá-lo a fugir para um lugar onde todas as outras dores eram abrandadas, inclusive essas. Depois de duas semanas, ele acordou uma manhã e se sentiu muito melhor. Isso acontecia de vez em quando, a chegada repentina de vários dias se sentindo quase normal, contanto que ele não fizesse muita coisa. Algumas horas depois de entrar nesse oásis, ele começou a se sentir muito estranho; um desejo intenso não o deixava em paz. Era tão forte que ele sentia que era impossível resistir. Provavelmente, pensou, era causado por ter quase morrido no Lago Crispim. Fosse qual fosse o motivo, aquilo o estava deixando louco, e ele não poderia resistir.

— O senhor tem bilha pendente?
— Não.
— Já teve trades?
— Não.
— Algum caso de chuviscos?
— Não.
— Quer um pombo? Será cobrado à parte, é claro.
— Não.
— Um huguenote?
— Não.
— Um loló-de-boca?

Como todos os garotos de mente suja da sua idade, Cale sempre temia ser feito de tolo.

— Você tá inventando isso?

O alcoviteiro ficou indignado.

— Nós somos *aclamados*, senhor, por nossos lolós-de-boca.

— Eu só quero... — Cale hesitou, irritado e constrangido — ...o normal.

— Ah — disse o alcoviteiro —, aqui na Casa de Conforto da Ruby nos especializamos no *a*normal. Somos famosos sobretudo pelo não convencional.

— Bom, mas eu não quero.

— Entendo — disse o alcoviteiro, desdenhoso. — O cavalheiro solicita o *mode ordinaire*.

— Se você está dizendo.

— Quer lançar mão do nosso serviço de beijos?

— Quê?

— Beijos são cobrados à parte.

— Por quê? — Cale estava mais intrigado do que indignado.

— As *filles de joie* da Ruby são mulheres de qualidade e veem o beijo como, de todos os atos, o mais íntimo. São, portanto, obrigadas a cobrá-lo à parte.

— Quanto?

— Quarenta dólares, senhor.

— Por um beijo? Não, obrigado.

Na vida profissional de um alcoviteiro, clientes atrapalhados eram a regra, mas o jovem pálido com olheiras (embora os termos "pálido" e "olheiras" não fizessem jus à sua aparência doentia) agora estava realmente dando nos nervos.

— Só resta ao jovem cavalheiro apresentar um comprovante de idade.

— Quê?

— Aqui na Casa de Conforto da Ruby, somos inflexíveis com esses assuntos. É a lei.

— Isso é uma brincadeira?

— De modo algum, senhor. Não podemos abrir exceções.

— Como é que eu vou provar a minha idade?

— Um passaporte seria aceitável.

— Me esqueci de trazer.

— Então temo estar de mãos atadas, senhor.

— Isso é cobrado à parte também?

— Muito engraçado, senhor. Agora suma daqui!

Os clientes à espera e as rameiras que chegavam para levá-los ao seu êxtase alugado riram disso. Cale estava acostumado a ser denunciado, estava acostumado a ser espancado, mas não a ser motivo de risos. Ninguém ria do Anjo da Morte, da personificação da ira de Deus. Mas agora ele era só um garotinho doente, e como ardia pela falta do seu antigo poder enquanto gargalhavam. Se ele não estivesse tão fraco, seria difícil imaginar que se controlaria sob tamanha provocação — eles veriam os terrores do mundo e calariam a boca. Mas a observá-lo do outro lado da sala estava um homem muito corpulento, com um olhar duro. Apesar do ácido da troça corroendo sua alma, Cale foi obrigado a se afastar, já pensando num plano para fazer algo horrível e punir a Casa de Conforto da Ruby no momento certo. Por isso, foi sorte da própria Ruby, ao ouvir seu alcoviteiro levantando a voz, ela ter descido para ver o que estava acontecendo. Foi mais sorte ainda ela reconhecer Thomas Cale.

— Por favor! — ela exclamou, quando Cale ia abrir a porta. — Lamento profundamente. Meu funcionário aqui — ela gesticulou na direção do alcoviteiro como se ele fosse alguma coisa que tivessem demorado demais para pôr na lixeira — é um idiota. Sua estupidez vai lhe custar uma semana de salário. Minhas sinceras desculpas. — Cale se virou, deleitando-se com a expressão de magoada injustiça no rosto do alcoviteiro.

— Duas semanas de salário — disse Cale.

— Três, e não se fala mais nisso — disse Ruby, sorrindo. — Por favor, entre no privatorium. Somente nossos convidados mais ilustres são levados para lá. E tudo esta noite, claro, é cortesia da casa.

— Até os beijos?

Ela riu. O garoto, ao que parecia, queria ser paparicado.

— Vamos descobrir lugares que o senhor nem imagina que *podem* ser beijados.

Embora o alcoviteiro ainda não soubesse a identidade do garoto, ele jamais vira Ruby tratar alguém com tanta deferência. Mas era mais do que deferência, ela estava com medo. Ao menos ele se deu conta de que três semanas de salário eram o menor de seus problemas.

O privatorium era um panorama que faria qualquer garoto, por mais safado que fosse, arregalar os olhos. Havia mulheres por toda parte, aninhadas em poltronas de pelica de goya, sofás de veludo amarelo e espreguiçadeiras cobertas de vicunha doce-amarga dos Amerigos. Mulheres altas, baixas, minúsculas, enormes — mulatas, brancas, amarelas e negras, uma delas coberta dos pés a cabeça, exceto por um seio com o mamilo pintado de vermelho papoula. Outra, vestida como a filha inocente de um puritano, usava trajes modestos, roupas brancas de baixo e um vestido preto — só que ela vertia lágrimas de sofrimento e segurava um cartaz: *Fui raptada. Me ajude, por favor!* Outras estavam nuas e pareciam adormecidas. Uma jovenzinha, com as mãos e os pés presos numa armação de madeira, estava sendo atormentada por uma mulher, que lhe fazia cócegas no meio das pernas abertas com uma pena de cisne.

— Champagne holandês! — exclamou Ruby para um pajem usando um antolho de couro. Ela se virou para Cale. — É a melhor safra dos últimos cem anos.

Ela pediu, com um gesto, que ele escolhesse uma das mulheres na sala, tentando dar a Cale a impressão de estar à vontade, mas algo a apavorava no garoto de rosto pálido, e ela torcia para que ele decidisse logo. Ficou estupefacta com o que ele disse a seguir.

— Eu quero *você*.

Ruby tinha 50 e poucos anos e se aposentara da prostituição havia mais de vinte. Durante esse tempo, pedidos assim foram feitos, mas ela os rejeitava delicada ou firmemente, de acordo com o caso.

— Mas aqui tem algumas das mulheres mais bonitas do país.

— Não estou interessado. Só em você.

Ruby sabia como dar o melhor de si mesma, era verdade. Tinha um talento considerável para a maquiagem — o suficiente, sem excessos — e podia pagar os melhores esforços dos estilistas da cidade. De modo algum se descuidara, mas adorava comer e era agradavelmente preguiçosa. E a verdade era que ela jamais fora bonita. Ascendera ao topo de um ofício que cobrava um preço terrível da maioria das mulheres levada por sua ternura e inteligência. Seu pescoço era comprido demais para o gosto da maioria, ela tinha nariz pequeno, mas não de um formato estranho, e lábios tão carnudos que por pouco não eram peculiares. "Quando estou cansada", brincava, "pareço uma tartaruga".

Mas Cale a achava deslumbrante.

Ela era uma mulher de mentalidade forte, e ríspida quando precisava ser, mas o que podia fazer? Aquele garoto pálido não podia ser contrariado. Confrontada, então, com o inevitável, ela vestiu o sorriso fácil que desenvolvera em trinta anos trabalhando deitada e apontou a porta, observada pelas rameiras boquiabertas e alvoroçadas.

— Quem diabos era aquele molequinho esquisito? — perguntou a donzela puritana, que até parara de chorar.

— Puta burra! — disse a garota que agora parara de atormentar sua companheira com a pena de cisne. — Aquele é Thomas Cale.

A puritana arregalou os olhos num horror deliciado.

— Ouvi dizer que ele voltou dos mortos e mantém a alma presa num postigo de carvão.

Ruby Eversoll podia não acreditar em zumbis ou almas aprisionadas, mas sabia fatos concretos suficientes sobre Cale para ter medo. Ela já fora propriedade de Kitty das Lebres, e embora tivesse comemorado a notícia de sua morte, e de como sua agonia fora longa e horrível, fazia ideia de que tipo de criatura alguém teria que ser para conseguir assassinar Kitty em sua própria casa. O fato de ele não passar de um garoto de aspecto doentio só o tornava mais perturbador. Ao destrancar a porta do seu apartamento, ela percebeu que estava tremendo. Ruby Eversoll não tremia de medo havia muito tempo.

Cale teria ficado assombrado se soubesse o que Ruby estava sentindo. Se ele não estava, talvez, tão apreensivo quanto a maioria dos garotos de 15 ou 16 anos estariam nas mesmas circunstâncias, ainda assim estava nervoso — um pouco fora de seu ambiente, um pouco envergonhado por pagar a alguém por sexo, mas também agitado, imaginando os prazeres pouco familiares de uma mulher tão diferente de Arbell ou Artemisia. Ao pensar em sua falecida amante, ele sentiu uma pontada de algo — algo como perda, algo como remorso. Mas tudo aquilo o confundia muito, por isso ele guardou esses sentimentos e se concentrou na escultural Ruby.

— Devo me despir? — perguntou Ruby.

— Hã... sim, por favor. — Certamente não parecia muito autoritário, mas Ruby estava agitada demais para notar.

Ruby era uma profissional; Ruby conhecia o seu trabalho. Muito devagar, começou a soltar os ganchos e ilhoses na frente do seu vestido, de alto a baixo. Enquanto ela os abria um a um, Cale ficava hipnotizado pelos seus seios. Contidos e forçados para cima pelos talentos de engenharia de seu estilista, à medida que iam sendo soltos, sua redondez macia, sustentada pelo vestido, parecia inchar como se eles estivessem desesperados para finalmente ficarem livres. Ele não notou que parara de respirar. Ela jogou o espartilho no chão, abriu a saia e saiu de dentro dela. Agora estava coberta apenas por uma combinação de seda branca. Estranhamente, e algo incompreensível para Ruby, ela se sentiu profundamente constrangida ao soltar os lacinhos na parte da frente da combinação leve como gaze, deixá-la cair com um movimento dos ombros e sair do meio dela. Os pulmões de Cale, se não o próprio Cale, decidiram que estava na hora de respirar — e foi o arfar dele que começou a revelar a Ruby que talvez ela tivesse entendido mal alguma coisa.

Acima da cintura, estava nua, agora. Até quando era uma jovem magrinha, ela já se orgulhava dos seus seios. Ela não era mais magrinha, nem nada parecido, mas mesmo com aquilo que sua predileção por manteiga, ovos e vinho acrescentara, e era muito, seus seios haviam conservado algo da firmeza da juventude. Eles eram, resumindo, muito grandes, com enormes mamilos rosados. Cale, acostumado apenas a ver a esbelta Arbell e a minúscula Artemisia, que seria grosseiro até chamar de delicada, olhava como se estivesse vendo uma mulher nua pela primeira vez de novo. Como era possível, ele pensou (embora seu pensamento estivesse quase paralisado), a mesma criatura ser tão diferente? Ele não havia, é claro, partilhado da epifania esbugalhada de Henri Embromador quando este espiou a opulenta Riba se banhando nas Terras Crestadas. Pondo a mão no flanco, Ruby desamarrou os cordões na lateral de sua calçola azul-bebê e a deixou cair no chão. Era sorte Cale ter passado um período se sentindo mais forte naquela semana, senão poderia ter caído morto ali mesmo, e o futuro do mundo teria seguido um caminho bem diferente.

Havia uma intensa imobilidade no quarto enquanto Cale, completamente fulminado, olhava para Ruby. Ela começou a sentir seu pavor pelo garoto se esvair, e o prazer quase esquecido de intoxicar alguém com o poder do seu corpo fazer-se presente de novo. Devagar, gostando mais a cada passo, ela se aproximou dele e, estendendo os braços — não havia nenhum outro mundo —, absorveu Cale no seu corpo. Aquele momento, a sensação de ser envolvido num paraíso que se podia cheirar e tocar, ficaria com ele até o dia de sua morte, para ser lembrado nos seus piores momentos, um refúgio contra o desespero.

Mas agora ele estava ardendo de volúpia. Arrastou-a para a cama e começou, como se quisesse devorá-la. Sua boca e suas mãos estavam em toda parte, fascinadas por tudo nela. Sua barriga era gorda, nada parecida com os abdomes retos de menino de Arbell e Artemisia. O ventre de Ruby era redondo, macio como um travesseiro e ondulava quando ele o tocava, como uma das gelatinas dos banquetes dos Materazzi. Ela era toda curvas e dobras e ele a tocava em toda parte, seu prazer tão grande que ela começou a rir.

— Paciência — Ruby disse e ficou de joelhos.

Ele se ajoelhou atrás dela, os lábios devorando seu pescoço, e experimentou, de acordo com os hunterianos, um dos sete grandes prazeres que o mundo tem para oferecer: segurar um par de seios fartos com as palmas de ambas as mãos.

Como que desesperado para descobrir os outros seis, ele empurrou Ruby de volta para a cama e começou a beijar seus mamilos com uma fome tão incontida que foi longe demais.

— Ai! — ela gritou.

Ele se sentou, chocado e alarmado.

— Desculpa. Desculpa. Não queria te machucar.

A mordiscada fora realmente dolorosa, mas ele estava tão cheio de remorso e Ruby tão surpresa com a intensidade do seu desejo por ela que não pôde evitar afagar seu rosto e sorrir.

— Tudo bem — ela disse, e se abanou com a outra mão. — Mas vá um pouco mais devagar.

— Me diga o que fazer — ele disse docemente. Agora ela percebia o quanto fora histérica ao sentir tanto pavor de alguém com tanto doce remorso e inocência.

— Bem, não quero esfriar seu entusiasmo, apenas tente não arrancar pedaço.

Nas horas que se seguiram, Cale experimentou mais três dos seis grandes prazeres que faltavam (sobre dois deles é, muito acertadamente, contra a lei do país romper o silêncio).

A observação de Kleist de que onde quer que Cale fosse um funeral certamente aconteceria havia se tornado lugar-comum. Com certeza, a análise geral dos terríveis acontecimentos ocorridos na Casa de Conforto da Ruby mais tarde naquela noite diria que eles eram a prova de que obviedades se tornam obviedades por serem óbvias. Era, naturalmente, injusto sugerir que Cale tivesse sido responsável pelo que aconteceu, e absurdo dizer que aquilo fosse uma prova clara de sua condição sobrenatural de substituto terreno da própria morte. Mas, como Vipond depois observaria para seu irmão, se Cale não tivesse insistido em discutir com o alcoviteiro, tudo teria terminado apenas com a imagem que Cale fazia da sua própria importância levemente arranhada.

— Então foi culpa *dele* — disse IdrisPukke — um catador de bosta de cachorro qualquer ter cortado a garganta de uma puta de luxo porque achou que ela estava rindo do tamanho do seu pênis?

— Claro que não. Mas tampouco é coincidência... ele pode não ser o Anjo da Morte, mas algumas pessoas nasceram para causar problemas no mundo. E Cale é uma delas.

Pouco depois das dez daquela noite, quando Cale se espalhava, agradavelmente exausto, na cama de Ruby (cobertores de caxemira Linton, lençóis de seda de aranha Eri), um homem de 30 e poucos anos chegou à recepção da Casa de Conforto da Ruby para uma experiência, única em sua vida, de beleza. Ele era um purista — o que significava que ele passava os dias coletando pura nas ruas da Leeds Espanhola. Pura era como os curtidores locais, que precisavam de seus ingredientes nauseabundos para amaciar o couro, chamavam a merda de cachorro. Se o alcoviteiro soubesse da sua profissão, o homem não teria nem passado pela porta, mas o purista sabia muito bem que não devia se apresentar num lugar tão especial usando as roupas da mais baixa das castas. Ele alugara um terno, se lavara na casa de banhos municipal e fora ao barbeiro. Estava com tanto medo de ser rejeitado que havia também bebido mais do que pretendia. Mas se não fosse por sua rusga com Cale mais cedo naquela noite, o alcoviteiro provavelmente teria decidido que havia algo de errado com o purista e que ele havia bebido um pouco além da conta. Era uma questão de imagem: a casa de Ruby era um lugar de classe, e o purista não passaria no teste. Mas naquela noite ele passou. O alcoviteiro estava despeitado; mais do que isso, estava puto da vida. Fora humilhado por causa de Cale, e por isso decidiu ir à forra com a puta gorda da chefe e deixar o purista entrar.

O grito que se ouviu quando Cale descansava a cabeça sobre o seio esquerdo de Ruby, ele conhecia horrivelmente bem: o terror de alguém que se dá conta de que vai morrer.

— Meu Deus! — Ruby saltou de pé e começou a se vestir, mas Cale já estava na porta, tentando trancá-la, quando ela se escancarou, jogando-o para trás. Depois de matar uma das putas, o purista entrara em pânico e correra na direção errada, para o beco sem saída do apartamento de Ruby. Os gritos dos guarda-costas — Ruby tinha quatro — já deixavam claro que ele não poderia recuar. Ele entrou no quarto, trancou a porta e agarrou Ruby pelo pescoço, puxando-a para a janela. Apavorado como estava, viu que estava no terceiro andar e não poderia fugir por ali.

Cale, que batera com força a cabeça, se levantou lentamente.

— Isso doeu — ele disse ao purista.

— Me tira daqui, ou corto a garganta desta vaca também.

As provas do crime estavam nele todo — cobriam seu rosto, o terno alugado e a faca estranhamente pequena que ele segurava no pescoço de Ruby.

— Posso vestir minha calça?

— Você fica onde está. Mexa um músculo e ela morre.

— Como é que vou te tirar daqui se não posso me mexer?

Cale podia ouvir vozes lá fora. Então um dos guarda-costas gritou.

— Os Badiels estão vindo! Você não tem saída. Solte a mulher e não vai se machucar.

O purista empurrou Ruby (que estava assombrosamente calma, considerando as circunstâncias, pensou Cale) para a porta.

— Digam pros Badiels me deixarem passar. Se tentarem entrar, corto a garganta dela. Depois corto a do garoto também.

— Posso falar com eles? — Cale perguntou.

— Você cala essa boca, ou corto a garganta dela.

— Acho que você não corta.

— Fica olhando.

— Por que desperdiçar uma refém, se falando com eles eu posso te ajudar a sair?

— Como é que um merdinha magricela feito você vai me ajudar?

— Me deixe falar com eles e vai descobrir. O que tem a perder?

O purista pensou por um momento, mas pensar não estava nada fácil. O desespero da situação estava fechando o cerco.

— Tudo bem. Mas veja lá o que vai dizer, ou corto a garganta dela.

Cale andou até a porta.

— Aí está bom — disse o purista.

— Quem está no comando aí? — perguntou Cale.

Um breve silêncio.

— Eu.

— Pode me dizer seu nome?

Mais um silêncio.

— Albert Frey.

— Certo, sr. Frey, quero que diga a este cavalheiro quem eu sou.

— Estou pouco me fodendo pra quem você é — disse o purista.

Frey tinha um problema. Sendo inteligente, decidira não seguir as ordens de Cale, baseando-se na ideia de que estaria entregando ao assassino um refém que lhe daria ainda mais poder. Era isso que Cale realmente queria?

— Está tudo bem, sr. Frey — disse Cale. — Pode dizer.

Mais uma pausa.

— O jovem que está com você no quarto é Thomas Cale.

O purista olhou para o garoto nu, pálido e magrelo diante dele e comparou o que via com as lendas que ouvira, fossem elas quais fossem. A discrepância era fácil de perceber.

— É mentira! — disse o purista.

— Não é mentira — disse Cale.

— Prove, então.

— Não vejo como eu poderia provar.

Ele apontou para a virilha de Cale.

— Podia mijar veneno em cima de mim. Você consegue?

— Infelizmente, tirei água do joelho pouco antes de você chegar. Vai demorar.

— Ouvi dizer que Thomas Cale prende sua alma no postigo do carvão. É verdade?

— Eu nem sei o que é o postigo do carvão.

Alguém bateu com estrondo na porta. O purista, assustado, puxou Ruby para trás e apertou a faca em sua garganta com mais força.

— Sr. Cale! — uma voz ecoou.

— Sim!

— Cala essa boca! — gritou o purista.

— O senhor está bem?

Cale ergueu a mão esquerda aberta para pedir permissão ao purista. Apavorado demais para falar, o homem balançou a cabeça.

— Sou o Suprabadiel Ganz — disse o homem. — Diga a esse malfeitor que se ele se entregar, terá um julgamento justo.

O purista soltou uma risada assustada e sarcástica.

— E depois vão me levar direto pro Bob Cortador e cortar minha cabeça.

— Está me ouvindo! — gritou Ganz. — Saia daí e ninguém vai machucar você.

Cale ergueu a voz.

— Suprabadiel Ganz, quem fala é Thomas Cale.

Houve um silêncio — um silêncio nervoso.

— Sim, senhor.

— Se você disser mais uma palavra antes que eu permita, vai se arrepender. Entendeu?

Mais uma pausa.

— Sim, senhor. — Desta vez foi quase inaudível.

Cale olhou para o purista.

— Você está completamente errado, sabe, sobre cortarem sua cabeça.

— Como assim?

— Há mais ou menos oito meses, eu assinei a ordem de execução de uma jovem de 16 ou 17 anos, e no dia seguinte ela foi levada para a Praça dos Mártires em Chartres e lá a enforcaram, depois a tiraram da forca e a reanimaram, e em seguida o carrasco a abriu, e enquanto ela ainda estava consciente, cozinhou suas tripas na sua frente. Veja bem, acontece que eu gostava dela. Gostava muito. — Ele falou com Ganz. — Ouviu isso, Suprabadiel? É assim que este homem deve morrer, entendeu?

— Sim, senhor.

Cale olhou novamente para o purista.

— Agora, embora eu não goste de você, vou propor um acordo.

— Eu corto a garganta dela... esse é o acordo.

— Vá em frente — disse Cale. — Estou pelas tampas de ouvir você dizer o que vai fazer. Ela é só uma puta.

— Depois de cortar a garganta dela, vou fazer o mesmo com você.

— Não, não vai. — Ele sorriu. — Tudo bem, provavelmente não vai. Estar nu e tudo mais é uma desvantagem, é verdade. Mas eu não sou uma garota indefesa. Sei o que estou fazendo. — Ele estava blefando. Podia se sentir bem o suficiente, para variar, para experimentar quatro dos sete prazeres com Ruby, mas sem a Fedra e Morfina, qualquer coisa mais árdua estava muito além de suas possibilidades.

— Sou eu que estou com a faca.

— Tudo bem, então você me mata. Eles vão cortar seu pau e cozinhá-lo na sua frente mesmo assim.

Com toda a conversa, e ainda mais uma conversa daquelas, o purista teve tempo para que os horríveis acontecimentos e a horrível situação na qual eles o deixaram fizessem efeito. Estava tremendo visivelmente.

— Qual é o acordo? — perguntou, sua voz falhando.

— O acordo é que você larga a vadia e eu mato você.

Ruby manteve uma calma impressionante até então, e a verdade é que arregalou os olhos só um pouquinho.

— Tá de brincadeira? Corto a garganta dela.

— É o que você fica repetindo. Você sabe tão bem quanto eu que sua vida acabou no momento em que matou aquela garota. Não pode voltar atrás nisso. Ou me deixa cuidar de você agora e vai ser rápido e indolor, ou espera mais alguns dias e se torna uma lenda do sofrimento. Daqui a cinquenta anos, as pessoas ainda vão dizer: "Eu estava lá."

Agora o purista começou a chorar. Então parou, o terror virou raiva e ele apertou mais Ruby. Então começou a chorar de novo.

— Vai ser rápido — disse Cale. — Serei o melhor amigo que você já teve.

Houve mais choro e mais pânico, mas então ele afrouxou a presa sobre Ruby e ela se desvencilhou calmamente. O purista, agora chorando descontroladamente, ficou de pé com os braços caídos. Cale foi até ele e lentamente tirou-lhe a faca das mãos.

— De joelhos — ele disse baixinho.

— Por favor — disse o purista, embora não fosse claro por quê. — Por favor. — Cale lembrou que Kitty das Lebres também dissera isso antes de morrer.

Cale pôs a mão no ombro dele e o fez abaixar.

— Faça uma prece.

— Não conheço nenhuma.

— Repita comigo: Em Tuas mãos, Senhor, entrego meu espírito.

— Em Tuas mãos, Senhor...

Uma estocada repentina de Cale abaixo do ouvido esquerdo. O purista tombou para a frente e ficou absolutamente imóvel. Então começou a se agitar. Depois parou. Depois se agitou, depois parou.

— Pelo amor de Deus, acabe com ele — Ruby gritou.

— Ele já morreu — disse Cale. — Seu corpo só está se acostumando com isso.

Uma hora depois, pouco antes que Cale saísse da Casa de Conforto, enquanto os dois tomavam um drinque juntos, Ruby lhe disse:

— Mais cedo, senti que havia alguma coisa pavorosa em você. Depois achei que você era adorável. Agora não sei mais o que pensar.

Ela estava cansada, claro, e embora já tivesse visto algumas coisas ruins, aquela fora a pior noite de sua vida. Mesmo assim, não era o que Cale queria ouvir, e ele foi embora sem dizer mais nada.

Parte Cinco

O Anjo da Morte vagou por esta terra; pode-se quase ouvir o bater
de suas asas.

John Bright, parlamentar britânico (1855)

34

Foram travadas seis batalhas em Blothim Gor. Ninguém lembra nenhum desses combates, a não ser pelo nome: "Blot" é sangue em pittano arcaico, assim como "him" no idioma dos galtas, que os aniquilaram e roubaram suas terras. "Gor" significa o mesmo em suíço antigo. Sangue, sangue, sangue — um lugar adequado para o primeiro uso das armas de mão de Robert Hooke. A guerra nas planícies do Mississippi já durava seis meses quando ele acertou o equilíbrio de metais, pólvora e facilidade de uso. Até então, a luta poderia ter qualquer resultado. A carnificina era monstruosa, a disposição dos Redentores de morrer aos milhares começava a solapar a vantagem das carroças de guerra e dos exaustos soldados dentro delas, criados para cortar lenha, ordenhar vacas e colher batatas. O que os mantinha lutando era a visão, e boatos da visão, de Thomas Cale. Na última luz do crepúsculo, ele aparecia sobre penhascos, desfiladeiros e morros rochosos, imóvel, a não ser quando o vento soprava sua capa atrás dele como uma asa, olhando por eles: guia, temido guardião agachado ou ajoelhado, vigiando com a espada sobre os joelhos, predador das sombras, tenebroso protetor. E então as histórias começaram a correr de bastião em bastião sobre um misterioso jovem pálido, não mais que um garoto, que aparecia onde quer que a luta estivesse quase perdida e combatia lado a lado com os feridos e perdidos, sua presença acalmando o medo e irradiando-o de volta para os corações de seus quase triunfantes inimigos. E quando tudo acabava, e impossivelmente eles venciam, ele pensava nas feridas dos sobreviventes e orava, com lágrimas nos olhos, pelos mortos. Mas quando o procuravam de novo, ele já havia sumido. Batedores voltavam com histórias de terem sido capturados pelos Redentores, quando toda esperança estava perdida, e que já haviam se resignado a um pavoroso destino quando um jovem cinzento surgia do nada, encapuzado e magro, e lutava ao lado deles em situações impossíveis, prevalecendo no final. Mas quando a luta acabava, ele sumia, e às vezes era visto observando de uma colina próxima.

Baladas foram compostas e divulgadas em menos de uma semana para todas as carroças da planície do Mississippi. Muitas foram compostas pelo próprio IdrisPukke, depois que essas histórias voltaram para a Leeds Espanhola. Ele contratou dezenas de trovadores ambulantes para ir de carroça em carroça cantando suas canções populares. Mas eles também aprendiam aquelas compostas pelos próprios homens do Novo Exército Modelo, mais desajeitadas e sentimentais do que as de IdrisPukke, mas principalmente mais fortes, tanto que quando os cantores voltavam e as tocavam para ele, IdrisPukke podia sentir os arrepios em seu pescoço e braços, flagrando-se comovido e abalado, mesmo sabendo que eram só um instrumento de divulgação.

— O que *é* a verdade? — disse Cale, quando IdrisPukke lhe contou, envergonhado, como se sentia ao ouvi-las.

Cale, fosse por que motivo fosse, talvez vergonha ou uma cabeça mais fria até que a de IdrisPukke, dizia que embora o circo, como ele se referia aos vinte bonecos feitos à sua imagem, tinha lá seu efeito em evitar que o Novo Exército Modelo se desintegrasse durante a campanha de primavera e verão, sua resistência se devia igualmente, ou mais, à capacidade de Cale de manter as carroças abastecidas com comida e armas decentes e novos soldados com botas boas e roupas quentes — tudo entregue pelos carros leves que Nevin fizera para ele e que viajavam tão rápido, até em terreno ruim, que os Redentores raramente conseguiam interceptá-los. Ninguém, ele disse a IdrisPukke, quer cantar uma canção heroica sobre um bom par de botas e carroças leves de abastecimento.

Mesmo assim, foi por muito pouco. Foram as máquinas de matar de Hooke que puseram os Redentores de joelhos na planície do Mississippi. Até então, eles estavam usando novas táticas contra as carroças, fogo grego e um aríete mais leve debaixo de um teto de bambu para proteger os homens dos golpes e das setas dos Bastiões. Os Redentores também levavam vantagem graças à sua crença de que a morte era apenas a passagem para uma vida melhor e, claro, que a vida que deixavam para trás era um deserto. Mas as armas de Hooke ofereceram não só mais mortes do que até os Redentores podiam suportar, mas também feridas horríveis, cada tiro atingindo até seis homens de uma vez, produzindo cortes rasgados que não podiam ser suturados nem limpos facilmente, causando sépsis e não cicatrizando mais. E a de Hooke não era a única mente engenhosa preocupada em espalhar dor e feridas: os camponeses perceberam que se misturassem um pouco de bosta de cachorro ao conteúdo das armas, garantiriam que os terríveis ferimentos que elas causavam infeccionassem mais dolorosamente ainda.

Depois de três meses, o Novo Exército Modelo voltou a cruzar o Mississippi, e estabelecendo uma cabeça de ponte em Halicarnassus que eles conseguiam defender — apesar dos letais contra-ataques dos Redentores — pelo mesmo motivo que aquele fora o último lugar a cair.

Até Bex, a guerra contra os Redentores só trouxera derrotas; depois das armas de mão de Hooke, foram só vitórias. Mas não havia um triunfo fácil em nenhuma batalha, do embate em Finnsburgh entre tropas que mal lotariam uma cervejaria (e onde um único membro da família real suíça morreu durante uma infeliz visita para melhorar o moral das tropas) até os 500 mil que ficaram frente a frente na batalha por Chartres.

Quem se lembra das batalhas individuais em qualquer guerra, mais do que ocasionalmente, só de nome; quem dirá o que aconteceu ali ou por que foi importante — ou até a própria guerra? Qual de vocês esqueceu as batalhas que levaram Thomas Cale às muralhas do próprio Santuário? Onde estão os cenotáfios em memória da Ponte de Dessau ou da batalha de Dogger Bank? Onde os memoriais da Primeira Fitna, do cerco a Belgrado, da Rebelião Hvar ou da Guerra dos Oranges? Quem pode falar sobre os Strellus e sua defesa sem par do silo de grãos de Tannenberg, ou da chacina de Winnebago, ou da derrota em Kadesh, onde 20 mil homens morreram congelados numa só noite? Onde estão os *henges* de Pearl Harbour ou Ladysmith? Onde os santuários, as lápides até onde a vista alcança, por Dunquerque ou pela queda de Hatusha, por Ain Jalut e Siracusa ou pelo massacre de Tutosburg? E por que lembrar o primeiro dia do Somme com tantas lágrimas, quando mais gente morreu de forma mais horrível em Towton numa só tarde? Depois de um cerco de três meses à Cidade Santa, qual foi o número total de mortes? Ninguém mais estava contando.

Mais tarde naquele mesmo dia, depois que a cidade caiu, Cale e Henri Embromador estavam na Capela Sistina, sob o glorioso teto retratando Deus criando o homem — de mãos estendidas um para o outro em eterno amor.

— Linda, não? — indagou Henri Embromador.

— É, sim — disse Cale, e falou a sério. — Mande pintar de branco.

As batidas na porta de Gil pareciam imediatamente dizer: "Sou uma pessoa tímida e culpada."

— Entre.

Era uma pessoa tímida e culpada: Strickland, criado particular de Bosco, um homem cuja noção de sua miserável inadequação e inata insignificância pairavam ao seu redor como uma névoa pessoal.

— Não havia ninguém na antecâmara — disse Strickland. — Por isso bati na porta.

O que Gil queria dizer era: *E daí? Desembucha logo.* O que ele realmente disse foi:

— Em que posso ajudar, Redentor? — De fato, ele estava extremamente curioso. Nem mesmo Strickland pareceria tão culpado se tivessem mandado que ele viesse. Algo estava acontecendo. Ele enrolou, gaguejou e finalmente falou.

— Sua Santidade está em seu quarto há seis dias e seis noites sem comida e só com um copo d'água por dia, que ele me instruiu a deixar do lado de fora da porta trancada.

Embora a abstenção do prazer fosse mais ou menos um estado permanente para os Redentores, jejuar por mais de um dia era algo visto com desconfiança. Jejuar por seis dias era proibido: tais extremos produziam resultados estranhos. A maioria das heresias Redentoras, incluindo o antagonismo, começara com visões tresloucadas provocadas pela fome. Mas Gil não estava exatamente surpreso. Os intervalos entre audiências com Bosco se tornavam cada vez mais longos — três semanas não era uma demora incomum. Quanto mais vitórias de Cale, e por aqueles dias só havia vitórias, mais ele se isolava, porque mais incompreensível ficava o plano de Deus para produzir a recriação da alma humana. Para Bosco, Cale não era o executor do plano, e sim a personificação do plano na terra. Agora que essa personificação estava nos arredores de Chartres e certamente a conquistaria, Bosco e 10 mil Redentores haviam se retirado para o Santuário.

— Deus quer dizer algo com isso — Bosco refletira. — Ele está me dizendo, mas não consigo ouvir.

A decisão de Gil de partir esbarrara no problema de todas as decisões assim: era mais fácil falar do que fazer. Aonde ele iria? O que faria? Como viveria? A retirada para o Santuário ajudara. Nem mesmo Cale poderia invadir aquele lugar — nem mil como ele. Dois mil homens, imagine 10 mil, então, poderiam defender o lugar para sempre — e ainda não existia exército que conseguisse ficar lá fora por mais de alguns meses. Assim, Gil decidiu esperar para ver e pôr um ou dois dispositivos em operação. Talvez Bosco jejuasse até morrer, mas ele duvidava disso. Algo lhe dizia que aquilo traria problemas. Ele se levantou.

— Vamos até os aposentos dele.

Levando vários homens consigo, ele foi ver Bosco, tentando imaginar o que faria ao chegar lá, mas quando chegou ao estreito corredor que levava aos aposentos de Bosco, o papa estava de pé na porta e sorrindo.

— Gil, meu caro! — ele disse. — Quando eu contar o que tudo isto significa, você vai rir de mim por não ter enxergado algo tão óbvio. Procurei tanto e não vi. Venha, caro camarada. Entre. — E nesse humor jubilante, Bosco levou um Gil alarmado para os aposentos mais privativos.

Então os exércitos do Eixo se voltaram para o Sul, rumo ao grande barbacã e contraforte da fé Redentora, à fonte e origem de tudo: a grande catástrofe propriamente dita. Não havia uma intensa sensação de triunfo quando a tropa de assédio acampou do lado de fora do imponente volume do platô montanhoso sobre o qual o Santuário fora construído. Chartres não fora construída para resistir a um exército, no entanto foram necessários três meses de sangue e sofrimento para que o Novo Exército Modelo pudesse penetrar suas defesas. O Santuário era um problema de outra magnitude. Ninguém havia chegado perto de tomá-lo em seiscentos anos. Era difícil imaginar como alguém poderia: ele era vasto o suficiente para se alimentar do solo milagrosamente fértil transportado do oásis do Voynich e tinha tanques para estocar água suficiente para dois anos ou mais. Já na estepe árida que o rodeava, até grama-de-ponta e limpa-bunda lutavam para sobreviver. No verão, o calor era insuportável, embora as noites fossem gélidas, e no inverno, dali apenas quatro meses, ficava tão frio que se dizia que pássaros caíam do céu congelados. Isso era exagero, claro, entre outras coisas porque não havia muito que pudesse alimentar pássaros. Dava-se o caso também, por motivos que ninguém compreendia, que os invernos eram às vezes quase amenos. Amenos ou não, as estepes diante do Santuário não eram adequadas para serem habitadas pelo homem, especialmente em tão grande número. Mas havia muitas outras dificuldades além de apenas alimentar 20 mil soldados em circunstâncias hostis a quilômetros de qualquer lugar, numa paisagem que, por 300 quilômetros em qualquer direção, havia sido varrida de qualquer fonte de alimento, com todos os poços envenenados e todas as construções queimadas.

Cale estava bem cuidado, é preciso dizer, em carroças confortavelmente mobiliadas com suspensão de lâminas e um colchão decente para mantê-lo confortável em longas viagens, e outra carroça maior para trabalhar e se reunir com poderosos. Mesmo com todo o sucesso, as forças reunidas ao redor do Santuário representavam, em parte, facções tão hostis a Cale quanto os Redentores que o olhavam do alto das muralhas da fortaleza. Quando se deram conta de que os Redentores certamente perderiam, os lacônicos mudaram de lado e contribuíram para o Eixo com um exército de 3 mil homens, agora acampado ao lado do Novo Exército Modelo. O general lacônico teoricamente no comando, David Ormsby-Gore, reportava-se na verdade a Fanshawe, cujo problema central era decidir se devia atacar Cale agora, quando haveria muitas oportunidades, ou esperar até o Santuário cair e então livrar-se dele. O problema de esperar era que agora estava claro que conquistar o Santuário poderia levar muito tempo, facilmente o suficiente para que os Quinto, Sétimo e Oitavo Exércitos Redentores, que haviam recuado para seus vastos territórios no Oeste para se reorganizar depois de terem sido esmagados em Chartres, contra-

-atacassem. Os éforos lacônicos queriam Cale morto para vingar a derrota em Golan, mas Fanshawe estava muito mais preocupado com o futuro. Havia muito tempo ele já descobrira que Cale não só se recusara a expulsar os hilotas, mas garantira seu treinamento para criar uma insurgência contra os lacônicos. Depois que Cale derrotasse os Redentores, ou ao menos os forçasse a recuar para além da Paliçada, ele temia que Cale tivesse suficiente poder e simpatia pelos hilotas para treiná-los e abastecê-los. Ele poderia até intervir diretamente para apoiar uma rebelião. Na verdade, procurar qualquer tipo de causa além da sua própria sobrevivência nem passava pela cabeça de Cale.

— Quando tudo acabar, podemos comprar uma boa casinha — disse Henri Embromador. — Que tal aquela tal de Treetops que você vive falando?

Cale pensou naquela ideia agradável.

— Difícil de defender. Treetops. Fica um pouco perto demais de muita gente com ideias pouco generosas. Precisamos atravessar o mar.

— E a Hansa? Aposto que, com todo o dinheiro que tem, possui casas legais. Uma com um lago ou um rio.

— Melhor ir pra onde não somos conhecidos. Ouvi coisas boas sobre Caracas.

— Poderíamos levar as garotas conosco. — As garotas do Santuário eram um assunto difícil entre os dois.

— Elas podem já estar mortas.

— Mas podem não estar.

— Tudo bem. Eu concordo: uma bela casa com muitas garotas em Caracas, então.

— Tem bolo em Caracas?

— Caracas é famosa por seus bolos.

Não havia mais tempo para pensar no futuro, porque IdrisPukke chegara inesperadamente com más notícias da Leeds Espanhola.

— Estão planejando seu impeachment — ele disse.

— Suponho — disse Cale — que *impeachment* não seja uma coisa boa... nada de medalhas e desfile em carro aberto e tudo mais?

— Não. Está mais para um julgamento secreto na Câmara Estrelada, seguido de um encontro em particular com Bob Cortador.

— O que estão dizendo que ele fez? — perguntou Henri Embromador.

— Importa?

— Pra mim, sim — disse Cale.

— Pôs fogo na ponte depois de Bex.

— Não podem provar que fui eu.

— Não precisam. Além disso, você pôs fogo nela. E perjúrio é um crime capital.

— Eles me mandaram mentir.

— Mesmo assim, foi você. Execução sumária de cidadãos suíços.

Ele não disse nada em resposta a essa acusação porque também era verdade.

— Aumento ilegal de impostos.

— Eles concordaram com isso.

— Você tem algo por escrito?

— Não. O que mais?

— Não basta? Só pôr fogo na ponte já faria toda a população da Suíça brigar para pôr as mãos na corda.

— Que escolha eu tenho?

— Não me pergunte, pergunte a eles. Um impeachment na Câmara Estrelada não requer de modo algum que as acusações sejam verdadeiras para um veredito de culpa, mas o fato de você ter feito mesmo todas essas coisas não ajuda.

— Você mesmo poderia invadir a Leeds Espanhola. — Henri Embromador disse isso.

— Não sem tomar o Santuário primeiro.

Cale se virou para IdrisPukke.

— Por que não querem esperar até invadirmos?

— Eles temem que possa levar tempo demais ou que, se o Santuário não cair, o Novo Exército Modelo faça exatamente o que Henri Embromador disse.

— Mas o Novo Exército Modelo é suíço, afinal, e o rei governa pela vontade de Deus. O mesmo Deus no qual os soldados acreditam.

— Eles são camponeses, não cidadãos suíços, e não são mais camponeses. A guerra muda as pessoas.

— É pedir muito — disse Cale.

— Experimente pedir.

— Não antes de tomar o Santuário. Depois veremos.

— E seu convite para Leeds?

— Sei que você encontrará as palavras certas. Além disso, pode não demorar tanto quanto esses reclamões pensam... tomar o Santuário. Hooke estará aqui amanhã com uma nova máquina.

— E se der certo, como vai ser?

— Vou me preocupar com isso quando acontecer.

— Para ser sincero, acho que você não pode se dar a esse luxo. Precisa começar a fazer planos já.

— Estávamos pensando — disse Henri Embromador — em ir pra Caracas.

— Infelizmente, acho que este não é o momento para piadinhas imbecis. Eu diria que as chances de eles deixarem você se aposentar num retiro pacífico são aproximadamente zero.

— Nenhum descanso para os maus?

— Algo assim. Você tem muitos talentos, Thomas, e fazer inimigos é um deles.

— Ninguém gosta da gente — disse Henri Embromador. — Nós nem ligamos.

IdrisPukke olhou para ele.

— Você está sendo mais irritante do que o normal, Henri. Eu me pergunto se talvez você não gostaria de parar com isso. — Ele voltou sua atenção para Cale. — Você demonstrou ser um grande tático, mas a hora das táticas está acabando. Aonde você vai? Essa é a questão para você, agora.

Mas Cale era só um garoto, no fim das contas, nem imaginava aonde estava indo e jamais imaginou.

No dia seguinte, Hooke chegou com três dos seus novos canhões: grandes cilindros espessos de aço, em princípio iguais às suas invencíveis armas de mão, mas tão resistentes que podiam disparar uma bola de ferro do tamanho de um melão pequeno. Demorou várias horas montar os canhões em suas feias armações de madeira e calcular o ângulo para o primeiro ataque às muralhas do Santuário, que eram tão fortes porque as pedras haviam sido cimentadas com uma mistura feita de farinha de arroz, que endurecia como o chão do inferno.

Confiante no êxito, Hooke providenciara para que os três canhões fossem disparados por homens usando armaduras especialmente acolchoadas. O exército que se reunira para assistir se aproximou tanto que a ignição teve que ser adiada enquanto eles eram empurrados para trás, um processo tão trabalhoso que Cale decidiu permitir que ficassem. A mente mais sábia de Hooke prevaleceu, e finalmente os soldados da assistência recuaram o suficiente para que ele se satisfizesse de que a ignição poderia prosseguir. Os três homens em suas armaduras especiais avançaram, pesadões, com suas tochas na direção dos canhões e acenderam os pavios. Houve um curto chiado de pólvora, e então uma explosão monumental e quase simultânea, que estourou dois dos canhões em doze pedaços, matando os três homens nas armaduras e atingindo a multidão de soldados, ceifando mais oito. O terceiro canhão disparou como deveria e atirou a bola, que bateu na muralha do Santuário e simplesmente ricocheteou, deixando uma marquinha. O cerco ao Santuário não teria um final rápido.

Mas se o cerco não tivesse um final rápido ou mesmo num tempo razoável, era difícil ver como Cale poderia evitar seu colapso. Com o inverno chegando, ele teria que dispersar o exército antes que este desmoronasse pela falta de comida, de água e do ímpeto necessário para manter grupos tão disparatados — previsivelmente, o Novo Exército Modelo e os lacônicos já se odiavam — no campo de batalha em condições tão hostis. Até Cale ficou surpreso ao perceber a pouca segurança que seus grandes triunfos dos últimos meses trouxeram. Em muitos aspectos, ele não estava muito mais a salvo do que, por exemplo, depois que Deidre matara os Dois Trevors. Ele esperava atingir uma posição de poder que oferecesse um descanso, uma defesa, um abrigo, mas podia ver que, embora tivesse mesmo poder, muito poder, ele não era feito do material sólido que Cale imaginava. Ele achava que o poder seria como uma muralha, mas não era: era como alguma outra coisa, que ele não saberia descrever.

Mas por mais fugidia que fosse a questão de quão poderoso o poder realmente era, Cale tinha claramente muito, e por isso foi capaz de fazer uma grande bobagem. Ele se tornara obcecado por conhecimento e temia nunca tê-lo em medida suficiente. Para ele, era como a chupeta que via na boca dos bebês. Cale percebera desde o início que a informação era uma coisa estranha: facilmente você poderia acumulá-la em demasia, ou a maior parte dela estaria errada, ou, até pior, correta, mas de forma incompleta ou enganosa. Mesmo assim, ele se considerava, por alguma razão, um bom peneirador desse material e aprendera a jamais confiar numa única fonte, nem mesmo aquela que ele mais valorizava no mundo: IdrisPukke. Era verdade que ele sentia certa vergonha por isso, mas não o suficiente para mudar. A mais importante dessas alternativas era Koolhaus, que ficava ainda mais desdenhoso e desagradável quanto mais conseguia demonstrar seus dotes intelectuais superiores para o mundo. Para Koolhaus, não bastava estar certo, alguém também tinha que estar errado — e ele queria que a pessoa soubesse. Era uma fraqueza, talvez muito prejudicial, além do seu entendimento emocional de o mundo ser um tanto tosco. Apesar disso, como fonte e avaliador de informações, ele era inestimável. Também havia Kleist. A espionagem era o tipo de trabalho no qual ele era bom e que o mantinha ocupado: era o suficiente para distraí-lo, até certo ponto, do fato de que ele estava perigosamente perto do punhal afiado ou do caro narcótico que o faria dormir para sempre. Kleist ainda não estava pronto, mas pensava muito nisso. Aguentou muitas noites amargas se consolando com a ideia de que podia pôr um fim em tudo. E havia Simon Materazzi. Cale lhe dera a liberdade de ir aonde quisesse. Simon podia lhe contar o que acontecia nos acampamentos e nas ruas. Foi Simon o primeiro a lhe comunicar que os bonecos de Cale estavam funcionando para elevar o moral, e o primeiro a avisá-lo quando as incontáveis derrotas e a carnificina que se seguia desmoralizaram as tropas a tal ponto que elas não conseguiam mais trabalhar. Mas a essa altura Hooke já havia aperfeiçoado e fabricado centenas das armas que iriam mudar tudo e dar aos homens a única coisa que tornaria desnecessária a manipulação de sua confiança: o sucesso. Foi tanto de Koolhaus quanto de Kleist que Cale recebeu a mesma informação quase ao mesmo tempo, e de IdrisPukke pouco depois: Arbell Materazzi recebera permissão para partir rumo à proteção da Hansa. Ele ficou revoltado e chocado em sentir o quanto doía ler que ela estava indo embora. Até ele se dava conta da imbecilidade que era achar que ela o estava traindo novamente. Ele nunca havia parado, na verdade, de pensar nela. Cale percebeu, e essa era a prova, que ela nunca pensava nele, a não ser como alguém a ser evitado. Nenhum volume de raiva de si mesmo pela imensidade da sua estupidez conseguia impedir seu coração infantil e inútil de gritar, encobrindo sua fúria: *Como ela pôde? Como ela pôde?*

Se você o despreza ou acha sua fraqueza detestável, ou mesmo apenas irritante, não sente mais do que ele mesmo sentia. Ela era uma infecção em sua alma, assunto encerrado.

A idiotice do que ele fez em seguida era óbvia, para ele, já enquanto o fazia: escreveu para Kleist e mandou que ele convocasse quantas tropas da guarnição do Novo Exército Modelo na Leeds Espanhola fossem necessárias para prender Arbell e trazê-la de volta para o Santuário.

— Idiota do caralho! — disse Kleist ao ler a ordem. Mas pelo menos isso lhe dava algo interessante para fazer.

— Windsor tem um caranguejo.

— É mesmo? Que azar — disse Fanshawe. — Tem certeza?

— Pediu que um dos charlatães o examinasse. É um homem morto.

— Suponho que seja uma maré de azar — disse Fanshawe.

— Talvez Windsor visse isso de outra forma — disse Ormsby-Gore, que não gostava de Fanshawe. Ele falava demais e tinha um jeito diplomático de lhe dizer o que fazer que, Ormsby-Gore desconfiava, não era tão diplomático quanto parecia. O que na verdade eram ordens vinham fantasiadas de "Eu me pergunto se não seria boa ideia se..." ou "Posso estar enganado, mas talvez valesse a pena tentar..." e assim por diante. Os lacônicos diziam o que precisavam dizer com o menor número possível de palavras, um hábito que Ormsby-Gore levava a extremos. O jeito reticente de Fanshawe de dar ordens dava a impressão de que ele estava se divertindo à sua custa.

— Mesmo assim, você precisa admitir — disse Fanshawe — que é conveniente, e *ele* se ofereceu como voluntário.

O caranguejo, um tumor que crescia no pescoço e que diziam se assemelhar a esse crustáceo, era uma doença que afligia os lacônicos do sexo masculino. Cerca de um em cada cinquenta desenvolvia essa condição, que seus inimigos atribuíam a todo tipo de costume lacônico, desde a horrorosa sopa — feita de sangue e vinagre — até enrabar garotinhos em excesso. Como a doença era invariavelmente fatal, e enfermidades demoradas, na sociedade lacônica, eram notáveis por sua inexistência, mandava a tradição que qualquer um que a contraísse se oferecesse para uma missão suicida, como um meio de tornar-se útil.

— É muito grave?

— Grave.

— Mas temos algum tempo?

— Acho.

— Talvez não seja necessário esperar tanto. — Ele se calou, esperando que Ormsby-Gore fosse obrigado a falar. Fanshawe reconhecia que isso era infantil, mas lhe proporcionava um prazer considerável. — O que você acha?

Uma pausa.

— Seu território.

— Mesmo assim, estou muito interessado em ouvir sua opinião.

— Aja — disse Ormsby-Gore, não porque acreditava que eles deveriam assassinar Cale imediatamente, mas porque isso lhe oferecia a chance de usar o menor número possível de palavras.

— Sabe, Ormsby-Gore, você pode ter razão. Aqueles canhões dele eram uma bela duma porcaria. Que cauchemar! Você não acha?

— Não falo francês — disse Ormsby-Gore.

— Entendo o que quer dizer — concordou Fanshawe. — Muitas vezes já lamentei saber falar.

Ele não tinha o mínimo interesse pela opinião de Ormsby-Gore, mas a questão de quando matar Thomas Cale era um problema mesmo assim. Ao ouvir rumores sobre a chegada de Hooke, ele teve praticamente certeza de que algo como os canhões seria apresentado. Se eles tivessem funcionado e o Santuário caísse rapidamente, na confusão poderia ser possível, até provável, que uma flechada nas costas disparada por um Redentor não despertasse suspeitas. Os suíços não procurariam uma explicação e, com Cale morto, voltariam a dar as ordens no Eixo. Só havia o Novo Exército Modelo para se preocupar — eles odiavam os lacônicos, e se houvesse qualquer pista do envolvimento deles na morte de Cale, haveria problemas, especialmente se eles fossem instigados por IdrisPukke e aquele garoto gostosinho, o tal do Henri. Mas, se planejadas com cuidado, as circunstâncias poderiam não despertar suspeita nenhuma. Que azar, lencinhos para todos. O problema dos cercos era que, quando você se via envolvido num daqueles, o que acontecia a maior parte do tempo era rigorosamente nada. Matar Cale e tentar fazer com que parecesse outra coisa era quase impossível de se fazer impunemente quando quase nada estava acontecendo. O surgimento de Windsor e seu caranguejo eram um benefício inesperado, porque Windsor não esperaria sobreviver à ação — mas aquele era um risco maior do que Fanshawe estava disposto a correr. Uma oportunidade poderia surgir, mas ele decidiu esperar.

35

— Você está presa.

Kleist ficou bastante satisfeito com o modo como usou a ponte sobre o Rio Chess para dividir a escolta de Arbell Materazzi em duas. Não que tivesse feito muita diferença se eles os tivessem abordado armados só com toalhas molhadas. Aqueles eram garotos. O filé dos Materazzi morrera quase todo em Bex. Os poucos que restaram foram rejeitados por Cale e enviados para vigiar Redentores no campo de concentração de Tewksbury a fim de evitar qualquer possibilidade de algum deles se distinguir em combate. Por mais que Cale devesse a Vipond, ajudar a promover um ressurgimento dos Materazzi não seria parte do pagamento.

— Pela autoridade de quem? — Arbell estava com um jovem de fala mansa. — É o sr. Kleist, certo?

— E você é?

— Henry Lubeck, cônsul da Hansa.

— Você pode ir, Lubeck.

— Sinto muito, sr. Kleist, mas não respondeu a minha pergunta.

— Seja um bom menino, não se meta e caia fora daqui.

— Tudo bem, sr. Lubeck — disse Arbell. — Essa pessoa é uma das criaturas de Thomas Cale. Tem um mandado judicial, naturalmente?

Kleist pegou um pedaço de papel e um lápis — naqueles dias, ele sempre precisava anotar as coisas —, escreveu "Você está presa" e assinou. Quando ia entregar para ela, parou.

— Preciso de uma acusação. — Ele pensou por um momento e escreveu: "Por evasão fiscal."

— E a minha escolta? O que vai acontecer com eles?

— Serão desarmados e virão conosco. Vamos soltá-los daqui a alguns dias.

— Aonde vão me levar?

— É surpresa. Mas não se preocupe, vai achar interessante. Pode aprender alguma coisa. Peça ao seu pessoal pra não fazer nenhuma bobagem. Daqui a cinco minutos partimos.

Uma coincidência é algo peculiar. Todos sabemos que, para cada vez que encontramos algum conhecido num lugar inesperado, deve ter havido cem desses encontros em nossa vida que não aconteceram por pouco — aquele amor perdido passou a 20 metros em vez de dois; ou passou a dois metros, mas por acaso estávamos olhando para o outro lado. E por aí vai. Cada coincidência implica centenas de quase-coincidências quase acontecendo, só que não. Há algo desagradável na perda de todas essas oportunidades de algo maravilhoso que poderia ter mudado nossa vida, não fosse por alguns metros ou um olhar distraído.

O acontecimento quase maravilhoso de Kleist naquele dia foi que sua esposa Daisy e seu filho estavam na caravana de Arbell, onde agora teriam que ficar por no mínimo três dias. Não era, no entanto, um acaso totalmente formidável ela estar ali. Daisy havia sido recentemente dispensada como faxineira da cozinha de uma família de comerciantes por roubar hortaliças — não uma ou duas cenouras e alguma batata, mas sacos delas. Depois que ela se fora, eles descobriram que seus furtos se estendiam a pequenos, porém valiosos, itens de joalheria. Por causa disso, a Hermandad começou a procurar Daisy e ela percebeu que era hora de sumir. O problema era que ela não tinha nenhuma habilidade útil — era uma faxineira inútil — e tinha um bebê, e ninguém estava saindo da Leeds Espanhola; com o front da guerra indo cada vez mais para o oeste, todos estavam só voltando. Depois de vários dias de ansiedade, sem querer correr o risco de topar com a Hermandad nas portas da cidade, ela se viu obrigada a subornar a cozinheira do séquito de Arbell para empregá-la como lavadeira sem salário. Isso ao menos as tirou da cidade, e depois que elas saíram, fazia sentido continuar sob a proteção da caravana. Havia boatos totalmente falsos sobre quintas-colunas Redentoras. Farta de trabalhar sem salário, ela estava planejando desaparecer do séquito de Arbell no meio da noite, levando todo item valioso no qual pudesse pôr as mãos, mas a chegada do Novo Exército Modelo pusera um fim nisso. Agora era perigoso demais tentar fugir. Alguém poderia achar inevitável que numa caravana de somente duzentas e poucas pessoas, a maioria delas soldados, um encontro com seu marido que ela imaginava falecido acabasse acontecendo. Mas ela fazia questão de ficar na moita (só por segurança), e até quando foi obrigada a sair da carroça das lavadeiras, ela estava no fim da fila, para que ninguém tivesse que ver os serviçais mais humildes cumprindo suas tarefas nojentas. Façam suas apostas, então, no grande jogo sempre sendo jogado pelas nossas costas — para Daisy, uma vida de sombria incerteza, para Kleist, uma morte solitária. Lancem os dados, girem a roleta, embaralhem as cartas. Joguem.

Kleist passara o primeiro dia cavalgando na dianteira, confortavelmente entorpecido, o tempo quente, a mudança constante de cenário um narcótico para sua cancerosa agonia. O desespero, com seus cinquenta tons de cinza, pode dar à alma dias desolados como aquele. Ele só foi para o fim da fila uma vez, quando Arbell estava terminando seu jantar. Deixou de ver Daisy tirando a louça suja por menos de dois minutos.

No dia seguinte, alguém gritou a ordem de parar e ele percorreu a fila para ver o que estava causando o atraso — um raio quebrado numa velha roda de carroça. Daisy havia sido enviada para trazer água para os nobres, e ela chegou exatamente quando Kleist, vendo que teria que esperar até a roda ser consertada, se virava para voltar para a dianteira. Ela teve um breve, porém bem claro vislumbre dele. Mas ele mudara; estava magro, quando já fora atraente e vigoroso, à sua maneira tranquila. E, claro, estava morto havia muito tempo nas ravinas e nos barrancos das colinas Quantock. Como ele podia ser esse figurão a cavalo, com o poder de fazer até os aristocratas se calarem, para variar?

No terceiro e último dia, os acompanhantes de Arbell foram autorizados a ir embora. Kleist, depois de uma noite ruim, percorreu a caravana para verificar se ninguém que pudesse causar problemas estava ficando com Arbell. Ela tentava levar cinco pessoas do seu séquito, inclusive dois homens que claramente estavam acostumados a se defender.

— Você pode ficar com duas criadas. Isso basta.

— E quem vai me proteger?

— Oh, nós faremos isso, Alteza. Com a gente, está tão segura quanto Memphis.

— Você acha isso engraçado?

— Na verdade, não, mas está calor, e é o melhor que posso fazer, no momento. Duas criadas.

— Três.

— Que tal uma?

Para demonstrar que a conversa havia terminado, ele virou seu cavalo e seguiu caravana abaixo, como se quisesse verificar se suas ordens estavam sendo cumpridas. Daisy estava a uns 15 metros dali, de lado e se abaixando para pegar a filha no colo, pois ela ficava tentando fugir e se meter embaixo das rodas das carroças em movimento. Desta vez, ele viu o rosto de Daisy muito bem, mas um ano pode ser muito tempo para alguém da idade dela, que havia encorpado, não era mais uma garota magrelinha, mas uma mulher jovem. Algo no modo como ela andava trazia agora lembranças desagradáveis, e se ela tivesse rido em vez de apenas sorrir para os esforços desesperados da garotinha de se livrar de seu abraço protetor, ele teria reconhecido o som em qualquer lugar. E então ela pôs firmemente encaixada em sua anca a criança, que agora esticava as mãozinhas roliças para puxar o cabelo de Daisy, que estava muito mais comprido, passou por uma carroça coberta e sumiu de vista. Não havia entorpecimento agora, e sim uma onda terrível de perda e sofrimento. Ele queria sair dali, esporeou o cavalo para voltar para a frente da caravana e fez um sinal ao cavalariço para que pusesse o comboio em movimento.

Era o momento da entrada final de Kleist no lugar negro onde as portas estão fechadas e as janelas têm grades. Exceto por uma coisa. Enquanto ele se afastava cada vez mais de milhões de alegrias nas quais quase tropeçara, não conseguia esquecer completamente a imagem da jovem que lhe causara uma dor tão terrível: a familiaridade fácil de ignorar o modo como ela andava. Fazia sentido se afastar da causa de tamanha agonia. Voltar e olhar para ela só pioraria as coisas. Mas mesmo assim ele se virou para voltar. Então parou. Era bobagem. Inútil. Ridículo. Ele se virou de novo e cavalgou para longe da mulher por vários minutos, tornando impossível voltar para se machucar mais sem nenhum motivo. Longe demais agora. Então uma esperança inútil de alguma coisa, de ao menos ver um eco de tudo o que ele perdera, o fez virar-se de novo. Ele queria fugir e não fugir. Mas uma certa compostura voltou a ele, uma sensação de que estava indo ver um último e diáfano fantasma de uma lembrança da presença dela. Não se poderia chamar isso de esperança, pois Daisy estava morta, mas era um passo para longe da sala negra. Impaciente, ele galopou, agora que tomara a decisão, ansioso para ver o fim daquilo. Olhar para ela, tirar isso da cabeça e parar com essa idiotice. Ele passou a galope pelo final de sua própria caravana e seguiu para o disperso resto do desfeito séquito de Arbell. Quando ele chegou, todos o olharam desconfiados — qual era a novidade agora? Ele os ignorou e começou lentamente a procurar em meio à fila irregular. Então a viu logo à frente. Com quadris que Daisy nunca tivera, ele quase não disse nada — não era nem um simulacro distante da garota que ele perdera. Algo terrível desmoronou em seu coração. Ele virou o cavalo para longe da inutilidade — mas o animal, tendo sido virado mais vezes do que achava aceitável, empacou com mais aquele puxão desajeitado e relinchou, furioso. Daisy olhou para trás, por causa da intensidade inesperada do som, preocupada com algo que pudesse machucar a menina. Kleist a encarou. Ainda ignorante, ela o encarou de volta, desconfiada daquele jovem de aspecto peculiar, e em seguida alarmada, ao ver o rosto já pálido do rapaz ficar branco. Ele soltou um grito horripilante, como se estivesse morrendo.

Então ela entendeu. Inspirou tão profundamente que parecia querer puxar ar para durar pelo resto de sua vida. Ele já descera do cavalo e tentava alcançá-la tão rapidamente que escorregou e caiu na lama, depois levantou e escorregou de novo, totalmente ridículo.

— Daisy! Daisy! Daisy! — gritava, e então a agarrou junto com a criança num abraço tresloucado. Mas ela não conseguia falar, só podia olhar. Observados pelos estarrecidos espectadores, os dois ajoelharam na lama, incapazes de chorar, e simplesmente gemeram. A menininha descobriu um brinquedo novo, puxando o cabelo do pai, casualmente aceitando a agonia feliz com que ele a apertava em seus braços.

— Honra! — gritou o bebê. Embora ela não pudesse ter realmente dito isso, foi o que pareceu para os serviçais que a ouviram. — Honra! Honra!

Imagine, então, a mixórdia confusa de emoções misturadas e dolorosas que chegaram ao acampamento do cerco em frente ao Santuário alguns dias depois, a alegria traumatizada de Kleist e Daisy e a raiva e o medo abrasadores de Arbell Materazzi.

Cale já havia preparado instalações cercadas para Arbell, bem guardadas e longe dos enxeridos, na cidade de barracas que se formara perto das muralhas do Santuário. Ele ponderara cuidadosamente se deveria chafurdar na mesquinhez de exigir que as instalações fossem tão desconfortáveis quanto possível, ou mostrar a Arbell que ele era de confiança, por meio de sua capacidade de proporcionar luxo até num merdeiro como a estepe em frente ao Santuário. Para sorte de Arbell, ele escolhera a segunda opção. Ele também se arrependia, sem muita convicção, de sua decisão de trazê-la — poucas pessoas têm a oportunidade de fazer o que quiserem, e ele estava descobrindo outra faceta desse imenso privilégio: o poder absoluto tende a confundir absolutamente.

Arbell e suas duas criadas foram recebidas por seus novos guardas a alguns quilômetros do acampamento e levadas para a sua confortável prisão de modo que ninguém as visse. Kleist nem notou: mal conseguia se conter ao levar sua esposa e filha para verem Cale e Henri Embromador.

Assim que ele chegou ao posto de comando, onde os dois não conseguiam encontrar uma solução para a impenetrabilidade do Santuário, eles puderam notar uma mudança milagrosa em sua atitude, não só por ele estar feliz, depois de ficar arrasado por tanto tempo, mas porque tinha uma intensidade que quase o fazia parecer louco. Com ele vinha Daisy, de olhos arregalados, segurando o bebê sobre a anca. Em borbotões confusos de fala arrebatada, a história fluiu de dentro dele, desconjuntada e difícil de entender. Mas o básico estava bem claro: aquelas eram sua esposa e sua filha que voltavam dos mortos. Uma coisa unia os três rapazes — o assombro pelo modo como a vida podia ser loucamente generosa. Eles não cabiam em si; surpresos, não, chocados pela felicidade. Abraçaram Daisy, abraçaram o bebê, depois abraçaram Daisy de novo e exigiram a repetição de toda a história, cheios de perguntas sobre por onde ela andara e com quem. E embora ela morresse de vergonha quando Kleist contou por que ela estava fugindo de Leeds, eles ficaram encantados, em especial Henri Embromador, cujo ódio pela classe dominante da cidade só havia aumentado com sua ausência. Eles pediram comida, bebida e deram a ela um perdão oficial por todos os crimes do passado e, de tão felizes que estavam, do futuro também. E então Daisy notou que Kleist ficara completamente branco. Quando tentou segurá-lo, ele caiu da cadeira, bateu a cabeça — uma pancada feia na perna da mesa — e vomitou. Os charlatães foram chamados e ele foi carregado cuidadosamente pelos guardas e deitado na luxuosa carroça de Cale.

— Ele só está esgotado — disse o médico. — Não é surpreendente, na verdade... eu teria um troço se acontecesse comigo. Só precisa de um pouco de paz e sossego com a esposa e a filha. Vai ficar bem.

— Vou deixar meu mordomo com vocês — disse Cale a Daisy. — Qualquer coisa que quiserem, basta pedir pra ele. Voltaremos mais tarde.

— Melhor amanhã — interrompeu o médico.

— ...voltaremos amanhã. Qualquer coisa.

Eles voltaram para o centro de comando, tomaram vários drinques e fumaram.

— Ele tem um bebê. Inacreditável — disse Henri Embromador.

— Você acha que ele vai ficar bem?

— Vai. Foi emoção demais, só isso.

Mas ele não estava bem. Claro que se recuperou, por assim dizer, mas estava mexido, como dizem os irlandeses. E pelos dias seguintes continuou mexido, sempre tremendo um pouco e com a postura de alguém que acabava de levar um golpe, um olhar oprimido, atordoado. Durante uma breve visita no dia seguinte, os dois, intrigados porque não parecia fazer sentido que ele estivesse pior, começaram a perceber que podiam estar enganados: a experiência de sofrimento dos dois (brutalidade, morte, violência) podia ter sido de uma intensidade fora do comum, mas não fora necessariamente ampla. A caminho de uma reunião com o médico, o outro infeliz assunto relativo à volta de Kleist os levou a uma discussão amarga: Henri Embromador, até que Kleist mencionasse o fato superficialmente, não fazia ideia de que ele voltara para o Santuário arrastando Arbell Materazzi.

— Você é um idiota do cacete.

— Sim.

— E agora?

Cale não disse nada.

— Isso pode alvoroçar muitas daquelas cobras de que você sempre fala.

— Não acho. Ninguém ama a gente, mas ninguém a ama também. Os Materazzi não são nada, só um incômodo.

Eles andaram em silêncio por um instante.

— O que IdrisPukke acha disso?

— IdrisPukke não sabe e não quer saber.

— E você tem certeza disso porque...?

— Ele me contou.

— E o que você vai fazer com ela?

— Deixá-la cozinhar delicadamente em seu próprio caldo.

De fato, ele descobriu que manter Arbell detida ali perto sem precisar vê-la lhe dava uma certa calma. Ele controlava uma coisa que perdera: sabia exatamente onde ela estava. Aquilo era outra coisa no poder que ele notara, mas uma coisa boa, dessa vez: ele era como a bebida — fazia o mundo brilhar. Jantando com Henri Embromador naquela noite, Cale estava anormalmente silencioso. Depois de meia hora sem falar, olhou para Henri Embromador e perguntou casualmente:

— Você acha que eu sou louco?

— Sim — disse Henri Embromador. Mas era uma pergunta esquisita, feita de forma esquisita, e ele sentiu um calafrio.

A cada dia que o Eixo ficava do lado de fora do Santuário, olhando para as muralhas, o poder de Cale diminuía. Cada vez mais, a única opção era dissolver o exército, deixando um contingente para impedir que os Redentores saíssem. Mas aí os Redentores só precisariam esperar que as forças no Oeste contra-atacassem e acabassem com o cerco no ano seguinte, ou até no outro. Então poderiam reabastecer o acampamento e usá-lo como base para avançar contra o próprio Eixo. A Hansa já estava reclamando do preço de seus mercenários, a maioria de Hesse, os lacônicos não eram de confiança, e agora novas escaramuças religiosas brotavam para todo lado. Cale sabia que os Redentores tinham recursos para se reorganizar, e que Bosco canalizaria toda a sua energia para a aquisição dos meios de copiarem as armas de mão de Hooke. Se ele conseguisse, a maior vantagem de Cale estaria perdida. Para piorar as coisas, as venenosas, porém incompreensíveis diferenças religiosas que fizeram as dez igrejas da Suíça se dividirem estavam ressurgindo, agora que a ameaça dos Redentores ficava mais fraca. Evitar que esses cismas religiosos contaminassem a união do Novo Exército Modelo era uma dor de cabeça cada vez maior. Cale precisava acabar com a guerra logo, e isso significava tomar o Santuário. Mas o Santuário não queria ser tomado.

Ele tinha certeza de que deveria haver um jeito, porque sempre havia um jeito. Sob a disciplina brutal de Bosco, ele fora forçado a ficar de pé por horas diante de mapas e de um tabuleiro cheio de pedaços de madeira representando tropas, cidades, rios e dificuldades impossíveis, e precisava encontrar uma saída para problemas insolúveis. Se não conseguisse, levava uma surra. Se demorasse demais, levava uma surra. Às vezes levava uma surra até quando conseguia.

— Isso é para ensinar a lição mais importante de todas — dizia Bosco. Quando ele perguntava qual era, Bosco batia nele de novo.

— E se eu te der umas porradas? — ofereceu-se Henri Embromador. Cale decidiu, em vez disso, que eles deviam contornar o problema. Naqueles dias, sua segurança significava ter pessoas ao seu redor o tempo todo, algo que ele odiava, por isso, levando um guarda robusto, eles saíram para cavalgar ao redor das muralhas do Santuário, tomando o cuidado de ficar bem longe delas. Ele parava e olhava, parava e olhava. Havia uma solução. Sempre havia uma solução. Ele a encontrou no Irmão Menor.

— Agora que você mostrou — disse Henri Embromador —, é óbvio. E era. Era tão óbvio que estava claro que o Santuário cairia. Nada poderia impedir. Em dois meses, eles estariam dentro das muralhas.

No dia seguinte, ele reuniu o número considerável de partes interessadas, cuja hostilidade mútua ficava cada vez mais exacerbada, e explicou seu plano a elas. Primeiro, sem grande habilidade, ele desenhou o contorno do platô montanhoso sobre o qual o Santuário fora construído. Seu desenho não precisava ser muito bom para que os presentes reconhecessem o que era: aquela forma assombrava os sonhos de todos.

— Está faltando algo — disse Cale. — Alguém quer arriscar?

— O Santuário.

— Sim, mas não isso. Outra coisa.

Silêncio. Cale voltou para o desenho e acrescentou um rochedo uns 15 metros mais alto que o platô e com uma encosta do lado oposto, mas com um espaço de aproximadamente 80 metros entre o rochedo e a montanha propriamente dita.

— Este pico é chamado de Irmão Menor. Este espaço entre ele e as muralhas do Santuário, nós vamos preenchê-lo. — Ele desenhou uma linha entre os dois, terminando no alto da muralha do Santuário.

Salas gemem? Aquela gemeu. Como Henri Embromador dissera, depois de mostrado, ficava óbvio.

— O espaço é enorme. Vai levar anos — disse alguém.

— Vai levar um mês — disse Cale. — Pedi que o sr. Hooke calculasse.

— Esse seria o sr. Hooke que matou oito dos meus homens com seu monte de merda explosivo?

— Sem Hooke — disse Cale —, a maioria das pessoas nesta sala estaria apodrecendo silenciosamente na lama do Mississippi. Por isso cale essa boca. — Então ele deu os detalhes dos cálculos de Hooke: o volume de carrinhos de terra e o número de homens que eles tinham para carregá-la.

— Os arqueiros deles vão nos alvejar às centenas.

— Vamos construir tetos de proteção para que eles trabalhem embaixo.

— Vão jogar pedras do alto da muralha também; os tetos vão ter que ser fortes pra cacete.

— Se você está me dizendo que soldados morrerão, concordo, morrerão. Mas podemos trabalhar do alto do Irmão Menor também, se for preciso. No fim das contas, é só encher um buraco. Quando terminarmos, eles estão acabados.

Mais tarde, Ormsby-Gore e Fanshawe discutiram os acontecimentos do dia.

— Meus homens são soldados, não operários, cacete.

— Não seja tão chato, querido — disse Fanshawe. — Estou feliz como em todos os meus aniversários somados. Ele realmente é uma coisinha esperta. Pena que tem que morrer.

O problema dos pessimistas apocalípticos é que cedo ou tarde eles acabam tendo razão. Não importa qual grande empreitada você comece, as coisas sempre vão dar errado. Foi assim com a tentativa de preencher o espaço entre o Irmão Menor e o Santuário. A prevista chuva de flechas podia ser neutralizada com passarelas cobertas, mas elas eram facilmente esmagadas com pedras que eram muito mais pesadas do que o esperado, porque os Redentores, assim que viram o que se pretendia fazer, criaram um dispositivo de lançamento, baseado na catapulta, capaz de arremessar rochas de várias toneladas a 60 metros das muralhas. Nada que o Eixo pudesse construir aguentaria um peso daqueles caindo daquela altura. Ninguém, é claro, era tolo o suficiente para dizer "eu avisei" na cara de Cale, mas se palavras fossem neblina, ninguém conseguiria enxergar nada no acampamento.

O problema foi resolvido em poucos dias e envolveu simplesmente mais esforço. Barris de pedras e cascalhos eram levados até o alto do Irmão Menor e jogados lá de cima. Era uma suadeira desgraçada, de desancar e causar estiramentos, mas funcionou. Quando Hooke inventou um trilho sobre o qual vagões podiam ser puxados morro acima usando contrapesos, a velocidade nem aumentou muito. Dia após dia, dia após dia, o espaço se enchia. Mesmo que fosse lento, cada membro do fracionado Eixo podia ver o progresso e também o inevitável resultado ao qual esse progresso estava levando. A promessa de sucesso trouxe a harmonia, de certo modo. Os suíços ficaram mais pacientes e adiaram seus planos de impeachment e evacuação rápida até depois que o Santuário caísse. Até os lacônicos começaram a fingir que tratavam seus aliados como iguais: Fanshawe queria ver o Santuário derrotado, e com isso ter a oportunidade de acabar com Cale sem ninguém fazer muitas perguntas.

Toda noite, Cale andava até as instalações onde mantinha Arbell. Às vezes, a tentação de entrar era quase insuportável, mas os sonhos que tinha com ela o impediam. Eles se passavam em vários lugares diferentes que ele não reconhecia (*Por quê?*, ele pensava. *Por que não lugares conhecidos?*), mas eram sempre com ele andando, se esgueirando como o comerciante de tecidos lunático da ala psiquiátrica do Priorado, que fora abandonado no altar pela mulher que adorava e passava os dias chorando e perguntando a todos se a viram. Mas a única coisa constante em seus sonhos era a expressão no rosto dela quando, com o coração cheio de esperança temerosa, ele se aproximava. O modo como ela o olhava já era ruim o suficiente nos sonhos, sem ser visto na vida real. Por isso ele observava a luz quente dentro da tenda e as sombras se alongando e diminuindo com os movimentos dela — embora ele soubesse que também podiam ser só as criadas cuidando do menino ou penteando o cabelo dela. Ele tentava evitar ir lá, claro, e às vezes conseguia, mas com uma raridade patética.

Ele se acostumara muito, de fato, com o conforto e o isolamento de sua aconchegante carroça, e para substituí-la destacara vários carpinteiros experientes e ex-tapeceiros transformados em soldados, que teriam sido mais bem aproveitados no cerco, para criar algo ainda mais luxuoso.

Kleist causava preocupação. Ele estava ao mesmo tempo indizivelmente feliz com a volta à vida de sua esposa e filha, e também despedaçado pelas crueldades que a precederam. O ímpeto de uma coisa não conseguia afetar o peso da outra.

— O que ele tem?

O médico deu de ombros, como que para indicar que era óbvio.

— Ele foi criado nesse lugar horrível.

— Nós dois também — disse Henri Embromador.

— Deem tempo ao tempo — disse o médico. Houve um silêncio difícil. — Desculpem, falei demais. Não queria... hã... ser indevidamente alarmista. — Mas ele quase falara a sério, só não queria ter se expressado tão sem rodeios. “Da madeira cheia de nós da humanidade, nada reto jamais foi feito” era a sua filosofia; se você entortasse uma muda ainda jovem, era óbvio que ela cresceria ainda mais deformada. Por mais que ele ficasse encantado com suas metáforas florestais, teve bom senso suficiente para podar aquela. — O que eu... quis dizer é que, obviamente, as pessoas são afetadas pelo passado, mas é igualmente importante reconhecer que até as mesmas doenças físicas afetam pessoas diferentes de maneira diferente; muito mais, então, as doenças mentais. — Os dois garotos só olhavam para ele. — Quero dizer, até as pessoas mentalmente mais fortes têm um limite para o número de choques que podem sofrer. O sr. Kleist sofreu o choque de ser criado nesse lugar, depois o choque delicioso, mas mesmo assim um choque, de se apaixonar, se casar e ser pai. Então o choque de descobrir que as duas morreram e foram queimadas. Depois a tortura que vocês me contaram, e ser levado às raias da morte da forma mais dolorosa e revoltante.

— Mas agora ele as tem de volta — disse Henri Embromador, desesperado para que Kleist ficasse bem.

— Mas foi apenas mais um choque, entende?

— Não, não entendo — disse Henri Embromador. — Eu também fui criado aqui. Estava na cela com ele na casa de Kitty das Lebres. Tudo bem, não perdi esposa e filha, mas... — Mas o quê? Ele não conseguia pensar numa objeção — veja o que aconteceu, até com Cale.

O médico ia sugerir que Henri Embromador tentasse, no futuro, levar uma vida mais tranquila, só por segurança, mas teve a sabedoria de guardar o comentário para si, dessa vez.

— O que devemos fazer com Kleist? — perguntou Cale.

— Ele precisa de calma. Tirem-no daqui, para começar, e levem-no para algum lugar sem nenhuma tensão ou desarmonia.

Cale sorriu.

— Se eu conhecesse um lugar assim, eu mesmo iria.

— Isso provavelmente seria boa ideia — o médico não conseguiu deixar de dizer.

— Aquele monte de bosta do Bose Ikard e seus amiguinhos querem pegar a gente — disse Cale para Kleist e Daisy. — É hora de alguns de nós não estarem aqui.

Nenhum dos dois, cautelosamente, disse nada.

— Tem sempre alguém querendo pegar você, não tem? — disse Daisy.

— Oh, de fato, sempre tem, sra. Kleist. Mas os suíços controlam todo o nosso dinheiro. Queremos que Kleist pegue tudo o que ele possa carregar e ponha fora de alcance... vá para algum lugar onde possamos nos aposentar quando o balão subir. — O balão, ou *balon*, era uma bandeira vermelha usada pelos Redentores para sinalizar que um ataque era iminente.

— Onde? — perguntou Kleist.

— Estávamos pensando em algum lugar perto do mar. A Hansa é bem acolhedora com os ricos. E Riba está em dívida conosco.

— Ela *sabe* disso? — indagou Daisy. — Meu marido me contou que, quando vocês estavam no deserto, ele sugeriu que vocês a deixassem lá.

— Ela tem razão, ele sugeriu — disse Henri Embromador.

— Mas nós nunca contamos isso pra ela — disse Cale. — Além disso, Riba foi a causa de tudo. Ela sabe que nos abandonou com Kitty, então esta é a chance de ela se redimir.

— Por que não mandar Henri Embromador? — disse Kleist. — Ela não vai se importar em ajudá-lo.

— Eu preciso ficar aqui.

— É? — disse Kleist. — Por quê?

Não houve a menor hesitação.

— Uma noite antes de atacarmos o Santuário, eu vou entrar à força para tomar os aposentos onde as garotas são mantidas. Portanto, você é realmente a única pessoa que pode fazer isso. Além disso, você é o único de nós três que tem esposa e família.

E assim, ficou decidido. Kleist voltaria para a Leeds Espanhola e, com a ajuda de Cadbury — Cadbury também não via a hora de pôr algum dinheiro a salvo do perigo —, sairia da Suíça levando todo o dinheiro dos três e tudo o que eles pudessem vender até lá.

— Você foi meio duro com Riba — disse Henri Embromador depois que Kleist e Daisy saíram.

— Vou espremer Riba até a última gota, se precisar, e ainda não seria o suficiente.

Houve um silêncio mal-humorado. Foi Cale que decidiu ser apaziguador.

— Gostei do raciocínio rápido quando ele perguntou por que você não ia.

— Não, não foi.

— Quê?

— Não, não foi raciocínio rápido — disse Henri Embromador. — É o que vou fazer mesmo.

— Não seja imbecil. Ele já deve ter matado todas há meses, anos até.

— Não acho.

— Baseado em?

— Baseado em que eu não acho.

— Não.

— Como assim?

— *Não* não está claro o suficiente?

— Não estou pedindo sua permissão.

— Olhe aqui, eu posso ter deixado passar alguma ideia idiota sua de que nós estamos em pé de igualdade... ninguém mais acha isso. Você vai fazer o que eu mandar e pronto, cacete.

— Não, não vou.

— Vai, sim.

— Não, não vou.

Esse bate-boca continuou por algum tempo. Houve ameaças de Cale de mandar prendê-lo até o assédio terminar e convites de Henri Embromador para Cale socar as ameaças no olho do cu. Mas o que desfez o impasse foi um apelo ao coração de Cale, aquele objeto tão peculiar.

— Annunziata, a garota de que te falei... eu a amo. — Não era verdade. Ele gostava imensamente dela, mais do que das outras garotas, embora gostasse imensamente delas também. Por que o desejo de salvá-las era tão intenso, ele não saberia dizer. Mas existia. Ele entendia melhor a alma de Cale do que a própria. Todos têm um fraco sentimental por alguma coisa, até, ou especialmente, os perversos. Dizem que Alois Huttler tinha dificuldade para não chorar quando via um filhotinho de cachorro, e que tinha em seu quarto um retrato de uma menininha dando leite a um carneiro por um chifre. De qualquer forma, Cale é que não podia negar o poder do amor, considerando o quanto esse sentimento possuía sua própria alma. Afinal, a fonte de muita da sua autopiedade era ele ter arriscado a vida tão loucamente para salvar Arbell.

Dois dias depois, Kleist e Daisy estavam perfilados em seu comboio fortemente protegido, com Cale e Henri Embromador se despedindo deles.

— O que me impede de sumir no mundo com o dinheiro? — perguntou Kleist, com as mãos trêmulas como um velho.

— Porque — disse Cale — você pode confiar na gente.

— Confiar em vocês? — disse Kleist. — Ah, é. Confiar em vocês.

— Do que vocês estão falando? — perguntou Daisy. — Não entendo.

— Depois eu conto.

— Escrevi para Riba — disse Henri Embromador. — Ela vai ajudar.

— E se não ajudar?

— A sra. Kleist parece ter a cabeça no lugar. Vocês têm dinheiro, darão um jeito.

— Obrigado — disse Kleist, e parecia estar agradecendo algo em particular, mas Cale não sabia ao certo o quê.

Ele deu de ombros, sem jeito.

Segurando a garotinha no colo, Daisy beijou os dois no rosto, mas não disse nada. Então Cale e Henri Embromador os viram ir embora, uma experiência estranhamente desoladora para ambos.

36

Nas duas semanas seguintes, o istmo artificial que partira do Irmão Menor se aproximou do alto das muralhas do Santuário, enquanto Henri Embromador praticava escaladas no escuro com seus cem voluntários. Um homem morreu na primeira noite, gritando ao cair, um acidente barulhento que significaria a morte para todos eles, se aquela fosse a missão real. Uma escalada daquele tipo só seria possível na fase da lua certa — se eles pudessem enxergar bem demais, também poderiam ser vistos bem demais. Por sorte, a lua certa coincidiria com o fim da construção da rampa. Decidiu-se escalar em pequenos grupos de dez, mais para a lateral do Santuário, onde os escaladores ficariam escondidos de quaisquer vigias. Eles se reuniriam na montanha, ao pé das muralhas, e subiriam quando escurecesse; um dos alpinistas de Artemisia levaria uma corda até o topo e puxaria uma escada de corda criada por Hooke.

— É a coisa mais idiota que eu já vi — disse Cale.

— Cuida da sua vinha — respondeu Henri Embromador.

À medida que a rampa se aproximava, novamente os construtores ficavam mais vulneráveis às flechas, setas, pedras e rochas lançadas pelos Redentores — um ataque tão terrível quanto era desesperado. Retardava o avanço, mas não era o suficiente, como os Redentores deviam saber. Então, a seis metros da muralha, a construção parou. Completá-la iria permitir que os Redentores a atravessassem para atacar. Hooke providenciara uma espécie de ponte de madeira, com teto e laterais cobertas, de uns 12 metros de comprimento. Quando Cale decidisse atacar, a ponte seria empurrada pela rampa para fechar o vão, como uma prancha sobre um rio. Era larga o bastante para comportar oito soldados ombro a ombro. Hooke também providenciara uma maneira desagradável de expulsar quem ficasse na frente da ponte, uma variação do fogo grego. Ele construíra várias grandes bombas que borrifariam uma grande área à frente dos soldados que atravessavam, atingindo todo Redentor num raio de cinquenta metros com fogo líquido.

— Deus me perdoe — disse Hooke.

— É só lembrar que eles fariam alegremente a mesma coisa com você... já teriam feito, se eu não tivesse salvo o seu pescoço.

— Devo me sentir melhor por isso, por não ser pior do que eles?

— Sinta-se como quiser. Eu não estou nem aí.

Os últimos dias antes do ataque por cima da rampa passaram num ritmo febril, uma sensação desagradável para Cale e Henri Embromador, como se eles estivessem desabalando rumo a algo fora do seu controle. Agora que estava para acontecer, o que eles iam fazer lhes parecia inacreditável. Iam voltar para o lugar que mais odiavam em todo o mundo, mas que os criara, e varreriam tudo lá dentro. Faltando dois dias, estavam enlouquecidos de agitação — porém, estranhamente, também controlados e silenciosos.

IdrisPukke, que voltara para testemunhar a tomada do Santuário, ficava nervoso perto dos dois garotos, embora por si só já estivesse bastante tenso.

— Eles lembravam o velho adágio — ele disse mais tarde a Vipond. — As casas assombradas são as mais silenciosas, até que o demônio se levanta.

Se houvesse alguma umidade no ar, diriam que uma tempestade estava a caminho. À noite, os gafanhotos calaram seu costumeiro zumbido pulsante. Parecia haver menos moscas tentando chegar à saliva da boca dos soldados.

As pessoas que podem se dar ao luxo de levar vidas sossegadas desdenham o melodrama, a ação sensacional, os acontecimentos exagerados destinados a emoções mais grosseiras do que as suas. A vida que elas levam, essas pessoas pensam, é real: a normalidade do dia a dia é como as coisas realmente são. Mas é evidente para qualquer um com um mínimo de bom senso que para a maioria de nós, a vida, se ela se parece com alguma coisa, é com uma pantomima em que o sangue e o sofrimento são reais, uma ópera na qual os cantores cantam fora do tom, uivando sobre dor, amor e morte, enquanto a plateia joga pedras em vez de frutas podres. A delicadeza e a sutileza são o grande escapismo fantástico.

Era fim de tarde quando Henri Embromador foi ver Cale, antes de começar a escalada da muralha do Santuário.

— Não consigo acreditar — ele disse — que vou tentar entrar de volta naquela merda. — Cale olhou para ele.

— Eu queria acertar os detalhes do seu funeral.

— Ah, é?

— Pensei em embrulhá-lo num cobertor de cachorro e jogá-lo no esgoto da Parede Oeste. Se a gente conseguir uma banda, vamos tocar "Eu Tenho um Belo Monte de Cocos". Você vai gostar.

— Você não é — disse Henri Embromador — uma pessoa muito legal.

— Estou dizendo pra você não fazer essa porra desse resgate da porra, não estou? Aquelas garotas estão mortas, e se você for pra lá, vai ficar tão morto quanto elas.

— Fico comovido com sua preocupação.

— Não me preocupo. Nem pense nisso. Só sinto pena de você, por isso suportei você todo esse tempo.

— Se eu não for, não vou conseguir dormir à noite. É a mais pura verdade. Tenho medo de não ir.

— Você se acostuma. Pode se acostumar com qualquer coisa. E tem coisa pior do que não conseguir dormir.

— Não posso desistir agora, ia pegar mal.

— Eu mando prender você. — Não era uma ameaça, mas uma súplica.

— Não. Não faça isso. Se depois eu descobrir que elas estavam vivas, vou odiar você.

— *Por quê?*

— Vou odiar e pronto. — Henri Embromador sorriu. — Me dá um beijinho.

— Não.

— Um aperto de mão, então.

— E se a burrice for contagiosa?

— Em você não pega. Você vai ficar bem.

— Mas você não vai. — Ele estava com raiva, agora, vendo que sua persuasão não funcionaria. — Você ainda é um Redentor, é isso.

— Quê?

— Oh, não é um porco imundo, não você, mas mal pode esperar pra se sacrificar por alguma coisa. Mexeram com sua cabeça, todas aquelas merdas sobre... — Ele parou, incapaz de encontrar as palavras certas. — Você é só mais um mártir, e não se preocupe, tenho um funeral de mártir preparado pra você —, vamos cantar "Fé dos Nossos Pais"... *Até a morte seremos leais a ti...* Você se lembra dessa porra? Quer que venha antes ou depois da canção dos cocos?

— Você ensaiou esse discurso, não ensaiou?

— Vá embora logo, não quero mais saber de você.

— Eu vou ficar bem. Estou sentindo.

— É? Tá. Tchau.

— Acho que você iria comigo, se pudesse.

— Não, não iria.

— Você diz isso porque precisa dizer, por ser você.

— Não é isso. Na mesma situação, e se não envolvesse um terrível risco pra minha própria vida, então sim, eu ajudaria você. Gosto de ver coisas boas sendo feitas, de verdade, mas seu preço é alto demais. Posso ver que sou uma decepção pra você, mas a pura verdade é que prefiro viver do que ver a justiça ser feita. E isso é verdade.

Henri Embromador deu de ombros e partiu para entrar de volta no Santuário.

Cale já se sentia exausto antes que Henri Embromador viesse dizer o que quer que ele tinha vindo dizer. Agora se sentia um trapo torcido. Depois de tomar a Fedra e Morfina para enfrentar Kitty das Lebres, ele começara a levar mais a sério o conselho da Irmã Wray de não usá-la. Às vezes se sentia tão fraco que parecia que ia parar de respirar. Quando eles eram mais jovens, Henri Embromador ouvira um dos Redentores dizer que um barulho alto e repentino poderia matar um gafanhoto. Eles tentaram, dezenas de vezes, mas nunca funcionou. Agora ele sentia que um barulho alto e repentino poderia facilmente fazê-lo bater as botas. Mais motivo ainda, então, para ficar longe da Fedra e Morfina. Mas ele sabia que não conseguiria passar pelas próximas 24 horas sem ela. *Só mais uma vez*, ele pensou. *Limpe o Santuário, depois é só ir pra Hansa com toda a bufunfa, e serão sanduíches de pepino e bolo pra todo o sempre.*

Ele dormiu um par de horas, embora seu guarda tivesse que acordá-lo, e então tomou exatamente a dose da droga que a Irmã Wray o instruiu a tomar. Àquela altura, ele se dava conta de que ela não exagerara ao dizer que suas toxinas se acumulavam — a cada semana, agora, às vezes por meia hora seguida, ele tinha a sensação de que alguém estava fritando alguma coisa na sua cabeça.

Meia hora depois, ele estava no alto do Irmão Menor, enquanto Hooke terminava de preparar seu enorme túnel de madeira para a manobra final até as muralhas do Santuário. O topo do Irmão Menor havia sido elevado em 12 metros, para que o túnel pudesse ser empurrado morro abaixo sobre o vão entre a rampa e as muralhas que ele atravessaria, permitindo que as tropas do Novo Exército Modelo se espalhassem rapidamente e em grande número. Não havia como esconder o plano dos Redentores, então não era preciso ser adivinho para ver que eles fariam de tudo para impedir o ataque assim que começasse. Estabelecer aquela cabeça de ponte seria um negócio massacrante. Era o único ponto fraco do ataque — e Bosco não deixaria de perceber isso.

O ataque começou assim que o dia clareou, para que os invasores tivessem toda a luz do dia possível. Cale esperava algum tipo de desastre, mas, embora houvesse mil decisões a serem tomadas, não haveria nenhum terremoto ou peste repentina, nenhum paraélio misterioso para perturbar os supersticiosos. Havia só um terror crescente pelo que estava por vir.

Pouco antes das cinco, Hooke veio avisar que eles estavam prontos. Cale andou os últimos metros até o topo do Irmão Menor e olhou para o Santuário do outro lado. Seu coração bateu mais forte, sua cabeça parecia estar explodindo enquanto ele contemplava seu antigo lar, vendo os lugares ainda sombrios onde ele passara tantos milhares de dias com medo, horror e desolação. Tanto frio, tanta fome, tanta solidão. Ele olhou por muito tempo. Um momento tão arrasador pedia um grande grito. Mas algo chamou sua atenção dentro do Santuário, à direita. Era a ala onde as garotas eram mantidas. De sua ponta mais distante, um fio tênue de fumaça subia suavemente no ar. Ele fez um aceno mínimo para Hooke e começou.

— Preparar! — exclamou um dos centuriões.

— Levantar!

— Agora! — Um enorme grito de FORÇA! se espalhou. A imensa estrutura tremeu, mas não se mexeu. FORÇA! Novamente se agitou, mas novamente nada. FORÇA! Dessa vez, avançou alguns centímetros. FORÇA! Agora, um palmo. FORÇA! Agora, meio metro. Já colocado sobre a encosta reforçada, o túnel deslizou com o próprio peso. Mas o que preocupava era a estabilidade, não a velocidade. Homens corriam de um lado para o outro entre a frente e as laterais do túnel, gritando uns com os outros e com Hooke, vigiando para que a brita não cedesse e o túnel afundasse ou acontecesse algum outro desastre no qual não haviam pensado. Algumas vezes precisaram parar, e alavancas de 9 metros de comprimento às dúzias foram trazidas para levantar a estrutura nos pontos em que ela afundara no chão ainda fofo. Mas não havia nenhum ataque vindo da muralha. No lugar deles, Cale estaria jogando tudo o que pudesse na cabeça dos invasores. E o tempo todo, um após o outro, incêndios começavam nas laterais do gueto onde as garotas eram mantidas.

— Onde estão os Redentores? — perguntou Fanshawe quando eles foram para a cabana onde guardavam os mapas do Santuário. Lá dentro estavam meia dúzia de oficiais do Novo Exército Modelo e três lacônicos, liderados por Ormsby-Gore. IdrisPukke também estava.

— Não sei, mas eles não vão fazer nada agradável, tenho certeza. — Ele decidiu mudar seu plano. — Quero que quinhentos homens seus entrem logo depois do primeiro avanço.

Fanshawe olhou para Ormsby-Gore.

— Você concorda?

— Não foi o que combinamos — disse Ormsby-Gore.

Num sentido formal, não havia soldados menos covardes do que os lacônicos. Mas em termos práticos, era como se eles fossem um tanto pusilânimes. O problema era que requeria tanto esforço, tempo e dinheiro construir uma dessas horríveis máquinas de matar, e elas eram tão poucas, que embora ficassem felizes em morrer, não tinham tanta vontade de lutar. Cada um desses monstros era tão valioso quanto um vaso raro.

Cale, ainda mais mal-humorado que de costume por causa das drogas e do que poderia estar acontecendo com Henri Embromador, fitou Ormsby-Gore diretamente nos olhos, algo pouco prudente até nas melhores circunstâncias.

— Não tem acordo nenhum aqui — disse Cale. — Você faz o que eu mando, senão corto sua cabeça e a chuto do alto da montanha.

Existem pessoas para as quais você pode dizer algo assim, e pessoas para as quais não pode. Lacônicos em geral, e Ormsby-Gore em particular, pertenciam à categoria daqueles que você não pode. A última sílaba da última palavra mal havia saído da boca de Cale quando Ormsby-Gore, exaltado em meio a uma já exaltada sociedade de aberrações homicidas, puxou um punhal e o cravou no coração de Cale.

Ou teria feito isso se fosse qualquer outra pessoa e não Thomas Cale, tornado ferozmente hiperativo por uma droga que tinha uma boa probabilidade de matá-lo em algum momento das próximas 24 horas. A velocidade e a força do golpe foram a desgraça de Ormsby-Gore. Errando o peito de Cale por um triz, foi virado por ele, que o puxou para si e pôs seu próprio punhal no pescoço dele. Os espectadores poderiam ter ficado petrificados pela velocidade do que acabara de acontecer, mas o que os mantinha em absoluto silêncio era a expressão tresloucada no olhar do garoto.

Até IdrisPukke ficou calado, temendo que qualquer movimento ou som fizesse Cale explodir. Lá fora, havia silêncio pela primeira vez em horas. Quanto demora um segundo quando a vida ou a morte estão no recinto. Então veio um enorme SNAP! de fora, seguido por um estrondo e o grito de um engenheiro furioso.

— Esses porras da porra foderam tudo, porra!

Ninguém na tenda disse nada e ninguém se mexeu. Exceto Cale. Incapaz de se conter ao ouvir a exasperação dilacerante do engenheiro, ele começou a rir — não a insana gargalhada histérica do lunático surtado, mas a risada comum de alguém que percebe o absurdo de tudo o que está acontecendo. Fanshawe se arriscou.

— Eu só vou tirar o punhal da mão de Ormsby-Gore — ele disse baixinho, levantando as mãos. — Você entende isso, caro colega, não entende?

Ormsby-Gore olhou para Fanshawe de uma maneira que indicava que ele não entendia coisíssima nenhuma. *O problema das pessoas que não têm medo da morte*, pensou Fanshawe, *é que elas não têm medo da morte.* Portanto, ele precisava encontrar outro meio.

— Acontece, querido — ele disse —, que se você não soltar o punhal, eu mesmo vou, com a permissão de Thomas Cale, puxar o meu, cortar a sua cabeça e chutá-la do alto da montanha.

Para Ormsby-Gore, aquilo era bem diferente: ser executado no campo de batalha por desobedecer a uma ordem significaria uma desgraça imperdoável e infâmia sem fim para ele e sua família. Ele soltou o punhal quase tão rapidamente quanto o havia sacado.

— Posso? — perguntou Fanshawe, tomando as duas mãos de Ormsby-Gore nas suas para mostrar a Cale que ele estava sob seu controle. Cale o soltou e Fanshawe ajudou Ormsby-Gore a recuperar o equilíbrio, levou-o para fora e discretamente mandou quatro de seus homens prendê-lo e levá-lo embora. Ele voltou para dentro da tenda.

— Posso sugerir que ele seja punido da forma que você escolher depois que o Santuário cair? Seria uma pena distrair as tropas, não acha? — Fanshawe não gostava de imaginar como os soldados lacônicos ou os éforos na sua terra reagiriam à execução de Ormsby-Gore, mas esperava alegremente que Cale estivesse morto antes que esse problema surgisse.

Cale não disse nada, mal balançando a cabeça para indicar sua anuência, e então saiu para descobrir o que causara o barulho de ruptura e a queixa do engenheiro. Um grande recipiente cheio de fogo grego gelatinoso havia sido trazido para ser carregado no túnel, para o empurrão final sobre as muralhas do Santuário. O negócio era volátil e não gostava muito de ser chacoalhado. Infelizmente, ele descarrilara de um trilho no alto da rampa. Eles tentaram ajeitar o recipiente de volta no trilho usando uma alavanca de carvalho. O barulho fora causado pela alavanca se partindo. O recipiente rolando encosta abaixo e se espatifando num monte de rochas ocasionara o xingamento desolado do engenheiro.

Hooke, agora acostumado com a diferença entre um campo de batalha e um laboratório químico, já havia solicitado outro recipiente, que só precisava de alguns minutos de trabalho antes de estar rapidamente a caminho do túnel.

— Você está bem? — perguntou IdrisPukke, que o acompanhara para fora.

— Não vai acontecer de novo — Cale respondeu. — Provavelmente. É melhor você avisar às pessoas que seria bom não discordar de mim por alguns dias.

— Não sei se isso será necessário.

Não ficou claro se Cale o ouviu.

— Deixei de ver alguma coisa... alguma coisa importante.

— Como assim? — IdrisPukke ficou alarmado. Como todos, ele via a queda do Santuário como inevitável, por mais caro que custasse.

— Por que eles não estão atacando? Já deveriam estar nos atacando. Bosco sabe de alguma coisa que eu não sei.

— Então pare.

— Não.

— Por quê? — Mas era uma pergunta para a qual IdrisPukke sabia a resposta. — Você pediu que Henri Embromador não fosse. Eu mesmo pedi que ele não fosse, se serve de alguma coisa.

Cale olhou para ele.

— Se não entrarmos logo, vão fazê-lo prisioneiro. Sabe o que vão fazer com ele?

— Posso imaginar.

— Tenho certeza de que pode. Mas eu não preciso imaginar, porque já vi. Só que desta vez vai ser pior. Vão queimá-lo vivo. *In minimus via.*

Um sargento o interrompeu.

— Senhor, o sr. Hooke disse que o túnel está pronto para a travessia.

— Espere um momento, sargento. — Ele se virou novamente para Idris-Pukke. — Você é estudado. Sabe o que isso significa?

— Não, não me é familiar.

— Significa "Da mínima maneira", significa que vão queimá-lo sobre um monte de varetas insuficiente pra levantar fervura numa lata d'água. Eu nunca vi isso pessoalmente. Bosco me contou. Ele disse que levou doze horas. Portanto, não, não posso parar.

— Você não sabe ao certo que é isso que eles vão fazer.

— Eu não sei ao certo que Bosco sabe algo que eu não sei. Ninguém *sabe* nada.

— Se Henri Embromador estivesse aqui conosco, você pararia.

— Mas ele não está.

— Você sabe que se não tomarmos o Santuário antes do inverno, chegarão reforços dos Redentores antes que possamos voltar. Alguns membros do Eixo já estão voando nos pescoços uns dos outros. Os suíços querem sua cabeça quicando pelas ruas. Só Deus sabe o que vai acontecer se você fracassar aqui.

— Quem disse que eu vou fracassar?

— Você.

— Eu disse que não sei o que está acontecendo.

— Então espere.

— E se eu esperar? Imagine que *agora* é a hora certa. Imagine que se eu esperar, estarei lhes dando a chance de... não sei... alguma coisa que eu não pensei. E se Bosco estiver doente e esta for minha melhor chance? Ninguém *sabe* nada.

— Você sabe o que faria se Henri estivesse aqui e não ali.

— Sei?

— Sim.

— Pensei que você fosse avisar as pessoas pra não discutir comigo?

— Não achei que eu estivesse incluído.

— Bem, você está enganado. — Ele disse para o sargento: — Dê o sinal ao sr. Hooke para começar.

Com alguns gritos, começou.

37

— Quero um favor — disse Cale.

Fanshawe trouxe os quinhentos lacônicos que Cale pedira e soube que eles entrariam imediatamente após a primeira onda do Novo Exército Modelo. Não se esperava que sobrevivessem muitos.

— Um favor? Claro. Provavelmente.

— Quero que cem dos seus homens substituam Henri Embromador, assim que ficar claro o que está acontecendo.

— É um grande favor, um risco considerável.

— Sim.

Fanshawe olhou para o mapa do Santuário e seus prédios internos.

— É meio que um labirinto aquilo, garoto. Se perder seria fácil e custaria caro. Mas se você os comandasse e os guiasse...

Cale tinha bastante certeza de que Fanshawe andara pensando muito sobre o que faria com ele. Ele não precisava refletir muito sobre quais as probabilidades dele ou Henri Embromador saírem vivos da névoa da batalha.

— Infelizmente, precisam de mim aqui, mas providenciei que três dos meus Purgadores, que conhecem o gueto melhor do que eu, levem vocês.

Fanshawe pensou em recusar, não que ele esperasse que Cale fosse idiota o suficiente para concordar, mas isso pegaria mal. Se houvesse quaisquer perguntas sobre quem fora responsável pela morte trágica de Cale em algum momento das próximas 24 horas, não faria mal nenhum demonstrar para o Novo Exército Modelo que os lacônicos apoiaram seu líder numa empreitada arriscada para salvar seu melhor amigo.

Fanshawe foi embora fazer os preparativos, e Cale, recolhendo Idris-Pukke no caminho, voltou para o alto do Irmão Menor e para uma pequena torre que havia sido erguida no alto, para lhe dar a mais clara visão possível. Então começou. As cordas que seguravam a frente do túnel foram baixadas lentamente, e ele se transformou numa enorme ponte para cobrir o vão de 9 metros até o topo das muralhas do Santuário.

Ainda não aconteceu nada. Houve uma pausa de mais ou menos um minuto, uma série de gritos indistintos, e as bombas manuais, acionadas por vinte soldados para produzir a pressão, foram preparadas para esguichar por dois minutos. Mais gritos. Uma pausa. Então as bombas foram abertas por Hooke e o líquido dos recipientes explodiu de um conjunto de oito canos, como o repuxo do maior chafariz do mundo. Hooke acendeu as oito tochas por baixo dos canos e houve um rugido explosivo, como o do juízo final, e os esguichos se acenderam num imenso arco de chamas, alcançando as paredes à frente e cem metros em cada direção. Por vinte segundos, esse pavoroso dispositivo ensurdeceu todos atrás dele — então Hooke, temendo que ele explodisse, o desligou. Por mais um minuto o líquido ardeu como o lago de fogo no meio do inferno, e então, quase como se tivesse sido soprado, o fogo desapareceu. Não houve demora; o Novo Exército Modelo, com as canelas protegidas do calor, atravessou o túnel e saiu do outro lado tão rapidamente quanto podia para tirar vantagem da devastação antes que os Redentores pudessem reagir.

— VAI DAR TUDO CERTO! DAQUI PRA FRENTE É SOPA!

— FIQUEM DE OLHO, DE OLHO!

— VALLON PARA O FLANCO! VALLON... ISSO! PRO FLANCO, SEU CABEÇA DE MERDA!

— VOCÊS AÍ! VOCÊS! OLHEM ONDE PISAM, CARALHO!

— ARMADILHA! ARMADILHA!

— AQUI, IRMÃO! AQUI!

Mas não havia nenhum corpo horrivelmente queimado. Não havia sobreviventes do fogo prontos para repeli-los. Os gritos pararam. Então não houve nada a não ser uma medonha solidão silenciosa para todo lado. Isso só aumentou a horrível tensão, o medo terrível dos soldados do pior e inesperado: quando, e de que maneira, viria o golpe? Eles se moviam em grupo, apertados uns contra os outros para enfrentar a luta sangrenta que viria.

— DEVAGAR! DEVAGAR! DE OLHO! PRESTEM ATENÇÃO! PRESTEM ATENÇÃO!

Juntando-se ao seu medo, havia a fumaça preta do fogo grego, que cobria tudo diante deles numa neblina espessa. À medida que eles avançavam, todo objeto comum assumia a obscuridade sombria de alguma ameaça hedionda, somente para se revelar uma pilha de barris ou uma estátua oferecendo bênçãos aos salvos. Por isso, uma parada foi ordenada. Dois mil homens, ombro a ombro, até os lacônicos esperando atrás deles, assustados e abalados pela terrível incerteza de algo horripilante que viria.

Muito lentamente — era um dia quase sem vento — a fumaça começou a se abrir e clarear, cada nesga parecendo revelar uma ameaça que nunca vinha. Então uma pequena lufada e depois outra mais forte rodopiaram e giraram a fumaça em lindos vórtices e rolos. O vento soprou de vez e o que eles viram foi a imagem que definia as vidas que a maioria deles esperava perder naquele dia. Em todo lugar, de toda estaca, todo sarrafo em cada uma das passarelas cobertas, de traves de madeira fincadas nos pátios às centenas, para todo lugar que eles olhassem, havia milhares de Redentores pendurados pelo pescoço.

38

O Novo Exército Modelo já estava bem acostumado com matanças, àquela altura, e os lacônicos eram, naturalmente, uma sociedade totalmente dedicada aos seus requisitos. Mas aquilo não era a morte como a conheciam, e assim, apesar do fato de que aquele espetáculo significava que eles sobreviveriam àquele dia, e aquela multidão de enforcados serem os seus piores inimigos, um clima de desconforto assombrado tomou conta deles enquanto andavam lentamente pelo Santuário. Cada novo ângulo, cada praça, cada pátio, cada passarela coberta, cada jardim de orações continha somente fileiras e mais fileiras de cadáveres enforcados. O único som era o de cordas rangendo, o único movimento, o leve balançar dos corpos tangidos pela leve brisa.

Aos poucos eles foram entrando nos prédios do Santuário; não podiam fazer outra coisa. Em cada corredor, a intervalos de um metro na largura e no comprimento, Redentores estavam enforcados no teto, onde ganchos haviam sido incrustados no concreto. Em cada sala. Em cada escritório. Cada alcova. Cada capela. Nas seis grandes igrejas, devia haver uns mil em cada uma, numa dúzia de alturas diferentes, tão silenciosos como os enfeites pendurados na árvore da mortalidade no Dia dos Mortos. Chegou a ordem para parar, e os lacônicos e seus guias Purgadores rumaram para os recessos do Santuário, atrapalhados a cada passo pelos corpos que eles faziam balançar ao abrir caminho para o gueto e para Henri Embromador.

Contra os mais veementes conselhos para ficar fora do Santuário até que ele fosse completamente vasculhado ("É óbvio, eles vão se esconder e esperar que o senhor apareça"), Cale chegou, de olhos esbugalhados pelo assombro e horror. Eles tinham razão, mas ele não aguentou esperar e, rodeado de perto pelos Purgadores (o que será que *eles* estariam pensando?), ele andou pelos velhos espaços, agora bizarramente transformados num abatedouro sacerdotal. Como sua alma reagiu estranhamente ao voltar ali. Não era como voltar a um antigo lar, porque ele percebeu que uma coisa que a Irmã Wray dissera estava certa: ele estivera ali no passado, estava ali agora, estaria sempre ali.

Os Purgadores o levaram para um ambulacro onde haviam desocupado um espaço, tirando os Redentores enforcados, e onde ele ficaria longe dos olhos de todos. Em poucos minutos, trouxeram um garoto que um soldado do Novo Exército Modelo havia encontrado escondido numa caixa.

— Ele quis dizer um confessionário, senhor — disse um Purgador.

— O que você é? — perguntou Cale.

— Um acólito, senhor.

— Eu também era. Está tudo bem, não se preocupe. Ninguém vai machucar você. O que aconteceu aqui?

O relato foi compreensivelmente atrapalhado, mas bastante simples. Bosco discursara para quinhentos de seus seguidores mais próximos e anunciara que, por causa da traição de Thomas Cale, ele decidira remover os fiéis da face da Terra e nunca mais pensar na humanidade. Como recompensa por sua fidelidade, eles teriam licença para se unir a Deus em eterno êxtase pelo mesmo meio que o próprio Redentor.

— E todos eles foram nessa conversa?

— Nem todos, senhor. Mas o papa criou um grupo de conselheiros para assistir aqueles que precisavam de apoio espiritual.

— Mas não você.

— Eu fiquei com medo.

— Agora você está a salvo. — Cale se virou para um dos sargentos do Novo Exército Modelo. — Tire-o daqui. Dê-lhe roupas novas e peça que meu cozinheiro o alimente. Mantenha-o em segurança. Pelo amor de Deus, por que não temos notícias de Henri? — Ele mandou mais dois dos seus Purgadores. Cinco minutos depois, quando decidira ir pessoalmente, por mais perigoso que fosse, Fanshawe apareceu, parecendo pouco à vontade.

— O que foi? — disse Cale.

— Recebi umas notícias, mas é a confusão de sempre.

— Mas você soube de alguma coisa?

— Você sabe tão bem quanto eu que as primeiras notícias nunca valem bosta nenhuma.

— Entendo. O que é? Me diga o que você ouviu.

— Como quiser. A notícia é que seu amigo está morto. Falei com alguém que disse tê-lo visto.

— Ele o conhecia? Quanto?

— Já o tinha visto andando por aí. Quem não viu? O lugar, aparentemente, está um inferno... você sabe como é: nada faz sentido, no início. Ele provavelmente ouviu a mesma coisa sobre você.

Cale chamou seus Purgadores e estava indo para o gueto quando, de uma porta que soltava uma fumaça cinza-clara no pátio, saiu uma figura. Embora a fumaça o cobrisse e seu rosto estivesse preto, seus movimentos o revelaram imediatamente. Então Henri Embromador reconheceu Cale — e também que ele o estava olhando de um jeito peculiar.

— Que foi? — perguntou ele, na defensiva.

Cale olhou para ele por algum tempo.

— Havia um boato de que você tinha morrido.

Surpreso com isso, Henri dava a impressão de estar ponderando quão confiável fosse o boato.

— Não — ele disse finalmente.

Cale continuou olhando para ele.

— O que aconteceu?

Henri Embromador sorriu.

— Pouca coisa. A gente entrou numa boa. Só matamos meia dúzia até chegar nas garotas. Agora vejo por quê.

— Eles não atacaram?

— Não.

— E aqueles incêndios?

— A gente matou as freiras de susto. Uma delas derramou uma frigideira de gordura fervendo. O lugar pegou fogo feito um monte de feno... chamas por baixo das tábuas do assoalho e tudo. Por isso começaram a aparecer focos de incêndio por toda parte. Ficou meio assustador.

— As garotas estão bem?

— Ótimas. Todas elas. — Ele riu. — Bosco as mantinha com metade da ração dos acólitos. Estão magrelinhas feito palitos.

— Palmitos?

— É, de dentes.

— Ah, achei que você tivesse dito, sabe, palmitos, de comer. Não faz sentido, palmitos, faz?

— Não.

— Por que será que ele não as matou?

— Acho — disse Henri Embromador — que todo mundo tem um lado bom.

Os dois sorriram. Cale acenou para os corpos pendurados por todo o pátio.

— O que você acha de tudo isso?

— Eu não acho nada — ele disse, com raiva de repente. — Já vão tarde, puta que pariu. — Então ele riu; achando graça, certamente, mas horrorizado também. — Mas eu jamais poderia prever. Bosco disse que assim eles iriam para o céu.

Henri Embromador balançou a cabeça.

— Já achou Bosco?

— Não. Você quer achar?

— De um jeito ou de outro. Talvez ele esteja no quarto.

— Não é — disse Henri Embromador — uma boa ideia sair andando por aí sem se garantir.

— Estou impaciente. Mesmo, não consigo esperar.

Windsor, o lacônico canceroso incumbido de matar Thomas Cale naquele dia, estava se sentindo particularmente pouco apto. Ele não iria durar muito, de qualquer jeito. Vira Cale falando com Henri Embromador e tentara chegar a um lugar elevado de onde pudesse mirar direito. Vestia uma batina arrancada de um dos Redentores. Ele esperava bem mais confusão e dias de luta que lhe dessem uma oportunidade, mas agora tudo estava imóvel, e soldados zanzavam por aí aos milhares, soturnos e deprimidos com aqueles mortos pendurados; depois de toda a tensão e de tudo acabar de repente, não havia outro destino para horrível mistura de sentimentos deles, a não ser para dentro.

Pouco familiarizado com o Santuário e seus truques, Windsor se perdera a caminho de um balcão com amurada que avistara, e quando chegou lá, foi só para ver Cale e Henri Embromador saindo da praça para uma incursão de reconhecimento que só podia ser considerada gravemente irrefletida. Embora, é claro, se eles tivessem sido prudentes e ficado onde estavam, Cale só teria vivido mais alguns segundos.

Windsor se livrou da batina — havia muitas outras à disposição — e saiu no encalço dos dois garotos, embora não muito otimista sobre encontrá-los na imensa confusão daquele lugar. Por outro lado, agora lacônicos vagavam por todo o Santuário, então não haveria problema em segui-los. Windsor parou só para vomitar, algo que agora estava fazendo três vezes ao dia.

Não era um progresso fácil para Cale e Henri Embromador — embora os pisos estivessem desimpedidos, todo o espaço a partir de meio metro do chão estava lotado de padres pendurados, e seu avanço era lento e peculiar à medida que eles iam empurrando e se embrenhando na cerrada floresta de corpos pendentes. Como esperava, Windsor logo se perdeu, mas ao olhar por uma janela notou que, embora ele não conseguisse ver os dois garotos, eles denunciavam sua passagem com o movimento dos corpos balançando em seu rastro. Ele decidiu que seria mais rápido, mesmo fazendo várias paradas para verificar o avanço dos dois, rastejar por baixo dos padres em vez de abrir caminho empurrando-os. Isso também ocorrera a Cale e Henri Embromador, mas não só eles tinham objeções à ideia de rastejar sob os pés de seus antigos senhores, mas a verdade é que estavam gostando daquilo. A soldadesca em geral podia ter ficado intimidada pela macabra disposição dos Redentores de aceitar a morte daquela maneira tão terrível e determinada, mas Cale e Henri Embromador eram feitos de material mais resistente — aquele fim hediondo lhes parecia totalmente merecido, e melhor do que qualquer coisa em que eles mesmos pudessem ter pensado. Não era exagero dizer que, depois de superar o choque inicial, eles estavam encantados com o que acontecera, um êxtase de satisfação em saber que toda a sua dor havia de alguma forma sido retribuída. Aquelas mortes eram muito doces para ambos, uma doçura que precisava ser completada com um confronto com o próprio Bosco, vivo ou morto.

Num certo momento, Windsor ficou a quarenta metros dos dois, mas a escuridão e a complexidade do lugar o derrotaram de novo: ele virou na direção errada e se arrastou, sob a abóbada de pés suspensos, cada vez mais para dentro do Santuário.

Quando Cale e Henri Embromador chegavam ao final do maior dos corredores, eles ouviram um som. De início era difícil de discernir, parando e recomeçando — um som raspante e irregular, como o de um animal preso, um animal pequeno tentando escapar. Era um som desesperado: arranha e raspa, silêncio, arranha e raspa. Na escuridão e no silêncio cada vez mais profundos, aquilo retesava a pele de suas nucas. Arranha e raspa, silêncio, arranha e raspa. Então, um estranho farfalhar agitado. Devagar, eles chegaram ao fim do corredor, onde este virava à direita e também se abria num espaço do tamanho de um grande quarto. Inquietos, eles deitaram no chão e viram o que estava causando o ruído: pés enlouquecidos com sandálias, batendo e raspando no chão e desesperadamente tentando fazer contato com algo sólido para sustentar o peso do corpo. O nó devia ter cedido, ou a corda esticado. No canto do corredor havia espaço suficiente para que os dois se sentassem apoiados à parede sem ficar com as fileiras de pés mortos na cara.

— Está ficando escuro demais pra enxergar — disse Henri Embromador.

Mexe, mexe, mexe.

— É bem perto daqui, do outro lado desta ala.

Raspa, raspa, raspa.

— Esse som está me dando nos nervos.

— Então vamos sair daqui.

Mantendo-se perto da pedra, eles foram andando ao lado da parede da ala. *Mexe, raspa, mexe, raspa.* Então, de repente, um arranhar louco e desesperado e sons de afogamento quando o homem estrangulado, lutando para respirar, se esticou para tentar alcançar o chão.

— Ah, pelo amor de Deus! — disse Henri Embromador, empurrou os mortos enforcados e segurou o Redentor agonizante pela cintura para sustentar seu peso e cortar a corda com sua faca.

O Redentor moribundo, quase morto, encheu os pulmões de ar e recobrou a consciência — mas só de certo modo. Supervisor dos outros enforcamentos, ele fora um dos últimos a se enforcar. A corda parecia boa, mas provara ser de qualidade inferior e esticara, permitindo que as pontas dos seus dedos dos pés sustentassem seu peso o suficiente para mantê-lo vivo por horas. Quando Henri Embromador o segurou pela cintura, ele conseguiu respirar e começou a acordar do pesadelo da morte do qual tentava fugir: um demônio estava vindo pegá-lo, gordo, de olhos esbugalhados e falhas nos dentes, todo rosado e branco, com uma melecosa, gotejante ereção vermelha, rindo loucamente, como um porco riria.

Não era Henri Embromador, mas esse horrível demônio que o segurava nos braços — tentando pegar qualquer coisa para se salvar, o homem puxou um lápis apontado que usara para ticar sua lista daqueles que deveria enforcar e, com a força conferida pelo terror extremo, apunhalou a criatura que o segurava, que gritou e se afastou, largando o Redentor e finalmente quebrando o seu pescoço.

— Ai! Ai!

— O que foi?

— O filho da puta me apunhalou.

Cale começou a abrir caminho entre os corpos pendurados, que zombavam de Cale batendo nele e uns nos outros. Havia um pouco mais de espaço ao redor do Redentor agora morto — ele fora o último a se enforcar e sobrara lugar. Henri Embromador estava apalpando a axila e as costas.

— Me apunhalou — ele disse, indignado. — Me apunhalou com uma porra dum lápis.

O Redentor, sua alma agora em êxtase eterno ou não, segurava de fato um lápis na mão direita.

— Ainda bem que era só isso. Que coisa mais idiota, porra.

— Cala a boca, deixa ver.

Ele levantou o braço esquerdo e virou de costas. Levou tempo achar o buraco na lã — Cale precisou cortá-la para ver direito.

Havia, de fato, um buraco do tamanho de um lápis — sem muito sangue, embora estivesse saindo um pouco.

— Como está?

— Bem, eu não queria um pra mim, aposto que dói um pouco.

— Dói.

— Não é muito grave. Vamos voltar e cuidar disso.

— Está tudo bem. Já chegamos até aqui. Me dá uns minutos.

Ele respirou fundo algumas vezes e começou a se sentir melhor.

— Quanto falta?

— Só mais um pouco por este corredor.

— Você acha que ele pode estar vivo? Pode estar esperando pra levar você junto.

— Provavelmente nem está mais aqui.

— Aposto um dólar.

— Não.

— Por que não?

— Pra que fazer isso?

— Estou me sentindo meio zonzo — disse Henri Embromador. Parecia, também. Gotas de suor, pequenas, começaram a cobrir seu rosto, e ele estava pálido. Ele se sentou, usando a parede para sustentar seu peso. Cale não gostou nada da sua aparência.

— Me deixa ver o ferimento de novo.

Henri Embromador virou para a direita. Agora estava saindo mais sangue, não muito, porém mais do que ele esperava. Devia ter sido um pouco mais fundo do que ele pensara. Mas enquanto Cale olhava, o sangue parou de fluir. Ele apoiou Henri Embromador contra a parede para descansar, mas àquela altura ele já estava morto.

39

IdrisPukke estava de pé na praça principal do Santuário, conversando com Fanshawe, cuja mente estava em outro lugar, perguntando-se se Windsor teria conseguido matar Thomas Cale. Ele estava tão absorto que não percebeu, a princípio, que IdrisPukke parara de falar. Então todos ao redor dele fizeram silêncio também. Do outro lado da grande praça, Cale estava andando lentamente na direção deles, carregando Henri Embromador de cavalinho, como se ele fosse uma criança que tivesse pegado no sono depois de um dia agitado. Por um momento, ninguém se mexeu, todos incapazes de entender o que estavam vendo. Estariam brincando? Já brincaram assim muitas vezes. Cale parou e o ajeitou mais para cima nas costas, como se ele fosse cair. Então uma dúzia de homens correram na sua direção e ele deixou que tomassem Henri Embromador nos braços. IdrisPukke e Fanshawe andaram lentamente até ele. Henri Embromador estava morto — eles eram experientes demais para não reconhecer a terrível ausência.

— O que aconteceu? — perguntou IdrisPukke.

Cale pareceu não ouvir.

— Ele não vai voltar pra nenhuma sala deste lugar. Tragam uma das mesas do refeitório pra cá. São grandes, vão precisar de uma dúzia de homens.

Estava claro que Cale não queria falar, por isso eles ficaram por cinco minutos com ele, que olhava ao seu redor pelo Santuário, como se estivesse tentando lembrar onde deixara alguma coisa, com Henri Embromador sendo segurado com cuidado nos braços de quatro pessoas do seu povo. Então a mesa, claramente tão pesada quanto Cale dissera e com uns 9 metros de comprimento, foi trazida para o meio da praça. Cale pegou Henri Embromador dos homens e o deitou cuidadosamente no meio, depois arrumou o corpo, primeiro com as mãos dos lados e depois cruzadas sobre o peito. A morte já contraíra seu lábio superior sobre os dentes da frente, zombando dele com o sorriso leporino dos mortos. Foi com alguma dificuldade que Cale o puxou de volta no lugar. Então suas pálpebras começaram a se abrir e Cale não conseguia fazê-las ficar fechadas. Ele pediu que um dos sargentos lhe desse o lenço branco que estava usando; dobrou-o algumas vezes e o pôs sobre os olhos de Henri Embromador, como uma venda. Ninguém ainda havia dito nada, até que um dos soldados exclamou:

— Meu Deus!

Todos olharam, exceto Cale, perdido num mundo só seu, olhando para o seu amigo. Ao redor dele, um silêncio tão intenso que finalmente perfurou a névoa de sua descrença de que Henri Embromador se fora de vez. Ele ergueu os olhos. Do outro lado da praça, descalço, vestido em linho branco e com o nó de forca do penitente no pescoço, o papa Bosco XVI andava na direção deles com um sorriso gentil no rosto. Estava muito mais magro do que quando Cale o vira pela última vez, e a túnica de linho era grande demais, o que, junto com a boca aberta pelo esforço para andar, dava ao seu rosto o aspecto de um pinto ainda despreparado para deixar o ninho. O velho levou quase um minuto para alcançar o grupo de pé perto da grande mesa, e cujos olhos se moviam silenciosamente, indo e voltando entre Cale e o velho cambaleando em sua direção. Cale não se movia nem piscava, mas olhava para Bosco, completamente hipnotizado. Parecia, para quem estava olhando, que o velho e Cale tivessem se tornado as únicas pessoas existentes na praça. Bosco parou, ainda sorrindo amorosamente para o garoto.

— Esperei pacientemente sua chegada para explicar tudo e pedir seu perdão pelo terrível sofrimento que causei a você.

Cale continuou sem se mexer nem dizer nada. Parecia que ele nunca mais iria falar.

— Eu não conseguia entender como Deus estava falando comigo através de todas as suas muitas vitórias sobre nós. Sem água e comida, rezei dia após dia. Eu podia ver, mas não perceber, ouvir, mas não entender. Então, em Sua compaixão por minha estupidez, Ele cortou a pele da frente dos meus olhos. Quando você chegou aqui, um menino, vi imediatamente o que você era, mas achei que você precisava de mim pra lhe ensinar como varrer da face da Terra Seu maior erro. Toda noite eu chorava pela dor e pelo sofrimento que eu precisava causar para que você tivesse a força espiritual e física necessária para um trabalho tão inominável. Todas as coisas que fiz para fortalecer você só geravam ódio, quando deveria ter havido amor. A morte do mundo era um ato de sagrada ternura com a humanidade, e não um castigo — era para ser feito como um presente, para que Ele pudesse recomeçar. Pensei que você fosse a personificação da ira de Deus, mas você era Seu amor feito carne, não Sua raiva. Em minha incompetência, tornei você louco e odioso, quando tudo o que eu deveria ter feito era tratá-lo com a bondade que você demonstraria pelo mundo, ajudando todas as suas almas a irem para o outro mundo para começar de novo. Minha culpa, minha culpa, minha máxima culpa.

Bosco se ajoelhou diante de Cale.

— Me perdoe, Thomas. Deus estava me avisando, através de todas as suas vitórias contra nós, que os danos que causei à sua alma precisavam ser desfeitos pelo homem que causara aqueles danos. Pensei que eu e meus camaradas seríamos os últimos a unir-nos a Deus para a grande renovação das almas, mas agora é necessário que sejamos os primeiros, para que você possa fazer o trabalho do Senhor com o espírito em paz. Somente com o nosso singelo sacrifício o ódio da sua alma pode ser apagado.

Bosco, com lágrimas de gratidão escorrendo dos olhos, estendeu as mãos e começou a rezar.

— Purga-me com hissopo, Senhor, e ficarei limpo: lava-me, e ficarei mais branco que a neve. Livra-me de minha culpa para que o espírito e o coração de Thomas Cale, que eu despedacei, possam se rejubilar.

Enquanto Bosco rezava, Cale começou a olhar ao seu redor, como se estivesse procurando uma chave esquecida em algum lugar. Todos os outros o olhavam, horrivelmente empolgados pelo que estava acontecendo. Fanshawe falou baixinho com IdrisPukke quando Cale foi até a outra ponta da mesa sobre a qual o corpo de Henri Embromador estava deitado e começou a puxar um pequeno sarrafo que fora pregado na parede do refeitório e na mesa para que ela não se movesse.

— Pense nas informações que podemos obter de Bosco — disse Fanshawe. — Precisamos dele vivo.

— Concordo. Fique à vontade. — Fanshawe não se mexeu.

A tentativa de Cale de arrancar o bloco de madeira, de uns 20 centímetros de comprimento, foi infrutífera, pois os pregos ainda estavam fundos demais. Então ele deu um puxão poderoso no bloco e este se soltou. Quando ele voltou para perto de Bosco, o velho ainda estava rezando.

— Com este sacrifício de Teus padres, enxuga todas as lágrimas de seus olhos para que não haja mais sofrimento, tampouco haja mais dor.

Devagar, Cale começou a dar a volta nele — algo claramente sendo ponderado em sua mente.

— Assim como o Redentor Enforcado ofereceu seu pescoço quebrado pela nossa salvação, com os estertores do sacrifício de Teus Redentores, limpa os desnecessários insultos à sua alma, para que ele fique livre, finalmente, para fazer sua terrível gentileza ao mundo. Livre, finalme...

Cale deu dois passos para a frente e desceu o bloco de madeira no alto da cabeça do velho. Mas não era um golpe especialmente forte, nem o pedaço de madeira era especialmente pesado. A cabeça de Bosco balançou de leve para a frente, não muito, e um fio fino de sangue escorreu pelo seu rosto. Ele abriu a boca como que para continuar, mas nenhum som saiu. Tentou falar de novo, mas imediatamente houve outro golpe e novamente sua cabeça foi para a frente, mas outra vez o golpe era muito mais fraco do que poderia ser. Os homens ao redor não eram nada leigos em matéria de horrores, mas alguns já estavam desviando o olhar. Então, outro golpe. Mais um fio de sangue.

Bosco agitava a cabeça e suas mãos baixaram para as laterais do corpo. Ele gemeu.

— Em... Tuas... mã...

Mais um golpe calou sua boca, mas ele ainda era forte demais para cair, ou os golpes eram propositalmente insuficientes. Então, outro estalo da madeira no crânio, e mais outro. Desta vez ele quase caiu de cara no chão, mas algo o fez ficar quase na vertical de novo. Outro golpe, e desta vez um grito de Bosco, quando meia dúzia de fios de sangue fluíram de seu crânio raspado e cobriram seu rosto.

— Pelo amor de Deus, Thomas, chega — disse IdrisPukke. Cale olhou diretamente para ele, como uma raposa sentindo o cheiro tênue de algo no vento: importante? Nem um pouco. Então a interrupção foi totalmente ignorada, como se jamais tivesse acontecido. Ele se virou para se concentrar em Bosco de novo. Largou o bloco ensanguentado de madeira e então, com grande cuidado, segurou o laço de penitente ao redor do pescoço de Bosco e começou a balançá-lo suavemente de um lado para outro, sustentando seu pescoço para que ele não se machucasse, como uma mãe segura a cabeça do bebê ao lhe dar banho.

— Thomas! — exclamou IdrisPukke.

Mas não adiantava: ele estava em algum lugar bem além do alcance da piedade. Cale puxou Bosco para perto do seu rosto e o esbofeteou com uma mão para que acordasse. Lentamente, Bosco abriu os olhos. Ao reconhecer Cale, começou a sorrir de maneira amorosa para o garoto.

— Eu quero...

Mas o que Bosco queria foi interrompido em um segundo quando Cale, com a ira de uma hiena, puxou a corda para cima e depois para baixo, com um movimento tão furioso que quebrou o pescoço do velho com um sonoro estalo.

Um ruído se ergueu dos homens ao redor, uma inspiração coletiva de ar. Cale puxou o rosto de Bosco para perto do seu, até que estivessem quase se tocando, fixando sua morte na mente para nunca mais esquecer — então, muito cuidadosamente, deitou o morto no chão e se afastou. As testemunhas estavam tremendo, todas elas, até Fanshawe. Eles já viram mortes difíceis antes, e raiva, mas nada assim, não de alguém que ainda era, na verdade, um garoto.

40

O incêndio que quase sufocara Henri Embromador no dia anterior ainda não havia sido apagado completamente e, depois de algumas horas, voltou a ganhar força, embora apenas no gueto onde as garotas eram mantidas. Mesmo assim, era o suficiente para produzir um brilho laranja que iluminava a parte de baixo das nuvens cinzentas e baixas que pairavam sobre o Santuário e permitir a IdrisPukke encontrar Cale, a uns 800 metros do portão, cerca de quatro horas depois que ele matara Bosco.

— Lamento muito por Henri Embromador — disse IdrisPukke.

Não houve resposta, de início.

— Como você sabia que eu estaria aqui?

— Não sabia. Mandei gente te procurar, mas achei que por aqui seria uma possibilidade.

Cale estava sentado numa pedra a uns 100 metros da instalação isolada onde Arbell Materazzi estava sendo mantida.

— Você estava pensando em entrar?

— Estava ruminando isso, sim.

— Você se importaria se eu pedisse para não fazer isso?

Mais uma vez, não houve uma resposta imediata.

— Pensei em enterrar Henri Embromador no oásis de Voynich — ele disse finalmente.

— Não conheço.

— Não fica longe daqui. Um lago. Belas árvores, pássaros cantando, e tal. Ele iria gostar.

— Iria, sim.

— Quero que as garotas vão. Acho que elas vão chorar. Ele iria gostar disso também. Uma bobagem, realmente. Que diferença faz?

— Estive num bom número de funerais. Eles fazem diferença, às vezes.

— Não para ele.

— Não, não para ele.

Mais alguns minutos de silêncio. Então Cale riu.

— Já te contei sobre Henri Embromador e o livro de orações de cabeça pra baixo?

— Acho que não. — Na verdade, ele contara a história a IdrisPukke quando eles estavam em Treetops.

— Não sei de onde Henri tirou a ideia, mas ele arrancou a capa do missal que tínhamos que ler por uma hora ao dia e a colou de cabeça pra baixo. Pegava o livro, sempre que encontrava um porco que não o conhecia, e começava a ler. Eles ficavam loucos quando viam aquilo — fingindo ler o santo missal... blasfêmia! Iam correndo até ele, arrancavam o livro de suas mãos e lhe davam um pé de ouvido. Mas ele não ligava. Aí mostrava pra eles que a capa havia sido colada de cabeça pra baixo, e dizia que estava esperando receber um novo. Até os porcos dos Redentores precisavam se humilhar, depois disso. Alguns até pediam desculpas. Ele ganhou uma fortuna apostando com os acólitos como conseguia fazer um Redentor pedir perdão.

Mais um silêncio.

— Eu a odeio.

— Sim.

— Nunca a odiei antes. Fingia odiar, mas não odiava. Sentia vergonha por ela não me amar mais, ter me vendido, e mesmo assim eu não parar de amá-la, nem por um momento. — Outro silêncio. — Sabe o que é mortificação?

— Não.

— Bosco dizia que significa que você pode morrer de vergonha... sabe, vergonha pelos seus pecados. Eu sentia mortificação amando-a. Tão fraco, fraco e envergonhado. — Pela primeira vez, ele olhou para IdrisPukke. — Sabe por que Henri morreu?

— Não.

— Por causa dela.

— Não entendo.

— Veja bem, eu voltei pra cá por causa dela. Eu a trouxe aqui pra mostrar a ela. Quero dizer, não planejei isso nem nada, não na minha cabeça. Mas agora consigo entender. Agora que ele está morto.

— Entender o quê?

— Eu queria que ela visse o Santuário pra que ela entendesse por que eu era tão esquisito e me amasse de novo. E depois queria mostrar pra ela que eu era capaz de destruí-lo, que ela não precisava ter me entregado a Bosco, porque eu poderia tê-los derrotado. Eu teria derrotado. Eu derrotei. Eu queria que ela visse a coisa horrorosa que ela fez, sem nenhuma razão válida. Mas tudo o que fiz foi trazer Henri Embromador de volta pra morrer nesse monte de merda. Logo aqui. Pra morrer aqui.

Ele começou a apertar os punhos na cabeça, esmagando as têmporas com os nós dos dedos, como se quisesse abrir um buraco para alguma coisa sair.

— Não vá lá — IdrisPukke disse.

— Acho que eu deveria. — Cale ficou de pé. — Bosco tinha razão, ou você mata o passado ou ele mata você.

— Não vá. Com você nesse estado de espírito, algo ruim poderia acontecer.

— Tem razão, isso é verdade... tenho coisas indizíveis em mente.

— O que Henri Embromador diria? — Ele estava ficando desesperado, para tentar algo assim.

— Henri Embromador está morto. Ele não tem direito a voto.

— Eu não sei o quanto ela é boa ou má. Mal conheço a garota. O que sei é que ela é uma maldição para você. Você só vai conseguir piorar as coisas, se chegar perto dela. Vocês dois sofrem de uma mesma loucura que vai parti-los ao meio. Afaste-a de você.

Mais um silêncio breve.

— Quando assassinei Kitty das Lebres, teve uma coisa que não contei pra você. Sobre o olhar dele, imagino que ele também estivesse apavorado, mas não foi seu medo que grudou na minha mente, foi o choque. *Isto não pode estar acontecendo comigo*, ele estava pensando, enquanto eu o estrangulava, *não comigo*. Dia após dia, Kitty era culpado de todo tipo de crueldade e violência; no entanto, quando a violência o atingiu em sua própria casa, ele ficou embasbacado. Não consigo tirar aquela expressão intrigada da mente. — Ele se virou novamente para IdrisPukke. — Sabe por quê?

— Não.

— Eu mesmo acabo de descobrir. Porque quero ver aquela expressão de novo, quero mesmo. Quero vê-la nos olhos daquele monte de merda do Zog, de Bose Ikard, de Robert Fanshawe e seus éforos e todas as pessoas como eles em qualquer parte do mundo. Quero ver aquele choque em seus olhos: *Eu? Eu não. Isto não pode estar acontecendo.* O mundo está cheio de gente que precisa morrer assim.

— Então, a Mão Esquerda de Deus, no fim das contas.

Cale riu.

— Quem falou alguma coisa sobre Deus?

— E as pessoas que você vai ter que matar para chegar até eles?

— Darei a todos a chance de sair do caminho.

— E se eles não concordarem?

— Então terão o que os espera.

— Bem como os milhares e milhares que não conseguirão sair do caminho, mesmo que queiram. Bosco achava que você poderia dominar o mundo, mas ele era louco. Qual é a sua desculpa?

— Que escolha eu tenho?

— Sempre temos escolha.

— Sabe, nunca ouvi você dizer nenhuma idiotice antes. Está realmente me dizendo que posso parar? Nem se eu quisesse. Ninguém vai me deixar em paz, ninguém vai deixar que eu me recolha a algum lugar com bolos e garotas, em paz e sossego. Já tentei isso. Eu não duraria seis meses se me afastasse agora. — Ele olhou para IdrisPukke. — Diga que estou errado.

— Sua alegria está toda em arrasar coisas... desgraça e desolação deixam a sua alma contente.

— Quê? — Por alguma razão, Cale ficou furioso.

— Não foi isso que aquela boneca te disse?

— Ah, aquela coisa. Sim.

— Eu não concordo, só para constar.

— Obrigado... estou comovido.

— Mas se você descer lá e matar Arbell Materazzi, esse é o primeiro passo. Você não consegue voltar atrás depois de algo assim.

— Sabe o que aprendi matando Bosco? Não há nada como uma coceira que você possa finalmente coçar. Chega de conversa, agora. A gente se fala de novo amanhã.

— Você vem comigo? — perguntou IdrisPukke. — Dormir em cima desse dilema?

— Não.

O que IdrisPukke podia fazer? Nada.

Ele voltou para o acampamento principal, tropeçando nas pedras e nas raízes de limpa-bunda no caminho.

Durante aquela noite toda, padres caíram pelo ar. Bandos, passaredos, grupos, ninhais e revoadas de recém-enforcados estavam sendo carregados às centenas até a Parede Oeste do Santuário e jogados por cima da muralha para despencar 90 metros até Ginky's Field, onde os corpos dos Redentores eram dispensados havia seiscentos anos. Como eles caíam? Diferente de tudo que você já viu.

Três horas depois do início do macabro ritual — conhecido como a primeira defenestração dos enforcados, porque o buraco na parede pelo qual os corpos eram jogados parecia uma janela —, Windsor finalmente conseguiu fugir dos recessos do Santuário e foi ter, doente e exausto, com Fanshawe.

— Tarde demais agora, querido — ele disse. — Melhor você ir dormir e tentar amanhã.

Mas não haveria outra chance para Windsor. Quando o sol nasceu, Thomas Cale estava a quilômetros dali, sentado numa carroça a caminho do depósito de materiais de Snow Hill.

IdrisPukke mandou homens procurarem por meses, mas não havia sinal do garoto. Ele não desistiu, naturalmente: pagou altas quantias a espiões que sabiam ficar de boca fechada para que relatassem todo boato até do mais fugaz vislumbre de Thomas Cale. Houve muitos assim. Não era difícil duvidar da história de que ele fora visto na proa de um grande navio, partindo para cruzar o Mar de Madeira, acompanhado por oito donzelas vestidas de seda branca, a caminho da Ilha de Avalon, de onde voltaria depois de um longo sono para salvar o mundo da próxima vez que este fosse ameaçado de destruição. Então se falou que ele estaria ganhando a vida como malabarista em Berlim, ou vendendo chapéus nos mercados de Siracusa. Alarmantemente plausível fora a notícia, mais de um ano depois, de que ele fora morto no Líbano tentando interromper o casamento de Arbell Materazzi com o Aga Khan, duque de Malfi, um homem tão extravagante que era conhecido como Imperador do Sorvete, porque sua fortuna estava derretendo. Mas IdrisPukke rapidamente confirmou, ouvindo um convidado que estivera na cerimônia, que as bodas haviam acontecido de forma impecável. Mais tarde ainda, houve o boato de que ele se afogara, junto com Wat Tyler, no Grande Fiasco da Ilha dos Cães; depois, que ele fora crucificado ao lado de Buffellow Bill durante as guerras religiosas em Troia.

Mas embora os avistamentos fossem tão numerosos quanto suspeitos, uma espécie de padrão emergia de alguns relatos, bem raros, que IdrisPukke torcia para que fossem verdade. Havia vários boatos de que ele fora visto em Emmaeus, em cidadezinhas minúsculas, comprando pregos, serrotes e azeite de oliva. A normalidade disso tranquilizava IdrisPukke: lá era quente, até no inverno, e o campo era coberto por quilômetros e quilômetros de florestas de olmos e freixos, bem como centenas de pequenos lagos onde era bem difícil encontrar alguém que não queria ser encontrado. Ele gostava de pensar em Cale mantendo-se ocupado martelando e serrando coisas e comendo bem — embora não conseguisse descobrir nada de muito concreto sobre esses relatos, mesmo depois de mandar pessoas de confiança lá para baixo para investigar. Mas ele esperava que Cale estivesse por ali, de qualquer forma, e em segurança.

APÊNDICE I

Declaração feita em nome do Secretariado Arqueológico das Nações Unidas (SANU)

Como o parecer judicial do Moderador Breffni Waltz detalhou de forma tão elegante as origens da descoberta das Lixeiras do Paraíso e da "criação" da chamada trilogia A Mão Esquerda de Deus, não me alongarei sobre elas aqui. Tampouco pretendo enumerar as falácias jurídicas das totalmente impróprias alegações de propriedade do dr. Fahrenheit ou do povo Habiru, direitos esses que claramente pertencem a todo o mundo, e não a um indivíduo ou a uma tribo que mostrou bem pouco respeito por esse mais precioso de todos os sítios arqueológicos.

Ninguém está negando a contribuição do dr. Fahrenheit para a descoberta das lixeiras, e se ele tivesse chamado imediatamente o Secretariado Arqueológico das Nações Unidas, como deveria ter feito, esta seria uma história muito diferente: ele seria agora admirado como um dos maiores filhos da arqueologia, em vez de ser hostilizado como seu maior vilão. Já no começo, Fahrenheit postulou a hipótese provisória de que a origem das páginas do Campo dos Livros não fosse uma biblioteca ou qualquer coisa igualmente estruturada com cuidado, mas uma lixeira contendo sobretudo papéis descartados, algo semelhantes àquelas descobertas nos primeiros anos do século passado em Oxyrinchus (embora aquelas ruínas não tenham mais do que 1.800 anos — a prova de que até uma grande cidade pode desaparecer muito rapidamente da lembrança da história). Acontece que ele estava certo. O que ele não conseguiu fazer foi descobrir a localização da lixeira propriamente dita. De qualquer forma, enquanto ele procurava o que poderíamos chamar de jazida principal, continuava descobrindo fragmentos individuais de papel, e foi a partir desses, comparados mediante seu fluente conhecimento do idioma Habiru, que ele conseguiu encontrar as bem poucas palavras que as duas civilizações tinham em comum, e assim desvendar o significado de muitos desses documentos, alguns dos quais podiam ter 50 mil anos ou até mais. O que ele tinha em mãos eram muitos fragmentos desencontrados de papel — trechos de velhas cartas, contas, documentos legais —, mas somente um livro. Ele nunca foi encontrado em sua forma completa, mas os papéis continuavam a surgir em grandes quantidades e aproximadamente no mesmo lugar — havia tantos fragmentos que assim que, ele dominou o idioma desses textos, foi capaz de recriar quase em sua totalidade o que descobrira ser uma série de três livros.

Mas o que isso lhe dizia, ou nos dizia, sobre a importância desses livros entre o povo para o qual eram destinados? Será que eram encontrados em tão grande número porque a trilogia A Mão Esquerda de Deus (como ele a chamou — nenhuma página com título foi descoberta até agora) era considerada um dos grandes tesouros artísticos dessa civilização perdida? Resumindo, o autor era equivalente aos nossos gigantes — um Bramley ou um Ginsmeyer — ou era um Allin Harwood ou uma Jinna Lorenzo, muito lidos e muito ridicularizados? Ou seria ele um autor-editor iludido, cujos livros iam direto da impressora no seu sótão, em massa, para a lixeira, sem vender uma cópia a ninguém além de algum amigo ou parente azarado?

Como estão, completamente despidos de qualquer contexto, seja ele histórico ou estético, esses livros nos propõem um desafio interessante. Por enquanto, precisamos chegar a alguma conclusão sobre eles, boa ou má, somente por meio de uma leitura simples e direta, não intermediada por camadas acumuladas de situação cultural. Se não ficarmos comovidos ou estimulados, estaremos rejeitando uma obra antes considerada sublime por seus leitores de qualidade? E se *formos* tocados, estaremos sendo estimulados por um livro tão inútil que seus contemporâneos só o achavam bom para se jogar fora? Outras questões centrais existem, do tipo ao qual normalmente não damos importância, mas que poderiam nos dizer o que pensar sobre o que estamos para ler. É algum tipo de ficção histórica? É um trabalho contemporâneo descrevendo acontecimentos recentes? É inteiramente imaginário? Os Redentores existiram de fato, ou foram meramente o produto de uma imaginação doentia, ou ainda, a apresentação deles era mera propaganda, escrita por alguém pertencente a um culto rival? As personagens são baseadas em indivíduos reais, e como tais, teriam sido reconhecidas pelo público, ou são totalmente invenção do autor? As muitas diferenças de estilo seriam explicadas pela natureza irregular da escrita, são referências a obras famosas que o leitor teria reconhecido, ou são simples plágio? A obra foi escrita por mais de uma pessoa? Ou nenhuma das alternativas? Somente uma dessas perguntas, relativa aos Materazzi e aos Redentores, já foi parcialmente respondida (veja 1# a seguir). Precisamos aceitar que talvez jamais saibamos como ler esses textos com precisão.

O sr. Fahrenheit tentou resolver esses problemas pelo simples expediente de ignorá-los. Ele publicou os dois primeiros livros da série como se fossem exemplos contemporâneos do gênero costumeiramente descrito como "fantasia" — embora faltando neles quaisquer gnomos, fadas, monstros ou elfos, não é fácil entender por quê. Seja como for, os livros publicados com o nome de solteira da mãe de Fahrenheit tiveram sucesso razoável, no aspecto comercial, ainda que considerados estranhos por muitos e distintamente rejeitados por outros. A tradução, embora ousada e livre, não pode ser acusada de imprecisão.

As Nações Unificadas agora assumiram legalmente o controle do sítio chamado pelos Habiru de Campo dos Livros, mas popularmente conhecido como Lixeiras do Paraíso, graças a uma manchete de jornal mais preocupada com uma frase de efeito do que com qualquer grau de exatidão (as lixeiras ficam uns 300 quilômetros a *leste* do mitológico Éden). A "propriedade" do texto da trilogia A Mão Esquerda de Deus está sujeita a um recurso judicial na disputa entre o SANU, Fahrenheit e os Habiru. Depois da internação do sr. Fahrenheit, com base na Lei de Sanidade Mental, numa instituição na Câmbria, chegou-se a um acordo para publicar o terceiro volume, *O Bater de Suas Asas*, com tradução de Fahrenheit e os direitos autorais pagos diretamente aos Habiru. Futuramente, e à luz da extensa pesquisa dos documentos que estão sendo descobertos pelo SANU, uma tradução adequadamente acadêmica será publicada, com notas de rodapé e uma análise detalhada do contexto histórico, além de comentários profissionais.

Dificilmente não poderíamos esperar que, à medida que mais material for desenterrado das Lixeiras do Paraíso (como agora nos vemos mais ou menos obrigados a chamá-las), descobriremos muitas grandes obras-primas de nosso passado desconhecido. Quem pode dizer quais os choques e as delícias que estão por vir?

Doctor Professeur Ajax Plowman
42 de Brumário de 143.812 d. R.

1# Como ela detalha um acontecimento mencionado com frequência na trilogia, recomendo aos interessados a primeira monografia acadêmica aceitável da SANU baseada em documentos traduzidos das Lixeiras do Paraíso: "A Praxe da Agressão: Verificação Histórica da Batalha de Silbury Hill e do Declínio da Hegemonia Materazzi", *História Hoje,* vol. 277, p. 62-120.

APÊNDICE II

Partes da declaração a seguir, de Paul Fahrenheit, foram editadas em obediência às leis de injúria criminosa e a vários estatutos da legislação das Nações Unificadas para Crimes de Ódio.

Com relação à propaganda tendenciosa do Secretariado Arqueológico das Nações Unidas (SANUS), às mediocridades obscurantistas de ████ que compõem o comentariado cultural e a academia, ao ████ que agora ocupa a presidência do Conselho das Artes, e aos embromadores de ████ dos meios de comunicação em massa, podem ir todos ████ no ████ de vocês.

À parte disso, ██.

O que poderia ser mais desanimador, depois que você aprende os conceitos básicos de pensar e ler, do que seguir vivendo numa creche intelectual, com alguém dizendo que brinquedos você deve escolher e por quê? "Este brinquedo é legal, garotinho ou garotinha, mas não aquele — não satisfaz nossa visão do que um brinquedo deve ser." E o que poderia ser mais tolo do que ver o mundo pelo olhar da maior parte do comentariado: o professor, o acadêmico, o comentarista cultural, o crítico, as fileiras cerradas de formadores de opinião que entopem nosso mundo como ████ num ralo. Mas morte, acima de tudo, ao Sistema Desce Mal de Dewey, que organiza o mundo até a décima-oitava casa decimal. O melhor retrato da mente humana nunca é a biblioteca, com sua ordem conveniente e mortal, mas a lixeira: a vida, em sua natureza fundamental, é confusa, aleatória, cheia de coisas podres, coisas lindas, coisas jogadas fora por engano, cheia da profunda verdade do caos. Não pode ser embalada bonitinha para a sua descoberta. Você precisa ser um puxador, um catador na jornada da vida, procurando o que é surpreendente, inesperado, o objeto que está à mão para ser usado de forma diferente daquela à qual ele era destinado. Quanto a ████, ████ ████ ████ pra todos eles.

O viajante que sai para explorar com um guia oficial, mesmo que seja da contracultura, e um itinerário cuidadosamente planejado, não é um explorador, é apenas um turista metido a besta. Da próxima vez que você for à biblioteca, entre de olhos vendados! As lixeiras do paraíso são mais interessantes do que o próprio paraíso.

Como diria Henri Embromador: Morte ao bananal!

Paul Fahrenheit.
O Priorado
Câmbria
18 de Germinal de 143.799 d. R.

Impressão e Acabamento:
Geográfica
editora